經學研究論叢

◆第六輯◆

林慶彰主編

臺灣 學生書局 印行

經學研究論叢

第六輯

林慶彰主編

臺灣學生書局印行

編者序

本輯得海內外學者主動賜稿，至爲感激，茲將組稿過程略作敘述。

汕頭大學陳桐生教授的〈關雎、鹿鳴與風雅正變〉一文，是一九九七年八月在桂林參加「第三屆詩經國際學術研討會」時，陳教授所賜。由於第五輯《詩經》的相關論文已有多篇，乃安排在本輯刊出。哈爾濱師範大學歷史系的暴鴻昌教授和葛志毅教授，分別賜來〈紀曉嵐學術思想探析〉和〈史官制度的淵源與《尚書》、《春秋》的編纂〉二文，茲安排於「經學總論」、「尚書研究」二欄目中。

中央研究院歷史語言研究所陳鴻森教授，多年來一直對清乾嘉學術有相當深入的研究，所輯乾嘉學者遺文甚夥。一九九七年十二月，陳文和先生主編的《嘉定錢大昕全集》出版，陳鴻森教授將《全集》中所收文章與所輯相比對，發現《全集》所失收者，仍有七十餘篇，爲讓研究乾嘉學術的學者，能獲得更完備的錢大昕資料，乃商請陳教授將所輯〈錢大昕潛研堂遺文輯存〉，在本刊發表。陳教授另輯有〈錢大昕潛研堂遺詩拾補〉一文，將在《書目季刊》第三十二卷四期（一九九九年三月）發表。

郭店楚簡自去年公布以來，海內外學者所發表的論文已不下數十篇，研究的熱潮將逐漸升高。朱榮貴先生所賜〈郭店楚簡的孝道思想〉，探究楚簡所反映的孝道，及由私德變爲公德的過程。顏世鉉先生的〈郭店楚墓竹簡儒家典籍文字考釋〉，專考釋其中儒家典籍的文字。茲將此二文，合稱爲「郭店楚簡研究」刊出。

中央研究院中國文哲研究所已於一九九八年十二月二十二、二十三日舉行「元代經學國際研討會」，發表論文二十六篇，參加學者百餘人。該所經學文獻組爲執行「乾嘉經學研究計畫」第一年度的子計畫「乾嘉學者的治經方法（一）」，於一九九八年十二月三十一日舉行第一次研討會，發表論文六篇，參加學者四十餘人。爲讓讀者對這兩次會議的內容有更深的了解，商請該所蔣秋華教授，將會議的內容作較深入的報導。

　　除了各專欄的稿件外，「出版資訊」一欄，總共介紹四十八種新著。由東吳
大學中文系碩博士班選修「中國經學史專題研究」的張雅慧、何淑蘋、陳進益、劉
帥青、陳明義、張淑惠、張博成等七位學弟，義務撰寫完成。此一工作雖可訓練撰
寫提要的能力，但畢竟是件辛苦的工作。他們的勇於任事，提要才能順利完成。謹
表示萬分之謝意。

民國八十八年三月**林慶彰**誌於南港

中央研究院中國文哲研究所籌備處

經學研究論叢
第六輯

目　次

【出版資訊】

經 學 研 究 論 叢
第 六 輯　　　頁 1～16
臺灣學生書局　　1999 年 3 月

紀曉嵐學術思想探析

暴鴻昌*

　　乾嘉時代，學界黜浮尚實，醉心樸學，崇尚賈、馬，肆力服、鄭，蔚然成風。此時雖經師蔚起，但亦與身處貴要之學者推波助瀾之倡導有關。梁啟超說：「當時學者承流向風各有建樹者不可數計，而紀昀、王昶、畢沅、阮元輩，皆處貴要，傾心崇尚，隱若護法，於是茲派稱全盛焉。」❶而紀曉嵐久處四庫全書館爲「漢學的大本營」，其所撰《四庫全書總目》乃「漢學家的結晶體」。其對乾嘉學術的興起，尤有摧陷廓清之功。因此，探析紀氏的學術思想對認識乾嘉學術甚有助焉。

一

　　清代康熙、雍正皇帝提倡理學，務定一尊，程朱理學成爲清帝國的統治思想。天下不敢以佻達之見菲薄道學。理學家往往借勢以自壯，既使在乾嘉漢學鼎盛時代，學者在對待漢學、宋學關係問題亦不敢率爾下筆，多沉默以自守。而敢於辨漢學、宋學之是非，紀曉嵐應屬一代學者之首選。所以阮元說：「蓋公之學，在辨漢、宋儒術之是非，……主持風會，非公不能。」❷但紀氏在不同著述中辨漢學、宋學之關係，言各殊異，其在《四庫提要》與序、論文中爲一種表現，在《閱微草

---

*　暴鴻昌，哈爾濱師範大學歷史系教授。
❶　梁啟超《清代學術概論》，見《清學史二種》（上海：復旦大學出版社，1985 年），頁 4。
❷　《揅經室三集》（北京：中華書局，1993 年）卷五，頁 679。

堂筆記》中則是另一種表現。因《四庫提要》屬「欽定」之書，紀氏不得不以公允的姿態，持平的議論，擺平漢、宋二學的關係。如在《經部總序》中論道：

> 要其歸宿，則不過漢學、宋學兩家互為勝負，夫漢學具有根柢，講學家以淺陋輕之，不足服漢儒也；宋學具有精微，讀書者以空疏薄之，亦不足服宋儒也。消融門戶之見，而各取所長，則私心去而公理出，公理出而經義明矣，蓋經者非他，即天下之公理而已。❸

在《詩類總序》中寫道：

> 攻漢學者意不盡在經義，務勝漢儒而已，伸漢學者意亦不盡在經義，憤宋儒之詆漢儒而已，各挾一不相下之心，而又濟以不平之氣，激而過當，亦其勢然歟。❹

紀氏此論，無門戶之見，令聞者心折。但仔細察來，雖然表面持平二學，其中另有深意在焉。如此將漢學與宋學相比肩而別其是非，已打破了宋學務定一尊的學術格局，其本意乃兢兢為漢學張目。在《四庫提要》的某些書籍提要的具體議論中，則常可窺見菲薄宋儒的文字，其偏惡偏好的傾向。歷歷可尋。❺由於《四庫提要》的「欽定」地位，原本有驕矜之氣的宋學家反而不便公開恣意抨擊，只能借攻漢學以抒其憤。例如有人論姚鼐何以詆毀漢學家時分析道：

> 姚比部之論學也，謂必兼義理、詞章、考證。故《惜抱集》中，不乏考證

---

❸ 《四庫全書總目》（北京：中華書局，1987 年）卷一，頁 1。
❹ 《四庫全書總目》卷一五，頁 119。
❺ 因筆者另撰《四庫提要》學術思想研究系列文章，故《提要》一書，不再煩引。再者，筆者認為《提要》一書，雖由紀曉嵐一手刪定，但畢竟成於眾人之手，加之為欽定官書，其書雖可反映紀氏之思想，卻不能完全屬於紀氏之學術思想，應屬於《提要》之學術思想，本文所論，主要以紀氏文集及署名著述為依據。

之文,而復惑矜尚漢學者之蔑棄宋儒,故爲危屬之辭,以爲非毀程、朱之必至絕嗣,其說頗近陰騭之談。然其時所與游如袁子才頗議程、朱而不事漢學;孔約、錢獻之輩,專事漢學,而不毀程、朱。然則比部所言亦何指乎?殆爲四庫纂修而發,其意亦見於尺牘中,蓋《提要》一書,於理學不無微辭。雖不顯議紫陽,而於各書時引昔人指摘之語。比部大不謂然,而又不顯議《提要》,則借漢學以抒其憤。❻

此議頗能洞其纖旨,因爲《四庫提要》「係高宗欽定,奚敢別有異議」。直到道咸時期才有人敢公開指責《四庫提要》蔑棄宋儒的言論。魏源在《書宋名臣言行錄》一文寫道:

> 乾隆中修《四庫書》,紀文達公以侍讀學士總纂。文達故不喜宋儒,其《總目》多所發揮,然未有如《宋名臣言行錄》之甚者也……夫忠定與文公皆百世師,原非後人所能一畚增嶽,一蠡損渤。而文達方以記丑言辨尸重名,余恐耳食者流,或眩其信仰前哲之心而靡從之,則是益重文達過也。❼

甚至有人認爲清代尊宋學的學術風氣已由《四庫提要》陰爲轉移:「獨四庫館大臣司者曾不念講道德之任,風行草偃之速,其所攻辨多毀斥宋儒,微文巧詆,詞氣輕薄,近年以來,學術士習已陰爲推移。」❽由此可見《四庫提要》尊漢薄宋思想對學術風氣的影響。

由於《四庫提要》取得了「欽定」地位,紀曉嵐在爲他人撰寫的書敘中進一步闡述和發揮了他在《四庫提要》中辨別漢學與宋學各自是非長短的論說。他在爲

---

❻ 《綠猗草堂文集》卷二一,轉引自胡玉縉《四庫全書總目提要補正》(上海:上海書店,1998 年)卷一,頁 3。

❼ 《魏源集》(北京:中華書局,1983 年),頁 218。

❽ 轉引自《退一步齋文集》(臺北:文海出版社,1965 年)卷四,頁 445。

李東圃《周易義象合纂》一書作序時盛讚其「於漢學、宋學兩無所偏好，亦兩無所偏惡」。針對《易》學精義的發揮，漢人主象，宋人主理、主事，門戶之立垂五六百年這一現象，他說：

> 余嘗與戴東原、周書昌言：譬一水也，農家以爲宜灌漑，舟子以爲宜往
> 來，形象以爲宜砂穴，兵家以爲宜扼拒，遊覽者以爲宜眺賞，品泉者以爲
> 宜茶筍，浣綳綖者以爲利浣濯。各得所求，各適其用，而水則一也。譬一
> 都會也，可自南門入，可自北門入，可自東門入，可自西門入，各從其所
> 近之途，各以爲便，而都會則一也。《易》之理何獨不然。東坡《廬山》
> 詩曰：「橫看成嶺側成峰，遠近高低各不同，不識廬山眞面目，只緣身在
> 此山中。」通此意以解《易》，則《易》無門戶矣。紛紛互詰，非仁智自
> 生妄見乎？❾

紀氏上述持平之論，積思殊深，但其本意不難推尋，即打破宋學獨尊地位而殺其勢。他在《遜齋易述序》中雖亦貌似持平漢宋二學，但這次卻公開排擊宋學說：「余勘定四庫書，頗恨其空言聚訟也。」他稱頌《遜齋易述》「無宋南渡以後講學家門戶之習。」❿至此終於令人揣摩出持漢學、宋學之平的本意。

　　紀曉嵐在很多文章中都表明了他反對門戶交爭的主張，認爲以疆域或以學術爭門戶都是不足取的。他說：

> 第念文章之患，莫大乎門戶，元遺元詩曰：「鄴下曹、劉氣盡豪，江東諸
> 謝韻尤高。若從華實評詩品，未便吳儂得錦袍。」此以疆域爭門戶也。劉
> 後村詩曰：「書如逐客猶遭黜，詞取橫汾亦恐非。箏笛安能諧雅樂，綺羅
> 原未識深衣。」此以學術爭門戶也。朋黨之見，君子病焉。⓫

---

❾　《紀曉嵐文集》（石家莊：河北教育出版社，1995年）第一冊，卷七，頁154。
❿　《紀曉嵐文集》第一冊，卷八，頁153。
⓫　《紀曉嵐文集》第一冊，卷一一，頁260。

但紀曉嵐攻擊朋黨門戶之私，往往是以宋學爲例加以譏訕的。他甚至在會試策問時向舉子提問宋學門戶之爭的事實：

> 孔子後，儒分爲八，然學術無殊，至宋而「洛、蜀」二黨各立門戶，於是有程、蘇之學。「洛黨」又自分兩岐：楊時一派傳於閩，周行己一派傳於浙，於是有「新安」，「永嘉」之學。程守禮法，蘇以爲偏；蘇尚文章，程以爲雜。「新安」談心性，辨儒、墨，「永嘉」以爲迂腐；「永嘉」講經濟、務博洽，「新安」以爲粗浮。果皆中其失歟？周密《齊東野語》極掊擊程氏之徒，程敏政《蘇氏梼杌》抑又甚焉，固黨同伐異之見，然二家毋亦均有賢者之過歟？⓬

乾嘉時期，漢學家因被宋學家和文士視爲立漢學門戶，屢遭責難，漢學家對此多以沉默待之，有守無攻，誠如梁啓超所說漢學家「自固壁壘，將宋學置之不議不論之列。」此紀氏反擊宋學的文字，紀氏以前譏訕宋學門戶的言論十分鮮見，而由紀氏開其先。繼紀氏之後才有些漢學家指責宋學的門戶之見。漢學家凌廷堪就把漢學與宋學加以比較，論證了漢學不易生門戶，而宋學則門戶易生的原因，因漢學「實事在前，吾所謂是者，人不能強辭而非之，吾所謂非者，人不能強辭而是之也，如六書九數及典章制度之學是也。」而宋學則「虛理在前，吾所謂是者，人既可別持一說以爲非，吾所謂非者，人亦可別持一說以爲是也，如理義之學是也。」⓭凌氏所論，不無道理，因爲漢學乃學問，宋學爲思想，思想認識不同，派別與門戶易生。繼紀、凌之後，漢學家江藩則暢言無隱攻擊宋學的門戶之私和標榜之習：「爲宋學者，不第攻漢儒而已，抑且同室操戈矣，爲朱子之學者攻陸子，爲陸子之學者攻朱子。至明姚江之學興，尊陸卑朱，天下翕然從風。姚江又著《朱子晚年定論》一篇，爲調人說，亦悔其黨同伐異矣。」⓮紀曉嵐等人抨擊宋學門戶對捍衛漢學的形

⓬ 《紀曉嵐文集》第一冊，卷一二，頁170。
⓭ 《校禮堂文集》（北京：中華書局，1998年），卷三五，頁317。
⓮ 《國朝宋學淵源記》（北京：中華書局，1983年），卷上，頁153。

象，動搖宋學的正統地位以及尊漢薄宋風氣的形成，無疑是一種推動。

乾嘉時期，學者尊經學薄理學，人肆篆籀，家耽蒼雅，相率爲形聲、訓詁之學以代義理心性。但科舉教義仍爲程朱理學所統治，舉子仍襲朱子陳言，剽竊八股腐語。因此，一些漢學家欲在這一領域裡以經學代理學，以考據代義理，以古學代八股。乾隆三十八年安徽學政朱筠首先奏請仿漢熹平、唐開成故事，擇儒臣校正十三經文字勒石太學，使舉子以讀原經原本。❶❺這是漢學家在教育、科舉領域裡對理學的挑戰。如此議得以通過實施，則意味著朝廷以經學爲正學而黜理學，因此乾隆皇帝對此十分慎重，批道：「候聯緩緩酌辦。」元明以來，科舉考試《春秋》一書向用宋儒胡安國《傳》取士，清代仍沿襲未改。紀曉嵐首先提出科舉考試《春秋》應以《左傳》本事代替胡《傳》，將宋儒傳注黜出，一復古學爲事。乾隆五十七年，紀曉嵐奏曰：「請嗣後《春秋》題，俱以《左傳》本事爲文，參用《公羊》、《穀梁》之說。在三《傳》親承聖教，既教三千年後儒學家之論爲得其眞，而士子不讀《左傳》不能成文，亦足以勸經學而裨文風。」❶❻紀氏此奏，得旨允行，這無疑是漢學對宋學的一次勝利，因而也深受漢學家之推崇，認爲有功於古學、經學之復興、阮元評價此事說，紀氏「請試士子《春秋》文以《左氏傳》立論，輔以《公羊》、《穀梁》二傳，而廢胡氏《傳》，尤爲有功經學。」❶❼紀曉嵐的學生梁章鉅談到此舉時說：「經學昌明之會，復得大儒如吾師者，主持其間，當爲《春秋》幸，並爲天下萬世讀《春秋》者幸也。」❶❽紀氏倡以三《傳》代胡《傳》，但以古文經書《左傳》立論乃其本意，附以講「微言大義」的今文經書《公羊傳》和《穀梁傳》則爲虛言。這從梁章鉅轉引紀氏對三《傳》的評價可以看出：

> 要之左氏親見國史，古人之始末具存，故據事而言，即其識有不逮，亦不
> 至大有所出入。《公羊》、《穀梁》則前後經師，遞相附益，推尋於字句

---

❶❺ 《笥河文集》卷一，見《叢書集成初編》（上海：商務印書館，1936 年），頁 1。

❶❻ 《清史列傳》（北京：中華書局，1987 年）卷二八，《大臣傳次編》三，頁 2131。

❶❼ 《揅經室三集》卷五，頁 679。

❶❽ 《退庵隨筆》（揚州：江蘇廣陵古籍刻印社，1997 年）卷一五，頁 384。

之間，故徇其意見所偏，每多憑心而斷，然則徵實跡者其失小，騁虛論者
其失大，後來諸家之是非，均持此斷之可矣。⑲

在漢學、宋學之間，尊經學而薄理學；在古文經學與今文經學之間，則重古文經學
而輕今文經學，紀氏本意，至此已明。

　　不難看出，紀曉嵐辨漢學與宋學之是非，其本意是揚漢學而抑宋學，由於所
處學術地位顯要，其學術思想對促進漢學的全盛，尤有擁雪清道之功。

二

　　如果說紀曉嵐在《四庫提要》和某些書序中論漢學、宋學是非，多平正之
語，譏訕宋學多隱晦之言，只能微文巧詆，人們只有深察才能窺其尊漢薄宋的本
意，那麼在其所著《閱微草堂筆記》一書中，對宋學的掊擊，則已是詆訐無隱，一
本率性，無所迴避。以虞初之言而抒其學術旨趣，甚者以神鬼狐妖之口而譏理學，
在乾嘉時代，殆無二人。紀曉嵐在《閱微草堂筆記》中斥責宋明理學，歸納起來，
大致有以下幾個方面：

　　㈠斥宋學空疏，為無用之學。這也是該書批宋儒文字最多的方面。《閱微草
堂筆記》雖常引《四庫提要・詩部總敘》持平漢學、宋學的文字，但仍強調「惟漢
儒之學，非讀書稽古不能下一語。宋儒之學則人人皆可以空談。其間蘭艾同生，誠
有不盡饜人心者，是嗤點之所自來。」⑳抑揚之筆，躍於紙上。他認為：「宋儒於
理不可解者，皆臆斷以為無是事。毋乃膠柱鼓瑟乎？」其所論全無實據。並借他人
之語說宋儒「持論彌高，彌不免郢書燕說。夫七政運行，有形可據，尚不能臆斷，
況乎太極先天，求諸無形之中者哉！」㉑又借二仙人之口辨宋儒之非，說理學「不
講體國經野之政，捍災御變之方，而曰吾仁愛之心，同於天地之生物。果此一舉，

⑲　《退庵隨筆》卷一五，頁380。
⑳　《閱微草堂筆記》卷一，《灤陽消夏錄》㈠，《紀曉嵐文集》（石家莊：河北教育出版社，
　　1995年）第二冊，頁10。
㉑　《閱微草堂筆記》卷四，《灤陽消夏錄》㈣，《文集》第二冊，頁80。

萬物即可以生乎？吾不知之矣。」道學家所以憑空臆造，是欲借一必不能行之事以藏身，他剖析道：

> 蓋言理言氣，言性言心，皆恍惚無可質，誰能考未分天地之前，作何形
> 狀？幽微曖昧之中，作何情態乎？至於實事，則有憑矣。試之而不效，則
> 人人見其短長矣。故必持一不可行之說，使人必不能試，必不肯試，必不
> 敢試，而後可號於眾曰：「吾所傳先王之法，吾之法可爲萬世致太平，而
> 無如人不用何也！」人莫得而究詰，則亦相率而歎曰：「先生王佐之才，
> 惜哉，不竟其用云爾。」……天下之至巧，莫過於是。駁者乃以迂闊議
> 之，烏識其用哉！㉒

由於道學家空談心性，而徵實之學荒，紀氏例舉明天啟時西方天主教傳教士艾儒略作《西學》一書，末附唐碑一篇，「明其教之久入中國」，此碑記祆教入中國之事，祆教乃南北朝時期由古波斯傳入中國之火教，本非西方之天主教，紀氏說：「艾儒略既援碑以自證，其爲祆教更無疑義。乃當時無一人援據古事，以決源流。蓋明自萬曆以後，儒者早年攻八比，晚年講心學，即盡一生之能事，故徵實之學全荒也。」㉓紀曉嵐斥理學空談誤國，與清初學者一脈相承，遙遙相契，但在理學已固定統治地位的清代中期，尤具膽識。

　　㈡斥道學虛僞。由於清代帝王提倡理學，朝野風靡，其中暗然自修，躬行實踐的理學家已不多見，而假道學先生多出乎其間。假道學先生的特點是理論與踐行相去甚遠，持論甚高，繩人甚嚴，而自己的品格極低，這是統治者提倡理學所造成的一種社會現象。紀曉嵐在《閱微草堂筆記》中用大量文字揭露、醜化、譏諷那些高談性理、僞言飾行的假道學先生。他說：「講學之家責人無己，非余之所敢聞也。」他記肅州有一位塾師，「講程朱之學」，於講堂前叱一乞食游僧，僧遺布囊而去，囊中所貯皆散錢，師與諸弟子見僧去而不返，遂啓囊爭錢，則囊中群蜂坌

㉒　《閱微草堂筆記》卷一七，《姑妄聽之》㈢，《文集》第二冊，頁455。
㉓　《閱微草堂筆記》卷一二，《槐西雜誌》㈡，《文集》第二冊，頁294。

湧，螯師、弟子面目盡腫，號呼撲救，鄰里咸驚問。僧忽排闥人曰：「聖賢乃謀匿人財耶？」臨出，合掌問塾師曰：「異端偶觸聖賢，幸見恕。」❷又記兩塾師鄰村居，「皆以道學自任」，一日相邀於眾前會講，「辨論性天，剖析理欲，嚴詞正色，如對聖賢。忽微風颯然，吹片紙落階下，旋舞不止。生徒抬視之，則二人謀奪一寡婦田，往來密商之札也。」紀曉嵐說，在道學家中，「操此術者眾矣。」❷又記一講學者，陰作訟牒，為人所訐，到官昂然不介意，侃侃而爭，官取所批《性理大全》核對，筆跡皆相符，乃叩額伏罪。有人聞此事笑曰：「吾平生信佛不信僧，信聖賢不信道學，今日觀之灼然不謬。」❷紀曉嵐把那些口講程朱，而暗地裡謀財濟私的假道學先生，真是醜化地漓淋盡致。道學家雖大講存天理，滅人欲，但也離不開飲食男女。紀氏又記一講學者，「好以苛禮繩生徒，生徒苦之，然其人頗端名，不能詆其非也」。一夕講學者步塾後一小圃，散步月下，見花間樹後匿一麗女，自稱狐女，且云能隱形，往來無跡，即有人在側亦不睹，不能為生徒和也，講學者遂與之相燕昵，至曉日滿窗，生徒執經至，女仍垂帳偃臥，講學者仍以為人未能見。其實此女非狐，乃里中新來角妓，諸徒賄妓為此也。「講學者大沮，生徒課畢歸早餐，已自衣裝遁矣。」❷道學家不僅有飲食男女之欲，且有趨聲騖名之欲、近名好勝之私，紀氏記一自稱「講道學三十年」的耆儒，被一女妖斥曰：「《大學》扼要在誠意，誠意扼要在慎獨。君一言一動，必循古禮，果為修己計乎！抑猶有幾微近名者乎？君作語錄，斷斷與諸儒辨，果為明道計乎？抑猶有幾微好勝者在乎？夫修己明道，天理也，近名好勝，則人欲之私也。私欲之不能克，所講何學乎？」聞此語，「耆儒汗下如雨，瑟縮不能對。」❷在紀氏筆下，那些滿口仁義道德的理學家，繩人甚嚴的道學家，都是些古貌不古心的偽君子，讀後可令宋學掃地，道學良籍。

　　㈢斥宋儒的理欲觀、婦道觀。自宋明理學彌漫社會以來，男女之防成為道學

❷　《閱微草堂筆記》卷二，《灤陽消夏錄》㈡，《文集》第二冊，頁 23。

❷　《閱微草堂筆記》卷四，《灤陽消夏錄》㈣，《文集》第二冊，頁 81。

❷　《閱微草堂筆記》卷一七，《姑妄聽之》㈢，《文集》第二冊，頁 451。

❷　《閱微草堂筆記》卷一六，《姑妄聽之》㈡，《文集》第二冊，頁 421。

❷　《閱微草堂筆記》卷四，《灤陽消夏錄》㈣，《文集》第二冊，頁 81。

家最關注的問題之一。「餓死事小，失節事大」，這一擲婦女於苦海的婦道觀，成
爲一種全社會的倫理準則。紀曉嵐在《閱微草堂筆記》中用大量文字掊擊宋儒的這
一倫理思想。就一對至死追求愛情而又「於禮不可」的青年男女，紀氏說：「飲食
男女，人生之大欲存焉……若痴兒女，情有所鐘，實非大悖於禮者，似不必苟以深
文……處之過當，死者之心能甘乎？冤魄爲厲，猶以『於禮不可』爲詞，其斯以爲
講學家乎？」㉙由於理學的禮教成爲社會的倫理準則，也就使中國社會成爲一個輿
論殺人的禮教社會，男女之事尤爲輿論所關注的重點。紀曉嵐對此憤然不平，他借
一狐之口說：

> 我輩修道人，豈干預人家瑣事？夫房幃秘地，男女幽期，曖昧難明，嫌疑
> 易起。一犬吠影，每至於百犬吠聲。即使果眞，何關外人之事！乃快一時
> 之口，爲子孫數世之羞，斯已傷天地之和，召鬼神之忌矣。況杯弓蛇影，
> 恍惚無憑，而點綴鋪張，宛如目睹。使人忍之不可，辨之不能，往往致抑
> 鬱難言，含冤畢命。其怨毒之氣，尤歷劫能消……聞此事自當掩耳。㉚

與紀曉嵐同時的錢大昕、戴震及其以後汪中、俞正燮等人都對理學的婦道觀及其禮
教作過批判，應該說，這是一種進步的社會思潮。

　　㈣宋儒朋黨誤國。清代初期，顧炎武、黃宗羲、顏元等學者批判明末學術空
疏導致國亡，現在紀曉嵐又加上一條理學朋黨誤國，且不僅明儒，宋儒朋黨也導致
亡國：「洛、閩諸儒，無孔子之道德，而亦招聚生徒，盈千累百，梟鸞並集，門戶
交爭，遂釀爲朋黨，而國隨以亡。東林諸儒，不鑒覆轍，又騖虛名，而受實
禍。」㉛道學誤國一至於此。

　　《閱微草堂筆記》斥宋儒之言甚多，觸目皆是，本文不便煩引，其言雖多有
乖失，但也不乏令人愜然信服的深刻之論。在以程朱理學作爲統治思想的時代，如

㉙　《閱微草堂筆記》卷二一，《灤陽消夏續錄》㈢，《文集》第二冊，頁 532。

㉚　《閱微草堂筆記》卷一〇，《如是我聞》㈣，《文集》第二冊，頁 214。

㉛　《閱微草堂筆記》卷一〇，《如是我聞》㈣，《文集》第二冊，頁 229。

此菲薄宋學，實不多見，甚至可以說，《閱微草堂筆記》之外，實難再見。如果說戴震的《孟子字義疏證》是在理論上駁宋儒，那麼《閱微草堂筆記》則多以事實批宋學，但戴震的反宋儒思想及著述晚於紀氏。錢穆先生曾推測戴震的反理學思想是在四庫館時受紀曉嵐的影響而形成的，「時紀曉嵐主館事，紀固好詆宋者，東原《疏證》，儻亦有牛鼎之意乎？」㉜《閱微草堂筆記》尊漢薄宋之言昭然紙上，昔人已有論列，《大清畿輔先哲傳》的作者說：「所著《閱微草堂五種》皆虞初家言，讀者會其旨趣，尊漢薄宋之意亦具於是矣。」㉝余嘉錫先生也論曰：「愚考紀氏所著《閱微草堂筆記》，於講學家譏笑嫚侮，無所不至，又於朱子深致不滿，魏氏（按：魏源）坐紀氏以不喜宋儒，非過論也。」㉞詳閱《閱微草堂筆記》，以上二家所言皆不誣。

三

紀曉嵐是一位漢學家，他自己說：「三十以前，講考證之學，所坐之處，典籍環繞如獺祭。三十以後，以文章與天下相馳驟，抽黃對白，恆徹夜構思。五十以後，領修秘籍，復折而講考證。」㉟但紀氏一生，粹於四庫，《提要》一書雖眾人匯編，然由紀氏殫十年之力，筆削考核，一手刪定，所以未能覃研經訓，勒一編以傳世。由於《提要》一書所作提要多至萬餘種，與那些終生埋首一經的漢學家相比較，紀曉嵐應屬博通的學者。所以阮元評價說：「我朝賢俊蔚興，人文郁茂，鴻才碩學，肩比踵接。至於貫徹儒籍，旁通百家，修率情性，津逮後學，則河間紀文達公足以當之。」㊱昭槤說：「北方之士，罕以博雅見稱於世者，惟曉嵐宗伯無書不讀，博覽一時。」㊲不僅如此，在乾嘉漢學家的行列中，紀曉嵐的學術思想也有諸多超流之處，為其他經師所不及，成為學術思想史的寶貴財富。

㉜　錢穆《中國近三百年學術史》（北京：中華書局，1986 年），第八章，頁 322。

㉝　《大清畿輔先哲傳》（北京：中華書局，1993 年），卷二三，頁 751。

㉞　余嘉錫《四庫提要辨證》（北京：中華書局，1985 年），卷六，頁 332。

㉟　《閱微草堂筆記》卷一五，《姑妄聽之》(一)，《文集》，第二冊，頁 375。

㊱　《揅經室三集》卷五，《揅經室集》，頁 678。

㊲　《嘯亭雜錄》（北京：中華書局，1980 年），卷一〇，頁 353。

　　首先，強調學問要切於實用。宋明以來，士大夫高談性理，發明性命，棲心道學，當國家臨危之際，於刑兵錢穀有裨實用之學，瞢然不知，顏元曾痛心曰：「吾讀《甲申殉難錄》，至愧無半策匡時難，惟餘一死報君恩，未嘗不淒然泣下也。至覽和靖祭伊川不背其師有之，有益於世則未二語，又不覺廢卷浩嘆，爲生民愴惶久之。」❸李塨批評明季士大夫「處處談心，人人論天」的空騖學風，使「朝廟無一可倚之臣，天下無復辦事之官，坐大司馬堂，批點《左傳》，敵兵臨城，賦詩進講，其習尚至於將相方面覺建功奏績俱屬瑣屑，日夜喘息著書曰『此傳世業也。』以致天下魚爛河決，生民涂毒。」❸時至乾嘉時代，學界又以考經爲風氣，學者埋首古籍，徵文考獻，精研《爾雅》，博涉古經，相率以形聲訓詁之學相標榜，經世致用之學衰矣。紀曉嵐生當乾嘉時代，治學以漢學爲宗旨，但仍強調實用之學，他認爲考求經史固然重要，但不應泥於經史，不如熟悉國事爲重，他在《邁古論》中寫道：「夫帝王之學，經緯萬端，研究經訓爲講求治法，考證史籍以旁參政典，稽古之義則然，然不如實練於國事。高曾矩矱，啓佑乎後人；謨烈典型，聰聽乎彝訓，率祖之義則不然，然不如近得於身教。蓋隨機而指其通變，則萬事利弊無不詳；因材而示其予奪，則萬物之情狀無所遁。」❹紀曉嵐認爲，經國之謀，應通達時務，講求實用，不應昵於經書或理學之細節：「帝王之學，與儒者異，非但詞章訓詁以無當實用而不貴：即性命理氣，亦不欲空語精微。……凡聖門之大經大法，師其意不師其跡，知其經兼知其權。」應根據實際情況「當復古者無不復也」，「不當泥古者未嘗泥也」。❹紀氏主張爲學要切於人事，他批評宋儒空談義理，馳騁議論：「顧舍人事而爭天，又舍共睹共聞之天，而爭耳目不及之天，其所爭者，毫無與人事之得失。……然附合朱子者，其說亦不可究詰，譬如醫家之論三焦也，……然則非爭病之生死，特爭說之勝負耳。太極無極之辨，何以異於是哉！」❹因此紀曉嵐非常看重究心民瘼的實用之學，他說自己在編纂《四庫全書》

❸　《存學編》卷二，見《叢書集成初編》（上海：商務印書館，1936 年），頁 24。

❸　《恕谷後集》卷四，見《叢書集成初編》（上海：商務印書館，1936 年），頁 39。

❹　《紀曉嵐文集》第一冊，卷七，頁 132。

❹　《紀曉嵐文集》第一冊，卷七，頁 134-135。

❹　《退庵隨筆》卷一八，頁 454-455。

時便貫綜這一宗旨，分類目次排列爲「儒家第一，兵家第二，法家第三，所謂禮樂兵刑國之大柄也。農家、醫家，舊史多退之於末簡，余獨以農家居四，而其五爲醫家。農者民命之所關。醫雖一技，亦民之所關。故升諸他藝術上也。」所以他見到《濟眾新編》這部書「喜其有濟眾之實心，而又有濟眾之實用，且喜其鄭重民命。」❹基於這一思想，紀曉嵐主張讀書人應知家事、世事。他引用其父姚安公的話說：「子弟讀書之餘，亦當使略知家事，略知世事，而後可以治家，可以涉世。明之季年，道學彌尊，科甲彌重。於是黠者坐講心學，以攀援聲氣；樸者株守課冊，以求功名，致讀書之人十無二三能解事。……死生呼吸，間不容發之時，尚考證古書之眞僞，豈非惟知讀書不預外事之故哉！」❹紀曉嵐的這些經世之聲，在考據學籠罩的乾嘉時代，罕有所聞，其經世篤論，可謂獨步當時。

其次，反對泥古，主張實事求是。乾嘉時代，學者篤志古經，一復古學爲事，梁啓超論惠棟之學以八字蔽之，曰：「凡古必眞，凡漢皆好。」戴震治學也求於古經古訓，甚至「不讀漢以後書」。❹此種風氣，攀緣日眾，影響於學界者至深。紀曉嵐則極力針砭這種學風，表明他以實事求爲治學旨趣，他批評戴震爲學「其堅持成見者，則在不使外國之學勝中國，不使後人勝古人。」❹他認爲古代的東西，未必皆好，要具體分析以識其價值，指對「凡古皆好」的學風，他以乾隆間在獻縣出土的《唐張君平墓志》爲例，此志「文殊鄙俚」，紀氏拓示一嗜古者曰：

> 公謂古人事事勝今人耶？此非唐文耶？天下率以名相耀耳。如核其實，善筆札者必稱晉，其時亦必有極拙之字。善吟詠者必稱唐，其時亦必有極惡之詩。非晉之廝役皆義、獻，唐之屠沽皆李、杜也。西子、東家實爲一姓，盜跖、柳下乃是同胞，豈能美則俱美，賢則俱賢邪？賞鑒家得一宋

❹ 《紀曉嵐文集》第一冊，卷八，頁179-180。

❹ 《閱微草堂筆記》卷二一，《灤陽消夏錄》㈢，《文集》，第二冊，頁532。

❹ 《國朝漢學師承記》（北京：中華書局，1983年），卷三，頁50。

❹ 《紀曉嵐文集》，第一冊，卷一二，頁274-275。

硯，雖滑不受墨，亦寶若球圖；得一漢印，雖謬不成文，亦珍逾珠璧。問何所取，曰取其古耳。東坡詩曰：「嗜好與俗殊酸鹹」斯之謂歟！❹

紀氏此論，令聞者折服，在尊古時代，可謂孤鳥獨鳴，空谷足音。

再次，反對食古不化，因循剿襲。清代初期，雖顧炎武、黃宗羲倡導經世致用之學，但二人均以復古為志，法古意識甚濃。顧炎武論治，標「法古用夏」之幟，黃宗羲必欲復封建井田，同為食古不化之過。乾嘉時代，尊經、崇經及復古成為風氣，事拘於遺經，行泥於古法，對古經古法不敢尺寸逾越，論治必以古法為根據。在乾嘉漢學家中，紀曉嵐則更俱變通的思想。他認為古法未必合於今事，古經未必合於今情。明代陳禹謨取《左傳》之兵事以次排纂，撰《左氏兵略》一書，借《左傳》以談兵，請敕用於九邊兵事，就此紀曉嵐論到：

> 考《五代史·敬翔傳》曰：梁太祖問翔：「聞子讀《春秋》，《春秋》所記何事？」翔曰：「諸侯戰爭之事。」梁太祖曰：「其用兵之法，可為吾用乎？」翔曰：「兵者，應變出奇以取勝，春秋古法，不可用於今。」云云。是左氏兵法，至五代已不可用，而陳禹謨疏進其書，乃請敕下該部，將副本梓行，俾九邊將領人手一編，是與北向誦《孝經》何異乎！❹

與那些事事拘守古經，照搬古法的迂腐經師相較，紀氏這一思想給人以解放桎梏的感覺，擺脫窠臼的印象。不僅如此，他甚至認為仁義詩禮之教也不適應所有人或地區，應因人而易，因區而別。他在《日華院碑記》中寫道：

> 教民之道，因其勢，則行之易，拂其勢，則行之難，故洞瘵之區，其民方儳焉。不給朝夕，其道宜議養。使枵腹而談仁義，是迫以坐槁也，勢不可行。鷙悍之俗，其民方囂凌格鬥而未已，其道宜明刑，使無所懲艾而迂談

---

❹　《閱微草堂筆記》，卷一〇，《如是我聞》㈣，《文集》，第二冊，頁234-235。
❹　《退庵隨筆》，卷一三，頁329。

詩禮，是硝石之病而藥以參苓也，勢亦不可行。❹

紀氏此言，反對教條行事，辟因循而警剿襲，乾嘉時代能發此語，已自不俗。

　　綜篇所述，紀曉嵐在《四庫提要》及有關序、論文中極力持平漢學與宋學之關係，但其本意不喜宋學，微言巧詆，流露筆端。在《閱微草堂筆記》中以虞初之言對宋學則坦然薄之，快然詆之，雖有過激之詞，也不乏導人入信之論。可以這樣說，在乾嘉時代，紀曉嵐是辨漢、宋二學關係最公允者，又是訐宋學最激烈者，此影響學界者至深。與同時代漢學家相比較，其學術思想，諸如強調學問要切於實用，反對泥古不化、因循蹈襲等文字，皆能自拔於流俗，成為乾嘉學界的清新之音。

---

❹　《紀曉嵐文集》，第一冊，卷一四，頁308。

經 學 研 究 論 叢
第 六 輯　　　頁17～38
臺灣學生書局　　1999年3月

顧頡剛疑古辨僞的思考與方法

陳文采*

壹、前　言

　　疑古辨僞的工作，在中國學術思想的發展過程中，有著源遠流長的歷史。當春秋之世，子貢已說：「紂之不善，不如是之甚也」。班固《漢書藝文志》則往往於所著錄的書名下，標注：「依託」、「非古語」、「近世增加」，甚而直揭造僞者與造僞時間。可見古人於「僞書」、「僞事」的疑辨，均起源甚早，惜兩千餘年來，始終未能還給學術一個本然的眞象。究其原因，乃由於過分信古，所以在「探求聖人本意」及「回歸原典」的訴求下，過去的知識分子，一面從事辨僞工作，另一面卻不斷的託古造僞；由於過分尊經，使疑僞思考，總是框限在聖人的光環之下。所以僅管每一次的學術更新運動，在內涵上是創新的，但在表面上卻總不免戴上「上承周代」的面具。如此反覆的歷史宿命，至民初，以顧頡剛爲首的古史辨學派，始掙脫其束縛。顧頡剛的疑僞工作，所以能突破「尊經」的格局，實得力於兩方面的思考：

　　一、是剝去經書上所有的附會，促使人們在傳統的經、史學上，都回到最古的源頭去重估一切。

　　二、是經書辨僞的目的，不在證成某一學派的理論，而只是還原古史的一種手段。

---

*　陳文采，臺南女子技術學院講師。

如此的思考，實承乾嘉以來漢學發展的趨勢，誠如梁啓超所云：

> 綜觀二百餘年之學史，其影響及於全思想界者，一言蔽之，曰：「以復古
> 爲解放」。第一步復宋之古，對於王學而得解放。第二步復漢唐之古，對
> 於程朱而得解放。第三步復西漢之古，對於許鄭而得解放。第四步復先秦
> 之古，對於一切傳注而得解放。夫既已復先秦之古，則非至對於孔孟而得
> 解放焉不止矣。（《清代學術概論》二，頁6）

顧頡剛在「一切的研究都是要歸結于古史」的思考下，不僅辨西漢人之造僞，更進
而辨群經、諸子之造僞。如此雖避免了再造僞的可能，然而古史茫昧無稽，辨僞工
作一旦被視爲是達到疑古目的的工具，其研究成果終究不免落入虛無。

　　本文以辨僞學爲中心，從其著述、序跋、讀書筆記等資料中，爬梳其思想淵
源、方法的運用、研究的歷程與結論，逐一陳述。期能從疑古辨僞的角度考察，以
解釋：何以顧頡剛的上古史研究，不是去尋找可靠的新材料，堆疊出一個上古歷史
的概況，反而采用大量默證，大刀一揮，將上古史事齊頭砍去？何以在往返的論辯
過程中，對於諸多質疑，只願作細部修正，凡牽涉本質的大關鍵，卻大多不回應，
亦不修正？何以不顧「證據的確鑿性」、「引證的普遍性」等論證要件，僅以
《詩》、《書》、《論語》等少數資料考辨上古史？何以同爲疑古派大將，胡適、
顧頡剛會在學術上分途？何以顧頡剛的疑僞工作、會如滾雪球般，牽涉愈多，條理
愈紛，且終究沒有得出有系統的結論？

貳、生平暨學術淵源

一、生平

　　顧頡剛，名誦坤，字銘堅，號頡剛。清光緒十九年三月二十三日（1893 年 5
月 8 日）生，1980 年 12 月 25 日腦溢血病逝北京，年 87 歲。蘇州人，其家爲吳中
世代讀書的人家，祖父、父親皆寢饋於儒家經籍。年少時由祖父親授而讀完五經。
1916 年入北京大學哲學門，從胡適受學。前此一年，因病在家，撰成《清代著述
考》稿本二十冊，自此開始其長達六十年的學術生涯。若依其研究主題觀之，大

抵：四十歲（1933 年）以前，是古史研究的顚峰期，因提出「層累地造成古史」
觀，又撰〈五德終始說下的政治與歷史〉說明古史系統構成的經過，自此奠定其古
史研究的地位。與此同時進行的尚有歌謠采集、傳說的研究及對《周易》、《詩
經》、《尚書》三部經書的探討。四十一歲起，創辦禹貢學會，主編《禹貢半月
刊》，始轉入古代地理及邊疆史地的研究。五十六歲以後，除清理存稿外，主要集
中在《尚書》的考定工作。終其一生著述逾七百篇。其中與人討論古史的論述，彙
編出版成《古史辨》七冊，於民初學術界蔚然成疑古學派。❶

二、疑古思想的淵源

　　「疑古辨僞」是顧頡剛學術思想的主體，這個主體的形成，卻有其複雜的淵
源，其中對其治學道路起決定性影響者有三：一、漢學本身豐富的內容和發展趨
勢。二、對漢學中僞書、僞事進行疑辨的歷史要求。三、經學成爲史學的歷史趨
勢。❷綜上所述，可見一明顯的源頭，即是漢學研究的傳統。其間又有繼承處、有
超越處、有更新處，茲分述如下：

　　㈠繼承：顧頡剛長於吳地，自幼誦習經學，稟受吳派治經的態度與方法。在
方法上，其以經學爲中心的古史研究，能廣泛運用考古學、故事、社會學、和歌謠
研究等民俗學方法進行新考據，實承吳派力求淵博，廣徵博引，鉤稽異同的實證方
法。在態度上則始終堅持吳派「爲考據而考據」的態度。

　　㈡超越：顧頡剛對傳統漢學的超越，來自今、古文經學的激盪。余英時認爲
「康（有爲）、章（太炎）間的今古文之爭，激發出的疑古辨僞精神，在五四以後
得到進一步的發展，而成爲顧頡剛考辨古史的一個最重要的銳利武器」。❸其中有
章太炎的古文經學，包括：六經皆史說、薄致用而重求眞的治學態度，及對古書的
批判。得之於康有爲的，則是以懷疑精神爲主的「劉歆造僞經說」及「上古史茫昧
無稽說」。而這個疑古思想還有一個更深的的淵源。據其自云：

---

❶　顧頡剛事略、著述，參見王煦華〈顧頡剛先生學術紀年〉，載《紀念顧頡剛學術論文集》下
　　冊（成都：巴蜀書社，1990 年 4 月），頁 1007-1070。

❷　參見《顧頡剛先生學述》，頁 11，劉起釪歸納的結果。

❸　見余英時〈五四運動與中國傳統〉，載《臺灣學者論中國文化》（哈爾濱：黑龍江教育出版
　　社，1989 年）。

崔東壁的書啓發我「傳」、「記」不可信。姚際恆的書啓發我不但「傳」、「記」不可信，連「經」也不可信。鄭樵的書啓發我作學問要融會貫通，並引起我對《詩經》的解釋。（〈我是怎樣編寫《古史辨》的〉《中國哲學》第二輯）

㈢更新：經歷了對今、古文經學雙向（繼承與批判）認識的超越過程，到確立以古史學爲中心的經學研究，並提出新的古史假說，是顧頡剛對傳統漢學的更新。故其云：「我不是一個上古史專家」，「我的理想中的成就，只是作成一個戰國秦漢史家，但我所自任的，也不是普通的戰國秦漢史，乃是戰國秦漢的思想史和學術史。」❹所以要尋出戰國秦漢間，方士與儒生的上古觀念，及其所造作的歷史。故其上古史的研究，明確的說，其實是辨戰國秦漢間人學術思想的「僞」。這期間有賴兩個力量的推動：一是胡適的治學方法和古代學術史觀。一是錢玄同超越今、古文之爭的經學觀。

三、辨僞方法的繼承與修正

有清一代學風，在層層上溯的脈絡中，有清初學者之反王學，乾嘉學者之反宋學，清末今文家之反古文經學。雖各有家法傳承，卻同用一把利器——「辨僞」。顧頡剛身當清學流風之末，五四新學方興之際，得此一利器，竟亦成就其疑古史學。至其所用的辨僞方法若何？據《古史辨》第一冊自序曾提及在辨僞工作上受到三層教訓：

一、古史古書之僞，自唐以後學者早已致疑；如唐之劉知幾、柳宗元，宋之司馬光、歐陽脩、鄭樵、朱熹、葉適，明之宋濂、梅鷟、胡應麟，清之顧炎武、胡渭、毛奇齡、姚際恆、閻若璩、萬斯大、萬斯同、袁枚、崔述等人都是。

二、長素先生受西洋歷史家考定的上古史影響，知道中國古史不可信，就揭出戰國諸子和新代經師作僞的原因，使人進一步看出僞史背景。

三、適之先生帶了西洋的史學方法回來，把傳說中的古代制度，和小說中的故事，舉了幾個演變的例，使人不但要辨僞，要研究僞史背景，而且要去尋出它漸

---

❹　見《古史辨》第二冊〈自序〉。

漸演變的線索。

　　且云：

> 我生當其項，歷歷受到這三層教訓，加上無意中得到的故事的暗示，再來
> 看古史時，便觸處見出它的經歷的痕跡。我固然說不上有什麼學問，但我
> 敢說我有了新方法了。

這個新方法，得到一個結論是：古史是有意偽造，而不是自然累積的結果。而偽書
的基礎是偽史，故辨「偽事」的重要，更甚於辨「偽書」。可見其方法已超出傳統
辨偽的範疇，而成為一個歷史探究的方式。又受錢玄同「把它們（今、古文家）的假
面具一齊撕破」的啓發，全不受家派束縛，較之前人，雖有方法的繼承，觀念上卻
有根本的差異。茲略述如下：

(一)崔述的啓發——考而後信

　　崔述之學，至民初因疑古學者的重視而大顯，胡適為作長傳《科學的古史
家》。錢玄同讀其書，自去姓氏，改為「疑古」。顧頡剛自民國十年開始標點《崔
東壁遺書》，歷十五年始竟其功，其嘗自述在疑古辨偽的進行上：「這兩年（1922-
23），除了承受崔述的辨證之外，這方面的工作做的很少」。實則「層累的造成古
史觀」，可說是直接移植崔述疑偽史觀的客觀架構，亦即「分層」的理論。至於論
證過程則有異有同，一如錢穆先生所云：

> 曰懷疑、曰辨偽、曰考信，此顧君之深有取於崔書者也。
> 曰儒術、曰六經、曰堯舜禹湯文武周公孔孟，此顧君未必有取於崔書者
> 也。（《崔東壁遺書‧錢序》）

因為對經學見解的不同，古史觀亦有根本的差異，所以顧頡剛在〈與錢玄同論古史
書〉中，便明白指出對崔述不滿意者有二：一、崔述著書的目的是替聖人揭出他們
的聖道王功，辨偽只是手段。二、其要從古書上直接整理出古史蹟來，不是穩妥的
辦法，可見其根本的差異。然而在方法上，顧又有不得不取於崔者：

1.基本態度：《考信錄提要・卷上》云：「大抵文人學士多好議論古人得失，而不考其事之虛實，余獨謂虛實明而後得失或可不爽」，即遇事細推求，凡事考而後信。至於不以評騭是非爲目的，則啓發了顧頡剛面對古史的一貫態度：「期於一反前人的成法，不說那一個是，那一個非，而只就它們的發生時代的先後，尋出它們承先啓後的痕跡來」。（《中國上古史研究講義・自序一》）

2.取舍的標準：崔述認爲僞書都是不可信的史料，故云：「凡其說出自於戰國以後者，必詳爲考其所本，而不敢以見於漢人之書者，遂眞以爲三代之事」。這個觀點影響顧頡剛至深，再加上對康有爲《僞經考》的認同，「僞書等同僞史」便成爲顧頡剛判別古史眞僞的重要標準，亦是致命的錯誤。

(二)康有爲的影響──上古之事茫昧無稽

王汎森在《古史辨運動的興起》一書中，對顧頡剛的古史結論提出了四點懷疑：

> 爲什麼顧頡剛會如此斷然地宣稱，上古史事都是某些人爲了特定目的，有意地造作出來的，不是像歌謠戲曲般自然積累而成？爲什麼他不只宣稱諸子託古改制，同時也宣稱經書中史事都是刻意僞造而成？爲什麼顧氏會如此固執地相信書僞則史全僞，而不曾更細心的考慮到：僞書中也可能有眞史事？更有意思的是：爲什麼這個以討論上古歷史爲主的論辯，會花費如此巨大的篇幅去處理劉歆與左傳作者，五德終始，經今古文之爭等等表面上看來不那麼相干的問題。

其間的關鍵是康有爲「今文家的歷史觀」，尤其以《孔子改制考》、《僞經考》二書的影響最大。顧頡剛曾自言其推翻古史的動機，是受了《孔子改制考》明白指出「上古茫昧無稽」的啓發。並始終堅信西漢末年的「一段騙案」是造成層累僞史觀的重要源頭。於是把無意的積累等同有意的造僞，便成了顧頡剛辨僞程序中的一個盲點。王國維曾分析說：

> 上古之事，傳說與史實混而不分，史實中固不免有所緣飾，與傳說無異，

而傳說之中，亦往往有史實爲之素地，二者不易區別，此世界各國之所同也。（《古史新證》第一章〈總論〉）

並指斥疑古派的缺點，在於其懷疑之態度及批評之精神不無可取，惜於古史材料，未嘗爲充分之處理。此於今文家或未爲缺失，因疑古並非其努力的目標，於顧頡剛則難辭其咎。

(三)胡適的提倡——科學的方法

五四新學風的國學研究，因大力提倡以科學的方法整理國故，故特別注重研究的技巧與主題。顧頡剛運用在其疑古辨僞上的科學方法，據其自云：

後來進了大學，讀名學教科書，知道惟有用歸納的方法，可以增進新知；又知道科學的基礎，完全建設於假設上，只要從假設去尋求證據，更從證據去修改假設，日益演進，自可日益近眞。後來聽了適之先生的課，知道研究歷史的方法，在於尋求一件事情的前後左右的關係，不把它看作突然出現的。老實說，我的腦筋中印象最深的科學方法，不過如此而已。（《古史辨》第一冊〈自序〉）

綜上所述，其得於胡適的科學方法有二：

1.歸納法：即胡適所提倡的「大膽假設，小心求證」。顧頡剛的實踐，是從《詩》、《書》、《論語》中發現堯舜禹地位的大疑竇，而提出關於古史的第一個假設，經廣泛的蒐集材料，進行分析歸納，便得到古史形成的許多層次。至於最初的假設，亦受胡適授課的啓發，據其所描述的課堂情形：

他（胡適）不管以前的課業，重編講義，劈頭第一章是「中國哲學結胎的時代」，用《詩經》作時代的說明，丟開唐虞夏商，逕從周宣王以後講起。這一改，把我們一班人充滿著三皇五帝的腦筋，驟然作一個重大的打擊，駭得一堂中舌撟而不能下。（《古史辨》第一冊〈自序〉）

如此「截斷眾流」的魄力，不僅影響顧頡剛古史觀的形成，亦影響其日後的學術風格。

2.歷史演進法：顧頡剛在《古史辨》第三冊自序，很明白的提到，他用以辨證古史的方法是「歷史演進的方法」，這個胡適稱作「祖孫的方法」，是民國十年杜威在中國演講時提出的。重點是：「不把一個制度或學說看作一個孤立的東西，總把它看作一個中段：一頭是他所以發生的原因，一頭是他自己發生的效果；上頭有他的祖父，下面有他的子孫。」❺這個學理並不是一開始就運用在古史研究上，中間還有一個重要的觸媒——「研究故事的方法」，據《古史辨》第一冊自序云：

> 以前我愛聽戲，又曾搜集過歌謠，又曾從戲劇和歌謠中得到研究古史的方法。

又：

> 適之先生帶了西洋的史學方法回來，把傳說中的古代制度，和小說中的故事，舉了幾個演變的例，使人讀了，不但要去辨偽，要去研究偽史的背景，而且要去尋出它漸漸演變的線索。

質言之，所謂「科學的方法」，即是胡適從美國帶回來的實驗主義，只是顧頡剛使用時，將其簡單化，且明顯的以經驗作為根據。因此他的方法論中便存在著不斷的懷疑，且往往沒有肯定的結論。

參、《辨偽叢刊》的編輯

顧頡剛的古史研究，從疑偽的角度切入，此後便如長江大河般一瀉千里。這般快速的進行，實導因於胡適、錢玄同提起他編輯辨偽材料的興趣。❻從《古史辨》第一冊所收錄的，1920 年 11 月訖 1923 年 2 月，三人以討論編輯《辨偽叢刊》為主的往返書札三十五封，可以清楚看見，顧頡剛在此一主題下，思想轉變的

---

❺　此為胡適日記中的一段話。參見胡頌平《胡適之年譜長編》第二冊（臺北：聯經出版事業公司，1984 年），頁459。

❻　見《古史辨》第一冊〈自序〉，頁80。

脈絡。而屬於疑古派的疑僞工作，便在其中逐步成形。誠如錢玄同致顧頡剛〈論今、古文經學及辨僞叢書書〉云：

> 先生（顧頡剛）說，因爲要研究歷史，於是要蒐集史料、審定史料；因爲要蒐集史料、審定史料，於是要辨僞。我以爲這個意思是極對的。我并且以爲，不但歷史，一切「國故」要研究它們，總以辨僞爲第一步。

這段話可說是爲學術工作立了標竿，爲達事半功倍，其方法一在襲前人成業，二在使用新眼光。《辨僞叢刊》便在這樣的氛圍下，共出版二輯 11 種：1929 年顧頡剛標點完成《子略》、《諸子辨》、《四部正僞》、《古今僞書考》四種，由樸社出版。接著又標點《詩疑》、《詩辨妄》、《左氏春秋考證》，編集《書序辨》，作爲《辨僞叢刊》續編。1934 年底以上述八種，加上白壽彝輯點的《朱子辨僞書語》、趙貞信輯點的《論語辨》作爲第一輯。第二輯預備出版二種：張西堂點校的《古學考》、《唐人辨僞集語》，結果只出版了前者。1955 年合編爲《古籍考辨叢刊》第一集，並以《唐人辨僞集語》抽換《詩辨妄》。自唐代以降，疑古辨僞各家言論，第一次被有系統的整理出來，終於造就了民初另一波新的辨僞風潮。所以要探索顧頡剛的疑僞觀點，自當從《辨僞叢刊》的編輯談起。

一、整理編輯的體例

　　1920 年 12 月顧頡剛在致胡適的〈告擬作僞書考跋文〉，首先提出編印〈辨僞三種〉的構想。此後因收錄內容範圍擴大，逐不斷修改其整理方式。其間不僅代表對資料的整理更趨嚴整。更重要的是，資料的發現與整理，是一切研究的基礎，整理的方式，亦往往反映研究的方向與思想的轉變。綜觀《辨僞叢刊》的整理工作，大抵有四種構想：

　　㈠點校：《辨僞叢刊》的編輯，始於顧頡剛對《古今僞書考》的點讀，胡適的本意是希望點讀之餘，能加上一點補綴。❼顧氏雖未接受此一建議，卻作了詳細

---

❼ 1920 年 11 月 24 日胡適致顧頡剛〈囑點讀僞書考書〉云：「你若點讀《僞書考》，再加上一點補綴——如《尚書》及《周禮》等——我定可擔任尋出版者。」顧氏答書，以爲補綴的工作，⑴失了它原來的面貌。⑵補不盡補，反而掛一漏萬。兩封書札均見《古史辨》第一冊。

的附注，包括：注明徵引書的卷帙、版本，及徵引人的生卒地域，如此做了一、二個月，牽引出無數問題，注解沒作完，又因善本不可求，不僅延緩出版時間，且使工作以標點爲主，校注爲輔。但此一工作，卻使其明白，現代以前歷次的辨僞運動，興起了爲辨僞工作算總賬的想法。

㈡輯佚：1921 年 4 月在顧頡剛所作的《辨僞叢刊》擬目錄中，出現了兩種已佚圖書：鄭樵《詩辨妄》、周氏《涉筆》，並在兩個月後告胡適《周氏涉筆》已從《通考》中輯出。後來的輯《詩辨妄》便發展出更周延的架構。其構想包含三部分：1.輯集鄭樵事實及著述，並完成了〈鄭樵傳〉及〈鄭樵著述考〉。2.《詩辨妄》輯佚。3.漢儒的詩學和《詩經》眞相。雖然第三部分，並未隨《辨僞叢刊》的出版而完成，然已明確的將文獻整理與研究工作相結合。

㈢裁篇別出：這個觀念是錢玄同提出的，在其致顧頡剛〈論今、古文經學及辨僞叢書書〉中云：「我以爲《辨僞叢書》之中，《考信錄》、《僞經考》等專書外，可將各家文集或筆記裏，關于辨僞的著作裁篇別出，編成一種《辨僞叢著》，也可作爲《辨僞叢書》之一種。例如：《論衡》之〈儒增〉、〈藝增〉、〈書虛〉、〈正說〉，《史通》之〈疑古〉、〈惑經〉，朱晦庵之《詩序辨說》，章太炎之《徵信論》等等，都可合爲一編」。顧氏雖以爲這個界限不必分，然原本第二輯擬出版的《唐人辨僞集語》（張西堂點校），已凸出此一構想在整體《辨僞叢刊》中的特殊性。

㈣集說：這個構想最初由胡適提出，其作法是：「以僞書爲綱，而以各家的辨僞議論爲目」。例如《書經》下繫：孟子說、吳才老說、朱熹說……等。❽顧氏贊成這個想法，但未編入叢刊中。然其曾計劃撰集《僞書辨證集說—諸子部分》，當已接近胡適的想法，惜未完成，不知其詳。而錢玄同提議，除諸子外，「群經」亦有同等之重要，或且過之。這個想法又更直接啓發顧氏采《詩》、《書》、《論語》辨「僞古史」。

二、觀念的遞變與成形

在三人的往返討論之中，可看出一個現象，那就是顧氏的觀念是遞變成形

---

❽　詳見 1921 年 7 月 1 日胡適致顧頡剛〈論辨僞叢刊體例書〉。載《古史辨》第一冊，頁 39。

的。從模糊到明確，甚至對某些意見近似頑固的執著。究其原因：一方面是因其實際的編輯工作所作的修正。另一方面，則是來自胡適、錢玄同在觀念上的啓發和影響。茲就其疑偽主張的遞變，舉其大者，略述如下：

㈠從嚴謹到過疑：顧頡剛對「偽書」的界定，最初所持的態度是：

> 「偽書」的名目，我覺得不能賅括一切。所以我今年上半年所擬的書目表，稱作「偽書疑書目」，因爲有許多書只是存疑，並非作偽。❾

覈之 1914 年所作的《古今偽書考跋》中，對姚際恆以後世著述之成法，驅括古籍，故《黃帝素問》、《神農本草》、《晏子春秋》胥入偽書，以爲未深思。又舉《乾鑿度》、《竹書紀年》、《季衛公問對》三書，乃「眞書雜以偽」，姚氏與偽書同列的作法失當。同文並明確指出「論偽書者，予最服膺實齋」。故取章氏之意，分偽書爲七類，支持其「古人言公之旨，不必以誠偽規度者」的看法。又其中「師說」、「後記」、「誤會」三項，以爲終不當與虛造者等視。

關於跋文，胡適的評語是：「所分七類，似尚太寬。我主張寧可疑而過，不可信而過，實齋『言公』之說，雖有一部分眞理，然不可全信」。並打算日後替《偽書考》作長序，以略駁章實齋〈言公篇〉的流弊，及申說「寧可疑而過，不可信而過」之旨。此後顧頡剛疑偽的主張，因點讀《考信錄》及《孔子改制考》，而逐漸與胡適「過疑」的主張相同。

㈡從辨偽書到辨偽事：錢玄同提議將《辨偽叢刊》從王充作起，因《論衡》所辨的是事偽，非書偽，故引起顧頡剛「辨偽是否要兼及『偽事』」的疑問。錢玄同的回答既快速又明確，其云：

> 我以爲二者宜兼及之，而且辨「偽事」比辨「偽書」尤爲重要。崔東壁、康長素、崔鞠甫師諸人，考訂「偽書」之識見不爲不精，只因被「偽事」所蔽，儘有他們據以駁「偽書」之材料，比「偽書」還要荒唐難信的。

---

❾ 見 1920 年 11 月 24 日致胡適答書。載《古史辨》第一冊。

這個想法，使疑偽工作與古史研究相契合，爲日後疑古派思想的主軸，亦是疑古派不同於乾嘉考據學的機捩。

　　㈢從諸子到群經：《辨偽叢刊》最初的四種，有《子略》、《諸子辨》是專辨諸子之偽的。後來顧頡剛撰《偽書辨證集說》，亦從諸子部分作起，因爲考便諸子之偽，正所以攘西漢也。錢玄同則以爲群經辨偽更爲重要，因爲「子」爲前人所不看重，故治子者尚多取懷疑的態度，而「經」則自來爲學者所尊崇。❿所以打破「家法」，從疑經作起，是顧頡剛襲自錢玄同而成功之處。至若篤信劉歆偽造古文經書，則是有取於錢氏，而自限之處。

　　據上所述，可見顧頡剛對辨偽問題的關注，又在預告《古史辨》第二冊擬目中，列入「前代辨偽者傳記」，知其有心於此一工作的延續。唯四年後《古史辨》第四冊出版，此部份已被討論古史的文章所取代。可能是「層累地造成古史觀」引起的回響太大了。

肆、辨偽書

　　關於偽書的產生，顧頡剛以爲戰國時不僅趁口亂道古事，而且已在著作偽書了。例如《尚書》上的〈堯典〉已是偽造，《孟子》的引文更因〈堯典〉而踵事增華。至於《漢書藝文志》上許多託古的書，漢朝人作的固有許多，但戰國時偽造的必已不少。⓫故知其辨偽書，已不僅是要以「戰國諸子之學以攘西漢」，而是要將經文及諸子的偽誤一起剝去。

一、群經辨偽

　　從顧頡剛與錢玄同往返的書信中，可知 1920 年間，顧氏初作辨偽工作時，原只專注於偽史和偽書。因錢玄同屢屢說起經書本身和注解，亦有許多應辨的地方，才啓發他注意經書辨偽。實際的工作，則導因於輯錄《詩辨妄》，及有關《詩經》的研究。據其自云：

---

❿　見錢玄同致顧頡剛〈論編纂經部辨偽文字書〉，載《古史辨》第一冊。

⓫　參見《古史辨》第一冊〈自序〉，頁42。

在《詩經》上用力了半年多，灼然知道從前人所作的經解，眞是昏亂割裂
到了萬分。在現在時候決不能再讓這班經學上的偶像，占據著地位和威
權，因此我立志要澄清謬妄的經說。（《古史辨》第一冊〈自序〉）

至於經書本文，因向來反對經書中有「聖道王功」的教化，所以視六經本古史料，
以爲幾部眞的經書，都只是國君及卿大夫們日常應用的東西。❷另外有很多經文是
出於僞造的。至於造僞的原因是來自故意曲解，以大達到政治目的，所以三代盛王
的世系，在古代各時期的經文中，互有出入。有了這一層解釋，所以利用五德說之
歷史體系探查經書竄改知處，便成了顧頡剛判斷經文眞僞的途徑。其原本計劃作成
「經部辨僞集說」，期能進一步推翻「孔子刪述六經」的成說，惜未竟其業。爲唯
於各經書頗有考辨，僅略述如下：

㈠《易經》：《古史辨》中收錄顧頡剛《易》學研究的論文只有兩篇：《周
易卦爻辭中的故事》、《論易繫辭中觀象制器的故事》，皆是以故事的角度，推論
《周易》經、傳間歷史背景的衝突，進而宣稱一切聖道王功的故事，皆是漢人託古
僞造的。而剝去其文化道統的意義，《周易》便只是筮書。這樣的概念及探討，主
要受《僞經考》中：《十翼》是劉歆所僞造，及反對「觀象制器」說的啓發。既然
視原始的《易經》僅是卜筮之書，所以研究《易經》的目的是「破壞其伏羲神農的
聖經地位，而建設其卜筮的地位。」（《古史辨》第三冊〈自序〉）此一思考的深層意
義，是否定《易經》中本有人文化成的思想。因爲「觀象制器」說如果成立，則意
味中國文化最初的起源來自卦象，故其藉著對《易經》中古史演變及成書年代的考
定，進行對傳統文化批判的意圖極爲明顯。

然而成爲筮書後的《易經》，是否眞如顧頡剛所說的，只是一堆待考定的史
料？錢穆先生便對此提出質疑，因爲縱謂《易》是卜筮之書，然卜筮之判吉凶，其
事有出於卜筮之外者，而《周易》六十四卦推而見之，又各有教訓，各有義趣。故
其云：「今苟不能確定《周易》上下篇亦戰國人所僞造，則治古代哲學思想者，烏
得不援引及之耶！」（《崔東壁遺書·錢序》）

---

❷　見《古史辨》第四冊〈自序〉。

㈡《詩經》：顧頡剛的《詩經》研究，先是因輯鄭樵《詩辨妄》，而受其「以歌比詩，樂中求詩」，及反《詩序》的啓發。後又因歌謠采集及民俗傳說的研究而有了方法上的應用。至於對《詩經》疑偽考辨的主張，主要有兩部分：

1.對〈詩序〉的考辨：關於〈詩序〉作者，向來眾說紛紜，顧氏以爲《史記》、《漢書》著作時尚無〈詩序〉，❸且東漢初衛宏所作明著于《後漢書》，既是漢人僞託子夏之作，故其以詩證史，往往「政治盛衰」、「道德優劣」、「時代早晚」、「篇第先後」納於一軌。欲見出其僞亂之處，其一方面用歌謠中得到的見解，作比較研究：如《小雅》的〈白駒〉和《周頌》的〈有客〉，均爲留客的詩。一在《小雅》一在《周頌》，聲調不同之故，但〈詩序〉的解釋卻被詩篇位置縛死了。另一方面是「拿附會的法子傳示給別人看」，所以他替唐詩三百首也造作詩序，令人看出詩序附會史事的方法。

2.對詩篇的考辨：宋儒因對漢儒所傳經書不信任，並疑及經書本文，其中王柏《詩疑》不信〈毛傳〉、〈鄭箋〉、〈詩序〉，也不信《左傳》記事，對《詩集傳》亦不滿意，故單就《詩經》白文用力，顧頡剛歸納其方法有四：一、將各篇相互比較，以尋出其變遷和脫落的痕跡。二、利用間接材料（古書引《詩》），以推求今本的竄亂痕跡。三、從詩篇文義推知其次序的歷亂。四、從題目的類例，推知錯誤的題目和逸句。顧氏雖不滿意其因疑經，進而改經，但對於其方法，卻認爲有助《詩經》本文的考辨。❹

㈢《尚書》：顧頡剛治《尚書》始於 1922 年。1923 年在給胡適的信中，首先將今文 28 篇依可信度分爲三組，並認定《堯典》、《皐陶謨》、《禹貢》三篇是戰國秦漢間的僞作。1929 年提出作古史四考的計畫，以打倒舊系統古史中的四個偶像──帝系、王制、道統、經學　爲目標，並爲了〈王制考〉作準備，而在北大、燕大開設「尚書研究」課程，預計將《尚書》一篇一篇考下去，至此《尚書》研究從經學探討的層面，轉爲文化體係摧毀與重建的工程。因爲資料繁雜，架構龐大，終

---

❸ 見《蚧江市隱雜記》，載《顧頡剛讀書筆記》第 4 卷，頁 2600，從〈采薇〉、〈出車〉、〈六月〉之時代論證之。

❹ 參見〈重刻詩疑序〉，載《古史辨》第三冊，頁 406。

成為其晚年學術工作的重心。據其 1965 年給楊寬的信中提到：「正努力作好《尚書》研究，希望對於建設商、周史作出應有的貢獻，如此書不成將死不瞑目」。惜終未能竟其功。綜觀其一生的《尚書》研究，可發現今、古文尚書並進的脈絡，茲分述如下：

1. 古文尚書的考定：這部份的工作主要在掃除壅蔽《尚書》的三個障礙物——偽古文、漢古文、道統。偽古文，前人的成就巨大，故所作的只是「補苴充實」；漢古文，則在《新學偽經考》的基礎上，作精微探索的工作；至於道統的部份，其實就是古史四考的全部工作。因為偽古文尚書是三皇五帝的最後確定者，又三代制度多見於《尚書》篇章、道統十六字心傳源自偽〈大禹謨〉、經學中的今古文之爭因《尚書》、《左傳》而起。

2. 今文尚書的考定：確定《尚書》前三篇的寫定時代，向來被認為是疑古派最大的功績。❶⑮除前三篇外其餘各篇的考定工作，顧頡剛曾立了一個計畫，並依計畫完成了《尚書文字合編》、《尚書通檢》、《尚書學討論集稿》及《大誥譯證》。

二、諸子辨偽

關於子書的辨偽，顧頡剛以為其得結論必較經學為速，因為：「既無西周文字，不如經書的考訂之勞，又不曾經過經學家的穿鑿附會，不必多費刪芟芟葛藤的功夫。」雖然如此，但其治子學之初，對於別人和自己的解說，總覺得有些不對，卻又說不出所以然。究其豁然明白之機，主要受三層影響：一、胡適〈諸子不出於王官論〉——看出諸子的興起各有其背景，各求其所需。二、康有為《孔子改制考》——鳥瞰諸子的歷史，解除家派的不自然關係。三、梁啟超〈評胡適之中國哲學史大綱〉——定老子書成於戰國末。

至於考辨的方法有二：一是定篇章文字之真偽，一是考作者成書之年代。此與羅根澤「考年代與辨真偽不同」的想法略有出入。顧頡剛以為二事，實沒有嚴密的界限，所謂考年代，也就是辨去其偽託之時代，而置於真時代中，考年代是目

---

❶⑮　徐子旭於《中國古史的傳說時代》曾兩度提及此說。

的，辨眞僞是手段。所以辨僞不在否定該書之價値，只是還原時代，定其價値。⓰
唯諸子考辨究非顧氏研究重點，所以《古史辨》中屬於諸子考辨的第四、六冊，均
由羅根澤主編。顧氏的意見則散見於零星的文章中。

　　㈠老子：《老子》其人、其書之眞僞、年代，北魏崔浩已置其疑。⓱宋代以來
學者每有考辨。清人汪中始疑孔子、老子非同時人，且老子的年代很晚，惜未能駁
正老在孔前的文獻。崔述雖直言，「孔子問禮於老子」是楊墨之徒託古以詘孔子，
然定其年在春秋末。1919 年胡適撰《中國哲學史大綱》仍依舊說。至 1922 年梁啓
超〈評胡適之中國哲學史大綱〉，提證據六條，斷定老子的著作年代在戰國末年。
此後《老子》考辨，在民初的古史研究中，成爲討論熱烈的問題，參與討論的學者
有十九人，討論時間達十二年。⓲

　　在上述討論中，顧頡剛始終采信梁啓超的看法，故在立場上與胡適形成尖銳
對立。至其考辨的意見有二文：1、是 1924 年致錢玄同〈論詩經經歷及老子與道家
書〉，信中於梁啓超的看法之外，又補充兩條證據：從文體上看，《老子》簡練易
記的「經體」，乃戰國後期所盛行，非戰國前期所能有。從思想上看，老子的痛恨
聖智，是對戰國後期遊士之風的反擊。2、是 1932 年發表的〈從呂氏春秋推測老子
成書年代〉，分別從引書情形、文體、使用的名詞、助語、思想脈絡，四方面考
訂。以爲老子書非一人一時之作，其集結的時間，大約早在戰國之末，否則在西漢
之初。文中舉證可謂精詳，然矛盾之處，一如馮友蘭所云：

　　　現在所有的以爲老子之書是晚出之諸證據，若只舉其一，則皆不免有邏輯
　　　上所謂「丐辭」之嫌。⓳但合而觀之，則《老子》一書之文體、學說、及各
　　　方面之旁證，皆可以說《老子》是晚出，此則必非偶然。（1931 年 6 月 8 日大

⓰　參見《古史辨》第四冊，〈顧序〉。
⓱　其書已佚。說見王十朋〈問策〉：「至如疑五千言非老子所作，有如崔浩」。載《梅溪先生
　　文集》，卷 13。
⓲　其中大部分的文章，收錄在《古史辨》第 4、6 兩冊。約有三十五、六萬言。
⓳　「丐辭」即丐求之辭，是把尚待證明的結論，預先包含在前題之中，只要承認那前題，不得
　　不承認那結論。

公報）

綜觀作爲立論主體的「《呂氏春秋》引書情形」，即有明顯的弓辭之嫌。至於其他
論證，胡適在〈評論近人考據老子年代的方法〉一文中，嘗逐一說明其使用方法的
危險性。如：1.思想系統上的論證：顧文後半段的論證方法，是先建構所謂的「時
代意識」，再用這個時代意識來證明《老子》是晚出的。這個方法的危險性，誠如
一刀兩刃，隨主觀便可能產生相反的兩種結論。2.文字、術語、文體上的論證：文
體及用語習慣的起源和發展，往往歷經漫長的歷史，故在據以評判時，不免因主觀
的成見，而造成錯誤。顧頡剛因老子書爲「賦體」，故定其時代爲戰國末到漢初，
而馮友蘭及顧氏 1923 年最初的主張，以爲《老子》是「經體」，所以定其時代爲
戰國。二者間的取捨全憑主觀，究非科學的論證。

　　實則顧氏所用的方法，即民初大部份學者用以辨偽的方法，一如其自云：
「文籍考訂學的方法，大家已得到了，方法既差不多趨於一致，而觀點頗有不同，
因此易起辯論」[20]所以民初的這場論辯，始終沒有得到一個能令雙方平心接受的結
論，其原因便是胡適所說的：「這個老子年代的問題，原來不是一個考證方法的問
題，原來只是一個宗教信仰的問題！」[21]並且樂觀的以爲：「知出於爭」，愈辯論
眞相愈明白。殊不知方法相同，只是觀點頗有不同，便能得出截然相反的結論，則
這個方法便有缺陷。亦即考證的目的只在證成某一理論，便失去了客觀性及可批評
的肚量。

　　㈡莊子：顧頡剛對莊子書的討論，一見於 1920 年致胡適的〈論竹柏山房叢書
及莊子內篇書〉，一見於 1925 年致錢玄同的〈答書──附莊子外、雜篇著錄考〉。兩
件書札的內容，含蓋了莊子內、外、雜篇眞偽的討論。其方法是：采莊子書中不同
篇章互勘的方式，從形式上、思想上探討。在形式上：因各篇章間有明顯重複，及
深淺不一的情形，知非成於一人之手。在思想上：內篇〈大宗師〉雜神仙家語，恐
爲後人竄入。又外、雜篇中有許多提倡復古、攻擊孔子、引申老子的話，執住的意

---

[20]　見《古史辨》，第四冊，〈顧序〉，頁 16。
[21]　見《中國古代哲學史》（臺北：臺灣商務印書館，1970 年），〈自序〉。

味很重，頗與內篇一切無所用心的主旨不合。因此論斷，《莊子》是戰國秦漢間論道之人所作的單篇文字的總集。至於內、外、雜篇之分，標準不甚鮮明，竟是漢人無聊的分別。對於莊子書的眞僞，顧氏以爲不易考明，因爲它的文字太「塊詭」了，上述僅爲略論，知未詳加用力。

伍、辨僞史

　　1920 年顧頡剛在致胡適的〈告擬作僞書考跋文書〉中，提及預備作五個表，其中第五個表是〈根據僞書而造成的歷史事實〉，並云此表最重要，可見在辨僞書的同時，顧頡剛幾乎同步想到辨僞事，所以其辨僞工作，很快的從僞書轉移到僞史，且成爲終身志業，如其自云：

> 現在既深感研究學問的困難，又甚悲人生壽命的短促。知道自己在研究古史上，原有專門的一小部份工作──辨僞史──可作，不該把範圍屢屢放寬，以致一無所成。（《古史辨》第一冊〈自序〉）

　　在其總題爲《僞史考》的工作計劃中，包含三個分項：僞史源、僞史對鞫、僞史例，是其辨僞史工作的方法論。

　　㈠僞史源：是考僞史中事實的起源和變遷。說明一切上古史事，都是累積的，其中的人、事愈到後代就愈放大。還原古史的方法，就是把後加的部份剝去。這個概念的來源，一方面是他自己看戲、聽故事的心得，另一方面是前人的啓發。歐陽脩〈帝王世次圖序〉云：「以孔子之學，上述前世，止於堯舜，著其大略，而不道其前。邈遠出孔子後，而乃上述黃帝以來，又詳悉其世次，其不量力而務勝，宜其失之多也」。崔述《補上古考信錄》云：「大抵古人多貴精，後人多尚博，世愈古則取舍愈愼，世愈晚則取擇愈雜」。二人疑之，尚不言僞，顧頡剛則一併視爲有意造僞，故大膽將古史材料，放進歷史演進的框架裡排比，以凸顯僞史中「層累」的特質。

　　㈡僞史對鞫：這是一個包含分析、比較、規納三階段的工作，屬於研究工作中最紮實、瑣細的部份。顧頡剛治學，始終心存「學問是一點一滴的積起來的」，

所以肯用全力在細磨的工夫上。論其方法和心力的投注，主要有三個方面：

1.讀書筆記：顧氏嘗引恩格斯的一段話——「即使只是在一個單獨的歷史實例上，發展唯物主義的觀點。也是一項要求多年冷靜鑽研的科學工作……只有靠大量的、批判審查過的、充分地掌握了的歷史史料，才能解決這樣的任務。」[22]來說明其記筆記的苦心。分析的客觀性，來自資料的詳審與否，顧頡剛的讀書筆記，是自覺的承襲沈括、洪邁、顧炎武之緒，不僅以此爲治學的方法，且視爲「終古長存」的著述體裁。[23]

2.排列圖表：關於列表比較的方法，據其致錢玄同〈論堯舜伯夷書〉中云：

> 我狠想把古史分析開來，每一事列一表，每表分若干格，格上紀事以著書之時代爲次，看他如何漸漸的轉變，如何漸漸的放大，或如何一不留心，便忘記了使得作僞之迹無可遁形。

後來他排了幾個表，便看出古史系統如貫珠垂旒的層次，[24]如果這是提出「層累造成古史觀」的基礎工作。那麼〈五德終始說下的政治與歷史〉，便是在〈史漢儒林傳及釋文序錄傳經系統異同表〉及〈五德終始說殘存材料表〉等比對工作下的成績。

3.實地考察比較：「以今證古」是顧頡剛常用的方法之一，實地考察，則是提供「以今證古」的證據。這個部份的工作，主要是在辨僞史的輔助學科，如歌謠、民俗、歷史地理學材料的處理。例如抗戰時巡遊甘肅、青海，以臨夏小積石山，印證〈禹貢〉「導河積石」必爲此山；對妙峰山香會的考察，便想與春秋時的「祈望」、戰國後的「封禪」作一對比。面對這一番的工作，顧頡剛曾自詡云：

> 予性好遠遊，從實生活中，發見可以糾正前人成說者不少，於是超出都

---

[22] 見《蚓江市隱雜記》第一冊〈自序〉。
[23] 見《法華讀書記》第一冊〈自序〉。
[24] 關於這幾個表的詳細情形，參見《古史辨》第一冊〈自序〉，頁44。

市，而入農村，超出中原而至邊疆，以今證古，足以破舊而立新，較之清
人舊業自爲進步。（《湯山小記》第三冊〈自序〉）

有了上述的分析比較，便更敢於作歸納、立假設、蒐集證成假設的證據，而發表新
主張，這便是顧頡剛僞史考辨的程序。

　　㈢僞史例：尋找義例，本是古人治經的方法，顧頡剛的辨僞史亦有例。1921
年給胡適的〈論僞史例書〉，便提出了「年壽」、「數目」、「想像」等例。至於
造僞的原因，也有些成例，如「裝架子」、「求利祿」、「好奇妄造」，這些
「例」不僅是是對僞造史料分析研究的結果，更是辨僞的利器。所以歸納類例便成
了僞史考中重要的部份。而其中最大的成績便是提出「層累造成古史觀」，及「五
德終始說下的政治與歷史」。

伍、結　語

　　雖然顧頡剛對疑古辨僞的主張是：「我們所以有破壞，正因爲求建設」。然
其一生的學術思考，皆帶有造成文化危機的導向，而這個危機是對傳統不加思索的
拋棄所造成的。其企圖以學識來矯正被扭曲的中國歷史。然而在摧毀與重建之間，
雖然許多原本被視爲理所當然，且問題重重的系統，因被打破而開啓更多新的可
能，同時也因爲過疑而失落許多可貴的資料。正如錢穆所謂的：崔述那種疑古太
甚，辨駁太苛的疑古思想，到了五四時期，被胡適、顧頡剛等人所繼承和發揮，演
變成對一切古典文獻的懷疑，是「離本益遠，歧出益迷」。❷而「彼之所謂系統，
不爲崙空中之樓閣，彼治史之意義，轉成無意義。彼之把握全史，特把握其胸中所
臆測之全史。彼對於國家民族已往文化之評價，特激發於其一時之熱情，而非有外
在之根據」。❷

　　除上述原因，亦可從顧頡剛自撰的聯語：「好大喜功，終成怨府，貪多務
得，那有閒時」一窺端倪。其治學好訂計劃，對此爲數眾多，範圍大，系統繁的腹

───────────────

❷　見《崔東壁遺書‧錢序》。
❷　見《國史大綱》上冊（臺北：臺灣商務印書館，1980年1月修正6版），頁4。

案，傅斯年就曾斷言：「你老是規劃終身大計，我決得定，你一件也做不成的」。這些計劃的未及完成，固然是其學術生命之缺憾，更嚴重的是，使其在對以經學爲主體的上古史進行重整時，產生過疑的結論。而計劃中占重大篇幅的，對二千年來經學研究「汰劣存優，撰成集注」的工作未見著手，更使其研究成果破壞多建設少。

重要參考書目

（美）Laurence A Schneider 著　梅寅生譯　顧頡剛與中國新史學　臺北　華世出版社　1984 年 1 月

王汎森　古史辨運動的興起　臺北　允晨文化公司　1987 年 4 月

王熙華　顧頡剛先生學術紀年　顧頡剛學術論文集　成都　巴蜀書社　1990 年 4 月

王建文　一個寂寞的史學家——典範變遷中的崔述　（成大）歷史學報　18 期　1992 年 12 月　頁 153-172

余英時　顧頡剛、洪業與中國現代史學　聯合報　8 版　1981 年 4 月 25 日

余兼勝　顧頡剛古史觀的形成與其今古文經學認識的關係　歷史教學問題　1992 年　3 期　頁 27-30

林慶彰　「姚際恆著作集‧序」——姚際恆及其在近代學術史地位　中國文哲通訊　4 卷 12 期　1994 年 6 月　頁 139-151

崔　述著　顧頡剛點校　崔東壁遺書　臺北　世界書局　1963 年 6 月

陳寒鳴　試論顧頡剛先生的疑古思想　蘇州大學學報（哲學社會科學版）　1988 年 3 期　頁 126-130

陳志明　顧頡剛的疑古史學及其在現代思想史上的意義　臺北　商鼎文化出版社　1993 年 7 月

陳　勇　錢穆、顧頡剛古史理論異同論　錢穆先生紀念館刊　4 期　1996 年 9 月　頁 105-133

彭明輝　疑古思想與現代中國史學發展　臺北　臺灣商務印書館　1991 年 9 月

劉起釪　顧頡剛先生學述　北京　中華書局　1986 年 5 月

顧頡剛等著　古史辨（中國古史研究）　　臺北　明倫出版社　1970 年 3 月

顧頡剛　秦漢間的方士與儒生　臺北　里仁書局　1995 年 2 月

　　　　中國上古史講義　臺北　文史哲出版社　1989 年 9 月

　　　　　顧頡剛讀書筆記　聯經出版事業公司　1990 年 1 月

顧　洪　顧頡剛的讀書與治學　歷史月刊　24 期　1990 年 1 月　頁 145-151

顧潮、顧洪合著　以探索禹的神性和來源爲例評顧頡剛的古史研究法　傳統文化研

　　　究（二）　蘇州　古吳軒出版社　1993 年 10 月

經 學 研 究 論 叢
第 六 輯　　　頁39～62
臺灣學生書局　　1999 年 3 月

史官制度的淵源與《尚書》
《春秋》的編纂

葛志毅*

　　自章學誠倡言六經皆史說之後，龔自珍亦曾揭櫫其說謂：「夫六經者，周史之宗子也。」不唯此也，龔氏更進而推闡曰：「孔子述六經，則本之史。」又曰：「史統替夷，孔統修也。」❶是則由經溯史，直趨六經本原。其實若欲究明孔子刪訂六經之所本，如關於《尚書》與《春秋》的編纂緣起，就必須考求上古史官職守與史籍編纂的原初歷史淵源。

一、史官與巫祝的關係及其對《尚書》等的影響

　　史、巫之間的關係，乃是在研究史官制度起源時已被關注到的問題。但是，史與巫祝之間又如何聯官通職及由此給早期史籍編纂帶來何等影響，卻仍是有待深人鈎稽考索的問題。

　　原始社會的氏族，除氏族長之外，還包括其他一些氏族公職人員，其中主要是巫祝。巫祝的性質，與歷史上諸多原始民族的巫師、祭司相類，舉凡祭祀、祈告、降神乃至種種儀式，以及氏族的習俗、歷史和傳說等，多歸巫祝掌管。由於宗教崇拜至上的原始信念，導致巫祝在文化上的至高地位，以至他們因其神聖又被視

---

*　　葛志毅，哈爾濱師範大學歷史系教授。
❶　以上分別見《古史鈎沉論》二、四。

爲原始社會職官體制的核心中堅。春秋時楚大夫觀射父之言，有助於說明這點。他說：「古者民神不雜，民之精爽不攜貳者，而又能齊肅衷正，其智能上下比義，其聖能光遠宣朗，其明能光照之，其聰能聽徹之，如是則明神降之。在男曰覡，在女曰巫。是使制神之處位次主，而爲之牲器時服。而後使先聖之後之有光烈，而能知山川之號，高祖之主，宗廟之事，昭穆之世，齊敬之勤，禮節之宜，威儀之則，容貌之崇，忠信之質，禋絜之服，而敬恭明神者，以爲之祝。使名姓之後，能知四時之生，犧牲之物，玉帛之類，采服之儀，彝器之量，次主之度，屛攝之位，壇場之所，上下之神，氏姓之出，而心率舊典者，爲之宗。於是乎有天地神民類物之官，謂之五官。」❷是則巫覡宗祝之職，無論就其出身門第，還是資質稟賦，乃至知識德性諸方面，都要選擇其時的精英，亦即從各方面對巫祝進行了充分的褒揚肯定。「五官」乃職官體制的概稱，此處所論不啻以巫祝爲設官立制之本。《史記・周本紀》載太王遷岐，乃作「五官有司」，《管子・大匡》：「管子趨於相位，乃令五官行事，」《商君書・君臣》：「地廣、民眾、萬物多，故分五官而守之，」還可舉若干類似之證。「五官」在先秦文獻中是一個常見的概念，它實際已成爲全部政治管理機構的概稱，《左傳》昭公十一年有「五大」，杜預解爲「五官之長」，並謂：「上古金木水火土謂之五官……蓋立官之本也。」《左傳》昭公二十九年蔡墨確實講述了「故有五行之官，是謂五官」的古老制度。所以，五官確應爲原始社會末期以來官制體制的一個概稱。據觀射父所言，巫覡宗祝乃是五官體制的立官之本，所言合於原始社會末期的設官原則。其實與巫祝相近還有史，故觀射父之言中有「家爲巫史」❸。史在早期尚不如巫祝重要，但它包括在巫祝體制之內。如《禮記・曲禮下》曰：「天子建天官，先六大，曰大宰、大宗、大史、大祝、大士、大卜，典司六典。」按所謂「天官」即宗教神職官，如大宰原爲祭祀時主宰牲之事者❹；大士，鄭玄說爲「以神仕者」，亦即巫❺。其餘宗、祝、卜亦各於祭祀時有

---

❷　《國語・楚語下》。

❸　《周易・巽》九二：「用史巫紛若」。

❹　宰本爲宰牲具食之官，故先秦古書中有庖宰、膳宰諸稱。宰又於祭祀主宰牲之事，故《禮記・月令》仲秋之月，「乃命宰祝循行犧牲」。《漢書・百官公卿表》謂太常掌宗廟禮儀，屬官有太宰，「又諸廟寢圓食官令長丞，有廱太宰」，乃其遺制。

執事之職，大史列於其類，性質不言自明。天官六大之下，依次是典司五眾的五官，典司六職的六府，典制六材的百工等。按此排列，其官制體制以宗教神職官爲首，其下依次爲政務官、事務官及工官等。這種設官體制，合於前引《國語》以巫祝爲設官之本的論議，亦合於三代社會的實情，不必非如鄭玄說爲殷商制度。史官既置身巫祝之列，亦必身負與巫祝相近之職，如史官參與祭祀活動，《左傳》閔公二年華龍滑與禮孔有曰：「我大史也，實掌其祭。」《國語・楚語》載左史倚相輔佐楚君，「又能上下說於鬼神，順道其欲惡，使神無有怨痛於楚國。」即左史倚相掌祭祀而又善事鬼神。史官在祭祀、祈禳中奔走執事，往往與宗祝互相配合。如《左傳》莊公三十二年：「神居莘六月，虢公使祝應、宗區、史嚚享焉。」昭公十八年：鄭火，「使祝史徙主祏於周廟，告於先君……郊人助祝史除於國北，禳火於玄冥、回祿，祈於四鄘。」昭公二十六年：齊侯使禳慧星，晏子曰：「祝史之爲，無能補也。」按所謂「祝史」乃指祝與史二者，如昭公十七年：「祝史請所用幣……祝用幣，史用辭」，又昭公二十年：「是祝史之罪也……君盍誅於祝固、史嚚以辭賓。」皆可爲證。由於史官參與祈祭活動，且與宗祝配合執事，其與宗祝巫卜性質相近，同屬早期社會組織中的宗教神職官，已得證明。至於在春秋時代所見到的筮史、祭史等名目，皆爲專掌宗教神職的史官性質❻。徵諸文獻，從春秋乃至秦漢的記載中，仍往往可見史官與宗祝巫卜之間的這種聯繫。如《左傳》定公四年有「祝宗卜史」之言，司馬遷在《報任安書》中謂：「文史星歷，近乎卜祝之間，」《漢書・劉歆傳》載歆「典儒林史卜之官」，皆可爲證。

　　如果就史與宗祝巫卜間的關係做進一步考察，可見祝與史的關係更爲密切。如前所言，《左傳》、《國語》中常見的祝史一詞，本指祝與史二者，且二者往往在祈祭活動中互相配合。《說文》謂祝乃「祭主贊詞者」，即在祈祭儀式上陳述告神之詞。《周官・春官・大祝》「掌六祝之辭以事鬼神示」、「掌六祈以同鬼神

---

❺　《周官・春官》鄭注：「以神士者，男巫之俊，有學問才知者。」那麼，大士應爲巫官之長。

❻　分別見《左傳》僖公二十八、昭公十七年。

示」等，皆爲「主贊詞」之事。因史與祝爲官聯❼，亦與祝共執「贊詞」之職。如
《左傳》襄公十四年：「祝史正辭，信也。」襄公二十七年：「其祝史陳信於鬼
神，無愧辭。」皆祝、史共主贊詞之證。但有時也出現分工，一般是祝主用幣儀
式，史則專掌陳辭告神。如《左傳》成公五年：「祝幣，史辭」，昭公十七年：
「祝用幣，史用辭」。本來史職主要是文字撰寫工作，但按「祝幣，史辭」的趨勢
發展下去，很可能使祈祝文字全歸史官執掌。如《尚書》載周公祈於先王，「史乃
冊祝」；周成王祭於新邑，命「作冊逸祝冊」。所謂「冊祝」、「祝冊」，乃指祈
祝文字的誦讀撰作。但據《周官・大祝》：「掌六祝之辭……六曰策祝」，即冊祝
本由大祝執掌。《逸周書・嘗麥》：「大祝以王命作策策告太宗……作策許諾，乃
北向繇書於兩楹之間。」可證作冊史官冊告之職確曾棣屬於太祝之下。由於史官與
文字撰作之間的密切聯繫，於是祈祭活動中的冊祝之職漸歸史官擔任。據《儀禮・
聘禮》：「辭多則史，少則不達。」鄭注：「史，謂策祝。」是顯然視冊祝爲史職
一大特徵。這樣，雖然祝、史之間本爲官聯而互相通職，但由於史職偏重於文字撰
作，結果可能使祈祝文字的撰作也主要歸史官負責。這最終使原本依附於祝官之下
的史官地位有所上升。與此相關，由於社會文化的發展，從西周至春秋日漸滋生起
注重社會政治、人事道德的文化轉向，並有凌駕於鬼神崇拜之上的趨勢。這種文化
趨勢，導致史官地位日益上升，巫祝地位日益下降，最後使史官脫離巫祝而獨立。
原本由於中國古代早期濃重的宗教文化氛圍，使巫祝的社會地位極爲重要，前引
《國語》關於巫覡宗祝的論議可以爲證。但隨著對現實人事及政治道德等社會問題
的重視，史官日益以掌官書贊治及執簡記事的職能見重於世，最終亦因此造成史官
脫離巫祝而獨立的社會文化原因。《論語・雍也》：「質勝文則野，文勝質則
史」，何晏注：「史者，文多而質少。」這顯然是史官擺脫原始的宗教色彩之後，
主要以人文化特徵顯現於世的反映。

　　由於史官與巫祝職掌間的聯繫，以及史官要在宗廟祭祀中奔走執事，最終影
響及於後來的史籍撰作。如《周官・春官・小史》：「奠繫世，辨昭穆」，鄭注：
「繫世，謂《帝系》、《世本》之屬是也。小史主定之，瞽矇諷誦之。」〈小史〉

---

❼　官聯參《周官・天官・大宰》及〈小宰〉。

又曰：「大祭祀，讀禮法，史以書敘昭穆之俎簋。」鄭注：「大祭祀，小史敘其昭穆，以其主定繫世也。」是《世本》、《帝系》乃應宗廟祭祀的需要而被撰作出來，主要乃史官在宗廟祭祀時排定主位昭穆次序的根據。相關的記載如《國語·魯語上》：「夫祀，昭孝也，各致齊敬於其皇祖，昭孝之至也。故工史書世，宗祝書昭穆。」韋注：「工，瞽師官也。史，太史也。世次先後也，工誦其德，史書其言也。」按「工史書世」與上引鄭注「小史主定之，瞽矇諷誦之」相類，而且要由史與宗祝共序世次昭穆。又《楚語下》：「夫人作享，家爲巫史」，韋注：「享，祀也。巫、主接神，史、次位序。」亦是史與巫祝在祭祀中協同爲神主排列位序。《國語》的記載不僅指出史與宗祝在宗廟祭祀中互爲官聯而通職，而且值得注意的是二者同掌世次昭穆之序而互相配合。據此則《世本》、《帝系》等譜諜類史籍的撰作，原本與史官在宗廟祭祀中的職掌密切相關。在春秋時代有所謂《瞽史之紀》和《瞽史記》，察其內容，殆與《世本》、《帝系》相類。如：「《瞽史之紀》曰：唐叔之世，將如商數。」又：「《瞽史記》曰：嗣續其祖，如穀之滋。」❽是其所載當與《帝系》及《世本》相類，主要關乎王公卿大夫的世系位次等。韋昭解「瞽史」爲二，即瞽爲樂太師，史爲太史❾。實則所謂瞽史當與《周官·春官》之瞽矇與小史有關。因爲如前所引瞽矇與小史二職文，二者俱與《帝系》、《世本》相關，而鄭玄又謂《帝系》、《世本》由小史定之，瞽矇諷誦之。因此可以推斷，殆因《世本》、《帝系》一類貴族譜牒由史官與瞽矇共同掌管，因此又稱之爲《瞽史之紀》與《瞽史記》。總之，借助瞽史一名，可見史官修史之任乃是在與其他職官互相官聯通職的過程中發展起來的❿，其中首以宗教性目的在早期爲主要方面。此外，一般認爲《尙書》的撰集出於史官所爲，這是無疑的。但我們若就祝官之職做深入考察，就會發現《尙書》的來源亦與祝官有一定關係，此乃祝、史聯官通職所致後果之一。《周官·春官·大祝》：「作六辭以通上下親疏遠近，一曰祠

---

❽　俱見《國語·魯語四》。

❾　見《國語·周語下》韋註。

❿　瞽與史的相互配合可參考顧頡剛〈左丘失明〉一文，載《史林雜識初編》（北京：中華書局，1997年）。

（辭），二曰命、三曰誥、四曰會、五曰禱、六曰誄。」按此六辭乃生人相接談之
禮，與前引祈告鬼神的「六祝之辭」不同。六辭據鄭玄的解釋分別是：辭即「交接
之辭」，命即「《論語》所謂爲命，裨諶草創之」，誥謂「〈康誥〉、〈盤庚之
誥〉之屬」，會謂「會同盟誓之辭」禱即「賀慶言福祚之辭」，誄即「積累生時德
行，以賜之命，主爲其辭也」。一般謂《尚書》分爲典、謨、訓、誥、誓、命六
體。據此六辭所言，至少其中的命、誥、會三者與《尚書》的體例內容相關。因而
據此〈大祝〉所言六辭，不僅可證祝、史之間互爲官聯通職，而且《尚書》的來源
也應與祝官有關❶。今傳《逸周書》有〈殷祝〉、〈周祝〉兩篇，說者以爲出於祝
官所作。綜之，史官本依附於祝官之下，祝官的本職是在宗廟祈祭活動中主贊詞。
史官之職本與文字撰作密切相關，因而依附於祝官之下助作贊詞之事。但隨著政務
及庶事日繁，致使文書的撰作需要日亟，於是史官的地位與作用日益突出，乃致原
本由祝官所掌如冊祝及六辭等祭主贊詞之職，一並歸爲文書撰作的職事範疇而統歸
史官掌管，於是史官地位超出祝官之上並以依附其下而完全獨立出來。但宗廟祭祀
活動的需要及宗祝之職所留下的影響，使史官在職務及觀念上無法完全予以擺脫，
於是在其所編史籍之最早者《尚書》中，仍表露出恭奉天命及敬事神祖等濃厚的宗
教思想色彩。

二、史官職能自身的轉變及其與
《尚書》編纂的關係

　　先秦史官的職掌，曾經歷由掌官書以贊治爲主變爲執簡以記事爲主的演變分
化過程。前者決定其爲書記官之史的性質，後者決定其爲歷史官之史的性質。雖然
二者都與文字撰作相關，但二者的職能性質不同。

---

❶　孫詒讓有謂，王有詔令，當書之簡冊，宣示中外，則由御史「代王爲辭令以致之，蓋與大祝
　　六辭之掌互相備，若《尚書》諸命誥語之類」。見《周禮正義》卷三十二。是孫氏已指出祝史
　　之職互備而同與《尚書》有關。

　　西周史官稱作冊，而戰國齊史有「掌書」之稱⑫。西周史官又稱尹氏，尹字從又持丨，據謂丨象筆形或刀形⑬，《禮記‧曲禮》謂「史載筆」，春秋戰國之際的史官確有稱「秉筆」者⑭。總之，上述諸稱皆說明，文字撰作乃史官職責的主要特徵。這是我們認識史官性質的基本點。王國維曾從文字學的角度指出，「中」乃史官所執盛冊之器，由於簡冊本為書寫載體，因而「史字從又持中，義為持書之人」，又謂：「史之職專以藏書、讀書、作書為事」⑮，至今可為不易之論。最近有人提出，史字的本義應是事物之事，那麼，史官之史亦由職事之事分化而來，因而「古之官名，多由史出」應改為「古之官名，多由事出」，即由職事分化而來⑯。這顯然是想推翻王氏之說而另立自家之異。這裡重要的是，首先應認清史官之職與文字之間的密切聯繫。因為乃是文字的功能性質及使用宗旨的異趣，決定著史官的職能及相應的變化。前文已指出，史官脫離巫祝而獨立，與其所任文字撰作之職有很大關係；這裡則要進一步指出文字的使用功能與史職變化間的聯繫。

　　古代記載顯示，由於文字的創造使用，隨之出現一種有效的統治管理方式；史官恰是文字的發明者與掌握者，因此決定了它在古代官制體制中日顯重要的地位。《易‧繫辭》：「上古結繩而治，後世聖人易之以書契，百官以治，萬民以察」，〈說文序〉：「及神農氏結繩為治而統其事，庶業其繁，飾偽萌生。黃帝之中倉頡……初造書契，百工以義，萬品以察」⑰，即謂文字的創造使用較結繩而治出現了更為有效的統治管理方式。值得注意的是，這裡著重指出的是文字有利於統治管理的政治功能。這種認識為歷代所承，直至清代的章學誠，不僅承襲此觀點並進而明確說：「是故聖王書同文以平天下，未有不用之於政教典章。」⑱中國古代文字產生之初就被賦予的這種強烈政治功能，使史官首先表現為運用文字參與統治

---

⑫　《呂氏春秋‧驕恣》。

⑬　劉節：《中國史學史稿》（鄭州：中州書畫社，1982 年），頁 14。

⑭　《國語‧晉語九》。

⑮　《觀堂集林》卷六〈釋史〉。

⑯　王東：〈史官文化的演進〉，《歷史研究》，1993 年第 4 期。

⑰　《漢書‧藝文志》及《淮南子‧泰族》有類似記載。

⑱　《文史通義‧詩教上》，載《章學誠遺書》（北京：文物出版社，1985 年），頁 5。

管理的政治角色。《周官・天官・宰夫》有八職，其六曰史「掌官書以贊治」，鄭注：「若今起文書草也。」即史官主管文書誥令的草擬撰作。《周官》中除身爲大夫士的專職史官，即大史、小史、內史、外史及御史外，還有大量的普通書吏，此即《周官》六官各職所屬「府史」中的史。他們擔負著所有官府機構中大量的一般文書登錄保存工作。「掌官書以贊治」的史官職能，使中國古代的政府機制，很早就以文書簿籍的形式實現了管理手段的規範化與嚴密化。《漢書・藝文志》論及《尚書》所載詔令的意義時有謂：「號令於眾，其言不立具，則聽受施行者弗曉」，實則已提出以文書的形式宣示政令，有利於政令暢達和提高統治管理效果。記載證明，最初史官確曾主要以書記官之史的角色撰擬詔令文書，並以此介入當時的統治管理活動中。

《周官》中的五史，即大史、小史、內史、外史及御史，其職能主要是書寫和保存王命等，即主要是行政管理文書的製作管理者。其中值得注意者，基本不見後來主要以修史爲職志的執簡記事之職。《周官》五史可分爲兩個系統[19]，其一以大史爲長，屬官有小史，掌典法禮籍，兼司星歷之職，故馮相氏、保章氏二司天之職亦爲屬官。所謂典法禮籍主要指歸檔保存的行政管理文書，其中包括行政法典之類的文件等。如〈大史〉：「掌建邦之六典，以逆邦國之治；掌法，以逆官府之治；掌則，以逆都鄙之治。凡辨法者考焉，不信者刑之。凡邦國都鄙及萬民之有約劑者藏焉，以貳六官，六官之所登。若約劑亂，則辟法，不信者刑之。」按法即八法，則即八則。六典、八法、八則乃治理諸侯、卿大夫及百官所屬各級政府的行政法典，本是大宰所掌的行政總綱，大史協助監督執行。約劑指治理民事的約法文書，本由大宰、司徒、宗伯、司馬、司寇、司空所謂六官執掌，大史亦協同監督執行。大史把這些行政治典及約法文書等各保存一份副本，做爲根據來監督其執行情況，並有權根據執行情況運用懲罰權加以督促。不僅周代大史以掌管典法禮籍等官府文書爲主要職責，夏商以來即如此。如《呂氏春秋・先識》載夏太史令終古出其圖法奔商，殷內史向摯載其圖法奔周[20]。所謂圖法即太史所掌之禮法文書，《國

---

[19] 參孫詒讓《周禮正義》卷三十二。
[20] 殷內史又作太史，見陳奇猷：《呂氏春秋校釋》。

語‧周語》：「若啓先王之遺訓，省其典圖刑法」，《周官‧天官‧內宰》：「掌書版圖之法」，皆可證圖法指官府文書。大史所掌，主要是在官府中歸檔保存的禮法文書，以備檢核時的法律文件依據。《周官》五史的另一系統以內史爲長，其屬官有外史及御史，其職乃協助王管理百官群臣的爵祿賞罰以及相應的法令命書，尤其要隨時根據宣布政令的需要而撰擬發布王命。綜上所述，可見《周官》所載的史官系統，其基本職掌是掌管典法禮籍與撰擬王命，表現的是掌官書以贊治的書記官之史的性質，而不見執簡以記事的歷史官之史的性質。按《春官》五史之外，《天官》又見〈女史〉一職。女史主要是王后的禮儀顧問，亦包括「書內令」之職，而絕不見執簡記事之職。周代史官之見重，乃因其執掌宣示王命的大權。《大戴禮‧盛德》：「德法者，御民之銜也；史者轡也，刑者策也，天子御者，內史、大史左右手也。」即謂內史、大史掌治法隨侍在王的左右，乃協助王治理天下的重要輔弼。《尚書‧酒誥》：「汝劼毖殷獻臣，侯甸男衛，矧太史友、內史友，越獻臣百宗工」❷❶，按其序次，太史友、內史友排在諸侯邦君之后，但在百官群臣之前。所言雖是殷商諸臣的情況，西周亦當如此。史官中尤以貼近王身的秘書侍從之職更重要，如御史，孫詒讓有謂：「王有詔命，當書之簡冊，宣布中外，則代王爲辭令以致之……王之有御史，蓋猶百官府之有史。故宰夫八職雖亦曰史掌官書以贊治，彼史贊掌眾官府之書，與此御史尊卑殊絕，而所掌略同。」❷❷是御史的見重，乃因其爲隨侍在王左右的近侍秘書，有代書王命之權。又如內史，位近中樞，權侔執政，地望尤爲重要。王國維曾指出：「內史之官雖在卿下，然其職之機要，除冢宰外，實爲他卿所不及。自《詩》、《書》彝器觀之，內史實執政之一人。其職與漢以後之尚書令，唐宋之中書舍人、翰林學士，明之大學士相當。蓋樞要之任也……而尹氏爲其長。其職在書王命與制祿命官，與太師同秉國政。」❷❸按王氏正確指出內史權位之重要。後來由於陳夢家結合金文的研究，正確指出其權位重要的根源在於內

---

❷❶　《逸周書‧商誓》有類似記載，只是有缺誤，其末句爲：「及太史比、小史昔，及百官里居獻民」，其太史、小史的位序與《酒誥》之大史、內史略同。

❷❷　《周禮正義》，卷三十二。

❷❸　《觀堂集林》，卷六〈釋史〉。

史掌握了代宣王命之權。陳氏提出西周史官制度以乍冊、內史、尹氏三者的先後演變爲線索，他說：「西周初期的史官以乍冊爲主，中期以內史爲主，而尹氏至晚期始盛。」與史官的這種演變相關，出現史官代宣王命之制，其做爲一種權力，亦隨史官的演變而轉移：「乍冊本是制作策命之人，及史官代宣王命的制度產生，乃兼而爲代宣王命之人；西周中期其權落在王左右的內史（其初當爲記言之官）；在西周晚期則尹氏取而代之。但因內史、尹氏性質相近，故至西周以後內史仍有宣王命者，它若大史與宰亦時執行此事。」❷借助於陳氏的研究，可以明白何以內史、大史等史官權位的重要。因爲他們不僅隨侍在王的左右，職近中樞，而且還控制著代宣王命的大權。究其實質，雖未脫掌官書以贊治的書記官性質，但其特殊之處就在於他們的這種職權。這種代王撰擬發布詔令的職權，使王左右的史官構成掌握中樞機要大權的機構。這可參照解釋金文中「大史寮」與「卿事寮」兩個機構的職權內涵。有的學者據對西周金文官制的研究，指出西周始終以大史寮與卿事寮爲中央兩大執政機構❷我認爲，大史寮以大史、內史、御史等史官爲代表性成員，掌中樞機要，代王撰擬發布詔命，相當於王左右近侍史官爲主組成的內廷機構。卿事寮應以執政卿士爲首及其屬下的百司、庶尹及御事等政務官組成，他們掌握具體行政管理權，是執行處理各項政務的外朝機構。關於大史寮與卿事寮的這種推測，目的爲通過對比突出內史因撰擬宣示王命而具有的特殊政治地位❷。根據《周官》記載，大史、小史除掌典法禮籍之外，還要在祭祀禮儀中奔走執事，大史爵爲下大夫。內史、外史、御史幾乎專以撰擬宣示王命爲任，內史爵爲中大夫。兩相比較，亦見內史系統因撰擬宣示王命而得優異。但無論大史系統，或內史系統，都不見執簡記事、纂錄史籍的職能。以《周官》記載結合前引金文的研究，說明西周史官主要在王左右任機要輔弼之任，以書寫保存文書法令的職能參與政治統治活動，表現出書記官之史的明顯傾向。

---

❷ 《尚書通論》（北京：中華書局，1985年），頁147、148-9。
❷ 張亞初、劉雨《西周金文官制研究》（北京：中華書局，1986年）。
❷ 孫詒讓認爲內史又稱大史，故大史寮猶內史寮，總之是史官主持下的機構。孫說見《周禮正義》卷三十二。

　　劉節承朱希祖之見把史官分爲兩類，即一爲書記官之史，一爲歷史官之史。劉氏並提出二者職能在早期互相結合，沒有分別；東周以後，史的名稱日多，與歷史官之史的關係也越來越密切。這種認識有其合理性。但他又提出，「在先秦早已有歷史官之史，而且書記官之史是源於歷史官之史的。」**㉗**其觀點值得商榷。因爲如上所論，中國古代最早產生的史官偏於書記官之史的傾向，後來隨史官職能的演變，文字使用功能的提高和推廣，特別是記事需要的增加，於是書記官之史才日漸分化出歷史官之史。對此，金毓黻之言，頗可參考。他說：「是則史之初職，專掌官文書及起文書草，略如後世官署之掾吏。」即指出最初史官偏重於書記官之史的性質。又謂：「凡官以史名者，既掌文書，復典秘籍，漸以聞見筆之於書，遂以掌書起草之史，而當載筆修史之任。初本以史名官，繼則以史名書，而史官之名，乃爲載筆修史者所獨擅，而向之掌書起草以史名官之輩，轉遜謝以爲無與，不得不以吏自號矣。」**㉘**即正確指出史職由書記官之史向歷史官之史轉化演變的過程。《史記・秦本紀》文公十三年，「初有史以記事」，這並非說此前的秦國尙無撰作文書、保管簿籍檔案的史官，恰可用以說明執簡記事之史後於書記官之史出現的史實例證。由於史職的這種轉變，於是出現史官把本爲文書檔案的「古之號令」，匯編爲史籍的最早努力，是即《尚書》初編本。隨著此過程的進行，從書記官之史分化出歷史官之史的過程臻於完成，而最早的史籍《尚書》初編本亦借此編修而成。《史記・三代世表》曰：「孔子因史文以次《春秋》，紀元年，正時月，蓋其詳哉！至於序《尚書》，則略無年月，或頗有，然多缺，不可錄。」即是從後世史家的目光，慨嘆《尚書》史裁的疏略。殊不知《尚書》本據先世「號令」補輯編綴而成，是利用存世檔案纂錄史籍的較早嘗試。檔案所傳的原來時代，不過爲世事所需，即事命言，出於傳達政令的需要。所言雖在客觀上提供一種事實，但決無後來記事之史纂錄史籍的那種專門修史自覺與素養。所以《史記》對《尚書》的慨嘆，只表現了史家的無奈。至於從書記官之史分化出歷史官之史，其間經歷一個相當的時間過程。如傳世的殷代甲骨文與金文，既是實用類文書，客觀上又具有記事的性

㉗　《中國古代史學史》，頁 25-28。

㉘　《中國史學史》（北京：商務印書館，1957 年），頁 3、4。

質。《尚書・多士》：「惟殷先人有冊有典，殷革夏命。」《逸周書・世俘》：武王「告於周廟曰：古朕聞文考，修商人典，以斬紂身告於天於稷。」❷可見殷革夏命與周革殷命這樣的大事，當時都有記錄，而且是周人繼承自商人的傳統。但若仔細剖析上舉兩則記載，則會發現殷革夏命與周革殷命這樣的大事，原本應爲書寫於祭天告祖的典冊上，那麼，記錄它們的仍不是一種純粹的記事文件，而只是冊告文書的一種。這正如前面所言《世本》、《帝系》等早期譜牒類史籍，主要是出於宗廟祭祀的需要而被撰作，因此二者性質相類。所以史官在早期雖可能偏重於書記官之史的一面，但總的來說，應該是書記官之史與歷史官之史的萌芽長期糾集在一起而發展。而《尚書》的最初纂錄，則可視爲歷史官之史出現並開始趨於成熟的一種標誌。

三、《春秋》與史家的自覺意識

《禮記・王制》有大史「執簡記」之職，然於《周官》中卻絲毫不見其跡。如前所言，《周官》五史主要可概括爲掌典法禮籍及撰擬王命之職，不見執簡記事之史，更無從言及史籍撰述。這決定了中國古代史學發展的早期特徵。雖然書記官之史撰擬的誥命文書爲後人提供了客觀的史料，但尚缺乏史家在史學自覺意識的指導下，爲修史而註記史料與撰寫史籍的主觀動機。中國古代早期的成型史籍，以周代列國史記《春秋》的興起爲標誌，但它是以常設的執簡記事史官的出現爲條件的，此後史官方以註記史料、纂錄史籍做爲自己的職守與宗旨。這樣，中國古代史學才開始進入真正具有主體自覺意識的發展階段，也才可能談論真正史學意義上的史官與史家。此前雖偶有記事之舉，但那只反映了一種客觀上的實際需要，亦非史官職守之正，最主要的是尚無法形成一種史學上的主觀自覺意識。《周官》五史僅見掌典法書王命的職能，而不見執簡記事之職，乃是早期史官無從形成史學主體自覺意識的根本原因。但《周官》五史雖無記事之職，卻決非周代尚無搜採保管文獻之人。因爲這無論從邏輯上還是事實上都無法講通。因爲正是早期史官撰擬詔令與保管文書的職能，爲後來專任修史史官的出現，以及最早史籍如《尚書》的編纂，在資料的積累與準備方面，提供了條件與可能。而史家主體自覺意識的形成，則是

---

❷ 引文據朱右曾《逸周書集訓校釋》。

專門修史職能產生的點睛之筆。

　　《周官·小史》：「掌邦國之志」，〈外史〉：「掌四方之志，掌三皇五帝之書。」按此並非史官所撰寫的史籍，而是集中收藏於史官之府的文書檔案。所謂「志」與「書」同類，皆乃記言爲主的文件[30]由於分類歸檔保存，各從其類，於是有「四方之志」與「三皇五帝之書」的名目。其中「三皇五帝之書」應該繼承自前代，「四方之志」則主要由四方搜採而來，並集中於史官之府收藏管理。如有的學者曾指出，孔子修《春秋》有取於周室史記百二十國寶書，此寶書乃《春官·御史》所屬之百二十史乘車分行邦國，「以書善敗，歸而藏諸冊府」而成[31]。所言可供參考。其實搜採文獻並非僅爲史官之職，其他職官亦有此責任。此可舉誦訓與訓方氏二職爲例說明之。由此可見周代除使史官撰擬各種政令文件之外，亦很重視各類文件的搜集保存，其目的並非爲使史官撰寫史籍，而是爲通解政務的需要，亦即是出於統治目的而搜集資料的政府管理行爲。《地官·誦訓》：「掌道方志，以詔觀事……王巡守，則夾王車。」鄭注：「說四方所識久遠之事，以告王觀，博古所識，若魯有大庭氏之庫，殽之二陵。」又《夏官·訓方氏》：「掌道四方之政事，與其上下之志，誦四方之傳道。正歲則布而訓四方。」按訓方氏所掌除當世政事掌故之外，亦包括古代傳聞，如鄭玄所指出的：「傳道，世世所傳說往古之事也，爲王誦之，若今論聖德堯舜之道矣。」由誦訓與訓方氏的職守所決定，他們不僅在隨王巡守和出行之際要宣示王朝威德，而且還要搜採相關資料豐富自己的職守。其實質，乃是規定某些職官負有掌握和搜集各地信息情報的職責，以爲政府決策提供資詢，屬政府管理範疇。這方面最明顯的例子是行人之職。如小行人職掌接待四方諸侯卿大夫入覲朝王者，也要在朝聘盟會上詔相各種禮儀。由於小行人與各方國聯繫密切，因而搜集了解各國的政事禮俗及治亂悖逆等情況，自然成爲其職責。《秋官·小行人》：「及其萬民之利害爲一書，其禮俗政事教治刑禁之逆順爲一書，其

---

[30]　參拙文〈試論《尚書》的編纂資料來源〉，載《北方論叢》1988 年第 1 期；又拙文〈史官的規諫記言之職〉，待刊。

[31]　章太炎《檢論·尊史》，載《章太炎全集》㈢（上海：上海人民出版社，1984 年），頁415。

悖逆暴亂作慝猶犯令者爲一書，其札喪凶荒厄貧爲一書，其康樂和親安平爲一書。凡此五物者，每國辨異之，以反命于王，以周知天下之故。」是周王利用小行人在朝會上與各國接觸頻繁密切的職務之便，又賦予之掌握了解各國情況的使命。孫詒讓綜據古書記載指出，行人即遒人之使，周王遣遒人之使巡行天下，觀采風謠，以了解各地民俗政事得失。遒人還要獻上奉使「奏籍之書，皆藏於周秦之室」。周王通過遒人之使掌握各地情況，能達到「王者不窺戶牖而知天下」的效果❷。周室通過各個官職如上舉誦訓、訓方氏及小行人等搜集到的資料，最後集中於史官之府收藏，其目的並非使之撰寫史籍，而是使之統一保管，其性質與史官收藏其他各類官府文件一樣，即仍可歸爲掌典法禮籍的史官職守。察其性質，相當於爲政府管理機要檔案，與修史之職無關。因而若將《周官》五史與後來的史官相比，唯在搜集保存文獻資料上最爲相近，並一脈相承，當由史官自行記注搜集史料時，史職於是發生極大轉變。

　　周代常設的執簡記事之史，應始自朝會之上。周王貫徹統治，發布政令的主要形式，是召集諸侯舉行的朝聘盟會制度，因而其制在周代政治上極爲重要。正是在朝會之上，產生記事的需要。如春秋時齊桓公會盟諸侯，管仲在會上對他說：「且夫合諸侯，以崇德也。會而列奸，何以示後嗣？夫諸侯之會，其德刑禮義，無國不記。記奸之位，君盟替矣。作而不記，非盛德也。」❸可見諸侯盟會之上的政刑大事，各國都要記，而且盟會上的記載具有垂範性意義，格外重要。春秋朝會上執行記事之職的乃史官，《禮記・曲禮上》：「史載筆，士載言」，鄭注：「謂從於會同，各持其職以待事也。」這證明，至少春秋時期的史官要跟隨國君，在朝會上任記事之職。《左傳》莊公二十三年載魯君如齊觀社，曹劌諫曰：「夫禮，所以整民也。故會以訓上下之則，制財用之節；朝以正班爵之義，帥長幼之序；征伐以討其不然。諸侯有王，王有巡守，以大習之。非是，君不舉矣。君舉必書，書而不法，後嗣何觀？」❹是國君的行爲以表現於朝會之上者最爲重要，而且要由史官按

---

❷　《周禮正義》，卷七十二。

❸　《左傳》僖公七年。

❹　又見《國語・魯語上》。

一定法則予以記載，備後人取法。按「君舉必書，書而不法，後嗣何觀？」乃典型的鑒戒史觀，即記載歷史要爲後人提供鑒戒取法摸式。以古爲鑒的思想出現較早，但它變爲史學指導思想卻經歷一個過程，其中記事史官的出現是一個關鍵。

　　周初，周公親歷商周易代革命之事，因而在周初諸誥中提出以夏商爲鑒的思想，並留下極大影響，如後來祭公亦對穆王說：「嗚呼！天子三公監於夏商之既敗。」❸❺在常設的記事史官出現前，周王已命史官注意搜集這類舊聞，並由史官爲王陳述宣講。如穆王曾使左史戎夫「取遂事之要戒……朔望以聞」❸❻，即搜採前代敗亡舊事，並由史官定期陳述於王前，意取勸誡。後來芮伯「稽古作訓，納王於善」，亦對厲王稱「古人求多聞以監戒」❸❼。這本是古代農業社會因崇尚耆舊經驗而產生的崇古尊聞式思維習慣，當它與尊重歷史的精神結合起來，才最終形成史學上以史爲鑒的史學觀念。根據各種記載推斷，盡管崇古尊聞式思維習慣可能產生較早，但注重人事歷史並主張以史爲鑒的思想，在周公以前不可能形成。而且就《尚書》所載周初諸誥考察，以史爲鑒的思想在周公亦僅發其端，其豐富與形成還有待其後史官的實踐。在周公以後，崇古尊聞乃至以史爲鑒的思想在史官實踐中日益深入，至記事史官的出現，則有意識地把它貫注於自己的職責中，引入自己注記歷史的實踐中，繼又通過纂錄史籍等修史形式把它體現出來，它才開始與史學眞正結合並表現爲一種史學觀念，而不再是那種崇古尊聞式的泛經驗論思想。

　　記事史官的設立是由於朝會上的記事需要，而周代統治者希望史官筆下的朝會是可供取法的禮義典型。因爲朝會是周代的最高政治形式，乃一代典禮所系，政令所關，爲天下所矚目。而且據前引曹劌之言，國君非朝會則「不舉」，而國君於朝會所舉言行又「必書」，於是天子諸侯在朝會上的言行，成爲史官記事的聚焦點。這樣，周代統治者有意通過朝會制度使貴族們演習各種禮儀，灌輸禮義思想的影響，爲天下樹立可供取法的典型，用以維繫一種禮法秩序。統治者又希望借助史官的記載，使其效果影響及於社會，並喚起一種精神力量維繫此秩序的建構。專職

---

❸❺　《逸周書・祭公》。

❸❻　《逸周書・史記》。

❸❼　《逸周書・序》及其〈芮良夫〉篇。

的記事史官因此而設。當所設史官在貫徹上述意圖時，明確把鑒戒原則做爲記事的指導，於是形成史官記事應爲世人提供鑒戒模式的史法思想。這是專設的記事史官出現之後，對後來史學發展所起的最大影響。春秋時各國史官已然如此。《左傳》襄公二十九年：「魯之於晉也，職貢不乏，玩好時至，公卿大夫相繼於朝，史不絕書。」即各國間的朝聘往來，史官都要予以記錄。這種記錄要遵循一種特定的方法，即所謂書法，如上舉《左傳》之「書而不法」，宣公二年亦有「書法不隱」之言，皆其證。這種書法記事可產生一定的社會懲戒效果。如《左傳》上有所謂「名在諸侯之策」、「名藏在諸侯之策」❸，都是因爲行爲不檢而被記載於諸侯史策，並要受到世人和後人的指斥而發的悔過之言。《國語・晉語》更有「懼爲諸侯載」之說。晉董安于曾自述史官職責說：「命稱於前世，立義於諸侯」❸，即史官即要稱引前世可爲鑒戒者陳述於君前，又要記載國君的善行義舉使揚名於諸侯。此乃從正面闡述史官記事的社會懲戒效果。這引起人們對史官記事的重視，因而司馬侯勸諫晉悼公曰：「諸侯之爲，日在君側，以其善行，以其惡戒，可謂德義矣。」❹這些說明以史爲鑒的思想已爲社會廣泛接受。根據各種有關記載推測，至少在春秋時史官立朝執簡記事已形成制度，如《左傳》宣公二年：「太史書曰：趙盾弒其君。以示於朝。」襄公二十五年：「太史書曰：崔杼弒其君……南史氏聞大史盡死，執簡以往。」皆其證。《禮記・王制》大史「執簡記」的記載，至少應是春秋以來形成的常設制度。

四、左史、右史及其與《尚書》、 《春秋》的編纂的問題

上文論定史官記事之職應起於周代的朝會制度，《左傳》、《國語》則證明執簡記事的史官已出現於春秋時代，與此相關，並出現史官記事乃爲世人提供鑒戒

---

❸　《左傳》文公十五年、襄公二十一年。

❸　《國語・晉語九》。

❹　《國語・晉語七》。

的思想。這樣，以勸懲鑒戒功能爲指導的中國古代史學體制，已初步顯露端倪。所以記事之史的出現，對史官制度、史學思想及史學功能諸方面都帶來極大影響。它使史官以掌典法、書王命爲主的職守，轉向以記注歷史和纂錄史籍爲宗旨，這樣，便開始出現以修史爲職志的專門史官。與此相關，記載中的左史與右史問題，必須予以討論。《禮記·玉藻》：「動則左史書之，言則右史書之。」似此左史、右史分掌記動、記言之職，應是史職記事職能強化之後的事，不會很早。《漢書·藝文志》則把它做爲古代史官制度的完整模式記載下來：「古之王者世有史官，君舉必書，所以愼言行、昭法式也。左史記言，右史記事，事爲《春秋》，言爲《尚書》。帝王靡不同之。」其載左史、右史之職與〈玉藻〉相反，蓋傳聞異辭，不足深辯。重要的是其開首幾句話，顯然與前引《左傳》、《國語》中「君舉必書，書而不法，後嗣何觀」有聯繫。總之，《漢書》所言是有根據的。但這種制度不會很早，可至遲也不會晚於春秋，如《禮記·玉藻》孔疏便推斷它是春秋時制度❹。左史、右史分職之制乃事實可無疑，關鍵看如何理解。有學者提出：「言行可分職而司，然作史者難以言事分屬。《尚書》非僅記言，《春秋》非僅記事，言事未嘗分爲二也。」❷即記言、記事的區分，不能僅從史書體裁去理解，只能從史官職能上加以分辨。這樣，左史、右史分職的記載所透露出的信息應爲，隨著史官記事職能的加強，於是在記錄王言、撰擬詔令的早期史職之外，又分化出專門記注歷史的史職，並做爲常設制度確立下來。與此相關，兩部最早的史籍《尚書》與《春秋》，最初就出自此制確立後的史官之手。這樣，左史、右史分職的制度，可做爲專門記注歷史的歷史官之史出現的一個旁證，它不同於原來隨侍在王左右的書記官之史。由史官職能的這種變化，可以聯繫到另一個相關問題，即既然左史、右史互有關

----

❹ 關於左史、右史之制，古今多有歧義，但多試圖把它和《周官》五史相調停。如《禮記·玉藻》孔疏引熊安生，謂大史即左史，內史即右史。《大戴禮記·盛德》盧辨註亦同此說。章學誠認爲左史、右史之制不見於《周官》，因而深致其疑，見《文史通義·書教上》。金毓黻則謂古之左史即《周禮》之內史，右史即《周禮》之大史，見其著《中國史學史》。其實左史、右史之制既不見於《周官》，其非西周舊制而爲春秋新制，決可斷言。

❷ 汪榮祖：《史傳通說》（北京：中華書局，1992年），頁12。此前學者多有類似之言，只是難得如汪氏能從職司與史著的角度，分辨言事的可分與不可分問題。

聯，那麼《尚書》與《春秋》間的關聯亦爲必然。因而爲探求《尚書》的編纂時間，不妨以《春秋》的編纂時間爲比照。

此所謂《春秋》，非指孔子所修《春秋》，而是指做爲列國史記而興起的《春秋》類史籍，其出現多早於孔子《春秋》。如《墨子・明鬼下》所引周之《春秋》、齊之《春秋》、宋之《春秋》等是其類。欲究明《春秋》類史籍產生的時間，必須究明記事之史出現的時間。因爲事情的邏輯十分清楚，像最初那種以掌典法、書王命爲主的史官，不能纂錄出《尚書》、《春秋》那樣的史籍。唯有常設的執簡記事之職的出現，才能進一步產生編簡爲冊、纂錄史籍的修史需要，亦即史官匯錄平日所記簡冊，整理爲一編，既做爲對平日記錄的總結，也爲保存管理和供人取閱提供方便，更主要的是史官以自己的職守爲統治者提供政治上的取鑒之資。所以欲研究中國古代早期的史籍編錄制度，常設的記事史職的出現時間問題至關重要。如前所言，專設的記事史官與周代的朝會制度有關，但若進一步指出其具體時間，卻非易事。既然史籍的纂錄以記事史職的出現爲前提，那麼，也可以通過探求早期史籍的出現時間，來參照推求記事史官設立的大致時間。如《春秋》的纂錄時間，在記載上早經有明言，《孟子・離婁下》：「王者之跡熄而詩亡，詩亡然後《春秋》作。」明言《春秋》乃繼《詩》而作。據蒙文通先生考定：「《詩》盡於東周之初，而《春秋》作於西周之末，《春秋》與《詩》相代」❸。所言可據。如此則記事史官出現的大致時間也可以推定。

「詩亡然後《春秋》作」，其背後關乎世運文化的升降。中國古代學術文化的發展，總離不開政治的利用和誘導。西周盛時，周室考知天下政俗得失的方式之一，是搜求各地民歌詩謠，因而《禮記・王制》及《尚書大傳》等記載中，並有天子巡守「命大師陳詩，以觀民風」一類記載。天子巡守之外，遣遒人之使巡行天下以觀采詩謠❹。此外，《左傳》、《國語》中有「天子聽政，使公卿至於列士獻詩」之說。這樣，經匯粹而成的《詩》成爲一代政治及文化的盛衰之兆。其實，就

---

❸ 《經史抉原》（成都：巴蜀書社，1995年），頁230。
❹ 詳拙文〈周代巡行遣使制度及其演變〉，載《金景芳九五誕辰紀念文集》（長春：吉林文史出版社，1996年）。

孟子所言「詩亡然後《春秋》作」，還可悟出《詩》與《春秋》在性質上的某種相當之處。前文指出，以古爲鑒的思想出現頗早，周王曾命史官選取有勸誡意義的舊聞陳述宣講，其中包括詩。如《周官・春官・瞽矇》：「諷誦詩，世奠系」，按「世奠系」指《世本》、《帝系》等帝王諸侯譜牒。瞽矇諷誦詩與《世本》、《帝系》等，其作用是諷誡勸諫人君。鄭注引鄭司農曰：「諷誦詩，主誦詩以刺君過。」又引杜子春曰：「瞽矇主誦詩並頌《世》、《系》，以戒勸人君也。」如所言可信，則最初詩也具有後來《春秋》類史籍的勸懲鑒戒功能。所以，這既說明以史爲鑒的思想淵源有自，也說明繼詩而起的《春秋》在某些方面與前者相近，所以才可能取而代之，即二者同服從於統治者政治上取鑒的需要。只不過《春秋》類史籍出現之時，以史爲鑒的思想日益成形，因而在政治上爲統治者服務的功能日臻完善。西周中後期王室衰微，採詩之使不行，於是周室始設記事之史，因朝會以記列國之事，以爲周知天下政俗得失的參考。綜據各種記載推測，記事史官的設立當在西周厲、宣之世●。此時周室雖呈衰勢，但政柄尚未下移於諸侯方伯之手，周王仍力圖控制局面，因而有「厲始革典」●與「宣王中興」之局，記事之史的設立，就是這種政治背景下的制度產物。《孟子・滕文公下》曰：「《春秋》，天子之事也」，按此猶曰：「《春秋》，天子之史也」●，此即謂采詩之使不行，周王乃設記事之史因朝會以記列國之事，於是有史記《春秋》之作。繼周室之後，列國紛紛仿效而設記事之史，於是有列國《春秋》的興起。但由於周室設史記事在先，基中央地位又使所設記事制度備極詳悉，於是周室《春秋》成爲列國史記的表率。如《國語》載楚申叔時及晉司馬侯所謂《春秋》，皆乃周室史記●。後來孔子修《春秋》也要觀周室史記●。關於列國《春秋》的興起時間，蒙文通有個極好的見解，他說：「詳考《史記》諸國始紀之年，其侯國《春秋》始作之年乎！」並具體指出

● 參拙文〈記事之史與《尚書》、《春秋》的編纂〉，杭州大學 1998 年古漢語古文獻國際研討會論文，打印本。

● 《國語・周語下》。

● 見《春秋三傳》（上海：上海古籍出版社，1992 年），頁 35。

● 見《楚語上》及《晉語七》，章註：《春秋》，「周史之法也，時孔子未作《春秋》。」

● 參《史記・十二諸侯年表序》及〈春秋序〉孔疏引沈氏云「《嚴氏春秋》引《觀周篇》」。

《史記》所載齊、秦、衛、蔡、曹、陳、宋、楚諸國，「多者二十三四年入共和，少者十數年或六七年入共和，而列邦之年始可具知……斯則諸國《春秋》之起，皆在共和前後之時。」⑩所言極是，而且對於借助《春秋》的出現去推求各國設記事之史的時間，大有裨益。在《史記・世家》所載周室各國中，唯魯君年世最可注意，故亦應特殊提出討論。《世家》所載各封國國君世系，直至周厲王奔彘之前，只載國君繼位前後的世系，而無在位年數。〈魯世家〉則不然，除首封之君伯禽外，其次的考公、煬會、幽會、魏公、厲公、獻公直至眞公，皆載在位年數，眞公十四年入共和元年。於是有人認爲，魯受封之初得「祝宗卜史」、「備物典冊」，故史官制度完備，史官紀年亦較各國爲早。其實不然。這只能說明魯國記載國君在位年世的《世本》類史籍相對完備，傳留亦較完整，因而爲後世史官作記提供了價值較高的參考資料，於是有〈魯世家〉那樣相對明確的國君年世記載。但司馬遷不取〈魯世家〉紀年繫列，仍以共和元年爲〈十二諸侯年表〉紀年之首，說明他對〈魯世家〉紀年有存疑之心，因而必有其不足信據者。司馬遷不過以傳疑的態度保留了〈魯世家〉中各君年世的記載。考戰國以迄西漢，除《世本》、《譜牒》等之外，尚流傳一些有關上古以來帝王諸侯紀年的《年紀》、《年譜》類著作⑪。而且一九七七年安徽阜陽雙古堆一號墓出土竹簡中有《年表》一種，「上起西周，下迄於漢，記周秦以來各國君王在位之年」⑫。似這類記載司馬遷大多見過，但持懷疑態度。《史記・三代世表》曰：孔子「序《尙書》則略無年月，或頗有，然多缺，不可錄。故疑則傳疑，蓋其愼也。余讀《牒記》，黃帝以來皆有年數，稽其歷譜牒終始五德之傳，古文咸不同，乖異，夫子之弗論次其年月，豈虛哉！」是司馬遷對黃帝以來的各類帝王諸侯紀年均表懷疑，因而〈十二諸侯年表〉的紀年之始明確斷自西周共和元年。總之，司馬遷對上古以來的紀年，態度相當審愼。〈魯世家〉中的國君紀年，乃以傳疑的態度提供一種參考，至多只能認爲是其可信度較同類其他

---

⑩　《經史抉原》，頁 229 及 229-230。

⑪　《漢書・藝文志・六藝略・春秋類》有《太古以來年紀》二篇，數術略歷譜類有《古來帝王年譜》五卷。

⑫　文物局古文獻研究室、安徽省阜陽地區博物館阜陽漢簡整理組〈阜陽漢簡簡介〉，《文物》1983 年第 2 期。

紀年爲大，故絕不能因此認爲魯國編年記事史官的設立最早。事實應該是，各國設史官紀年之制前後時間相近，其中唯西周王室最早。

　　《史記·十二諸侯年表》起自西周共和元年，是爲中國古代確切紀年之始。此年之確定，應與周室始置記事之史有關，列國記事之史則在其後。《史記》之齊、魯、燕、管蔡、陳杞、衛、宋、晉、楚諸〈世家〉，在追溯列國紀年時，幾乎皆提及厲王奔彘、共和行政及宣王即位幾事，可見它們是記事之史初興時普遍看重的幾件大事，已被視爲列國史記追溯紀年時的大事記標誌。就是說，各國繼周室之後設史官記事時，爲與周室紀年相比照，都有上溯紀年以與周室紀年取齊的需要，而厲王奔彘、共和行政及宣王即位幾件大事適成爲可資比較的幾個重要紀年標誌。於是各國史官在追溯紀年時，都要列出這幾件大事，從而使之成爲列國紀年可與王室紀年相互比照的幾個準確定點。《史記·三代世表》曰：「余讀《牒記》，黃帝以來皆有年數」，可見五帝三王在位年數皆見於《譜牒》類書中，但司馬遷認爲不可信，專取《春秋》紀年，因而謂：「孔子因史文次《春秋》，紀元年，正時日月，蓋其詳哉！」即謂孔子《春秋》紀年詳實可信。其謂「孔子因史文次《春秋》」已指出《春秋》紀年是有根據的，至少應有取於西周末以來的周及魯《春秋》。司馬遷曾在《史記·十二諸侯年表》中論《春秋》在各方面的意義說：「儒者斷其義，馳說者騁其辭，不務綜其終始；歷人取其年月，數家隆於神運，譜牒獨記世謚」，即謂人們於《春秋》各取所需。其中「歷人取其年月」可以反映出《春秋》紀年在紀年史上的典範意義❸。《春秋》紀年的首要意義，則在於它開創了中國歷史上明確紀年的開端。

　　繼周室之後，晉應是較早設史官記事的諸侯國之一。據杜預〈春秋經傳集解後序〉曰：《竹書紀年》「起自夏殷周，皆三代王事，無諸國別也。唯特記晉國，起自殤叔，次文侯、昭侯，以至曲沃莊伯。」據杜預之言可以認爲，晉繼周室之後設史官記事，其紀年起自殤叔。殤叔以前之紀年，乃據晉君位次推得，而其根據即以晉君位次與周室之厲王奔彘、共和行政及宣王即位幾件大事間的比照關係。據《史記·晉世家》，首封君唐叔以下至厲侯無年數，「厲侯之子宜臼，是爲靖侯。

---

❸　《漢書·藝文志》亦謂孔子《春秋》「假日月以定歷數」。

靖侯以來，年紀可推。自唐叔至靖侯五世，無其年數。靖侯十七年，周厲王迷惑暴虐，國人作亂，厲王出奔於彘，大臣行政，故曰共和。十八年，靖侯卒，子釐侯司徒立。釐侯十四年，周宣王初立，十八年，釐侯卒，子獻侯籍立。獻侯十一年卒，子穆侯費王立……二十七年，穆侯卒，弟殤叔自立。」❺❹是晉君自厲侯以上無在位年數，自靖侯以來始「年紀可推」。其推得標準，乃以厲王奔彘、共和行政及宣王即位幾件周室大事為比照根據。晉自殤叔始自有紀年，殤叔元年相當於周宣王四十四年。晉繼周室之後設史官記事，在諸侯中仍是較早者。秦由於落後，在各國中設記事之史也最晚，已入東周之世。《史記・秦本紀》謂文公十三年「初有史以紀事，民多化者」。這條記載極為寶貴，因為它明確指出秦設史官記事的確切時間，因而成為研究周代各國記事史官設立時間的一條重要材料。秦自非子始受周封為附庸，傳秦侯、公伯，至秦仲受封為大夫，繼傳莊公、襄公。據《史記・秦本紀》，非子無年紀，秦侯以下俱有年紀，故《廣弘明集》卷十一引《竹書》謂「自秦仲以前，本無年世之紀」，不甚確。但至少說明其時尚無史官記事之制。秦襄公因救周幽王及護送平王東遷有功，始列為諸侯，並得「與諸侯通使聘享之禮」❺❺。襄公卒，文公立，文公十三年初設記事之史。這顯然與秦同諸夏通聘享朝會的需要及受自諸夏的影響有關。其次是「民多化者」一句堪應注意。它說明記事之史確發揮出勸懲鑒戒方面的史學功能，亦產生影響及社會的實際效果。前文提到《左傳》、《國語》所言「名在諸侯之策」等記載，乃警醒世人不要因惡名而見載於諸侯史冊，所言可與此「民多化者」相參證。總之，自西周厲、宣之世王室始設記事之史始，下迄秦文公十三年初有史記事，各國已相繼設立編年記事的史官，於是各國皆具自己的紀年體系。楊伯峻曾指出《左傳》據年記事的一個特點說：「傳中追敘往事，有以魯年紀者……有以他國之年紀之者……列國文告稱述，有以其本國年紀者……有以所告之國之年紀者……亦有不以君年而舉其年之大事紀者……當時諸侯之紀年參差不齊，周名為天下共主，卻不聞以周某王某年紀事者。」❺❻如果說《春

---

❺❹　按「自唐叔至靖侯五世」，梁玉繩《史記志疑》謂「靖侯」當作「厲侯」。

❺❺　《史記・秦本紀》。

❺❻　《春秋左傳註》桓公二年註。

秋》有意奉周正，則《左傳》在追敘往事時所採用的各國記事原文，其紀年已如楊氏所言之「參差不齊」。可以看出，進入春秋時代隨著周室的進一步衰微，周室的正朔權威對諸侯幾乎不再有何等影響，因而各國紀年並無統一標準，因而各國已在各行其是。若究其原因，乃由於周室在厲、宣之世設立記事之史，引致列國諸侯繼周室之後普遍加以仿效，終於在紀年方式上引致多元化的後果。

綜之，記事史官的設立，說明以記注歷史、纂錄史籍等修史之任爲職志的史官功能產生，與此相關，於是有《尚書》與《春秋》的最初編錄。最初的《春秋》本出於記事史官的編錄，故有「事爲《春秋》」之說。與此同時或稍後，史官又搜集前代以來傳下的誥命文書等，於是開始《尚書》的最初編錄。由於此舉相當於對早期偏重於記言史職的總結，於是有「言爲《尚書》」之說。此即記載中所謂「左史記言，右史記事，事爲《春秋》，言爲《尚書》」所包含的眞正歷史內涵。

結　語

前文考證指出，史官本與巫祝爲一體，後來隨著史官脫離巫祝而獨立的過程，致使若干宗教神祖觀念滲入於早期並影響及於後世的史籍之中。史官自身的職能，亦經過始初主要是書記官之史向歷史官之史的轉變。其完成標誌，乃是大致設立於西周厲、宣之世的記事之史。記事之史的出現，一方面與朝會上的記事需要相關，另一方面則是隨著以史爲鑒思想影響的深入，使史家的主體自覺意識日益明確，並開始以修史的職能自覺爲統治者提供歷史鑒戒。這樣，史學從主觀上完成了自我意識的覺醒，而不再主要是以官書贊治的管理者書記官角色。由於記事之史的設立，於是以記註歷史、纂錄史籍爲職志的專門修史之業方才成爲可能。這樣，《尚書》與《春秋》的編纂亦經由史官之手而發端，於是此後才有孔子刪訂六經的所謂述而不作。

經 學 研 究 論 叢
第 六 輯　　　頁63～82
臺灣學生書局　　1999 年 3 月

〈關雎〉、〈鹿鳴〉與風雅正變

陳桐生*

　　本文討論一個聚訟兩千多年的《詩經》學案：爲什麼作爲刺詩的〈關雎〉、
〈鹿鳴〉卻居於正風、正小雅之首？這個學案雖然不見載於《史記》，但司馬遷一
則說「周道缺，詩人本之衽席，〈關雎〉作；仁義陵遲，〈鹿鳴〉刺焉」，再則說
「周室衰而〈關雎〉作」，這些都表明司馬遷是將〈關雎〉、〈鹿鳴〉斷爲刺詩。
自從《詩》學中有了風雅正變的概念之後，上述問題就被尖銳地提出來。既然這一
問題與《史記》密切相關，就應該予以探討，以澄清這個至今未能得到解決的
《詩》學疑案。

一、前人的解釋

　　爲了說明爲什麼〈關雎〉、〈鹿鳴〉既作爲刺詩而又居於正風、正雅之首這
一自相矛盾的現象。千百年來經生們不知絞盡了多少腦汁，提出了種種解說。比較
典型的說法有如下幾種：

　　一是謂三家詩誤以正詩爲刺詩，即〈關雎〉、〈鹿鳴〉本來就是頌美的正
詩，而三家詩卻將這些詩誤斷爲刺詩。例如呂祖謙指出〈關雎〉是正風之首，三家
詩不應該視爲刺詩。對此清代學者皮錫瑞在《經學通論》一書中徵引《史記‧孔子
世家》、劉向《烈女傳》、《漢書‧匡衡傳》和《韓詩外傳》中的說〈關雎〉材
料，證明三家詩認〈關雎〉爲刺詩決非誤解，並引張超之語云：「防微消漸，諷諭

＊　　陳桐生，汕頭大學中文系教授。

君父，此作詩之義，孔氏大之，取冠篇首。」這表明對三家詩的指責是不能成立的。

　　二是認爲〈關雎〉乃畢公追述文王太姒之事以規諫康王。這個觀點是范處義在《逸齊詩補傳》中提出來的：「〈關雎〉詠太姒之德，爲文王風化之始，而韓、齊、魯三家，皆以爲康王政衰之詩，故司馬遷、劉向、揚雄、范蔚宗並祖其說。近世說《詩》者，以〈關雎〉爲畢公作，謂得之張超，或謂得之蔡邕。畢公爲康王大臣，冊命尊爲父師，盡規固其職也。而張超、蔡邕皆漢儒，多見古書，必有所據。然則〈關雎〉雖作於康王之時，乃畢公追詠文王太姒之事，以爲規諫，故孔子定爲一經之首。」這個說法既消除了〈關雎〉作爲刺詩而爲正風之首的矛盾，同時又兼顧了關於〈關雎〉歌詠文王太姒之事的說法，因此極得一些學者的稱許。皮錫瑞在《經學通論》對此大加讚賞：「宋以後說〈關雎〉者，惟范氏此說極通，可謂千古特識。蓋作詩以陳古刺今者畢公，刪詩而定爲經首者孔子，在畢公視之爲刺詩，在孔子視之爲正詩，如此解乃無疑於刺詩之不可爲正詩矣。」又說：「〈關雎〉、〈鹿鳴〉，同一刺詩，並見《史記》，皆作於文王之後而追詠文王之事，故雖是刺詩，而可列於四始。孔子讀〈鹿鳴〉，見君臣之有禮；孔子讀〈關雎〉，何嘗不以爲生民之屬、王道之原乎？〈關雎〉刺詩，可冠經首；〈鹿鳴〉刺詩，何獨不可冠《小雅》篇首乎？」但所謂畢公作〈關雎〉詠文王太姒之事以刺康王，這個說法是後代儒生的毫無根據的主觀臆測之辭。據范處義說，這個觀點係出於漢人張超或蔡邕，他們去古未遠言必有據。但漢人的說法往往是最靠不住的，因爲他們一方面將知識大廈建立在戰國諸子的創造之上而不去檢驗這些知識的基石是否牢靠，另一方面又在一定程度上繼承了戰國自創新說的風氣。因此這個「千古特識」也無非是綜合、調停今古文之說而使說法巧妙一些而已。不過這一說法如果眞的是出於張超或蔡邕，倒揭示出一個問題，這就是《毛詩》的風雅正變之說出來後，儒生們已經意識到〈關雎〉、〈鹿鳴〉作爲刺詩而居於正風、正雅之首的矛盾，因此刻意作調停之說。

　　三是認爲〈關雎〉與〈鹿鳴〉乃周文王刺商紂王。這個觀點是魏源在《詩古微》中提出來的：「在文王國中爲正風、正雅者，在商紂國中視之，則爲變風、變雅，此〈關雎〉、〈鹿鳴〉刺時之本誼（義）也；在盛世歌之爲正風、正雅者，在

衰世歌之，即爲變風、變雅，此畢公刺康王之旁誼也。」尤其可笑的是，爲了自圓周文王作〈關雎〉刺商紂王的說法，魏源還不惜擅自改動古籍，將《史記・十二諸侯年表》中的「周道缺」而改爲「商道缺」。但司馬遷明明說〈關雎〉、〈鹿鳴〉是西周衰世之作，而不是周文王刺商紂王。魏氏之說遭到經學家的反對，皮錫瑞在《經學通論》中反駁說，魏氏「雖明引三家之說，而與三家全相反對。三家明云周衰時作，魏云必非衰周之詩；三家明云是刺康王，魏云未嘗言刺康王。且改其說，以爲是刺紂王而美文王，試問魏所引魯、韓詩，有言及紂王一字者乎」？所以魏氏的解釋除了給這個傳統的學案橫生枝節以外，絲毫無助於問題的解決。

　　上述具有代表性的三種解釋都有窒礙不通之處，對這個學案還要作進一步的深入探討。我們比前人具有一些有利的條件，這就是我們可以完全掙脫經學的束縛，跳出經學的樊籬，以實事求是的態度去進行研究。

二、〈關雎〉、〈鹿鳴〉的題旨變遷

　　破譯上述學案的第一個要素是要弄清對〈關雎〉、〈鹿鳴〉主題的詮釋有一個發展演變的漫長過程，將〈關雎〉、〈鹿鳴〉定爲刺詩以及將風雅區分爲正變是這個過程中的兩個不同的階段，可是後人卻將這兩個階段上的《詩》學觀點放在同一時段上來理解，因此而產生了這一千古學案。

　　現在已難以查考〈關雎〉、〈鹿鳴〉究竟作於何人何時。後人根據漢代的采詩制度而推測《詩經》中的詩篇都是采集而來，經過周王朝太師的整理後再配樂歌唱。這些作品在形成固定的文本之後，不同時代的人們可以根據不同的時代文化背景及詮釋者自身的閱歷等條件，對作品的題旨作出不同的解釋，提出種種「合法的偏見」。

　　從先秦到漢代這幾百年期間，人們對〈關雎〉主題的解釋經歷了三次變遷。

　　第一次是《儀禮》取〈關雎〉娛樂嘉賓之義。《儀禮・鄉飲酒禮》載：「乃合樂，〈周南・關雎〉、〈葛覃〉、〈卷耳〉；〈召南・鵲巢〉、〈采蘩〉、〈采蘋〉。」〈燕禮〉亦有類似的記載，只是改「乃合樂」爲「遂歌鄉樂」。鄭玄注云：「合樂謂歌樂與眾聲俱作。《周南》、《召南》，《國風》篇也，王后國君夫人房中之樂歌也。〈關雎〉言后妃之德，〈葛覃〉言后妃之職，〈卷耳〉言后妃之

志，〈鵲巢〉言國君夫人之德，〈采蘩〉言國君夫人不失職，〈采蘋〉言卿大夫之妻能修其法度。……夫婦之道，生民之本，王政之端，此六篇者其教之原也，故國君與其臣下及四方之賓燕用之合樂也。」《儀禮》鄭注歷來被視爲權威的注釋，千百年來爲人們所尊信不疑。鄭玄注《儀禮》在爲《毛傳》作箋之前，祖述《齊詩》說，這是漢初的《詩》義。而不是《儀禮・鄉飲酒禮》及〈燕禮〉的原義。《禮記・鄉飲酒義》云：「鄉飲酒之義，主人拜迎賓於庠門之外，三揖而後至階，三讓而後升，所以致遵讓也。盥洗揚觶，所以致潔也。拜至、拜洗、拜受、拜送、拜既，所以致敬也。尊讓潔敬也者，君子之所以相接也。君子尊讓則不爭，潔敬則不慢，不慢不爭，則遠于鬥辨矣。不鬥辯，則無暴亂之禍矣，斯君子所以免于人禍也。」又說：「工入升歌三終，主人獻之；笙入三終，主人獻之；間歌三終，合樂三終，工告樂備遂出，一人揚觶，乃主司正焉，知其和樂而不流也。」可見鄉飲酒禮是一種培養人們尊讓潔敬倫理情感的禮儀規範，而在鄉飲酒禮儀上以〈關雎〉合樂，則是體現一種不至於流放的有節制的歡樂。《禮記・燕義》說：「臣下竭力盡能以立功于國，君必報之以爵祿，故臣下皆務竭力盡能以立功，是以國安而君寧。禮無不答，言上之不虛取于下也。上必明正道以道民，民道之而有功，然後取其什一，故上用足而下不匱也，是以上下和親而不相怨也。和寧，禮之用也，此君臣上下之大義也。故曰燕禮者，所以明君臣之義也。」燕禮是一種明君臣之義、促進上下和親、社會安寧的一種禮儀，燕禮以〈關雎〉合樂，也是取其娛樂臣下、君臣和親之義。漢儒以「后妃之德」的教化理論講〈關雎〉，殊失《儀禮》用詩之本義。那麼《儀禮・鄉飲酒禮》、〈燕禮〉爲什麼以〈關雎〉合樂呢？這與〈關雎〉的詩句有關。〈關雎〉詩云：「窈窕淑女，琴瑟友之」；「窈窕淑女，鐘鼓樂之。」春秋時期在上流社會中有賦《詩》言志的風氣，諸侯貴族和外交行人在燕享、朝聘、出使等場合賦詩贈答，微言相感，比物連類，曲喻所懷。所引詩句，大都是牽強附會，斷章取義，並不顧及詩的全篇，只要特定的場合下雙方能夠聽懂就行。凡是在禮儀或外交場合不必或不便直說的問題，就要依靠賦詩斷章來表示。這樣每個諸侯貴族都必須熟讀《詩三百》，然後才能在特定的場合下對詩章心領神會。孔子說：「誦《詩》三百，授之以政，不達；使於四方，不能專對；雖多，亦奚以爲？」這就是要求人們學以致用，能夠在政治和外交場合巧妙地運用和應對。例如《左傳・

僖公二十三年》載晉公子重耳流亡到秦國，秦穆公在歡迎宴會上賦〈六月〉，而公子重耳則賦〈河水〉。〈六月〉是歌頌尹吉甫輔佐周宣王北伐獲勝的詩篇，詩中說：「文武吉甫，萬邦為憲。」「吉甫燕喜，既多受祉。」秦穆公賦〈六月〉，是祝願晉重耳能夠早日歸晉，並輔佐中央王朝做一番顯赫的功業。重耳所賦的〈河水〉是一首逸詩，據《國語》韋昭注，「河水」即《詩經·小雅》中的〈沔水〉之誤。〈沔水〉詩云：「沔彼河水，朝宗于海。」這是因為重耳當時還只是一個流浪公子的身份，還有賴於秦穆公的扶植，所以重耳以河水流向大海的詩句來表達對秦國的依賴與崇敬。又如《左傳·成公二年》載齊晉鞌之戰，齊人戰敗求和，晉人提出兩個議和條件，一是以齊侯之母蕭同叔子作為人質，二是齊國境內田畝一律改為東西走向，以便於晉人兵車出入。齊國外交使者國佐首先引《詩經·大雅·既醉》中「孝子不匱，永錫爾類」的詩句，說明只有孝親才能號令諸侯，晉國要求以齊侯之母為人質的做法違反了孝子之道。在駁斥第二個條件時，國佐引用《詩經·小雅·信南山》中「我疆我理，南東其畝」，說明治理疆土應該根據物土之宜，或南或東，而不應強求統一。最後他徵引《詩經·商頌·長發》中「布政優優，百祿是遒」的詩句，指出晉國要想充當諸侯盟主，就必須實行德化懷柔政策，而不能一味炫耀武力。國佐一席話引用了三首詩，雖然都是斷章取義，與《詩經》原作之意不盡相符，但國佐卻巧妙地傳達了齊國的立場觀點，以《詩經》文化傳統說服某人，達到了預期的效果。這種賦詩斷章之風雖然在戰國時代漸漸消歇，但卻被儒家後學在著述與論辯中沿用下來。例如孟子到齊國宣傳王道，齊宣王先以「好貨」即貪財為理由而婉言謝絕，孟子徵引《詩經·大雅·公劉》中的詩句：「乃積乃倉，乃裹餱糧。于橐于囊，思戢用光。弓矢斯張，干戈戚揚，爰方啓行。」說明公劉當年是與老百姓一起「好貨」，所以得到人民的熱烈擁護。齊宣王又以「好色」為由加以推辭，孟子隨口又引用《詩經·大雅·緜》中的詩句：「古公亶父，來朝走馬，率西水滸，至于岐下，爰及姜女，聿來胥宇。」以此鼓勵齊宣王與人民一起「好色」，做到內無怨女，外無曠夫。孟子所引〈公劉〉詩，原義只不過是描寫公劉積聚糧草而為遷居作準備，並無與民一起「好貨」之義，但孟子卻斷章取義，從字面上公劉準備乾糧而比喻與民好貨。至於「爰及姜女，聿來胥宇」句也不是寫古公亶父與民共同「好色」，而是寫古公攜妻姜氏前去視察新居址。孟子這兩處引

《詩》，是斷章取義的極好例證。《荀子》一書中的斷章引詩現象更是不勝枚舉。《儀禮》之以〈關雎〉合樂，應該放到這個文化背景下來理解。〈鄉飲酒禮〉上主人之宴樂嘉賓以及〈燕禮〉上君主之娛樂臣下，與〈關雎〉中主人公想像以鐘鼓琴瑟取樂淑女，二者之間存在著相似之點，因此《儀禮》就取〈關雎〉「琴瑟友之」、「鐘鼓樂之」之義。

　　漢初三家詩一反先秦舊說，將〈關雎〉題旨解釋爲刺康王，認爲其中隱含著防微杜漸之義。爲什麼會發生這樣大的變化呢？我們認爲這是繼承了戰國時期士林階層批評現實政治的主體精神。戰國時代各國諸侯貴族爲了在劇烈的兼併戰爭中圖存不亡進而統一天下，爭先恐後地尊士養士，而尊士之風極大地激發了戰國士林指點江山、平治天下的主體精神。他們從等級制中掙脫出來，由原來的隸屬附庸關係一躍而成爲政治舞臺上的主角，對現實政治進行批評與指導。戰國士林大都有願爲君師不爲臣的心理，他們的道術和倫理人格力量都足以使他們自信到不願意屈居於君權之下。他們編造了許多古代賢君尊士爲師的故事。《呂氏春秋·勸學》說：「古之聖王，未有不尊師者也。尊師，則不論貴賤貧富矣。」《呂氏春秋》一口氣列舉了數例：「神農師悉諸，黃帝師大撓，帝顓頊師許由，禹師大成贄，湯師小臣，文王武王師呂望周公。」《吳子·圖國》亦載楚莊王語：「世不絕聖，國不乏賢，能得其師者王，得其友者霸。」這些話在《荀子·堯問》、劉向《新序·雜事》中也有同樣記載，足見這是一個流傳甚廣影響很大的說法。按師友之說、王霸之辨乃是戰國之際才興起的話題，所以上述楚莊王之語，只不過是戰國士林借古人以自重其說抬高身價而已。僞古文《尚書·仲虺之誥》云：「能得其師者王，謂人莫己若者亡。」從語意推測，該篇亦受戰國士林君師心理的影響。《呂氏春秋·下賢》云：「堯不以帝見善綣，北面而問焉。堯，天子也；善綣，布衣也。何故禮之若此其甚也？善綣，得道之人也。得道之人，不可驕也。堯論其德行達智則弗若，故北面而問焉。」這裡一反儒家關於巍巍乎堯德的禮贊，反而說堯的德行不及一個名不見經傳的布衣平民善綣，這種尊士抑君的現象只有從戰國士林的君師心理才能得到說明。戰國士林並不滿足於借古諷今畫餅充饑，他們要在現實之中眞正爲帝王師。如子夏爲魏文侯師，寧越爲周威王師，燕昭王拜郭隗、騶衍等士林爲師，等等。《孟子·萬章下》記載了一次魯繆公與子思關於師友的爭論：「繆公亟見于子

思，曰：『古千乘之國以友士，何如？』子思不說，曰：『古之人有言，曰事之云乎，豈曰友之云乎？』」「友」是平等對待的關係，「事」則是師弟子關係，魯繆公原以為國君以友待士，子思該心滿意足了，但子思希望的則是魯繆公執弟子之禮「北面而問焉」。魯繆公沾沾自喜以尊士自許，但仍與子思的期望值存在著極大的距離。即使名義上與帝王諸侯保持君臣關係，但在現實政治中仍居主導地位。馬王堆《老子》乙本卷前古佚書《稱》云：「帝者臣，名臣，其實師也。」也就是說帝者臣在現實政治中居於導師地位。南楚大詩人屈原在《離騷》中寫道：「乘騏驥以馳騁兮，來吾道夫先路。」這個「道夫先路」可不是一般的嚮導，而是為楚指明前進的道路，也就是為王者師。由於戰國士林在心理上優越於諸侯貴族，所以他們在與諸侯貴族的交往中，敢於當面批評、諷刺、駁斥、貶低諸侯貴族，而諸侯貴族至多也只有不悅、勃然變色而已，並不對士施加任何懲罰。孟子指責諸侯驅使人民打仗是「率獸而食人」，魯仲連當面批評以養士著稱的孟嘗君並不是真正好士，顏斶敢說生王之頭還比不上死士的墳墓，這些都是戰國士林指斥時政的例證。至於著文批評現實政治則是當時普遍存在的現象，漢初《詩》學大師有的是從戰國過來的人，如《魯詩》大師申公出生於戰國末期，有的雖生於秦漢初年，但卻繼承了戰國時代庶人議政的餘緒。他們大都有一種以天下為己任的政治責任感，對現實政治中的弊端有一種憂患意識，因而往往奮不顧身批評時政。申公因力諫楚王而受胥靡之刑，《齊詩》大師轅固生敢於面對好黃老的竇太后說《老子》是家人之書，以至於差點斃命於野豬的利齒之下。這些都是《詩》家批評時政的極好例證。說《詩》為這些大師批評政治、發表觀點提供了一個極好的契機。他們說西周的詩人具有敏銳的政治預感，善於洞察幽微發現問題，及時寫下〈關雎〉對康王提出批評。這樣，對〈關雎〉題旨的詮釋就由先秦的娛樂賓客一變而為諷刺周康王。

　　〈關雎〉刺康王之說的形成，還與戰國秦漢之際的人們對女色亡國的認識有關。西周幽王因寵愛褒姒而導致亡國，對此戰國秦漢之際的人們仍有清晰的記憶。《尚書・牧誓》說：「古人有言曰：『牝雞無晨；牝雞之晨，惟家之索。』今商王受，惟婦言是用。」這個「婦」指的是紂妃妲己，由此女色亡國論又有新的證據。據說夏桀寵愛末喜是夏王朝滅亡的原因。人們將這些傳說與歷史綜合起來，提出帝王後宮若處理不當便會導致國家敗亡這個重大問題。特別是《易傳》從宇宙發生的

角度來討論男女婚姻關係，《繫辭》云：「天地絪縕，萬物化醇。男女構精，萬物化生。」陰陽化合而生萬物，男女婚媾是人類賴以生存繁衍的基點。根據古代中國天人合一的思維方式，人們有理由重視男女婚姻問題，而帝王的婚姻生活尤其構成帝王政治的起點，禮學家們因此一再告誡人們要重視帝王後宮生活。〈關雎〉是《詩三百》之首，而它又是刺周康王淫於女色，經三家詩這樣一解釋，〈關雎〉的意義就非同一般了，它關係到一個天大的問題。這是對〈關雎〉主題的第二次解釋。

　　《毛詩》將〈關雎〉主題解釋爲歌頌后妃之德，這是〈關雎〉主題的第三次演變。《毛詩序》說：「〈關雎〉，后妃之德也；風之始也，所以風天下而正夫婦也。故用之鄉人焉，用之邦國焉。」又說：「是以〈關雎〉樂得淑女，以配君子，憂在進賢，不淫其色；哀窈窕，思賢才，而無傷善之心焉，是〈關雎〉之義也。」《毛詩》不僅明確地指出〈關雎〉是一首歌頌后妃之德的詩篇，而且對「后妃之德」的內涵作了規定，這就是后妃沒有傷善嫉賢的卑劣心理，而是「樂得淑女以配君子」。《毛詩》之所以對〈關雎〉主題作如上闡釋，是取決於三個因素：一是三家詩對〈關雎〉講后妃之德已經作了充分的強調，《毛詩》在三家詩的基礎上作了調整與改造，將三家詩的刺詩改爲美詩。二是在西漢中期以後，君主專制統治得到空前的鞏固，君臣綱常倫理學說得到充分的強調。例如董仲舒的春秋公羊學從天人合一的角度論證了君臣父子夫婦綱常的合理性。《春秋繁露・爲人者天》說：「人之（爲）人本於天，天亦人之曾祖父也。」而天地的秩序是貴陽而賤陰，〈基義〉說：「是故仁義制度之數，盡取之天。天爲君而覆露之，地爲臣而持載之；陽爲夫而生之，陰爲婦而助之；春爲父而生之，夏爲子而養之，秋爲死而棺之，冬爲痛而喪之。王道之三綱，於求於天。」〈玉杯〉也說：「故屈民而伸君，屈君而伸天，《春秋》之大義也。」按照這種綱常倫理學說，臣、子、妻沒有獨立存在的意義，他們被安放在一個固定的座標之內，通過履行忠孝的倫理義務，才能體現他們的人生價值。在這樣的政治學術氣候下，將《詩經》的第一首詩解釋爲諷刺君主的作品，顯然是太煞風景的事情，因此他們及時對〈關雎〉主題給予重新解釋，將其定爲頌美之詩。三是《毛詩》論詩講正變，其順序大致是正風、正雅在前，變風、變雅在後。正風、正雅是西周盛世之詩，而變風、變雅是衰世之作。按這樣的劃分標

準，位於正風之首的〈關雎〉就不應該是刺詩而應爲美詩，這也可以看作是理論的需要。

　　與〈關雎〉相比，先秦兩漢人們對《小雅・鹿鳴》的解釋的變化要小得多，人們大體上是將〈鹿鳴〉看作是宴樂群臣嘉賓的詩篇。《儀禮・鄉飲酒禮》和〈燕禮〉載升歌〈鹿鳴〉，應該是取其宴樂群臣賓客的本義。《國語・魯語下》載魯國叔孫穆子聘於晉，晉悼公設宴歡迎，「樂及〈鹿鳴〉之三，而後拜樂三。」晉悼公派人問其中的緣故，叔孫穆子說：「今伶簫詠歌及〈鹿鳴〉之三，君所以貺使臣，臣敢不拜貺。夫〈鹿鳴〉君之所以嘉先君之好也，敢不拜嘉。」這表明春秋時期人們將〈鹿鳴〉看作是宴樂群臣嘉賓的作品。漢初《齊詩》《韓詩》以及後出的《毛詩》沿襲了先秦人們對〈鹿鳴〉主題的解說，惟獨《魯詩》認爲〈鹿鳴〉的題旨是諷刺在上位者不能養賢。《魯詩》之所以力排眾議而倡刺詩之說，我們認爲這與《魯詩》大師申公獨特的生命體驗有關。《漢書・楚元王傳》中有一段記載可予充分注意：

> 初，元王敬禮申公等，穆生不耆酒，元王每置酒，常爲穆生設醴。及王戊即位，常設，後忘設焉。穆生退曰：「可以逝矣！醴酒不設，王之意怠，不去，楚人將鉗我於市。」稱疾臥。申公、白生強起之曰：「獨不念先王之德與？今王一旦失小禮，何足至此！」穆生曰：「《易》稱：『知幾其神乎！幾者動之微，吉凶之先見者也。君子見幾而作，不俟終日。』先王之所以禮吾三人者，爲道之存故也；今而忽之，是忘道也。忘道之人，胡可與久處！豈爲區區之禮哉？」遂謝病去。申公、白生獨留。王戊稍淫暴，二十年，爲薄太后服私奸，削東海、薛郡，乃與吳通謀。二人諫，不聽，胥靡之，衣之赭衣，使杵臼雅舂於市。

楚王劉戊是申公的學生，申公被自己的學生施加刑罰，在鬧市中心披枷戴鎖做苦力，這被申公視爲終生的奇恥大辱，此後申公便閉門不出，居家教授。穆生與申公的不同遭遇當給申公以極大的啓示，當年穆生見幾而作及時退隱是明智之舉。同時它也昭示申公，在上位者能不能設宴禮賢，這不僅僅是區區之禮的問題，而且它的

背後隱含著有道與無道的大問題，不能設宴禮賢就是無道，而無道之人今日不能禮賢，明日就可能發展到害賢、殺賢。而對待賢人的態度又是關係到政治興衰的大機。因而申公借說《小雅・鹿鳴》來抨擊在上位者不能養賢，實在是他從自身痛苦經歷中所得來的認識。

從〈關雎〉、〈鹿鳴〉主題的演變過程可以看到，不同的文化背景下的人們可以對同一作品的題旨作出不同的解釋，不同的生命體驗的人們也會對同一作品作出不同的批評。如果我們不區分文化背景的差異和評論者生命體驗的差別，就難免產生自相矛盾的現象。

三、《魯詩》無正變說

既然上述學案是由三家詩特別是《魯詩》所引發，那麼一個不可迴避的問題是：《魯詩》有沒有風雅正變之說？

我們認為《魯詩》根本就沒有風雅正變的理論。理由是：第一，從《史記・孔子世家》、《十二諸侯年表》、《儒林列傳》等篇論述〈關雎〉的文字來看，《魯詩》認為孔子編《詩》是從刺衰的〈關雎〉開始，遵循一條從倫理到政治的思路，這一思路重在義理，而不是按時間先後劃分，因此根本沒有必要區分正變，而《毛詩序》按照由盛到衰的歷史線索來說《詩》，認為正風、正雅作於西周盛世，而變風、變雅則是衰世之音，《魯詩》與《毛詩》的思路完全不同。第二，《魯詩》將〈關雎〉、〈鹿鳴〉斷為刺詩，如果《魯詩》真有風雅正變理論的話，這是不可思議的事情。第三，陳喬樅等人所輯佚的《魯詩》，原始材料中並無風雅正變說，雖然後代偶爾有個別儒生用風雅正變說來講《魯詩》，但這是出於一種誤解。第四，《史記》從未提及風雅正變的理論，這表明司馬遷寫《史記》時尚未接觸這個理論。從《齊詩》、《韓詩》斷〈關雎〉為刺詩來看，齊韓二家也同樣沒有風雅正變說。

三家詩不倡風雅正變之說有它特定的文化學術背景。三家詩興於漢初，它們繼承了戰國士林批評時政為王者師的風氣，因此作詩諷刺現實政治在他們看來是極正常極自然的事情，是士人們的極崇高極莊嚴的事業。所以用不著區分正變。只有後來君臣綱常觀念加強了，批評君主被看作是一種不得已而為之的權變行為，這時

正變說才應運而生。

四、《毛詩》正變說探源

　　變風、變雅之說首見於《毛詩序》：「至于王道衰，禮義廢，政教失，國異政，家殊俗，而變風、變雅作矣。國史明乎得失之跡，傷人倫之廢，哀刑政之苛，吟詠情性，以諷其上，達于事變而懷其舊俗者也。故變風發乎情，止乎禮義。發乎情，民之性也；止乎禮義，先王之澤也。」這說明變風、變雅是西周王朝政治衰敗之後的諷刺作品，變風、變雅的特點是發乎情性而符合禮義，它雖然諷刺時政，但卻不是犯上作亂，而是志在維護現存統治秩序，促進弊政的改良。此後鄭玄在《詩譜序》中說：「故孔子錄懿王、夷王時詩訖於陳靈公淫亂之事，謂之變風、變雅。」《毛詩》關於變風、變雅的具體劃分是：《邶風》以下十三國風爲變風，《小雅》自〈六月〉以後的詩爲變小雅，《大雅》自〈民勞〉以後的詩爲變大雅。變風、變雅之前的詩篇是正風、正雅。如果按照傳統詩論中的美刺學說來劃分，那麼美詩是正風、正雅，而刺詩則爲變風、變雅。

　　《毛詩》的風雅正變理論是怎樣產生的呢？我們認爲論《詩》講正變，是《詩》學對《春秋》學的借鑒，具體地說，是《毛詩》借鑒、吸收了春秋公羊學的經權、常變學說。

　　經權、常變理論是公羊家在闡發《春秋》義例的過程中提出來的。《春秋》中往往存在著相似相近的事件而褒貶傾向不同的情形，這時運用一個固定不變的正常評價尺度就講不通，於是公羊學派提出了權變的概念。所謂權變，是相對於正常的評價標準而言，它以應變方式來評價歷史人物與事件。所以在權變概念中實際上包含了一種不主一端、對具體問題作具體分析的靈活變通的思想方法。「權」的概念始見於《春秋公羊傳·桓公十一年》：「九月，宋人執鄭祭仲。祭仲者何？鄭相也。何以不名？賢也。何賢乎祭仲？以爲知權也。……古人之有權者，祭仲之權是也。權者何？權者反于經，然後有善者也。權之所設，舍死亡無所設。行權有道，自貶損以行權，不害人以行權。」公元前七〇一年，鄭莊公病死，太子忽即位，是爲鄭昭公。此時宋國勢力較大，宋人設計綁架鄭相祭仲，要求祭仲廢掉昭公忽，立鄭莊公的另一位姬妾宋人雍氏女所生的突爲鄭君。此時祭仲如果正面拒絕宋國的要

挾，不僅自己性命難保，而且還會招致宋國大兵壓境，用武力脅迫昭公忽讓位於突。在這種情況下，祭仲同意了宋國的請求，讓公子突當了國君，是為鄭厲公，昭公忽亡命奔衛。四年之後，祭仲趕走厲公突，迎接昭公忽歸國復位。祭仲屈從強國的要挾而廢忽立突，從正常的目光來看是不可取的。但祭仲此舉保全了昭公忽的生命，昭公忽讓位出奔，這在形式上與歷史上伯夷、叔齊讓國及吳太伯讓位有某種一致，由此昭公忽獲得了讓位的美名。所以公羊學派特別讚賞祭仲這種權變行為。《春秋公羊傳》規定了「權」的內涵，即「權」是一種與「經」相反的並且能夠取得較好效果的做法，行使權變的具體方法是能夠自我貶損，並不對他人造成危害，例如祭仲暫時屈從宋人要挾，即是自我貶損；祭仲的權變對昭公忽有益無害。公羊假講經權，可能是受到孔子的啟發，《論語‧子罕》載孔子語云：「可與共學，未可與適道。可與適道，未可與立。可與立，未可與權。」這是說有些人雖然有志於學，但他所學的不一定是道；有些人雖然有志於學道，但不一定能立於禮；有些人雖然能立於禮，但卻把禮看成死規矩而不懂得權變。公羊家據此提出經權理論。《春秋公羊傳》雖然提出了「經」「權」的概念，但全書僅此一見，可見作者對經權概念並未給予特別的重視。反覆強調經權、常變概念的是春秋公羊學大師董仲舒，在《春秋繁露》的〈玉杯〉、〈竹林〉、〈玉英〉、〈精華〉等篇章中，董仲舒多次論及經權，使之成為春秋公羊學中的一個重要的經學理論範疇。例如按照公羊家解釋的義例，亂臣賊子在弒君之後，他們的名字一般不會再出現在《春秋》之中，以此表示《春秋》對亂臣賊子的痛恨與鄙視。但《春秋‧宣公二年》載：「晉趙盾弒其君夷皋。」同書宣公六年又載：「晉趙盾，衛孫免侵陳。」如何解釋這種反常的現象呢？《春秋繁露‧玉杯》說：「《春秋》修本末之義，達變故之應，通生死之志，遂人道之極者也。是故君殺賊討，則善而書其誅；若莫之討，則君不書葬，而賊不復見矣。不書葬，以為無臣子也；賊不復見，以其宜滅絕也。今趙盾弒君，四年之後，別牘復見，非《春秋》之常辭也。……按盾辭號乎天，苟內不誠，安能如是？是故訓其終始無弒之志，挂惡謀者，過在不遂去，罪在不討賊而已。」根據《春秋》常辭，趙盾不應該再次出現，而事實上趙盾「四年之後,別牘復見」，這是因為《春秋》「修本末之義」，追究了趙盾的最初動機，趙盾「無弒之志」，真正的弒君者是趙穿，趙盾的罪過是作為執政正卿而「亡不越境，反不討

賊」，這與那種志在弒君的亂臣賊子還是有本質區別的。用現代法律術語來說，趙盾是過失犯罪，而不是故意犯罪。董仲舒運用權變理論合理地解釋了趙盾既作爲弒君者而又別牘復見的情況。又如公元前五九七年，楚莊王率師攻下鄭國，鄭伯肉袒牽羊請求投降，楚莊王認爲「其君能下人，必能信用其民矣」，因而毅然放棄了滅鄭的計劃，準備班師南歸。晉國爲了與楚爭霸而揮兵追趕，晉楚在邲地大戰，結果晉師大敗。《春秋·宣公十二年》對此作了記載：「晉荀林父帥師及楚子戰于邲，晉師敗績。」《春秋公羊傳》說：「大夫不敵君，此其稱名氏以敵楚子何？不與晉而與楚子爲禮也。」董仲舒在《春秋繁露·竹林》中進一步作了發揮：「《春秋》之常辭也，不予夷狄而予中國爲禮，至邲之戰，偏然反之，何也？曰：《春秋》無通辭，從變而移，今晉變而爲夷狄，楚變而爲君子，故移其辭以從其事。夫莊王之舍鄭，有可貴之美，晉人不知其善而欲擊之，所救已解，如（而）挑與之戰，此無善善之心，而輕救民之意也。是以賤之，而不使得與賢者爲禮。」《春秋》記載夷夏事件的正常義例，據《春秋公羊傳·成公十五年》說，是「內其國而外諸夏，內諸夏而外夷狄」。楚爲夷狄而晉爲諸夏，本來應該尊晉貶楚，但由於楚莊王具有善善之心救民之意，所以《春秋》變經爲權對楚予以肯定，而對窮兵黷武的晉人則予以貶損。再如公元前五九四年，楚師圍宋，雙方相持，宋國派大夫華元夜見楚國司馬子反，告知宋國易子而食的慘狀，司馬子反出於憐憫之心而撤圍退兵。《春秋·宣公十五年》載：「宋人及楚人平。」《春秋公羊傳》說：「外平不書，此何以書？大其平乎己也。」董仲舒在《春秋繁露·竹林》中對此作了分析：「司馬子反爲其君使，廢君命，與敵情，從其所請與宋平，是內專政而外擅名也。專政則輕君，擅名則不臣，而《春秋》大之，奚由哉？曰：爲其有慘怛之恩，不忍餓一國之民，使之相食。推恩者遠之而大，爲仁者自然而美。今子反出己之心，矜宋之民，無計其間，故大之也。」《春秋》的常辭是反對臣下內專政而外擅名，但對子反私下與宋人媾和的言行卻予以肯定，這是因爲司馬子反具有推恩爲仁的美好心意，所以《春秋》才運用權變的理論去評價。〈竹林〉進一步解釋說：「《春秋》之道，固有常有變，變用於變，常用於常，各止其科，非相妨也。」「子反之行，一曲之變，獨修之義也。」司馬子反私自與宋講和的行爲本來就屬於權變性質，這時就不能使用常辭而要運用權變方法。以上諸例多側重於動機，公羊家有時從效果來講權

變。公元前五八九年，齊晉鞌之戰爆發。齊頃公在戰鬥中被晉軍俘虜，與齊頃公相貌相似的齊臣逢丑父以身替代齊頃公，讓齊頃公得以脫逃。董仲舒將逢丑父舍身救君與上述祭仲的權變行爲作了比較，他在〈竹林〉中說：「逢丑父殺其身以生其君，何以不得爲知權？丑父欺晉，祭仲許宋，俱枉正以存其君，然而丑父之所爲難于祭仲，祭仲見賢而丑父猶見非，何也？曰：是非難別者在此，此其嫌疑相似而不同理者，不可不察。夫去位而避兄弟者，君子之所甚貴；獲虜逃遁者，君子之所甚賤。祭仲措其君於人所甚貴以生其君，故《春秋》以爲知權而賢之；丑父措其君於人所甚賤以生其君，《春秋》以爲不知權而簡之。」這是說祭仲讓昭公忽獲得了去位避兄弟的美名，所以祭仲知權；而逢丑父卻讓齊頃公背上了一個逃虜的惡名，因此這不能叫做知權。董仲舒認爲逢丑父應該對齊頃公說：「君慢侮而怒諸侯，是失禮大矣；今被大辱而弗能死，是無恥也；而復重罪，請俱死，無辱宗廟，無羞社稷。」董仲舒的結論是：「丑父欺而不中權，忠而不中義。」逢丑父的行爲符合《春秋公羊傳》「自貶損以行權」的標準，但卻違反了「不害人以行權」的準則，他的行爲使齊頃公的聲名受到極大的損害，所以公羊家對這位捨身救君的忠臣痛加指責。董仲舒認爲《春秋》中的禮儀也有經、變之分，他在《春秋繁露·玉英》中說：「《春秋》有經禮，有變禮，爲（謂）如安性平心者，經禮也。至有於性，雖不安於心，雖不平於道，無以易之，此變禮也。是故昏禮不稱主人，經禮也；辭窮無稱，稱主人，變禮也。天子三年然後稱王，經禮也；有故則未三年而稱王，變禮也；婦人無出境之事，經禮也；母爲子娶婦，奔喪父母，變禮也。明乎經變之事，然後知輕重之分，可與適權矣。」又說：「夫權雖反經，亦必在可以然之域。」「故諸侯在不可以然之域者，謂之大德，大德無逾閑者，謂正經。諸侯在可以然之域者，謂之小德，小德出入可也，權譎也。」董仲舒在《春秋繁露·精華》中又說：「《春秋》固有常義，又有應變。」「所聞《詩》無達詁，《易》無達占，《春秋》無達辭，從變從義而一以奉人（天）。」綜合公羊家這些言論，經權理論有如下要點：

　　㈠《春秋》首先確立常辭、常義、經禮，以用來評價春秋時期那些正常的歷史事件或歷史人物的言行。

　　㈡當這些常辭、常義、經禮不足以評價某些具有特殊動機、特殊性質或特殊

效果的歷史事件的時候，《春秋》就要採用權變的方法予以評價，常辭用於常事，權變用於應變，各有各的適用範圍與對象，彼此互不相妨。

㈢《春秋》雖然講權變，但它還是有一定的限度，這就是應該「在可以然之域」，在這個限度內可以出入，超出該限度就不宜適用權變。

㈣行使權變的具體方法是歷史人物不要害怕自我形象受到損害，要有自我貶損的勇氣，同時對他人不應有所傷害。如果對他人造成生命或聲名的傷害，那麼就不能叫知權。

㈤結論是《春秋》無達辭，一切都是從變從義，這就像《詩》無達詁、《易》無達占一樣，其中蘊含著一種不固執於一端的通達善變的思想方法。

《毛詩》借鑒、吸收了春秋公羊學的經權、常變概念，用來說明《詩經》中的刺詩現象。《毛詩》所說的正風、正雅，相當於董仲舒所說的常辭、經禮；《毛詩》所說的變風、變雅，相當於董仲舒所說的應變、知權；變風、變雅的「發乎情，止乎禮義」，相當於董仲舒所說的「在可以然之域」。因此《毛詩》所說的風雅正變，與公羊家所說的經權、常變，二者之間有著緊密的內在聯繫。《詩經》中的許多作品有著犀利的批判鋒芒，這在君臣綱常倫理受到空前強調的封建時代，似乎與統治階級的利益不盡相符。而孔子卻又對《詩三百》作了「思無邪」的全面肯定。《毛詩》作者借用公羊家的權變理論。合理地解釋了《詩經》中的刺詩現象，將刺詩定為變風、變雅，並指出變風、變雅「發乎情、止乎禮義」，即是說變風、變雅並未超越封建綱常倫理，它們從表面上看是諷刺了統治者，但在最高利益——維護現存統治秩序上與統治者是彼此一致的，這可以說是一種更高層次的忠誠。正與變，美與刺，都是要建立一個政治清明的理想社會。

五、《毛詩序》寫作時代考

以上各節都是將《毛詩》置於三家詩之後，認為它產生於君臣綱常空前鞏固的時代，這個說法究竟有沒有根據？如果這個問題不講清楚，則不僅《毛詩》正變說來源於公羊學經權理論的觀點無法成立，而且破譯〈關雎〉、〈鹿鳴〉既作為刺詩而又居於正風正雅之首這個千古學案的願望也要落空。

《毛詩》，特別是提出變風、變雅概念的《毛詩序》，究竟作於何時呢？

檢索前人對這個問題的看法，眞是言人人殊：

認爲大序是子夏作、小序是子夏、毛公合作，這是鄭玄《詩譜》的觀點；

認爲子夏所序詩就是《毛詩序》，這是王肅《孔子家語》的觀點；

認爲衛宏受學謝曼卿而作《毛詩序》，這是《後漢書·儒林傳》的觀點；

認爲子夏初作詩序，此後毛公、衛宏等人加工潤色，這是《隋書·經籍志》的觀點；

認爲子夏未作詩序，這是唐代大詩人韓愈的觀點；

認爲子夏寫了詩序首句，以下各句出於毛公，這是成伯璵的觀點；

認爲詩序出於作詩者本入之手，這是王安石的觀點；

認爲小序是國史之舊文，大序爲孔子所作，這是理學家程顥的觀點；

認爲詩序首句乃孔子所題，這是王得臣的觀點；

認爲《毛傳》初行尙未有序，其後門人互相傳授，各記其師說，這是曹粹中的觀點；

認爲是村野妄人所作，這是鄭樵、王質、朱熹等人的觀點；

認爲序首三句是毛萇以前經師所傳，以下續申之詞爲毛萇以下弟子所附，這是《四庫全書總目》的觀點；

……

這些彼此分歧的說法有的是出於隨意性的猜測，有的則經過認眞考證。由於《毛詩序》本身未署作者之名，因而千載之下要想肯定地說出於某人之手極爲困難，即使大膽地說出來，也不會被學術界所接受。但是，像其他經傳一樣，《毛詩序》出於多名經師儒生之手，經過長期的加工潤色而最後寫定，這一點恐怕是應該成立的。前人曾列舉《詩經·鄘風·載馳》序文爲例。〈載馳〉序云：「許穆夫人作也，閔其宗國顚覆，自傷不能救也。」下文又說：「衛懿公爲狄人所滅，國人分散，露于漕邑，許穆夫人閔衛之亡，傷許之小，力不能救，思歸唁其兄，又義不得，故賦是詩也。」前文已概述其事，後又重申之，這是同一序文出於兩人之手的痕跡。諸如此例，還可以舉出一些。所以我們不必作無用功而去論定《詩序》作者是誰，而只需要考定《毛詩序》寫定的大致時間。

《毛詩序》是此前儒家詩論的一次總結，它的許多語句都有出處。因此從

《毛詩序》所採取的前人觀點來考定《毛詩序》的寫作時間，不失為一條行之有效的線索。

　　《毛詩序》云：「詩者，志之所之也，在心為志，發言為詩。」此語本於《尚書・堯典》：「詩言志。」

　　《毛詩序》云：「情發于聲，聲成文謂之音。治世之音安以樂，其政和；亂世之音怨以怒，其政乖；亡國之音哀以思，其民困。」此語本於《禮記・樂記》：「情動於中，故形于聲，聲成文，謂之音。是故治世之音安以樂，其政和；亂世之音怨以怒，其政乖；亡國之音哀以思，其民困。」《禮記・樂記》與《荀子・樂論》在內容上有較多的相似之處，學術界對這兩篇論文的寫作時間的先後尚未取得一致的意見，但將《禮記・樂記》的寫作時間定在戰國末期，應該無大問題。《毛詩序》引用〈樂記〉，這表明它的寫定時間在〈樂記〉之後，由此也就排除了《毛詩序》出於詩人之手、孔子或子夏的可能性。

　　《毛詩序》云：「〈關雎〉，后妃之德也，風之始也，所以風天下而正夫婦也。故用之鄉人焉，用之邦國焉。」這是指《儀禮・鄉飲酒禮》和〈燕禮〉以〈關雎〉合樂。《儀禮》的寫定時間尚有爭議，《史記・儒林列傳》說：「《禮》固自孔子時而其經不具，及至秦焚書，書散亡益多，於今獨有《士禮》，高堂生能言之。」從司馬遷語意推測，孔子時尚無《儀禮》，後來儒家後學逐漸著成該書，但又遭秦火之難，這樣《儀禮》最後被整理成定本傳習，應該是戰國末年至漢初的事情了。《毛詩序》既引用《儀禮》，它的最後寫定時間應在《儀禮》之後。

　　《毛詩序》云：「是以一國之事，繫一人之本，謂之風；言天下之事，形四方之風，謂之雅。雅者，正也，言王政之所由廢興也。政有小大，故有小雅焉，有大雅焉。頌者，美盛德之形容，以其成功告于神明者也。是謂四始，詩之至也。」按「四始」原為《魯詩》所創，而為齊、韓、毛諸家所接受所發展。《毛詩序》所說「四始」已與《魯詩》有很大的不同，這是它在接受「四始」概念後而進行改造的結果。據此可知《毛詩序》的最後寫定是在《魯詩》之後。

　　《毛詩序》關於變風、變雅之說來源於春秋公羊學，公羊學被尊為統治思想是在漢武帝即位初期，據此可以推測《毛詩序》的最後寫定是在公羊學大行於世之後。

《毛詩序》云：「故詩有六義焉：一曰風、二曰賦、三曰比、四曰興、五曰雅、六曰頌。」此語出於《周禮》：「大師……教六詩：曰風、曰賦、曰比、曰興、曰雅、曰頌。」《周禮》爲古文經，《漢書·藝文志·六藝略》禮類有「《周官經》六篇」，班固自注：「王莽時，劉歆置博士。」荀悅《漢紀》云：「劉歆奏請《周官》六篇，列之於經，爲《周禮》。」陸德明《經典釋文·敘錄》云：「王莽時，劉歆爲國師，始建立《周官經》以爲《周禮》。」對《周禮》來源，或云河間獻王所得，或云孔安國所獻，或云早有此書但秘而不傳，或云乃劉歆僞造。《史記·封禪書》載：「群儒采封禪《尚書》、《周官》、《王制》之望祀射牛事。」這證明《周官》在漢武帝時期就已爲儒生所運用。《毛詩序》既採用《周禮》「六詩」之說，應在《周禮》行世之後。三家詩不談比興，司馬遷用「長於風」來替代比興概念，〈屈原賈生列傳〉是用文小指大、言近旨遠來概括《離騷》比興特色，這說明司馬遷尚未接受比興理論。據此推測，《毛詩序》最後寫定，是在漢武帝、司馬遷之後，亦即在西漢後期。

六、疑案的產生

現在我們可以揭開〈關雎〉、〈鹿鳴〉既作爲刺詩而又居正風、正雅之首這一千古學案之謎了。產生這一疑案的原因，是由於三家詩亡佚，而學者們又未能深入考察《毛詩序》風雅正變說的學術淵源及其產生年代，誤以爲三家詩也有變風、變雅的說法，當他們遠用變風、變雅概念的時候，他們無論如何也無法解釋漢初人們將〈關雎〉、〈鹿鳴〉斷爲刺詩的現象，因此才有種種猜測，疑案也就這樣產生了。三家詩興於漢初，當時尚無風雅正變之說，而《毛詩序》的最後寫定是在西漢後期，兩者相隔將近百年，這百年期間政治學術情勢變化極大，但後人卻將這四家詩說放在同一時段上理解，由此而走入死胡同。在探討中人們首先注意的是《史記》的《詩》說，司馬遷習《魯詩》，而《魯詩》無正變說，因而在司馬遷頭腦中根本就沒有風雅正變的概念。這個千古學案曾經耗費過無數經生的精力，現在再也沒有必要去爲此作毫無意義的爭論了。

七、糾正一個誤注

在本文的最後，我們還要糾正北大中文系中國文學史教研室編寫的《兩漢文學史參考資料》中的一條誤注。

《史記·屈原賈生列傳》中有「《小雅》怨誹而不亂」一句，《兩漢文學史參考資料》對此句解釋說：「《詩經·小雅》自〈六月〉之後，有若干詩篇是統治階級內部的人揭露或斥責西周末年貴族統治者腐朽殘暴的作品，後世稱之爲『變雅』。孔穎達《毛詩正義》：『《小雅》則躁急而局促，多憂傷而怨誹。』即指這一部分詩篇。但這些詩篇都是當時統治階級內部失意的臣僚所作，雖對貴族統治者進行『怨誹』，卻沒有公然反對那些貴族統治者，所以說『怨誹而不亂』。意謂其怨誹是有一定限度的，作者的立場仍站在統治階級方面。」這條注釋粗看起來似無可以指摘之處，但仔細分析，就可以發現它與《史記》所載的詩說相左。《史記·十二諸侯年表》說：「仁義陵遲，〈鹿鳴〉刺焉。」〈鹿鳴〉不是一般的作品，因爲《孔子世家》說：「〈鹿鳴〉爲《小雅》始。」司馬遷認爲這個次序是孔子編排的，「始」不僅是指編排次序上的開始，而且還包含有提挈這一類詩主題的意義，即是說始篇作品的主題大體上涵蓋了這一類詩的主調。《小雅》的主調是什麼呢？《史記·司馬相如列傳》說：「《小雅》譏小己之得失，其流及上。」意謂《小雅》是通過歌詠個人的不平遭遇來諷諭時政。《小雅》這個「譏小己之得失」的基調，是由始篇諷刺周王不能養賢的〈鹿鳴〉奠定的。這樣理解應該完全符合《魯詩》的原意。

至此，《兩漢文學史參考資料》的注釋與《史記》的分歧點就呈現出來了：前者認爲「《小雅》怨誹而不亂」是指自〈六月〉以後的「變雅」，而後者則認爲是始篇〈鹿鳴〉奠定了《小雅》的怨誹基調。

爲什麼會產生這樣的分歧呢？我們認爲這是因爲《兩漢文學史參考資料》沿襲了一個千年誤解，他們接受了《毛詩序》的風雅正變的理論，並運用這個理論來解說「《小雅》怨誹而不亂」，殊不知《史記》採用《魯詩》，而《魯詩》根本就沒有風雅正變之說。所以《兩漢文學史參考資料》的注釋與《史記》產生抵牾。這個抵牾實際上是上述關於〈關雎〉、〈鹿鳴〉作爲刺詩而居正風、正雅之首這一學

案的繼續。

　　應該說明的是，我們雖然指出了《兩漢文學史參考資料》中的一條誤注，但這並不意味著要全盤否定這套文學史參考資料，恰恰相反，我們對這套哺育了幾代學人的文學作品選本的價值與權威地位仍持堅定的肯定態度。任何一種注本，要想百分之百的正確無誤，是絕對不可能的。比較寬容的做法是允許少數有理由、有來源出處的誤注。《兩漢文學史參考資料》上述注文是依據《毛詩序》及鄭玄《詩譜》，這也可以說是一條有根據的誤注。

主要參考書目

1. 《史記》，司馬遷，北京：中華書局，1959 年。
2. 《十三經注疏》，北京：中華書局，1980 年影印本。
3. 《經學通論》，皮錫瑞，北京：中華書局，1954 年。
4. 《兩漢文學史參考資料》，北大中文系，北京：中華書局，1962 年。
5. 《四庫全書總目》，北京：中華書局，1965 年。
6. 《詩三家義集疏》，王先謙，北京：中華書局，1987 年。

經 學 研 究 論 叢
第 六 輯　　　頁83～98
臺灣學生書局　　1999 年 3 月

《詩經・三頌》《毛序》與朱《傳》異同之比較研究

王清信*

一、前言

　　《毛序》是漢學《詩經》的注疏中心，儘管其中有以穿鑿附會的方法曲解《詩》義，但因託爲聖賢所作❶，漢、唐及宋初諸儒，「皆不敢背乎《小序》，未有舍《序》而自爲之說者」❷，導致《詩》的本義晦暗難明。然自北宋慶曆（1042-1048）以來❸，疑經風氣漸盛，《毛序》的地位開始動搖❹。歐陽脩

---

*　王清信，東吳大學中國文學系研究生。

❶　《毛序》的作者，眾說紛紜，張西堂先生歸納爲十六種，見〈毛詩序略說〉，《人文雜誌》創刊號，1957 年 1 期（1957 年 4 月），頁 52-61。後又收入張氏：《詩經六論》（上海：商務印書館，1957 年），頁 116-140。篇名改爲〈關於毛詩序的一些問題〉。

❷　[元]梁益：《詩傳旁通・敘》（臺北：臺灣商務印書館，1983 年，影印文淵閣《四庫全書》本第 76 冊），頁 977。

❸　皮錫瑞（1850-1908）曰：「據王應麟說，是經學自漢至宋初未嘗大變，至慶曆始一大變也。」文見：《經學歷史》（臺北縣：藝文印書館，1987 年二版），頁 237。

❹　其實此種疑經的風氣，從唐代後期即可見其先聲，林慶彰先生認爲：「其分界線應該是代宗大曆年間（766-779）。」文見：〈唐代後期經學的新發展〉，林慶彰先生編：《中國經學史論文選集》上冊（臺北：文史哲出版社，1992 年），頁 670。如就《毛序》而言，韓愈（768-824）〈議詩序〉一文即認爲：「子夏不序《詩》有三焉：知不及，一也；暴揚「中冓之私」《春秋》所不道，二也；諸侯猶世，不敢以云，三也。」文見：[明]楊慎（1488-

（1007-1072）作《詩本義》對《毛序》產生了懷疑❺；其後，蘇轍（1039-1112）作《詩集傳》，僅存《毛序》的首句，刪去其「續申之詞」❻。南宋之初，鄭樵（1103-1162）作《詩辨妄》極詆《毛序》❼，認爲《毛序》僅爲一家之言，不可偏信；王質（1127-1189）採取「去《序》言《詩》」的方法，著《詩總聞》，「眞正推倒《毛詩序》」❽。

朱熹（1130-1200）爲宋學的集大成者，早年受到漢學傳統——毛《傳》、鄭《箋》、孔《疏》的影響，其《詩》說大抵是遵從《毛序》的❾，後來受北宋以來

1559）：《升菴經說》引，（臺北：新文豐出版公司，1985 年，《叢書集成新編》第 10 冊），卷四，頁 59。按：《四庫全書》本第 1073 冊，《別本韓文考異外集》卷一，僅存篇目，惟篇名爲〈詩之序議〉。另成伯璵（？）亦認爲：「《詩序》首句爲子夏所傳，其下爲毛萇所續。」《四庫全書總目》（北京：中華書局，1987 年），卷十五，經部，詩類一，《毛詩指說一卷》提要，頁 120。

❺ 《四庫全書總目》：「自唐以來，說《詩》者未敢議毛、鄭，雖老師宿儒，亦謹守《小序》。至宋而新義日增，舊說幾廢，推原所始，實發於脩。」（卷十五，經部，詩類一，《毛詩本義十六卷》提要，頁 121。）

❻ 《四庫全書總目》：「其說以《詩》之《小序》反覆繁重，類非一人之詞，疑爲毛公之學，衛宏之所集錄。因惟存其發端一言，而以下餘文悉從刪汰。」（卷十五，經部，詩類一，《詩集傳二十卷》提要，頁 121。）

❼ 顧頡剛有：〈鄭樵詩辨妄輯本〉，《北大國學門周刊》1 卷 5 期（1925 年 11 月）。後收於《續修四庫全書》第 56 冊（上海：上海古籍出版社）。

❽ 《四庫全書總目》：「南宋之初，廢《序》者三家，鄭樵、朱子及質也。鄭、朱之說最著，亦最與代相辨難。質說不字字詆《小序》，故攻之者亦稀。然其毅然自用，別出新裁，堅銳之氣，乃視二家爲加倍。」（卷十五，經部，詩類一，《詩總聞二十卷》提要，頁 122。）；李家樹先生認爲：「眞正推倒《毛詩序》的，在南宋是鄭樵和王質；鄭樵的著作不傳，沒法討論，王質《詩總聞》的歷史地位就愈加重要。」文見：《王質詩總聞研究》（臺北：文史哲出版社，1996 年），頁 60。

❾ 朱子早年《詩》說，見初本《詩集傳》，然後因新本《詩集傳》出而佚，欲觀朱子自謂「少時淺陋之說」，其中有關《毛序》的，據筆者所見有：潘重規先生據呂祖謙（1137-1181）《呂氏家塾讀詩記》、嚴粲《詩緝》中輯得六十五條，文見：〈朱子詩序舊說敘錄〉，《新亞書院學術年刊》第 9 期（1967 年 9 月），頁 1-22；楊鍾基先生亦據《讀詩記》、《詩緝》中輯得一百二十三條，並將舊本《詩集傳》輯校成書，文見：《詩集傳舊說輯校》（香港：中文大學聯合書院中國語文學系，1974 年）。由這些條目，可見朱子初本《詩集傳》雖未如

疑經風氣的影響，加以鄭樵的啓發，使他對《毛序》的信心產生動搖❿，據其孫朱鑑（1190-1258）所編的《詩傳遺說》⓫，朱子對《毛序》的批評，可分爲下列數點⓬：一、批評《毛序》的作者；二、批評《毛序》所定《詩》旨的不合理；三、主張去《序》言《詩》⓭，並因此得出「深玩辭氣，而得詩人之本意」⓮的讀《詩》法。而由於文集、語錄的《詩》說，直接了當，一般人易受其影響；加以鄭樵等人的著作流傳不廣，因此朱子就成爲反《序》派的代表人物⓯。

　　朱子此種直探經文，「深玩辭氣」的讀《詩》法，自是可取。可是朱子是否能完全擺脫《毛序》──漢學傳統給他的影響？這就得從《詩集傳》、《詩序辨說》來考察⓰。而歷來對《毛序》與朱《傳》所定《詩》旨的比較，一般而言，太

《四庫全書總目》所言：「其説全宗《小序》」，然多宗尚《序》説，則無可疑。

❿　關於朱子從早年的遵《序》，轉變到反《序》的過程，可參考林慶彰先生：〈朱子對傳統經說的態度──以朱子詩經著述爲例〉，《國際朱子學會議論文集》（臺北：中央研究院中國文哲研究所，1993 年），頁 187-192。

⓫　《詩傳遺說‧跋》：「鑑昔在侍旁，每見學者相與講論是書（按：《詩集傳》），凡一字之疑，一義之隱，反復問答，切磋研究，並令心通意解而後已。今文集、書問、語錄所記載，無慮數十百條，彙次成編，題曰：《遺說》。」（臺北縣：漢京文化事業有限公司，1985 年，《通志堂經解》本第 17 冊），頁 10142。

⓬　林慶彰先生：〈朱子對傳統經說的態度──以朱子詩經著述爲例〉，頁 192-193。

⓭　關於朱子「去《序》言《詩》」的說法，楊晉龍先生認爲：「可證朱子並非主張廢《序》，……他只是要學者擺脫《詩序》的束縛，……因而筆者纔說他是離《序》詮《詩》。」，文見：〈朱熹詩序辨說述義〉，《中國文哲研究集刊》第 12 期（1998 年 3 月），頁 312-313。

⓮　[清]王懋竑（1668-1741）：《朱子年譜》引[宋]黃榦（1152-1221）爲朱子所作〈行狀〉（臺北：臺灣商務印書館，1987 年二版），頁 237。

⓯　《四庫全書總目》：「文公因呂成公太尊《小序》，遂盡變其說，雖臆度之詞，或亦不無所因歟？自是以後，說《詩》者遂分攻《序》宗《序》兩家，角立相爭，而終不能以偏廢。」（卷十五，經部，詩類一，《詩集傳八卷》提要，頁 123。）另鄭振鐸先生認爲：「此書（按：《詩集傳》）爲攻擊《毛詩序》的最重要的著作。鄭樵、王質、程大昌（1123-1195）諸人雖也努力攻擊《詩序》，但他們的著作或散佚，或流傳不廣，俱無大勢力，獨熹此書則爲後世童而習之的書，爲後來說《詩》者辯論的焦點，影響極大。」文見：〈詩經研究的書目〉，《小說月報》第 14 卷第 3 號（1923 年），頁 3。

⓰　[宋]黃震（1213-1280）曰：「故讀先生之書者，其別有三：如語類則門人之所記也；如書翰

過簡略（詳後）；因此本文擬就〈三頌〉部分作一初步的分析，期能對朱子於傳統經說的態度，有一較正確的認識。本文採用版本：《毛序》部分，爲《四部備要》本《毛詩鄭箋》；朱《傳》部分，爲《四部叢刊》本[17]；《詩序辯說》部分爲《學津討原》本，並略依朱子之例，附《辨說》於朱《傳》之後。

二、今人對本論題的研究成果

自韓愈以來，即對《毛序》有所懷疑，歷經了歐陽脩、蘇轍、鄭樵、王質到朱子，《毛序》的地位節節下降。朱子作《詩集傳》，重新論定篇旨，主張棄《序》不用，並另作《詩序辨說》，逐篇論辨《毛序》之非。可是，實際的情況，是否如此？[清]姚際恆（1647-？）在《詩經通論·序》中，就批評朱子說：

> 朱仲晦亦承焉，作爲《辨說》，力詆《序》之妄，由是自爲《集傳》，得以肆然行其說，而時復陽違《序》而陰從之，而且違其所是，從其所非焉。武斷自用，尤足惑世。（頁二）

姚氏又在《詩經通論》卷前〈詩經論旨〉中批評說：

> 況其從《序》者十之五，又有外示不從而陰合之者，又有意實不然之而終

則一時之所發也；如論著則平生之所審定也。語類之所記，或遺其本旨，則有書翰之詳說在；書翰之所說，或異於平日，則有著述之定說在。然議論固至著述而定。」文見：《黃氏日抄》（臺北：大化書局，1984 年，影印乾隆 33 年（1768）刊本），卷 36，頁 21 下，總頁492。

[17] 關於《詩集傳》的定本，《四庫全書總目》認爲：「今本八卷，蓋坊刻所併。」然靡文開先生：〈詩經朱傳本經文異字研究〉，《詩經欣賞與研究》（改編版四）（臺北：三民書局，1987 年），頁 409-480；左松超先生：〈朱熹詩集傳二十卷本和八卷本的比較〉，《高仲華先生八秩榮慶論文集》（高雄：高雄師院國文研究所，1988 年），頁 105-130。二文考訂的結果卻認爲八卷本爲朱子晚年定本。今據朱杰人先生：〈論八卷本詩集傳非朱子原帙兼論詩集傳之版本——與左松超先生商榷〉，《中華文史論叢》第 57 輯（上海：上海古籍出版社，1998 年），頁 212-240。又見：《經學研究論叢》第 5 輯（臺北：臺灣學生書局，1998年），頁 87-110。一文的考訂結果，以二十卷本爲朱子晚年定本。

不能出其範圍者，十之二三。故愚謂「遵《序》者莫若《集傳》」，蓋深刺其隱也。（頁四）

而由於朱《傳》所定篇旨，自出新見的並不多，所以得出「《集傳》直可廢也」的結論。姚氏的說法，可信度如何，今人續有研究，茲列舉如下：

㈠賴炎元

賴炎元先生根據《詩序辨說》的統計爲：朱子採用《序》說的，有三十四篇；《序》說還算妥當的，有六十九篇；《序》說得《詩》大旨的，有五篇；《序》說略得《詩》義的，有四十一篇；《序》說解釋《詩》義正確而時世或作者不正確的，有三十三篇；姑且採用《序》說的，有九篇；指明《序》說錯誤的有一百○七篇；闕疑的，有七篇❶❽。

㈡莫礪鋒

根據莫礪鋒先生的統計爲：朱子採用《序》說的有二十九篇；不提《序》而全襲其說的，有五十三篇。即朱子同意《序》說的，有八十二篇，占百分之二十七。而與《序》說大同小異的，有八十九篇；與《序》說不同的，有一百二十六篇。即朱子對《序》說有異議的，共有二百一十五篇，占百分之七十。其他爲闕疑之數❶❾。

㈢何澤恆

根據何澤恆先生的統計爲：遵《序》的，有八十九篇；修正《序》的，有八十八篇；反《序》的，有一百二十八篇❷０。

㈣原新梅

根據原新梅先生的統計爲：朱子不從《序》說的，有二百一十八篇，占百分之七十三；承用《序》說的，約有八十餘篇，占百分之二十七❷１。

---

❶❽　賴氏：〈朱熹的詩經學〉，《中國國學》7 期（1979 年 9 月），頁 277。

❶❾　莫氏：〈朱熹詩集傳與毛詩的初步比較〉，《中國古典文學論叢》2 輯（北京：人民出版社，1985 年），頁 140-145。

❷０　何氏：〈朱子說詩先後異同條辨〉，《國立編譯館館刊》18 卷 1 期，頁 198。

❷１　原氏：〈朱熹詩集傳對毛詩序的批評和繼承〉，《徐州師範學院學報》1990 年 4 期（1990 年

㈤楊天宇

　　根據楊天宇先生的統計爲：朱《傳》與《毛序》說同的，有一百八十四篇；其說似異而實非全異的，有二十三篇；《詩》義未詳不敢強解的，有十四篇；眞正相異的，只有九十篇㉒。

　　由上引可知，各家分類或標準不一、或過於簡略，作成的結論差異頗大，並且只有何文指出那些詩篇爲遵《序》、修正《序》、抑或反《序》，其餘大部分爲泛舉數例，便作成一統計數字。而李家樹先生則對〈國風〉一百六十篇作較細密的分類，較上引諸文有系統，可從中考知朱子論《詩》的主旨㉓：即〈國風〉中，其篇旨相異之處（有 47 篇），其中以〈鄭風〉比例最多（有 15 篇）。可見朱子「淫詩」說，在其著作中的反映情形，據此或可推想〈二雅〉中，其篇旨相異之處，以〈小雅〉中，《毛序》以「美刺」說《詩》的篇章爲多，故筆者擬撰《詩經・二雅毛序與朱傳異同之比較研究》一文爲碩士論文；以下先就〈三頌〉部分，比較其異同。

三、〈周頌〉《毛序》朱《傳》篇旨異同

㈠〈清廟〉之什

　1.〈清廟〉

　　《毛序》：「祀文王也。周公既成洛邑，朝諸侯，率以祀文王焉。」

　　朱《傳》：「此周公既成洛邑而朝諸侯，因率之以祀文王之樂歌。」

　　按：此詩朱《傳》未提及《序》說，而全同其說。

　2.〈維天之命〉

　　《毛序》：「大平告文王也。」

　　朱《傳》：「此亦祭文王之詩。」

---

　　12 月），頁 80-84。

㉒ 楊氏：〈朱熹的詩經說與詩序〉，《河南大學學報》第 33 卷 2 期（1992 年 2 月），頁 31-37。

㉓ 李氏：《國風毛序朱傳異同考析》（香港：學津出版社，1979 年）；此爲李氏碩士論文：《國風詩序與詩集傳之比較研究》（筆者未見）的節本。

《辨說》：「詩中未見告大平之意。」

　按：鄭《箋》：「告大平者，居攝五年之末也。文王受命不足而崩，今天下大平，故承其意而告之。」據《辨說》，朱《傳》與《序》說大同小異。

3.〈維清〉

　《毛序》：「奏象舞也。」

　朱《傳》：「此亦祭文王之詩。」

　《辨說》：「詩中未見奏象舞之意。」

　按：鄭《箋》：「象舞，象用兵時刺伐之舞，武王制焉。」朱《傳》：「然此詩疑有闕文焉。」然所定篇旨與《序》說全異。

4.〈烈文〉

　《毛序》：「成王即政，諸侯助祭也。」

　朱《傳》：「此祭於宗廟而獻助祭諸侯之樂歌。」

　《辨說》：「詩中未見即政之意。」

　按：此詩據《辨說》，朱《傳》與《序》說大異小同。

5.〈天作〉

　《毛序》：「祀先王先公也。」

　朱《傳》：「此祭大王之詩。」

　按：鄭《箋》：「先王，謂大王已下；先公，諸盩至不窋。」朱《傳》與《序》說大同小異。

6.〈昊天有成命〉

　《毛序》：「郊祀天地也。」

　朱《傳》：「此詩多道成王之德，疑祀成王之詩也。」

　《辨說》：「此詩詳考經文，而以《國語》證之，其爲康王以後祀成王之詩無疑。」

　按：此詩據《辨說》，朱《傳》與《序》說大異小同。

7.〈我將〉

　《毛序》：「祀文王於明堂也。」

　　朱《傳》：「此宗祀文王於明堂，以配上帝之樂歌。」

　　按：此詩朱《傳》未提及《序》說，而全同其說。

8.〈時邁〉

　　《毛序》：「巡守告祭柴望也。」

　　朱《傳》：「此巡守而朝會祭告之樂歌也。」

　　按：此詩朱《傳》未提及《序》說，而全同其說。

9.〈執競〉

　　《毛序》：「祀武王也。」

　　朱《傳》：「此祭武王、成王、康王之詩。」

　　《辨說》：「此詩並及成、康，則《序》說誤矣。」

　　按：此詩據《辨說》，朱《傳》與《序》說大同小異。

10.〈思文〉

　　《毛序》：「后稷配天也。」

　　朱《傳》：「言后稷之德，眞可配天，蓋使我烝民得以粒食者，莫非其德之
　　　　　　　　至也。」

　　按：此詩朱《傳》未提及《序》說，而全同其說。

㈡〈臣工〉之什

1.〈臣工〉

　　《毛序》：「諸侯助祭，遣於廟也。」

　　朱《傳》：「此戒農官之詩。」

　　《辨說》：「《序》誤。」

　　按：此詩朱《傳》與《序》說全異。

2.〈噫嘻〉

　　《毛序》：「春夏祈穀于上帝也。」

　　朱《傳》：「此連上篇，亦戒農官之詞。」

　　《辨說》：「《序》誤。」

　　按：此詩朱《傳》與《序》說全異。

3.〈振鷺〉

《毛序》：「二王之後來助祭也。」

朱《傳》：「此二王之後來助祭之詩。」

按：鄭《箋》：「二王，夏、殷也。其後，杞也，宋也。」朱《傳》未提及
　　《序》說，而全同其說。

4.〈豐年〉

《毛序》：「秋冬報也。」

朱《傳》：「此秋冬報賽田事之樂歌。」

《辨說》：「《序》誤。」

按：鄭《箋》：「報者，謂嘗也、烝也。」朱《傳》：「蓋祀田祖先農方社
　　之屬也。言其收入之多，至於可以供祭祀，備百禮，而神降之福，將甚
　　遍也。」朱《傳》與《序》說大異小同。

5.〈有瞽〉

《毛序》：「始作樂而合乎祖也。」

朱《傳》：「《序》以此爲始作樂而合乎祖之詩。」

按：此詩朱《傳》提及《序》說，且全同其說。

6.〈潛〉

《毛序》：「季冬薦魚，春獻鮪也。」

朱《傳》：「〈月令〉：『季冬……命漁師始漁，天子親往，乃嘗魚，先薦
　　　　　　寢廟。』『季春……薦鮪于寢廟。』此其樂歌也。」

按：此詩朱《傳》引《禮記‧月令篇》之文，解說《序》義，且全同其說。

7.〈雝〉

《毛序》：「禘大祖也。」

朱《傳》：「此武王祭文王之詩。」

《辨說》：「此詩但爲武王祭文王而徹俎之詩，而後通用於他廟耳。」

按：鄭《箋》：「禘，大祭也。大於四時而小於祫。大祖，謂文王。」此詩
　　朱《傳》與《序》說大同小異。

8.〈載見〉

《毛序》：「諸侯始見乎武王廟也。」

朱《傳》：「此諸侯助祭于武王廟之詩。」

《辨說》：「《序》以載訓始，故云始見，恐未必然也。」

按：此詩據《辨說》，朱《傳》與《序》說大同小異。

9.〈有客〉

《毛序》：「微子來見祖廟也。」

朱《傳》：「此微子來見祖廟之詩。」

按：此詩朱《傳》未提及《序》說，而全同其說。

10.〈武〉

《毛序》：「奏大武也。」

朱《傳》：「周公象武王之功，為大武之樂。」

按：鄭《箋》：「大武，周公作樂所為舞也。」朱《傳》未提及《序》說，
而全同其說。

㈢〈閔予小子〉之什

1.〈閔予小子〉

《毛序》：「嗣王朝於廟也。」

朱《傳》：「成王免喪，始朝于先王之廟，而作此詩也。」

按：鄭《箋》：「嗣王者，謂成王也。除武王之喪，將始即政，朝於廟
也。」朱《傳》：「此成王除喪朝廟所作，疑後世遂以為嗣王朝廟之
樂，後三篇仿此。」朱《傳》另指明作者為成王，與《序》說大同小
異。

2.〈訪落〉

《毛序》：「嗣王謀於廟也。」

朱《傳》：「成王既朝于廟，因作此詩，以道延訪群臣之意。」

按：朱《傳》指明作者為成王，與《序》說大同小異。

3.〈敬之〉

《毛序》：「群臣進戒嗣王也。」

朱《傳》：「成王受群臣之戒而述其言曰：『敬之哉、敬之哉』，天道甚
明，其命不易保也。」

按：朱《傳》指明作者爲成王，與《序》說大同小異。

4.〈小毖〉

《毛序》：「嗣王求助也。」

朱《傳》：「此亦〈訪落〉之意。」

《辨說》：「此四篇一時之詩，《序》但各以其意爲說，不能究其本末也。」

按：朱《傳》指明作者爲成王，與《序》說大同小異。

5.〈載芟〉

《毛序》：「春藉田而祈社稷也。」

朱《傳》：「此詩未詳所用，然辭意與〈豐年〉相似，其用應亦不殊。」

按：朱《傳》定〈豐年〉爲：「此秋冬報賽田事之樂歌。」與《序》說大異小同。

6.〈良耜〉

《毛序》：「秋報社稷也。」

朱《傳》：「或疑〈思文〉、〈臣工〉、〈噫嘻〉、〈豐年〉、〈載芟〉、〈良耜〉等篇即所謂豳頌者，其詳見於〈豳風〉及〈大田篇〉之末，亦未知其是否也。」

《辨說》：「兩篇未見其有祈報之異。」

按：此詩朱《傳》闕疑。

7.〈絲衣〉

《毛序》：「繹賓尸也。高子曰『靈星之尸也。』」

朱《傳》：「此亦祭而飲酒之詩。」

《辨說》：「《序》誤；高子尤誤。」

按：鄭《箋》：「繹，又祭也。天子諸侯曰繹，以祭之明日。卿大夫曰賓尸，與祭同日。」此詩朱《傳》與《序》說大異小同。

8.〈酌〉

《毛序》：「告成大武也。言能酌先祖之道，以養天下也。」

朱《傳》：「此亦頌武王之詩。」

《辨說》：「詩中無酌字，未見酌先祖之道，以養天下之意。」

按：鄭《箋》：「周公居攝六年，制禮作樂，歸政成王，乃後祭於廟而奏之。其始成，告之而已。」據《辨說》此詩與《序》說大異小同。

9.〈桓〉

《毛序》：「講武類禡也。〈桓〉：武志也。」

朱《傳》：「此亦頌武王之功。」

按：鄭《箋》：「類也，禡也，皆師祭也。」朱《傳》：「《春秋傳》以此為大武之六章，則今之篇次，蓋已失其舊矣。又篇內已有武王之諡，則其謂武王時作者亦誤矣。《序》以為講武類禡之詩，豈後世取其義而用之於其事也與？」此詩朱《傳》與《序》說大同小異。

10.〈賚〉

《毛序》：「大封於廟也。賚，予也。言所以錫予善人也。」

朱《傳》：「此頌文、武之功，而言其大封功臣之意也。」

按：此詩朱《傳》：「《春秋傳》以此為大武之三章，而《序》以為大封於廟之詩。說同上篇。」此詩朱《傳》與《序》說大同小異。

11.〈般〉

《毛序》：「巡守而祀四嶽河海也。」

朱《傳》：「〈般〉義未詳。」

《辨說》：「此三篇，說見本篇。」

按：此詩朱《傳》闕疑。

四、〈魯頌〉《毛序》朱《傳》篇旨異同

1.〈駉〉

《毛序》：「頌僖公也。僖公能遵伯禽之法，儉以足用，寬以愛民，務農重穀，牧于坰野，魯人尊之，於是季孫行父請命于周，而史克作是頌。」

朱《傳》：「此詩言僖公牧馬之盛，由其立心之遠。故美之曰：『思無疆』，則『思馬斯臧』矣。」

《辨說》：「此《序》事實皆無可考，詩中亦未見務農重穀之意，《序》說鑿矣。」

按：此詩據《辨說》，朱《傳》與《序》說大異小同。

2. 〈有駜〉

《毛序》：「頌僖公君臣之有道也。」

朱《傳》：「此燕飲而頌禱之辭也。」

《辨說》：「此但燕飲之詩，未見君臣有道之意。」

按：此詩朱《傳》與《序》說大異小同。

3. 〈泮水〉

《毛序》：「頌僖公能脩泮宮也。」

朱《傳》：「此飲於泮宮而頌禱之辭也。」

《辨說》：「此亦燕飲落成之詩，不爲頌其能修也。」（汲古閣本作：「此亦燕飲其群臣之詩，落成其能修之意。」）

按：此詩朱《傳》與《序》說大異小同。

4. 〈閟宮〉

《毛序》：「頌僖公能復周公之宇也。」

朱《傳》：「（閟宮）時蓋修之，故詩人歌咏其事，以爲頌禱之詞；而推本后稷之生，而下及于僖公耳。」

《辨說》：「此詩言『莊公之子』，又言『新廟奕奕』，則爲僖公修廟之詩明矣。但詩所謂『復周公之宇』者，祝其能復周公之土宇耳，非謂其能（能：汲本作已）修周公之屋宇也，《序》文首句之謬如此，而蘇氏信之，何哉？」

按：此詩據《辨說》，朱《傳》與《序》說大同小異。

五、〈商頌〉《毛序》朱《傳》篇旨異同

1. 〈那〉

《毛序》：「祀成湯也。微子至于戴公，其閒禮樂廢壞，有正考甫者，得〈商頌〉十二篇於周之大師，以〈那〉爲首。」

朱《傳》：「舊說以此爲祀成湯之樂也。」

《辨說》：「《序》以《國語》爲文。」

按：此詩朱《傳》提及《序》說，且全同其說。

2.〈烈祖〉

《毛序》：「祀中宗也。」

朱《傳》：「此亦祀成湯之樂。」

《辨說》：「詳此詩未見其爲祀中宗，而未（未：當作末）言湯孫，則亦祭
成湯之詩耳，《序》但不欲連篇重出，又以中宗商之賢君，不欲
遺之耳。」

按：鄭《箋》：「中宗，殷王大戊，湯之玄孫也。有桑穀之異，懼而脩德，
殷道復興，故表顯之，號爲中宗。」此詩據《辨說》，朱《傳》與
《序》說大異小同。

3.〈玄鳥〉

《毛序》：「祀高宗也。」

朱《傳》：「此亦祭祀宗廟之樂，而追敘商人之所由生，以及其有天下之初
也。」

《辨說》：「詩有『武丁孫子』之句，故《序》得以爲据，雖未必然，然必
是高宗以後之詩矣。」

按：此詩朱《傳》與《序》說大同小異。

4.〈長發〉

《毛序》：「大禘也。」

朱《傳》：「《序》以此爲大禘之詩。蓋祭其祖之所出，而以其祖配
也。……今按大禘不及群廟之主，此宜爲祫祭之詩，然經無明
文，不可考也。」

《辨說》：「疑見本篇。」

按：此詩朱《傳》提及《序》說，而與《序》說大同小異。

5.〈殷武〉

《毛序》：「祀高宗也。」

朱《傳》：「舊說以此爲祀高宗之樂。」

按：此詩朱《傳》提及《序》說，且全同其說。

六、結　語

從《詩經・三頌》《毛序》與朱《傳》所定篇旨的異同來看，遵從《序》說的（含全同、大同小異），有二十五篇，占〈三頌〉的百分之六十二；不從《序》說的（含全異、大異小同），有十三篇❷，占〈三頌〉的百分之三十二；闕疑兩篇（見附表）。遵從《序》說的，幾爲不從《序》說的兩倍，主要原因是朱子對於〈頌〉的基本看法爲：

> 〈頌〉者，宗廟之樂歌。《大序》所謂美盛德之形容，以其成功，告於神明者也。蓋頌與容，古字通用，故《序》以此言之。〈周頌〉三十一篇，多周公所定，而亦或有康王以後之詩；〈魯頌〉四篇；〈商頌〉五篇，因亦以類附焉。（卷十九，頁一上）

可見其主張，大體是贊同《大序》的說法，既如此，所定篇旨當然多從《序》說。

因此朱子的治經態度：就《詩》旨方面而言；若將〈國風〉一百六十篇（據李氏統計）與〈三頌〉四十篇合起來統計，可以發現朱子遵《序》與反《序》的比例爲百分之六十六與百分之三十（餘爲闕疑、異同各半之數），就朱子爲反《序》派的代表而言，這是相當奇怪的情形，而爲何會出現這種現象呢？這或許和朱子集大成的學術性格有極大的關係。因爲另就訓詁方面而言；朱《傳》中亦時有引用毛《傳》、鄭《箋》、孔《疏》等所謂漢學傳統的經說❷，二者合而觀之，則此現象就相當明顯了。再者，將朱子畢生心血的結晶——《四書章句集注》拿來分析，其

---

❷ 其中〈魯頌〉四篇即有三篇不從《序》說，這點和〈魯頌〉皆爲頌美魯僖公之詩有關；因爲朱子是反對以「美刺」的觀點說《詩》，這或許在〈小雅〉中更加明顯易見。

❷ 關於朱《傳》引用漢學傳統的經說，可參見陳美利先生：《詩集傳釋例》（臺北：政治大學中文研究所碩士論文，1972 年），〈第三章：詩集傳用毛傳鄭箋孔疏釋詩例〉，頁 163-180。

學古面與革新面成就了《四書章句集注》㉖，在在說明「朱子之爲宋學的代表，其原因即在於訓詁與義理兼備」㉗，而「自清代以來，大家一直以朱子爲宋學的代表，沒料到反而模糊了漢、宋學間的界限」㉘，頗堪玩味深思。

附表：〈三頌〉《毛序》與朱《傳》所定篇旨異同表

頌別　　異同	全　同	大同小異	全　異	大異小同	闕　疑
〈周頌〉三十一篇	〈清廟〉〈我將〉〈時邁〉〈思文〉〈振鷺〉〈有瞽〉〈潛〉〈有客〉〈武〉	〈維天之命〉〈天作〉〈執競〉〈雝〉〈載見〉〈閔予小子〉〈訪落〉〈敬之〉〈小毖〉〈桓〉〈賚〉	〈維清〉〈臣工〉〈噫嘻〉	〈烈文〉〈昊天有成命〉〈豐年〉〈載芟〉〈絲衣〉〈酌〉	〈良耜〉〈般〉
〈魯頌〉四篇		〈閟宮〉		〈駉〉〈有駜〉〈泮水〉	
〈商頌〉五篇	〈那〉〈殷武〉	〈玄鳥〉〈長發〉		〈烈祖〉	

㉖ 關於從《四書章句集注》來觀察朱子治經（包括對傳統經說）的態度，可參見[日]大槻信良：《四書集註章句典據考》（臺北：臺灣學生書局，1976 年）。惟此書考證的統計結果另見大槻信良著，黃俊傑先生譯：〈從四書集註章句論朱子爲學的態度〉，《大陸雜誌》第 60 卷 6 期（1980 年 6 月），頁 25-39。而其結語之一爲：「朱子不採用與訓詁學對立之立場，而是通過對訓詁學沉潛深究，並在此基礎上，樹立義理之塔。」

㉗ [日]安井小太郎述，連清吉先生譯：〈朱子的經學〉，收於安井小太郎等著，連清吉、林慶彰合譯：《經學史》（臺北：萬卷樓圖書有限公司，1996 年），頁 249。

㉘ 林慶彰先生：〈朱子對傳統經說的態度——以朱子詩經著述爲例〉，頁 20。

經 學 研 究 論 叢
第 六 輯　　頁99～112
臺灣學生書局　　1999 年 3 月

試談聞一多先生
〈詩經的性欲觀〉的思維背景

吳萬鍾*

一、前　言

　　聞一多先生把歷來詩經學的研究方向歸納爲三種：經學的，歷史的，文學的。❶聞氏所以如此歸納的意圖，不在於說明此三種研究方向的得失，而在於要提出除了此三種以外還有一些可採取的研究角度，所謂社會學的，考古學的，民俗學的，語言學的等等。研究中國古典文獻時，要利用相關其他學科或西方人文、自然科學的理論，是當時在中國剛開始的比較新的嘗試。聞先生無疑是在中國以這種方法研究古文獻的先驅者，而且大家公認他對古文獻研究做出了很大的成就，是另闢新徑的開創者。自從 1947 年《聞一多全集》出版以來，對聞氏詩經研究有幾篇文章專門探討其得失。大陸的學者如夏宗禹先生、費振剛先生、夏傳才先生都側重論述聞氏詩經研究的得而襃揚之❷。反之，臺灣學者如趙制陽卻側重論述其研究的失

＊　吳萬鍾，北京大學中文系博士候選人。

❶　參〈風詩類鈔甲〉，《聞一多全集》第四冊(武漢：湖北人民出版社，1993年11月)，頁456。

❷　參夏宗禹〈聞一多先生與《詩經》〉，《新建設》1958 年 10 期（1958 年 10 月），頁 62-65。費振剛〈聞一多先生的詩經研究〉，《北京大學學報》1979 年 5 期（1979 年 10 月），頁 58-66。夏傳才〈聞一多對《詩經》研究的貢獻〉，《齊魯學刊》1983 年 3 期（1983 年 5 月），頁 70-75。

而貶抑之❸。《聞一多全集》在 1993 年再版以來，探討對聞先生的詩經研究成果的文章似乎寥寥無幾。本文想嘗試去討論和評估聞先生的詩經研究成果與其研究方法。主要以他的研究詩經的一篇文章〈詩經的性欲觀〉為主，分析此篇文章的思維背景及其研究得失和是否受法國漢學家葛蘭言的影響。

二、聞一多先生〈詩經的性欲觀〉的思維背景

聞一多先生〈詩經的性欲觀〉這篇文章是用弗洛伊德的精神分析理論探討詩經詩篇（特別是國風的有關詩篇）的第一篇文章。在二十世紀 20 年代古史辨派學者在詩經研究方面，主張解除傳統經說的束縛而恢復詩經的本來面目❹。當時這種學術風氣促使詩經學者逐漸把詩經詩篇看成反映周代社會生活的詩歌，而不再看成含有經世道理的經典。聞氏的〈詩經的性欲觀〉就是在 1927 年寫成的，正反映了 20 年代的學述潮流。在這篇文章裡他還利用西方學術理論來分析中國最初期民謠詩歌，而揭示出以前研究詩經的人所沒有看到的一面。這可說是他在研究詩經方面所做的重要貢獻之一。

何以聞一多先生用弗洛伊德的精神分析理論來研究詩經呢？這很可能與他赴美留學有關。聞氏到美國去留學是從 1922 年 7 月至 1925 年 5 月大約兩年十個月的時間。他留美第一年進芝加哥美術學院（The Art Institute of Chicago）；次年暑假過後轉學到珂泉（Colorado Springs）珂羅拉多學院（Colorado College）美術系；第三年暑假後又轉學到紐約美術學生聯合會（Art Student's League of New York）。❺聞氏雖然在留美期間學美術，但他一定會受到當時流行的弗洛伊德學說的影響。聞氏並沒有具體地提到自己是否學習過弗洛伊德的精神分析學❻。如果細

---

❸ 參趙制陽〈聞家驊(一多)詩經論文評介〉，《孔孟學報》42 期(1981 年 9 月)，頁 231-253。

❹ 參《古史辨》第三冊（臺北：藍燈文化事業公司，1987 年 11 月），自序，頁 1-10。在詩經研究史上看，詩經學者要恢復詩經的原來面目的努力可以說是從宋代開始的。

❺ 參看〈聞一多先生年譜〉，《聞一多全集》第 12 冊，附錄，頁 473-83；季鎮淮〈聞一多先生事略〉，收於《來之文錄》（北京：北京大學出版社，1992 年 9 月），頁 395。

❻ 但聞氏在〈詩經的性欲觀〉裡提到過一次弗洛伊德。他說：「譬如《鄭風·大叔于田》，即便我不說那是一首象徵性交的詩，Freud 恐怕要說出來了。」參〈詩經的性欲觀〉，頁 189。

查弗洛伊德的精神分析學在美國傳播的時間，便曉得聞氏留美時期就是弗洛伊德的精神分析學在美國傳播並流行的時期。盛寧在《二十世紀美國文論》裡把弗洛伊德的精神分析學在美國傳播時期分成三個階段。對第一階段，他說：「從 1909 年弗洛伊德本人到美國講學，至二十年代初，這是第一階段。弗洛伊德的影響開始主要在紐約地區。」❼從弗洛伊德學說的傳播情況看來，聞氏留美第三年所居留的紐約就是弗洛伊德學說在美主要傳播的地區。聞氏住在紐約的一年無疑是在弗洛伊德的影響之下的。

　　此外，聞氏在出國之前業已接觸過弗洛伊德學說的可能性也存在的。根據林基成先生的一篇專門介紹弗洛伊德學說在中國傳播情況的文章說，1914 年 5 月在《東方雜誌》刊物上就首次出現了介紹弗洛伊德的短文，是錢智修先生的〈夢之研究〉。從此以後至 1925 年，專門介紹弗洛伊德理論或翻譯其理論的譯文有十多篇，不斷地刊登於各雜誌上。其中與本文有關而值得一提的是張東蓀先生的〈論精神分析〉一文。因爲張先生的文章在 1921 年 2 月發表於《民鐸》而隨即爲上海《時事新報‧學燈》欄轉載。❽此《時事新報‧學燈》就是七年後即聞先生從美留學回國兩年後發表〈詩經的性欲觀〉的刊物。從以上弗洛伊德學說在中國傳播的初期情況和聞先生〈詩經的性欲觀〉一篇的刊登場地就是介紹過弗洛伊德理論的刊物這兩點來看，聞先生在 1922 年出國之前的學生時代很可能就已經接觸過弗洛伊德的理論。

　　如再進一步瞭解弗洛伊德文學藝術觀在中國初期影響的情況，對聞先生寫〈詩經的性欲觀〉一文的背景可以看得很清楚。林基成先生從三個方面指出弗洛伊德文學藝術觀在中國的影響。第一個方面是理論的介紹。在中國初期介紹弗洛伊德文學藝術觀的是朱光潛先生的〈福魯德的隱意與心理分析〉（1921 年 7 月）；其次是用弗洛伊德文學藝術觀來分析中國文藝作品。此方面的開創作品是郭沫若先生

---

❼　參盛寧《二十世紀美國文論》（北京：北京大學出版社，1993 年 12 月），頁 51。

❽　以上我參考了林基成先生的〈弗洛伊德學說在中國的傳播，1914-1025〉一文。《二十一世紀》第 4 期，頁 20-24，1991 年。此份資料是北京大學中文博士班申正浩先生所提供的。藉此表示謝意。

的〈《西廂記》藝術上的批判及其作者的性格〉。第三個方面是用弗洛伊德學說來創作。其代表作品是魯迅的短篇小說〈不周山〉（後改名爲〈補天〉）和郭沫若的短篇小說〈殘春〉。❾這些當時文藝界健將們所寫的論文及創作，很可能啓發或刺激聞先生而成爲寫〈詩經的性欲觀〉一文的直接或間接的動機。

　　弗洛伊德的精神分析理論基本上企圖說明人類的一切行爲活動是欲望受到壓抑而不能滿足的表現。「這些欲望中最強烈的就是性欲。」根據弗洛伊德的觀點，文學創作的動因是力比多（libido: the total available energy of Eros）❿，即性欲。藝術家和一般人一樣，──試圖在文藝創作中得到感情的渲洩，尋找歡樂。因此他們的創作動因就是這種「性欲的衝動」。⓫從弗洛伊德的此基本精神分析理論和其文學創作觀來看〈詩經的性欲觀〉，聞先生確實是利用弗洛伊德的理論分析了《詩經，國風》中的詩篇。〈詩經的性欲觀〉裡面的幾段話足以證明此事實。聞先生在其文章的前面部分說：「──，用研究性欲的方法來研究《詩經》，自然最能瞭解《詩經》的眞相。」他還有一段分析《詩經》表現性欲的方式分爲五種：「㈠明言性交，㈡隱喻性交，㈢暗示性交，㈣聯想性交，㈤象徵性交。」⓬聞先生用弗洛伊德的精神分析理論來探討《詩經》，並能區分出《詩經》表現性欲的五種方式，是在詩經學的領域裡一種新的嘗試，以及獨到之處。

　　聞先生用弗洛伊德的精神分析理論來探討《詩經》時，還有時將詩篇裡面出現的「謔」字跟殘忍心理連繫起來討論。他說：「謔字，我沒有找到直接的證據，解作性交。但是我疑心這個字和 sadism, masochism 有點關係。性的心理中有一種以虐待對方，同受虐待爲愉快之傾向。所以凡是喜歡虐待別人（尤其是異性）或受人虐待的，都含有性欲的意味。國風裡還用過兩次謔字。《終風》的『謔浪笑敖』很

---

❾　同上註，頁 24-27。

❿　參閱 Sigmund Freud, *An Outline of Psycho-Analysis*, tr. by James Strachey, New York, W. W. Norton & Company. INC., 1969, P.6.

⓫　參霍夫曼著，王寧等譯《弗洛伊德主義與文學思想》（北京：生活、讀書、新知三聯書店，1987 年 12 月），頁 4-5。

⓬　參〈詩經的性欲觀〉，《聞一多全集》第三冊，頁 170。

像是描寫性交的行事。總觀全詩，尤其是 sadism, masochism 的好證例。——」⓭
聞先生又把弗洛伊德的殘忍心理中的虐待理論來闡釋有關詩篇也是新穎的。

　　除了以上所說的聞先生受到弗洛伊德的影響而寫〈詩經的性欲觀〉一文之
外，還有值得一提的是他很可能接觸過法國漢學家葛蘭言（Marcel Granet, 1884-
1940）的詩經專著《古代中國的節日和歌謠（Festivals and Songs of Ancient
China）》。這部著作是 1911 年完成的他的博士論文。葛蘭言寫此論文時所擬定的
研究範圍是有兩個部分的。第一部分是要顯示出他所研究對象的第一手文獻（指
《詩經》）的本來性質。第二部分是在第一部分裡，對已整理好的研究資料（指他
所分析的詩篇）給予整體說明的架構之後，把他做解釋。⓮他把所探討的《詩經·
國風》中的六十八首的本來性質分成兩類：即是愛情詩和節日詩。葛蘭言在分析愛
情詩的部分裡，探討了詩歌所表現的內容與中國古代節日的禮儀習俗的關係；在分
析節日詩的部分裡，「根據歌謠描寫的內容，推定出了中國古代四個季節性的節
日，詳細描述了這些節日的內容、慶典祭祀的情況，進而探討了古代中國的社會組
織、宗教信仰和思想原則、生活風尚。『葛蘭言又認為』《國風》中的歌謠描繪更
多的是愛的痛苦，一種強烈的需要和心靈的煎熬」⓯他已經把《國風》裡面的一些
詩歌看成描寫愛情或性欲的作品。在下一章我用比較或對證的方式去考查聞先生寫
〈詩經的性欲觀〉時的思路和葛蘭言對相關詩篇的思路的關係。

⓭　同上註，頁 173。並參同文，頁 184-185；和艾布拉姆森著，陸杰榮等譯：《弗洛伊德的愛欲
　　論》（瀋陽：遼寧大學出版社，1987 年 6 月）裡的第三章〈死亡與殘忍心理〉，頁 38-59。

⓮　參葛蘭言《古代中國的節日和歌謠》的英文版，倫敦，George Routledge & Sons, LTD.，1932
　　年，頁 3-4。我參考的英文一段是：「I have therefore divided the present study into two parts: in
　　the first I have endeavoured to show what, precisely, is the nature of the principal document of which
　　I propose to make use; in the second, after having given an account of such of the established facts as
　　form a whole capable of being interpreted, I have endeavoured to make this interpretation.」

⓯　參看宋柏年主編《中國古典文學在國外》（北京：北京語言學院出版社，1994 年 10 月），
　　頁 27-29。葛蘭言對〈鄭風·溱洧〉的「伊其相謔，贈之以勺藥」作解釋說：「男女們做愛之
　　後，為了鞏固他們之間的友情男方給女方香氣芬芳的花朵禮物（They perform the sexual act.
　　When they part, the boys present the girls with the fragrant flowers to bind their friendship.）」《古
　　代中國的節日和歌謠》的英文版，頁 101。

三、聞一多先生的〈詩經的性欲觀〉與
葛蘭言詩經學的關係

在前一章末了，我約略論述了葛蘭言研究《詩經》的成果。他的詩經專著《古代中國的節日和歌謠 (Festivals and Songs of Ancient China)》是 1911 年完成的。此書原本是以法文寫成而在 1932 年翻譯成英文的。如果聞先生在 1927 年寫〈詩經的性欲觀〉時參考過葛蘭言的文章的話，他所參考的可能是法文本的資料。⑯

聞先生是否參考過葛蘭言的詩經著作《古代中國的節日和歌謠》呢？如從兩本書寫成的年代先後來看，聞先生只有接觸過法文版本的可能性。聞先生有無閱讀法文能力，如無此能力是否請人（傳教士或能閱讀法文的友人）替他翻譯等的可能性，目前沒有書本上的紀錄而無法證實。故暫且擱置不談。

現在只能將聞先生寫〈詩經的性欲觀〉的思路和葛蘭言《古代中國的節日和歌謠》裡面相關部分比較，覈實兩者之間的關係。先看葛蘭言對〈召南，草蟲〉的翻譯和註解，然後與聞先生的有關解釋互相核對，看有沒有相似之處。

> 喓喓草蟲，　The meadow grasshopper chirps
>
> 趯趯阜螽。　And the hillside grasshopper leaps.
>
> 未見君子，　Until I have seen my lord,
>
> 憂心忡忡。　My anxious heart is disturbed.
>
> 亦既見止，　But as soon as I shall see him,
>
> 亦既覯止，　As soon as I shall join him,
>
> 我心則降！　My heart will have peace. (草蟲，14)

---

⑯ 如果聞先生知道這部葛蘭言的書（很可能留美時已知道）而想參考，他可託人將此書寄來的。〈聞一多先生年譜〉有一段記錄可證明其可能性。其記載說：「近托人從巴黎覓得之影片已寄到──。」看〈聞一多先生年譜〉，《聞一多全集》第 12 冊，頁 493。

葛蘭言的解說：

Zheng, following the Yi Jing,❶ gives the meaning of sexual union. Cf. LX, 24. 29【小雅，車牽(218)：「我心寫兮」，「覯爾新昏」】and X, 5 var.【鄭風，野有蔓草(94)：「邂逅相遇」】As soon as I see my lord = When the communal feast takes place on the evening of the marriage. As soon as I shall join him = When the marriage shall be consummated. At first she was sad at the idea of being unsuited (to her husband) but now that her lord has behaved in accordance with the rites, she hopes to be able to go to pay the visit which shall set the hearts of her parents at rest. Moreover, her heart is relieved of its anxiety.❶

譯文：鄭玄參考《易經》而付予性的結合之意。參考【小雅，車牽(218)：「我心寫兮」，「覯爾新昏」】and【鄭風，野有蔓草(94)：「邂逅相遇」】「我見到君子的片刻」就指結婚的當天晚上舉行的公共宴會之時。「我跟君子結合的的片刻」便指其結婚典禮達到頂點而新娘和新郎同進洞房之時。起初，新娘因有自己與新郎不合適的顧慮而難過，但現在目睹新郎的容止彬彬有禮，她布望能夠回娘家看父母，因爲此行可使她父母感到安心。尤其，她的心情已從憂慮中解脱了。「鄭《箋》云：既見謂已同牢而食也。既覯謂已昏也。始者憂於不當 {君子} ，今君子待已以禮。庶自此可以寧父母，故心下也。《易》曰：男女覯精，萬物化生。」❶

聞先生的解說：

這講得如何的痛快，如何的大方！可是那所講的是什麼？鄭《箋》釋

---

❶ 我把原來的羅馬字母表現方式改爲拼音表現方式。以後將出現的羅馬字母表現方式一律改爲拼音而不再注明。

❶ 參葛蘭言《古代中國的節日和歌謠》的英文版，頁111-112。

❶ 參孔穎達《毛詩正義》，《十三經注疏》上册（北京：中華書局，1979年11月），頁286。

「覯」字，引《易》曰：「男女覯精，萬物化生。」古代婚禮，主人（即新郎）和新婦先要用過「同牢之饌」，然後有人「御衽席于奧」，然後「主人入，親脫婦纓，燭出……」這詩裏「亦既見止」便指同牢時的相見。有人又釋覯為見，同牢時既然見了，再講見，豈不重復了嗎？其實她的願望，不是空空見一見，就夠了；她必待「亦既覯止」，然後她那像阜螽趯趯跳著的心，才「則降」，「則說」，「則夷」了。⓴

　　此兩者解說之邏輯似乎是相同的。首先兩人均參考鄭《箋》而提到《易經》（葛蘭言只提書名；聞先生則沿用《易經》的原文來闡發其意）。之後把此詩解釋為描寫婚禮當天晚上的情形。雖然兩者的具體筆墨有所不同，但其思維順序則無不相同。再舉兩人對〈鄭風·溱洧〉解釋的例子看其關係如何。

溱與洧方渙渙兮，	The Zhen and the Wei have overflowed their banks.
士與女方秉蕑兮。	The youths and maidens come to the orchids.
女曰：「觀乎？」	The girls invite the boys:——Suppose we go over ?
士曰：「既且！」	And the lads reply:——Have we not been ?
「且往觀乎！	Even so, yet suppose——we go over again.
洧之外洵訏且樂。」	For over the Wei, a fair green-sward lies.
維士與女，	Then the lads and the girls
伊其相謔，	Take their pleasure together;
贈之以勺藥。	And the girls are then given——a flower as a token.
溱與洧瀏其清矣，	The Zhen and the Wei are full of clear water.
士與女殷其盈矣。	The lads and the girls in crowds are assembled.
女曰：「觀乎？」	The invite the boys:——Suppose we go over ?
士曰：「既且！」	And the lads reply:——Have we not been ?

⓴　參〈詩經的性欲觀〉，《聞一多全集》第三冊，頁170-171。

「且往觀乎！	Even so, yet suppose——we go over again.
洧之外洵訏且樂。」	For over the Wei, a fair green-sward lies.
維士與女，	Then the lads and the girls
伊其相謔，	Thak their pleasure together;
贈之以勺藥。	And the girls are then given——a flower as a token.

葛蘭言引用鄭《箋》的注說：

《箋》云：仲春之時冰以釋，水則渙渙然。（A descriptive auxiliary depicts the flooded waters.）《箋》云：男女相棄，各無匹偶。感春氣並出，託采芬香之草而爲淫泆之行。（Boys and girls entice each other, none having a mate. Stirred by the spring, they go out together, picking fragrant flowers and giving themselves up to licence.）

《箋》云：女情急，故勸男使往觀於洧之外，言其土地信寬大又樂也。於是男則往也。（It may be supposed that the festival itself was held in a delightful spot.）

《箋》云：士與女往觀，因相與戲謔，行夫婦之事，其別則送女以勺藥結恩情也。（They perform the sexual act. When they part, the boys present the girls with the fragrant flower to bind their frirndship.）**㉑**

聞一多則引用孔穎達《正義》：

《正義》：溱水與洧水春冰既泮，方欲渙渙然流盛兮。於此之時，有士與女，方適田野，執芳香之蘭草；既感春氣，托采香草，期於田野共爲淫泆。士既與女相見，女謂士曰：「觀於寬間之處乎？」意願與男俱行。士曰：「已觀乎！」止其欲觀之事，未從女言。女情急，又勸男云：「且復更往觀乎？我聞洧水之外信寬大而且樂，可相與觀之。「士於是從之。維

㉑ 參孔穎達《毛詩正義》，《十三經注疏》上冊，頁 346 和《古代中國的節日和歌謠》的英文版，頁 101。

士與女，因即其相與戲謔，行夫婦之事。及其別也，士愛此女，贈送之以勺藥之草，結其恩情！以爲信約。

葛蘭言採用鄭《箋》的注說以解釋〈溱洧〉的含意；聞先生則引用孔穎達《正義》的注疏來尋解此詩。其實，孔穎達《正義》注疏的內容只是把鄭《箋》注說的意義稍微疏解而已。所以葛蘭言和聞先生對此首詩的理解並無差距。兩人各用鄭《箋》及孔穎達《正義》之後，均引用《韓詩》㉒解說之一段：「……三月桃花水下之時至盛也。……當此之時，眾士與眾女方執蘭祓除邪惡。鄭國之俗，三月上巳之辰，於此兩水上，招魂續魄，祓除不祥，故詩人願與水悅者俱往觀之。」此後，聞先生對這首詩主題所作的內容雖有自己的言說，但與葛蘭言對這首詩主題所作的敘述無甚差異。㉓以上兩個例子足以說明，聞先生解釋此兩首詩時其邏輯展開的次序和對內容的瞭解，與葛蘭言差別不大。如聞先生沒有參考過葛蘭言的書而有如此類似的解釋，眞是有異曲同工之妙。

還有一個較爲明顯地揭示出聞先生與葛蘭言之間有密切關係的例子，是對「虹」字的解釋。聞先生雖然從古文獻中，比葛蘭言較豐富地引用了有關虹的資料來闡釋虹的象徵意義，但他所得的結論是跟葛蘭言完全一樣的。聞先生以爲「古時虹是性交的象徵」。葛蘭言說：「[T]he rainbow was associated with the idea of the sexual union.」聞先生又在引用〈鄘風，蝃蝀(51)〉的第三章「蝃蝀在東，莫之敢指」之後說：

㉒　在葛蘭言的解說裡，只說《韓詩》，但聞氏詳提爲《韓詩內傳》，參〈詩經的性欲觀〉，頁173 和《古代中國的節日和歌謠》的英文版，頁102。

㉓　葛蘭言所下的主題：「The theme is the crossing of the river. Indication of antiphonal singing. Other themes are the spring floods, a subject connected with the calendar; the invitation of the girls and the half-refusal of the boys; harvestings and love-tokens (flower).」聞先生所下的主題；「難怪在這種背景之下，有桃花，有流水，有成群結隊的士女，『花須柳眼各無賴，紫蝶黃蜂俱有情』！難怪在這種時候，他們要『感春氣』，『爲淫佚』了。」參《古代中國的節日和歌謠》的英文版，頁102；〈詩經的性欲觀〉，頁173。

或許是直言男女苟合之行事，有人瞥見了，難以為情，不敢指給別人看
的；或許只是象徵的說法，也未可知；或許當時有這種禁忌，虹是指不得
的，因為那是「天之忌也」。

葛蘭言也有相似的說法：

Thus is justified the interpretation by Zheng and Mao of Ode XVI〔〈鄘風，蝃
蝀(51)〉〕, and at the same time the physical and metaphysical problems which
it raises are solved. The only difficulty is this: The theory thus constructed
absolutely contradicts the opinions of the authors of the interpretation which it is
trying to justify. They are sure that every rainbow is an emblem of forbidden
union, a sign of prohibition, and they do not say, nor does the ode, that the bow at
which one must not point appears in the east in the morning.

雖然聞先生與葛蘭言兩人論述觀點不同，但對虹字的理解當中兼俱有禁忌的
象徵意義是一樣的。還有他們用陰陽理論來闡明虹的象徵意義，也是共通的。[24]除
了字意的解釋以外，兩人都用幾頁的篇幅來闡釋古人對虹的象徵意義，也是相同的
地方。

　　舉以上三個例子，試圖揭示出聞先生接觸過葛蘭言之書的可能性。從這三個
例子，我們不可否認聞先生的思維邏輯與葛蘭言的思維邏輯，很多地方有相似之
處。當然其思維方式的相近不能明確地證明聞先生接觸過葛蘭言之書。如聞先生沒
有閱讀過葛蘭言之書的話，還有一種可能性可以說明會出現兩人之間相近思維邏輯
的偶然性。那就是兩人寫文章時所參考的資料，可能是同樣的。是否聞先生確實參
考過葛蘭言的詩經著作《古代中國的節日和歌謠》而未注明的呢？至此不敢斷言，
但從我所舉的例子來看，其可能性是不能排斥的。

---

[24]　有關兩人對虹字的解說，參看《古代中國的節日和歌謠》的英文版，附錄II〈Beliefs with
　　regards to the Rainbow〉，頁 254-258；〈詩經的性欲觀〉，頁 175-180。

四、結　論

　　聞一多先生研究《詩經》的成就和對詩經學上的貢獻，是大家公認的。從二十世紀 20 年代之後，在古史辨派學者們把經典回歸於其原來面目的學術風氣之下，聞先生也想拋開傳統的對《詩經》的看法而恢復詩經的本來面目。因為聞先生本身是詩人，所以他總是把《詩經》看做文學作品來欣賞，而不像經學家看成經典來研究。他又善用前人研究《詩經》的成果、其他相關學科的理論以及西方學術理論來研究《詩經》，其成果確實非凡。其中本文所探討的一篇〈詩經的性欲觀〉，就是利用西方弗洛伊德的精神分析理論來分析《詩經》的。

　　為了說明聞先生〈詩經的性欲觀〉一文的思維背景，在第二章裡追尋了他可能接觸弗洛伊德學說的過程。先從他在留美時待在紐約期間談起，因為 1924 年左右當時正好弗洛伊德精神分析理論在紐約已經成為相當流行的學說，而他最有可能在此時期深深接觸了其理論。再者，從談弗洛伊德學說在中國初期傳播的情況來看，聞先生在出國之前也有接觸過其學說的可能性。在 1927 年聞先生寫〈詩經的性欲觀〉的時候，他無疑熟悉了弗洛伊德理論。因為弗洛伊德理論的基本觀點是以人類的一切活動為欲望或性欲的表現，所以聞先生認為《詩經》裡面的某些愛情詩就是表現性欲的作品。如此用西方理論來研究《詩經》而揭示出前人未發現的性欲表現的一面，便是在詩經學上他所做的貢獻和獨到的地方。

　　第三章主要談的是聞先生〈詩經的性欲觀〉一文的思維背景中，除了弗洛伊德的精神分析理論以外，是否還有法國漢學家葛蘭言的影響。為了揭示聞先生與葛蘭言的關係如何，我是舉出聞先生的論述與葛蘭言的思維邏輯的順序和內容有相似的部分來討論的。我所舉的三個例子都有力地顯示出兩人之間思維方式和內容的密切關係。但是否聞先生讀過葛蘭言的書，因為有兩人共參考同樣的資料而出現類似論述的可能性㉕，所以目前暫且不做斷言。

㉕ 在學術研究上，與此不謀而合的現象屢見不鮮。如舉其例，則董作賓在中國和郭沫若在日本寫有關甲骨文分期斷代問題，而兩人所得的結論是互相暗合的。在《卜辭通纂・後記》有一段記載，正說明此現象：「本書錄就，已先後付印，承董氏彥堂以所作《甲骨文斷代研究

　　聞先生還有很多獨創性的有關研究《詩經》的論文。如我們對這些論文分析其思維背景和理論根據，就會更深一層地瞭解聞先生的詩經學，並提高對《詩經》本文的理解。

例》三校稿本相示，——文分十項，如前序中所言，其全體幾爲創見所充滿；而使余尤私自慶幸者，在所見多相暗合，亦有余期其然而若無寔証者，已由董氏由坑位貞人等證定之，——。」參看《卜辭通纂‧後記》，《郭沫若全集‧考古編》第二卷（北京：科學出版社，1983 年 6 月），頁 19。

經 學 研 究 論 叢
第 六 輯　　頁113～118
臺灣學生書局　　1999 年 3 月

「禮是鄭學」說

陳秀琳*

陳澧《東塾讀書記》云：

> 孔沖遠云：「禮是鄭學。」（原注：〈月令〉、〈明堂位〉、〈雜記〉疏皆有此
> 語。不知出於孔沖遠，抑更有所出？）考兩《漢書・儒林傳》，以《易》、
> 《書》、《詩》、《春秋》名家者多，而禮家獨少。《釋文・序錄》，漢
> 儒自鄭君外，注《周禮》及《儀禮・喪服》者惟馬融，注《禮記》者惟盧
> 植。鄭君盡注《三禮》，發揮旁通，遂使《三禮》之書合爲一家之學，故
> 直斷之曰「禮是鄭學」也。

案：此以孔穎達「禮是鄭學」語爲推崇鄭玄《三禮》學之言，是陳氏斷章取義之文
法，雖則不誤，與夫孔《疏》原意實有間焉。今考孔疏原文則：

> 《月令・鄭目錄・疏》概述天地形狀之說凡六家，後云：「注《考靈耀》
> 用渾天之法。今《禮記》是鄭氏所注，當用鄭義，以渾天爲說。按鄭注
> 《考靈耀》云……。」次又詳述鄭說天地星辰運行之度數，并言其說之可
> 疑者，而云：「此皆與曆乖違，於數不合，鄭無指解，其事有疑。但禮是
> 鄭學，故具言之耳。賢者裁焉！」（中華版《十三經注疏》頁 1352 上中。下言頁

---

* 陳秀琳，北京大學中文系博士候選人。

碼放此。）

〈明堂位〉「六年朝諸侯於明堂，制禮作樂」，《疏》稱「周公制禮攝政，孔鄭不同」，下各細述孔鄭說武王崩至周公致政成王之年次，末云：「禮既是鄭學，故具詳焉。」（1488下。）

《雜記上・注》「大功以下，大夫士服同」，鄭意此經云「大夫爲其父母兄弟之未爲大夫者之喪服如士服，士爲其父母兄弟之爲大夫者之喪服如士服」，是斬衰、齊衰之服大夫士異，大功以下乃同也。《疏》引《聖證論》王肅以喪禮自天子以下無等之說及馬昭答王肅語，并述張融評說。然後稱「禮是鄭學，今申鄭義」，解析王說，見其說不足以證鄭非，而且指摘王說之短。最末謂杜預、服虔說「並與鄭違，今所不用也」。（1550下。）

三疏皆以鄭說之外更有別解，且別解或亦非全不可通者。然疏家必欲申鄭說而不取別解，於是稱「禮是鄭學」，謂當以鄭說爲正也。今更參考一疏：

〈三年問〉「然則何以至期也」，《注》：「言三年之義如此，則何以有降至於期也？期者謂爲人後者、父在爲母也。」《疏》先述《注》義，乃稱「今檢尋經意」，自推經義，與鄭說爲異，後云：「鄭之此釋，恐未盡經意。但既祖鄭學，今因而釋之。」（1663下。）

據此則《疏》稱「禮是鄭學」，意謂講解《三禮》之書，不問其妥否、是非，都當以鄭說爲準，可知。然則「禮是鄭學」猶如所謂「疏不破注」，意之所在，不相遠也。若《禮記正義・序》言皇氏之失，謂「既遵鄭氏，乃時乖鄭義，此是木落不歸其本，狐死不首其丘」，《左傳正義・序》譏劉炫，言「習杜義而攻杜氏，猶蠹生於木而還食其木」，其意皆一耳。是以《左傳正義》除屢言劉氏規杜之非外，亦有宣言即未知杜說義爲必是而仍以從杜爲正者：

隱三年「鄭伯之車僨于濟」《疏》：「案：檢水流之道，今古或殊。杜既

考校元由，據當時所見，載於《釋例》。今一皆依杜，雖與《水經》乖異，亦不復根尋也。」（1724上。）

案：昭七年《注》「濡水出高陽縣」，《疏》云：「今案高陽無此水也。水源皆出於山，其出平地，皆是山中平地。燕趙之界，無泉出者，未知杜言何所按據？」（2047下。），其意與隱三年《疏》言「不復根尋」者適相反，故劉文淇以昭七年《疏》出劉炫，隱三年《疏》出唐人，其說蓋是也。

又有進而明言講經當各依其注家之旨者：

僖三十三年《疏》：「鄭玄解《禮》，三年一祫，五年一禘。杜解《左傳》，都不言祫者，以《左傳》無祫語，則祫禘正是一祭。故杜以審諦昭穆謂之禘，明其更無祫也。古禮多亡，未知孰是，且使《禮》、《傳》各從其家而爲之說耳。劉炫云：以正經無祫文也。唯《禮記》、《毛詩》有祫字耳。〈釋天〉云『禘，大祭也』，則祭無大於禘者。若祫大於禘，禘焉得稱大乎。」（1834下。）

案：此云「使《禮》、《傳》各從其家而爲之說」，謂釋《三禮》則當從鄭說，解《左傳》則當從杜說，是孔穎達等撰定《正義》者之言。至劉炫於此乃爲從杜攻鄭之說耳。觀此，則「禮是鄭學」猶出「使《禮》、《傳》各從其家而爲說」之意，愈可知矣。

〈正義序〉極言前代學者乖違本注之非，則「禮是鄭學」、「一皆依杜」、「各從其家」等說皆爲唐初新立之原則。但六朝義疏爲談辨之學，求其言之通理辨析，不求其得事實。故崔靈恩申服難杜，虞僧誕申杜難服，世竝行焉。今欲考其自「惟理是求」至「惟注是從」之轉變，蓋當以隋世爲關鍵。

南朝儒術可謂建康一地之學，上自天子下至生徒形成一學界，學者聲譽全繫於此。北朝則學者分散各地，或汾晉，或趙魏，或燕趙，各招生徒，評論美惡出自鄉閭。至隋混一天下，學者既失建康或山東之傳統學術背景，出現混亂現象。房暉

遠云：「江南、河北，義例不同，博士不能徧涉。學生皆持其所短，稱己所長，博士各各自疑。」是其顯例。觀《隋‧儒林傳》，元善、蕭該皆與何妥相爭，山東六儒僅存馬光，二劉及王孝緒等胥不得其終，殆非全爲社會動蕩、經濟失調所致，亦由學術失卻權衡標準之故也。於此混亂之際，「二劉拔萃出類，學通南北，博極今古，後生鑽仰，莫之能測，所製諸經義疏，搢紳咸師宗之」（《隋‧儒林傳》）

　　考二劉爲學之經歷，就師每不卒業而去，就藏書之家，閉門讀書，十年不出。是其學多出自得，且以文獻爲本。惟此等經歷，北朝先儒自不乏其例，魏世儒宗徐遵明亦即如此。然二劉之所以異於先儒者，此且可言二事：考北朝〈儒林傳〉，知當時儒者或以修身美行著，或以方術緯候顯，又有以博通英辯參與機要，議禮定樂者，然而爲義疏之學者又自別爲一途。義疏之學猶爲專門，徐遵明六年居鼉舍，所讀不過《孝經》、《論語》、《詩》、《書》、《三禮》。《周書》史臣特稱沈重之博通，而其言除《六經》之外，「天官、律曆、陰陽、緯候，流略所載，釋老之典，靡不博綜」，猶不及史學。是顏之推所謂「俗間儒士，不涉群書，經緯之外，義疏而已」，亦即錢穆指以爲兩漢博士家法之餘影者也。（見〈兩漢博士家法考〉）至二劉則已非純爲義疏之學者，見炫自薦狀可知。其文曰：「《周禮》、《禮記》、《毛詩》、《尚書》、《公羊》、《左傳》、《孝經》、《論語》孔、鄭、王、何、服、杜等注 ，凡十三家，雖義有精粗，竝堪講授。《周易》、《儀禮》、《穀梁》，用功差少。史子文集，嘉言美事，咸誦於心。天文律曆，窮覈微妙。至於公私文翰，未嘗假手。」是以其爲義疏，引徵文獻範圍之廣，甚至屢引「今律」、「今令」，或引王隱《晉書》所載杜預議禮之說（隱三年《疏》，1717 下。）等，《儀禮》、《禮記》等疏無引議禮之說者，故知其出二劉。疑爲前儒所未曾有。不僅範圍廣博，引稱又頗周備，故每引一說而竝列四五部書名者，亦不罕見。惟因自以其廣參經典，莫不或遺，故亦屢見「徧檢書傳」之語，謂窮搜文獻，絕無其事也。應知二劉爲學，廣參文獻，徧檢書傳以爲根據，且頗以其能自負，此一也。其二則曰，現實合理主義。如言天變災異之說不可妄爲傅會，〈十月之交〉、昭七年、昭二十一年等疏。說襄二十四年連月日食之誤則云：「計天道轉運古今一也，後世既無其事，前世理亦當然，而今有頻食，於術不得有。……先儒因循莫敢改易，執文求義，理必不通。」（1978 下。）是據天文現象之通例推斷經文必有錯誤，與前代義疏家止於文字上求得理順辭辨之說者不

同。又如討論周室先世而云：「命之短長古今一也，而使十五世君在位皆八十許載，子必將老始生，不近人情之甚，以理而推，實難據信。」（《公劉・疏》，541中。）是據現時人世之常規而疑古傳說。天道、人命皆言「古今一也」，意謂經傳所載不可以神之，宜亦據現實常識解之也。又如《天保・箋》「公，先公，謂后稷至諸盩」，《疏》：「此箋『后稷至諸盩』，《中庸・注》『組紺以上至后稷也』，組紺即諸盩。一上一下，同數后稷也；《司服・注》『不窋至諸盩』，《天作・箋》『諸盩至不窋』，亦一上一下，不數后稷。皆取便通，無義例也。何者？以此及天作俱爲祭詩，同有先王先公，義同而注異，無例明矣。」（412下。）鄭注四經「先公」，或數后稷或不數后稷，或先古後新，或先新後古，不同。舊時義疏家於此等辭例不同之處，每言其辭之所以不同，故《司服・疏》講說或數后稷或不數不同之理。（781下。）案：《周禮疏》多存六朝義疏舊貌，持以參照可知二劉說之所以爲創新。其說雖近鑿，舊時學術固自如此耳。今二劉一反舊時義疏學之常習，道破其實「無義例」也。此例甚多。是據常情以否定傳統學術之常規，意義頗大。又如論古音，襄二十九疏云：「『多見疏』，猶《論語》云『多見其不知量也』。服虔本作『祇見疏』，解云：『祇，適也。』晉宋杜本皆作『多』。古人『多』『祇』同音。張衡〈西京賦〉云：炙炮夥清酤多皇恩溥洪德施。『施』與『多』爲韵，此類眾矣。」（2005上。）是謂歌韵「多」與支韵「祇」、「施」古韵同。二劉以古文押韵、通假之實況爲根據，故其說絕不類沈重協韵、陸德明古人韵緩之說也。以上皆言二劉爲學之現實合理主義特點。

　　上來言二劉爲學之特點，所列例事非皆有明證可知其必出二劉，而或止出鄙意推測。既無明證，難保其或非出二劉；既知是二劉語矣，亦難保其說之必爲二劉創義。但上述特點，皆與舊時學術不同，則言其爲隋代新起之一學風，或可少乖事實與？如上舉周室世繫之疑，譙周早爲其說，見《周本紀・正義》引。但二劉用「古今一也」之論甚爲廣泛，且其說理頗自覺，是仍有可別於前儒者與。又如頻月日食之疑，稍閑曆法者皆當知其義，而南北朝末年，經師仍爲文字義理之說，至隋始可宣言其無謂。又如言古音，昭七年《疏》引王劭說「古人讀『雄』與『熊』者，皆于陵反」，并據張升〈反論〉「熊」與「蠅」押韵，傅玄〈潛通賦〉「熊」與「終」、「窮」爲韵，以爲張升用舊音，傅玄用新音。（2049中。）案：引王劭說

者蓋即劉炫，說見《左傳舊疏考正》。又案：《史記索隱》載王劭說，亦言古今不同音，則其說頗有傳授者。是知劉炫說非其所獨創，王劭所見與劉炫略同，則當以爲隋代音學之新觀點也。

　　然廣參文獻以爲據，并以現實合理主義推論，既可謂新學風，自致多與舊說矛盾。且其方法頗近今世所謂「科學」，則爲說者又多自信。《毛詩正義·序》所謂「焯、炫等負恃才氣，輕鄙先達，同其所異，異其所同」，是其事也。南朝沙龍、北朝講壇，皆自有傳統，每一學人莫不以其傳統學術規矩作爲前提。二劉等竟然站在那些傳統之外，忽視前人議論之前提，則前代學者所說所言淨是廢話，幾無一說不可以駁倒。此又與二十世紀中國及日本學者沾染西方「科學」風，肆逞疑古之論者猶相彷彿。疑古之論雖多精辟之見，終不得以爲定論；「同其所異，異其所同」之言，豈可以爲標準？唐初諸儒大抵繼承二劉等新學術，故《隋書》及《詩》、《書》、《春秋正義·序》皆極口稱讚二劉學術之超絕，而三經《正義》皆據二劉爲本，即《正義》內容多出二劉筆。然而撰定《正義》必應刪正其肆逞推理之失，此所以需立疏不破注之原則也。其《易》、《書》、《詩》、《春秋》學者所奉注家非一，惟獨《三禮》則一宗鄭玄，斷制事易，不容遲疑，是之謂「禮是鄭學」爾。

經 學 研 究 論 叢
第 六 輯　　頁119～132
臺灣學生書局　　1999 年 3 月

張載「橫渠論語說」
——虛與生死觀

山際明利著、金培懿譯*

序　言

　　張載（1020－1077），字子厚，北宋儒者。仁宗天禧四年生於大梁，從父徙涪州，後乃定居陝西鳳翔府郿縣橫渠鎮之南的大振谷谷口。

　　張載少時，受西夏侵宋之刺激，乃有志於兵學，然二十一歲會見范仲淹之時，仲淹授以《中庸》，張載遂改志於學問，遍歷儒、佛、道三教。三十七歲之際，於洛陽會見了二程子，確立向儒之志，後即專心致力於儒學。張載官歷祁州司法參軍，丹州雲岩縣令，著作佐郎。神宗熙寧二年，召爲崇文院校書，然因與執政者王安石意見相左，於翌年辭官歸陝西，歸陝七年，講學渡日。熙寧十年，復被召爲同知大常禮院，因宗古禮，而與宗今禮之有司不合，十二月辭官還鄉，途中病逝於臨潼舍館，享年五十八。

　　誠如《宋史・道學傳》所載「以《易》爲宗，以《中庸》爲體，以孔孟爲法」一般，張載之學可說是把對抗佛、道所得的儒學哲理，根據《易經》與《中庸》所構築之物。以其居所之故，世稱其爲橫渠先生，又以專在關中（現在的陝西省）講學之故，其學又稱爲關學。後世朱熹稱讚「橫渠之學，苦心力索之功深」

＊　山際明利，苫小牧工業高等專門學校講師。金培懿，日本九州大學大學院博士候選人。

（《朱子語類》卷九十三），朱子學深受張載之影響。❶

　　現存張載的著作、語錄，全部整理成《張載集》（1978 年，中華書局印行），集中收有《正蒙》、《橫渠易說》、《經說理窟》、《張子語錄》、《文集佚存》、《拾遺》，以及附錄，其中並無《論語說》。然而若就宋元間的目錄來看的話可以得知，張載亦著有幾冊被視爲經書注解的書。❷其中，《近思錄》所引證的書目裏，除了現存的《正蒙》、《易說》、《語錄》之外，尚著錄有《文集》、《孟子說》、《禮樂說》以及《論語說》。

　　另一方面，朱熹在《論語精義》一書中，有關於張載《論語》之說，以「橫渠曰」之形式記載者，《論語》四百八十二章中就有九十一章，全部有一百二十一條，因有三條重覆，故實際上是引用了一百十八條❸，此數目著實不小，此即稱爲《橫渠論語說》。❹

　　本稿主要以《論語精義》中所載張載的話爲線索，思欲一探其對《論語》所作之解釋的特徵爲何？甚而一窺《論語精義》一書中，張載之思想特色，並試圖闡明之。但因一百十八條之言說，不一定有系統性或一貫性，其中有的顯得有些粗疏，又有的雖然特別提及，看起來卻是毫無特色的名物訓詁。因而，本稿乃從《論語精義》中，摘出幾個特別能夠凸顯張載個性的言說，以敷演解釋的形式進行論

---

❶　關於論述考察張載思想的文章，可參看山根三芳的《正蒙》（明德出版社，1970 年），及同氏《正蒙譯注》，《高知大學教育學部研究報告》第 2 部第 40 號（1988 年）。

❷　見於宋元間圖書目錄著錄的張載著作中，主要已經舉出的有：《易說》十卷、《春秋說》一卷、《孟子解》十四卷、《正蒙》十卷、《信聞記》、《尉繚子注》一卷、《文集》十卷。（以上《郡齋讀書志》）

　　《易說》三卷、《祭禮》一卷、《正蒙》十卷、《經學理窟》一卷。（以上《直齋書錄解題》）

　　《易說》十卷、《詩說》一卷、《經學理窟》三卷、《正蒙》十卷、《雜述》一卷、《文集》十卷。（以上《宋史·藝文志》）

❸　《論語精義》以中文出版社影印《朱子遺書》所收的本子爲底本。

❹　又《論語精義》所載「橫渠論語說」中的言說之中，有相當多的部份和《正蒙》重複。《正蒙》是張載在晚年爲止的執筆著述中所選輯編纂的，因此之故，和《橫渠易說》、《張子語錄》之間，有著相當多的重複。有關這個問題，參照蔗口治〈有關正蒙的構成和易說〉，《集刊東洋學》第 12 號（1963 年）。

說。

一、「七十而從心所欲不踰矩」——生死觀

《論語・爲政篇》的第四章，亦即，以「吾十有五而志於學」爲開頭，「七十而從心所欲不踰矩」爲結尾的這章，可當成是孔子的自傳，甚至可將此視爲是在敘述人類成長過程之理想形式，此章自古以來便是學者們注目的焦點。《論語精義》一書中，也用四頁的篇幅，列舉諸家之說十五條（程子四條，張載四條，范祖禹一條，呂大臨一條，謝良佐一條，楊時三條，尹焞一條），從其中，在《論語集注》一書中，朱熹採用程子之說法如下：

> 孔子生而知之也，言亦由學而至，所以勉進後人也。立，能自立於斯道也。不惑，則無所疑矣。知天命，窮理盡性也。耳順，所聞皆通也。從心所欲不踰矩，則不勉而中矣。❺

由於《論語集注》中採用了以上程子之說法，或許可以將之視爲對此章較中肯之解釋。至於張載對此章所下的解釋爲何呢？

《論語精義》中，我們可以看到張載如是說到下列四點：

> ①三十器於禮，非強立之謂也。四十精義致用，時措而不疑。五十窮理盡性，至天之命，然不可自謂之至，故曰知。六十盡人物之性，聲入心通。七十與天同德，不思不勉，從容中道。❻
>
> ②常人之學，日益而莫自知也。仲尼行著習察，異於它人，故自十五至七

---

❺ 又在《精義》中有：「伊川解曰：吾十有五而志於學。聖人言己亦由學而至，所以勉進後人也。立，能自立於斯道也。不惑，則無所疑矣。知天命，窮理盡性也。耳順，所聞皆通也。縱心，則不勉而中矣。又語錄曰：孔子生而知之者也。（以下略）」朱熹取程頤的兩條言說於《集注》中作爲自己學派的重新建構。

❻ 《正蒙》三十篇第一章可以看到相同的字句。

十，化而知裁，其進德之盛者歟。❼

③窮理盡性，然後至於命。盡人物之性，然後耳順。與天地參，無意我固
必，然後範圍天地之化。縱心而不踰矩，老而安死，然後不夢周公。❽

④縱心莫如夢，夢見周公，志也。不夢，欲不踰矩也，不願乎外也，順之
至也。老而安死，故曰，吾衰也久矣。❾

　　以上四條說法之中，第一條及第二條不外是在敘述孔子勉勵而至大成之經
過，義意上並無多大的特色，只能說是對此章一種較妥當的解釋，然而第三條及第
四條之解釋，相較於程子的說法，這兩點則是具有相當獨特之見解。

　　首先，就形式上的問題而言，張載明明是在解釋〈爲政篇〉的這一章，卻援
用了其他章的話，亦即〈述而篇〉第五章的「子曰：『甚矣吾衰也！久矣吾不復夢
見周公。』」❿，以及〈子罕篇〉第四章的「子絕四：毋意，毋必，毋固，毋
我。」來解釋。這種援引《論語》其他章，來解釋另一章的解釋方式，雖然未必罕
見，但是像這裏所提及；分明是在解釋「吾十有五」章，卻言及「甚矣吾衰也」及
「子絕四」兩章，此種例子，囿於管見，似無他例。

　　而這種解釋法，亦直接牽涉到內容問題。如第三條中，將「七十而從心所欲
不踰矩」，解釋爲無「意必固我」之事，亦即說明不自我膨脹不自我執著，就是圓
滿的人格。這種將「七十而從心所欲不踰矩」以及無「意必固我」兩者合而言之，

---

❼　原文「常人之學，日益而莫自知也。仲尼行著習祭，異於它人。故自十五至七十，化而知
　　裁。其進德之盛者歟！」和《正蒙》三十篇第二章同。但是《正蒙》「莫自知也」作「不自
　　知也」；「行著習祭」作「學行習察」；「進德」作「德進」。從《正蒙》，改「習祭」爲
　　「習察」。

❽　和《正蒙》三十篇第三章同。又《正蒙》「縱心」作「從心」。「七十而從心所欲不踰矩」
　　之句，「從」字是如「跟隨」之意？或者和「縱」字同義有「變成放縱」之意？古來的解釋
　　各有別。本稿從《精義》之說，視張載解釋爲「縱」之意。又關於這個問題，可參照松川健
　　二〈從心和縱心〉，《印度哲學佛教學》第6號（1991年）。

❾　和《正蒙》三十篇第四章同。又在《正蒙》作「從心」。

❿　原文「子曰：甚矣吾衰也久矣，吾不復夢見周公。」《論語集注》中讀法爲「甚矣吾衰也，
　　久矣吾不復夢見周公。」大體而言，這似乎是一般的讀法，但在本稿中就遵從張載的讀法吧！

認爲兩者均可臻至聖人之境界的說法，除了張載之外，可說是別無他人。即使如此，也未嘗不可，經過此番解釋，也比較容易理解。但是，在此張載又援引了「吾不復夢見周公」一語，則孕含了一大問題。特別是像第四條中所明示的一般，因爲張載是將之視爲連續性之事件，而加以說明，故將「從心所欲不踰距」及「吾不復夢見周公」兩者，合爲一體。

　　若對第四條做一解釋，其主旨大致如下：

> 欲使心自由，沒有比夢更好的方式了。會在夢裏夢見周公，是因爲自己矢志想成爲周公之後繼者，夢裏未夢見周公，是因爲自己的欲求無越法度所致。對於自身能力所未能及之僥倖，無所欲求，這是順之極至。因而縱使年歲增長，亦可安心以迎死，故言「我之衰老已久」。

如此一來，也就是說「不踰矩」然後才「不復夢見周公」，這樣的說法未見於他處，可說是張載對《論語》有其個人獨特之解釋方式中的其中一例。

　　以上所言，是以《論語精義》所刊載的張載之言行中，特別是第三，第四條，由形式內容兩方面著手，和以程子爲開頭的諸家說法是完全不同的，以顯示張載個人獨特之解釋方式，與諸家迥異之處。

　　一般，對「從心所欲不踰矩」的解釋，誠如朱熹《論語集注》該條所言，「隨其心之所欲，而自不過於法度，安而行之，不勉而中也。」可以說是在表達，孔子已經到達一種自在的境地。至於「吾不復夢見周公」一句。如《論語集注》中的解釋「故因此而自歎其衰之甚也」一般，將之解爲是孔子領悟到自身的衰老而慨嘆之言語，應算是妥切之說。也就是說，前者是肯定的語感，後者則是否定的語感，就其意義上，是語義全然相反。做如是想，應是沒有疑問的。

　　如此一來，至於爲何只有張載一人將「從心所欲不踰矩」及「吾不復夢見周公」兩者，加以結合以作解釋，其他並無此例，此事乃是理所當然的。無怪乎朱熹在《論語或問》卷二中批評到「其論不夢周公，迂迴難通，殊不可曉」，這可說是中肯之評論。從一般的觀點來說，恐怕是沒有道理說出像張載這般奇妙的解釋。

　　那麼，何以張載敢作如此之解釋？欲知原由，則有必要先離開《論語說》，

而對有關張載之思想，作一全盤性的討論。

　　張載在其主要的著作《正蒙》中，以氣的聚散來說明萬物之生滅，他的敘述是具有特色的存在論。在《正蒙‧太和篇》第三章中，可以看到如下之文章：

> 天地之氣，雖聚散，攻取百塗，然其爲理也，順而不妄。氣之爲物，散入無形，適得吾體；聚爲有象，不失吾常。太虛不能無氣，氣不能不聚而爲萬物，萬物不能不散而爲太虛。循是出入，是皆不得已而然也。

　　若按照上文的說法，就是說充盈於天地間的氣，遵循著一定的法則，反復聚散不已。氣聚則形成可見之物質，氣散則成爲目不可見的，此乃太虛。氣由太虛而物，復由物而太虛，反復流動，萬物的生滅即於此過程中產生，亦即，就張載之想法，物之生滅，如同其文章所述：不是發生及消滅的問題，只不過是氣的狀態之變化。❶❶

　　張載於《正蒙》中，對於「無」，反復地加以否定。〈太和篇〉第八章即有如下的說法：

> 氣之聚散於太虛，猶冰凝釋於水，知太虛即氣，則無無。故聖人語性與天道之極，盡於參伍之神變易而已。諸子淺妄，有有無之分，非窮理之學也。

　　就上文所言，冰之消融，並非消滅，乃是變化成水之形狀，物之消滅亦與之相同，實際上並非消滅，乃是變化成眼睛看不見的太虛狀態。雖然目無以視之，氣卻充盈於天地間，是故並無「無」之存在。❶❷

　　若將此種想法，運用到人的生死問題上的話，不論生或死，也不過是構成自

---

❶❶　有關張載的生滅論，參照市川安司〈關於物的生滅張橫渠、程伊川二氏之意見〉，《東京支那學報》第 16 號（1971 年）。

❶❷　關於《正蒙》此章，參照大島晃〈有關橫渠的「太虛即氣」論〉，《日本中國學報》第 27 集（1975 年）。

身肉體的氣的要素產生變化罷了。《正蒙・太和篇》第四章就載有「聚亦吾體，散亦吾體，知死之不亡者，可與言性矣」，明白地說出「死非滅亡」。對張載而言，人間所謂的死，乃是由「人間」的狀態，轉成為「太虛」的狀態，只是存在方法產生變化而已。⑬

更進一步來說，就張載的想法，「太虛」似乎不單只是「氣散之狀態」。《正蒙・太和篇》第二章有「太虛無形，氣之本體，其聚其散，變化之客形爾。」，此稱太虛為「本體」。又同樣在〈太和篇〉第九章有「太虛為清，清則無礙，無礙故神；反清為濁，濁則礙，礙則形。」，在此則又稱太虛為「清」，並與「神」相連結。非「清」則「濁」，「形」即物之形成。以「清濁」一語表現，則含有價值判斷在其中，是故，稱太虛為清，就變成認定太虛之價值要高於物。

就以上的話來看，似乎張載所謂「太虛」者，乃含有「確有其物」，「至上之物」的意味在裏頭。而因為張載將「大虛」和「本體」結合，使之相關連，則我們可以認為；張載所謂的「大虛」，與朱子學所謂的「理」，乃有相似之性格。⑭

如前所述，張載認為人之死，乃是轉而變為太虛。設若太虛是一比現象界具有更高價值之本體的話，死即是回歸到高次元之存在。一般而言，死被認為是可怖可厭之事，而就張載之想法，與其說死是一可厭之事，毋寧說是一可喜之事。即使稱不上可喜，亦如前面所引〈太和篇〉第三章一般，因為氣乃是由太虛而物，由物而太虛，流動不斷，因而即使自身散為太虛之狀態，將來此太虛之氣復聚，又會再形成某種物。就此意義而言，天地間之萬物，就具有一種永存性。⑮如此一來，我

---

⑬　《張子語錄》卷中第六十四條有：「理不在人，皆在物。人但物中之一物耳。」張載以存在論說人和其他萬物之間沒有設下特別的區分。

⑭　山下龍二氏〈羅欽順和氣的哲學〉（《名古屋大學文學部研究論集》，1961 年），敘述道：「太虛超越氣之奧或氣，保持其純粹性，就只作為本體來思考，如此具有朱子所說的『氣在理先』的性格」。

⑮　在《朱子語類》卷九十九第三十二條有：「橫渠闢釋氏輪回之說。然其說聚散屈伸處，其弊卻是大輪回。蓋釋氏是箇箇各自輪回，橫渠是一發和了，依舊一大輪回。」根據此說，朱熹在張載的存在論中，看出存在的永續性，以此相似於佛教的輪迴，而排斥此說。又關於這個問題，參照拙稿〈見於張載《正蒙》中的循環思想〉（北海道中國哲學會《中國哲學》第 18號，1989 年）。

們或許可以認為；對張載而言，至少，死並非為可怖之事。

　　張載在其著述中，屢屢提及「安死」之重要性。《西銘》開頭即道「乾稱父，坤稱母，茲藐焉，乃混然中處。……故天地之塞吾其體，天地之帥吾其性」，此在說明：人生自天地，與天地結合，難以分離。結尾則有「存，吾順事，沒，吾寧也」，此即表明，死乃再度與天地成為一體之安寧。如是之想法，亦出現於《論語說》中，誠如本節最初所引之文，張載便以「安死」來說明孔子晚年之境地。

　　一般而論，年老，即近死亡。張載在思及像孔子這樣的聖人的生涯時，張載之所以認為年老的孔子不懼死亡，是有其自身之道理。因為就張載之想法，死即是回歸安寧，聖人沒有理由不懂此點。年達七十，自悟到已近死之安寧的孔子，已經沒有必要像年少血氣方剛之時，去追求人間之理想形態。是故，夢裏亦不見周公。此恐怕或許正是張載對「七十而從心所欲不踰矩」之解釋。

　　就如同朱熹所言，此種解釋可以說是略顯牽強附會。然而，與其認為張載所說者為不懂老死，毋寧看成是一種安寧，此自有言之成理的一貫性脈絡。至於張載敢如是牽強附會，正使張載的獨特性得以發揮。

二、「子絕四：毋意，毋必，毋固，毋我」
——聖人觀

　　在前一節，張載對《論語》的解釋當中，採用了較有顯著特色的話來加以檢討。正因其非常具有特色，故受到朱熹所謂「難理解」之批評。然而《橫渠論語說》中的話，並非全皆如此，其中也有不少受到朱熹的讚賞。而就這些話，張載個人的解釋特徵，又是如何表現出來？本節由此觀點出發，欲對《橫渠論語說》進行檢討。

　　如前所見，張載在解釋「七十而從心所欲不踰矩」時，除了採用「吾不復夢見周公」，並言及〈子罕篇〉第四章的「子絕四：毋意，毋必，毋固，毋我」。根據《論語集注》該條之解釋；「意」即是私意，「必」即是「期必」，亦即勢必如是為之及自以為是之事。「固」即是執滯，「我」則是私己之事。據此，所謂絕四，應是不自我膨脹、自我執著，以實現圓滿之人格。

　　而就張載而言，此章又是具有何種意義呢？此見於《論語精義》卷五上，〈子罕篇〉該處，可看出張載對於絕「意必固我」相當重視，《論語精義》實際上採用了六條張載的話。

①絕四之外，心可存處，蓋必有事焉，而聖不可知也。❶

②不得已當爲而爲之，雖殺人皆義也。有心爲之，雖善皆意也。正己而物正，大人也。正己而正物，獨不免有意之累也。有意爲善，利之也，假之也。無意爲善，性之也，由之也。有意在善且爲未盡，況有意於未善耶。仲尼絕四，自始學至盛德，竭兩端之教也。❷

③意有私也，必有待也。固不化也，我有方也。四者有一焉，與天地不相似。❸

④天理一貫，則無意必固我之鑿。❹

⑤意必固我一物存焉，非誠也。四者盡去，則直養而無害矣。❺

⑥天地合德，日月合明，然後能無方體，無方體然後能無我。❻

　　對於張載的這些說法，朱熹在《論語或問》卷九中評論道「張子前四條皆善，而所謂『四者有一焉，則與天地不相似』，謂『天理一貫，則無四者之鑿』，其旨尤精」。亦即，在《論語精義》裏，看到的張載的話當中，朱熹舉出第三條和第四條，讚賞其論述旨意「尤精」。並且，《論語集注·子罕篇》中，該條亦引用了《論語精義》第三條之「張子曰，四者有一焉，則與天地不相似」。由此可知，

---

❶　和《正蒙·中正篇》第十五章同文。

❷　和《正蒙·中正篇》第十六章同文。

❸　原文：「意，有私也。必，有待也。固，不化也。我，有方也。四者有一焉，與天地不相似也」。和《正蒙·中正篇》第十八章同文。但是在《正蒙》中，「意，有私也」作「意，有思也」；「與天地不相似」作「則與天地爲不相似」。

❹　和《正蒙·中正篇》第十九章的前半部同文。

❺　和《正蒙·中正篇》第十九章的後半部同文。

❻　和《正蒙·至當篇》第七章的後半部同文。

張載對於此章之言說，朱熹既表深得我意，並予以接受。

　　然而，如前所見，張載對於「七十而從心所欲不踰矩」的說法，朱熹則批評其「迂迴難通，殊不可曉」。而現在同樣是張載的，同樣是《論語》中關於別章的說法，朱熹卻轉而予以讚賞，對此，難到能不稍做注意？就因張載其人之想法，變化多端，令人難以想像，是故，各式各樣的評價亦隨之而至。

　　正如上述，《論語集注》中，引用了張載的「四者有一焉，則與天地不相似」。若我們看《朱子語類》第三十六卷（《論語》十八，〈子罕篇〉上）所收錄之問答，似乎朱熹與弟子之間，專對張載言辭的前半部「四者有一焉」，當成是個問題，至於後半部的「則與天地不相似」，反而並不特別視爲是個問題。㉒是故，於此試圖一探張載之「與天地似」，究竟有何意味。

　　《張子語錄》卷上、第四條，可以看到如下的話。

　　　　毋固者不變於後，毋必者不變於前。毋四者則心虛，虛者，止善之本也，若實則無由納善矣。

在此所說者，是將無意必固我之四者，與「虛」加以連結。據此，張載所謂的「與天地似」，則近似於「虛」。此種說法，亦可以在《張子語錄》中，找到印證。如：

　　　　天地之道無非以至虛爲實，人須於虛中求出實。聖人虛之至，故擇善自精。（卷中第六十五條）
　　　　天地以虛爲德，至善者虛也，虛者天地之祖，天地從虛中來。（卷中第六十九條）

㉒　《朱子語類》卷三十六第三十一條：「問：橫渠謂，四者有一焉，則與天地不相似，略有可疑。曰：人之爲事，亦有其初，未必出於私意，而後來不化去者，若曰絕私意，則四者皆無，則曰子絕一便得，何用更言絕四，以此知四者又各是一病也」等。

由這些話看來，張載乃是將「天地」及「虛」相結合以立說，而且，聖人，亦即無意必固我四者之人，也就成爲了「虛之至」。

就如前一節中所見，張載將氣散之狀態，稱爲「太虛」，其所具有的價值要高於物，也就是說，可將「太虛」視同爲現象背後之本體。而在此，則是將「虛」，與「至善」「聖人」等語結合，使之相關連。而不管是說「太虛」，還是說「虛」，就「虛」字一語，張載似乎一貫將之界定爲，具有高度價值之物。

又，就本節最初所引《論語精義》中所載張載的話，第二條中「仲尼絕四，自始學至盛德，竭兩端之教也」之言辭看來，此自不待言，當是基於《論語》〈子罕篇〉第八章「子曰，吾有知乎哉？有鄙夫問於我，空空如也，我叩其兩端而竭焉。」而來。關於「吾有知乎哉」這章，《論語精義》中便採用了四條張載的話。在此，試引其中兩條。

> 有不知，則有知。無不知，則無知。是以鄙夫有問，仲尼叩兩端而空空。易無思無爲，受命乃如響。㉓（第一條）
> 洪鐘未嘗有聲，由叩乃有聲，聖人未嘗有知，由問乃有知。㉔（第三條）

由此看來，張載似乎是將「空空」解爲孔子之事。針對此點，朱熹於《論語或問》中，對張載之說法，做了如下之批判。

> 張子之過，則程子言之矣。……空空，蓋指鄙夫而言，張子以爲無知之意，文意隔絕，恐不然也。

張載之前，未見有將「空空」解爲孔子之事者，可說是張載獨創之說。㉕而此創見，朱熹並未予以採用，甚至，朱熹可能將張載之說法，視爲牽強附會之說，有所

㉓　和《正蒙・中正篇》第四十六章的前半部同文。但是《正蒙》「叩」作「竭」。
㉔　和《正蒙・中正篇》第四十九章的前半部同文。
㉕　根據松川健二〈關於《論語》吾有知章〉，大修館書店《漢文教室》第 164 號（1989 年）。

厭惡也說不定。

　　然而，就張載整體的思想來看，指「空空」爲孔子之事，確實有其個人之根據，如前所述，張載認定「虛」爲一具有高度價值之物，並將聖人視爲「虛之至」。是以若由此語感來解釋，那麼張載在此將「空空」理解爲類似「虛」之物一事，恐怕也未必無其道理。如前所引述一般，張載是有意以「叩其兩端而竭」來解釋「子絕四」章，《張子語錄》卷中第六十四條有「與天同原謂之虛，須事實故謂之實，此叩其兩端而竭焉，更無去處。」張載解「兩端」爲「虛實」。如此一來的話，將「空空」與「虛之至」的聖人，亦即孔子相結合，對張載而言，可說是再自然不過的事。

　　張載在解釋「子絕四」章時，說絕意必固我四者者，所以似天地。至於「吾有知乎哉」章的解釋，則解「空空」爲孔子之事。前者，修養之目的在於似天地的想法，受到朱熹讚賞。後者，將「空空」解爲聖人之事，朱熹雖加以排斥，但就張載而言，似天地者，則體虛，至虛之聖人，當然不能不是「空空」。就此兩章之解釋，張載的想法則似乎是一貫的。讚賞和排斥，儘管受到的評價截然不同，但就任何一方來說，都充分表現出張載思想的特色。

結　語

　　《朱子語類》卷九十九〈張子書二〉的一開頭，便載有朱熹言《正蒙》有言辭不妥當處，不可不看分明之話語。[26]此既顯示出朱熹對張載的話的取捨選擇，相當具有批判性之外，或許也可以說是，當一個後繼者在採用先驅者的話時，理所當然該有的態度。因而，朱熹在《論語》的解釋上，對於張載的言說，似乎也是握持此種態度來面對。此點亦可見於本文。

　　向來，在論及張載的思想時，似乎動輒傾向於以朱子學的尺度來衡量張載之言語。例如，就張載的存在論而言，將之與程頤或朱熹相較時，由於不認爲理氣是

---

[26] 原文「正蒙有差，分曉底看」。

相對立之故，便認為張載的思想是「氣一元論」，是「唯物論」。[27]但是，就如本文第一節所述，張載所謂的「太虛」一語，乃意味著在現象背後之本體，其性質近於朱子學所謂的理。然因太虛乃是氣散之狀態，是故張載的存在論中，氣居於本體和現象之間，使得兩者混同而不可分。又因為張載認為太虛之價值要高於物，且人修養的目的在於與虛同體，是故，毋寧可稱張載之思想為「太虛一元論」[28]，因而，若要如是分類的話，不管從哪個角度來說，難道不能說是唯心論之思想嗎？

　　本文從《橫渠論語說》中，採用了幾段話來加以檢討。其中，有的受到朱熹的排斥，有的受到其讚賞，然而儘管如此，張載「虛」的思想特徵，均充分表現出來。而朱熹雖然對於張載「以不踰矩，是故不夢見周公」的說法予以排斥，但對於張載「安死」的想法，似乎是予以接受。《論語集注・里仁篇》第八章，亦即「子曰，朝聞道，夕死可以」一章，朱熹解為「道者，事物當然之理。苟得聞之，則生順死安，無復遺恨矣」，此「生順死安」的想法，即是受到前文中所引用的張載《西銘》之結句：「存，吾順事。沒，吾寧也」的影響，而產生的構想。[29]

　　又，關於〈陽貨篇〉第二章「子曰，性相近也，習相遠也」，《論語精義》並未採用張載的說法，但是，若看看《論語或問》相應之篇章，則引用了《正蒙・誠明篇》第二十一章的「形而後有氣質之性，善反之則天地之性存焉。故氣質之性，君子有弗性者焉」，縷縷加以說明。朱熹對此章之解釋，甚而朱熹之性說之全體，均受到張載很大的影響一事，亦可由此探知。

　　由《橫渠論語說》中的話來看也可以知道，張載的思想，不能單單止於說是朱子學之先驅者的其中一人而已，其思想乃具有非常明確之個性。前一段所舉的性

---

[27] 例如島田虔次《朱子學和陽明學》（岩波書店，1967 年）六十五頁以下。又，在中國學界，把張載的思想看作「唯物主義」、「氣一元論」的見解似乎是極有力的。參照張岱年《中國唯物主義思想簡史》（中國青年出版社，1957 年），北京大學《中國哲學史講授提綱》等。

[28] 在山下龍二氏《中國思想史》下（高文堂出版社，1986 年），以「太虛的思想」來說明張載的思想。

[29] 在朱熹《西銘解》解「存吾順事，沒吾寧也」，說「蓋所謂朝聞夕死，吾得正而斃焉者」。又關於此問題，參照松川健二〈關於《論語》朝聞夕死章〉，《伊藤漱平教授退官記念中國學論集》（汲古書院，1986 年）。

說一例中，用到了所謂「天地之性」一語，此乃自張載思想中，「天地」及「虛」的關係而來，就這點，亦不能僅止於認爲，張載只不過是處於朱熹之性說的前驅位置而已，應可預想到其具個性化之性說之展開。但是，若論及此點，則可說是超越了本文所涉及之範圍。本文在此，只是將《論語說》中，看來似乎是具有張載其個人特色的想法，且針對在其思想中隨處可以發現之事，試圖予以指出。

　　——譯自松川健二編：《論語思想史》（東京：汲古書院，1994 年 2
　　　月），頁 145-162。

經 學 研 究 論 叢
第 六 輯　　　頁133～146
臺灣學生書局　　1999 年 3 月

周廣業《孟子四考》評騭

陳純適*

壹、周廣業小傳

　　周廣業，雍正八年（1730）生年，字勤補，號耕崖，浙江海寧人，乾隆四十八年（1783）舉人。先生幼慧能文，長而博覽群籍❶，少通訓詁，辨音尤切，深研古學有所得，朱珪重其學行，薦掌廣德書院，其間潛心經史；四庫館閣開，時賢爭相延致先生爲校勘，周松靄《蓬廬文鈔・序》云：「肆應精詳，各愜所請……凡卷帙，經君寓目，悉成善本」，周氏校訂之精，受推重若此。先生擅經史考訂輯佚，撰成《孟子四考》四卷、《經史避名匯考》四十六卷、《讀易纂略》❷、《讀相臺五經隨筆》四卷、《季漢官爵考二卷》、《四部寓眼錄補注》❸、《意林注》❹五卷、《補遺》一卷；地理方志方面，撰《重修廣德州志》五十卷、卷首一卷、《寧

---

*　陳純適，輔仁大學中國文學研究所博士班研究生。

❶　周松靄：〈蓬廬文鈔序〉，收入沈雲龍編：《近代中國史料叢刊》六十九輯《蓬廬文鈔》
　　（臺北：文海出版社）。

❷　吳騫：〈周耕崖孝廉傳〉載爲《周易纂注》，文收入周廣業：《經史避名彙考》（臺北：明
　　文書局，1981 年。）

❸　又名《四部寓眼錄補遺》。見國家圖書館藏書目錄。

❹　周廣業所藏《意林》鈔自知不足齋本，撰有《意林注》（周氏《孟子古注考》，頁 26「生之
　　謂性」條下注語稱《意林古注》）。周氏友人王疏雨（朝梧）據以校聚珍版。參周氏《逸文
　　考》，頁 8「若久塗炭則易政，如渴不擇飲也。」條下注語。又見台大總圖書館藏書目。有
　　《意林》附編一卷，逸文一卷。又名《補注馬總意林》。

志餘聞》八卷、《兩浙地誌錄》❺一卷；讀書札記方面，撰《循陔紀聞》二卷、《三餘摭錄》、《時還讀我書錄》、《目治偶鈔》❻四卷、《冬集紀程》一卷、《過夏雜錄》❼；行傳記述有《周吾堂行略》一卷、《周存齋存略》一卷、《文昌通紀》九卷❽、《關帝事蹟徵信編》三十卷、《補遺》一卷；生物學方面有《動植小志》六卷；集部著書有《古文紀序》、《金華子新編》校注、《制義》、《蓬廬詩文鈔》八卷、《文集》八卷、《詩集》廿六卷。吳騫爲序《蓬廬文鈔》，深嘆其學博才贍，曰：「其卓見遠識，超越前古，非拘守尋章摘句之士，能望其堰略」。周氏詩文、制藝頗負盛名，抒寫胸臆，典雅爲宗；經史長於考訂，溯流討源，鉤沈索隱；其論事之文，剴切通達，曲中情理，可謂博學多方，著作等身；阮元推許曰「兔床博雅亦仲魚之亞。」❾

　　周氏淳孝，因營先人窀穸，積勞暴病❿，卒於嘉慶三年（1798），得年六十九。

貳、《孟子四考》之内容

一、《孟子逸文考》

　　《孟子逸文考》云：「《孟子》十一篇見《漢書‧藝文志》，七篇今列於經，其四篇，趙邠卿以爲文不宏深，後世依倣而託，故其注祇析七篇爲上下十四卷。隋《經籍志》、唐《藝文志》載鄭、劉二注，亦止七卷，自是《孟子》無足本矣。然漢晉六朝諸儒所引，尙不明言存佚，至唐虞永興（世南）作《書鈔》（《北堂書鈔》），始云：『逸孟子蓋與逸《詩》、逸《書》同例焉。』」周氏以「惟是

---

❺　〈周耕崖孝廉傳〉載爲《兩浙地名錄》，文收入周廣業：《經史避名彙考》。

❻　《目治偶鈔》，《清儒傳略》（臺北：臺灣商務印書館，1990 年）四二一則，〈周廣業〉條下，誤戕爲《自治偶鈔》，今正之。

❼　《過夏雜錄》載有〈周耕崖孝廉傳〉。周氏其餘傳述，未言及此書。

❽　周松靄：〈蓬廬文鈔序〉。又《清儒學案小傳‧耕崖學案》、《清儒傳略》皆未載錄此書。
　　唐鑑：《清儒學案小傳》（臺北：明文書局，1985 年）。

❾　《清儒學案小傳》，卷九〈耕崖學案〉。又《清儒傳略》四二一則。

❿　〈蓬廬文鈔序〉。

屑玉碎金，蒐羅非易，甄別尤難」，遂旁搜遠紹，詳加考訂明陳士元（心淑）《孟
子雜記》所收集逸文三十多條，參及方之琪（仲美）《孟子集語》⓫、朱彝尊《經
義考》所載《孟子》逸文，另補輯經、史、子書稱引《孟子》，或各家注孟所不載
者，據各書先後編次為《孟子逸文考》。周氏視士元諸人所輯，讚謂：「斯實汲古
深心，非直好事已也。」此亦其深自期許之言。

　　㈠《孟子逸文考》共輯五十九則。所考逸文，句首標示《孟子》曰、《孟
子》云、《逸孟子》曰、孟子稱、孟軻稱，或直引逸句，皆據原本摘錄。逸文下註
明所見各書之出處，體例一致。

　　㈡於逸句後，別指所逸之字、詞，載言或脫、或少、或增之異同。

　　㈢所輯逸文，遇有轉載自他書者，為避免守偽傳謬，再據原典校勘，稽核是
非⓬；遇檢閱訛誤者，則以注語說明，改從原文⓭。

　　㈣所輯逸文，倘無以資照比對，則附案語詳加說明⓮，以存異說。

　　周氏輯軼逸文，涉及史、子、集諸部類，擴及韻書、類書、字書、釋道著書、
誄文、總集之正文及註解，有涉前代之書而今失傳者，即另從他書，各為錄出⓯。
其根據唐宋群籍古注，吉光片羽，極力蒐羅，和前人相較，涵蓋面更廣，所得資料
也更多。

⓫　周廣業：《孟子四考·逸文考》，頁 1、2 兩見方之拱字仲美，作《孟子集語》，取逸文分繫
　　各篇，而以意連貫之，又補外書四篇。惜今不見《孟子集語》，明人傳記未載方傳。

⓬　參《孟子四考·逸文考》，頁 4，「孟子曰，居今之朝，不易其俗，而成千乘之勢，不能一
　　朝居也」條下注語。周氏以史繩祖《學齋佔畢》所據穿鑿舛誤。

⓭　同前註，頁 2，「孟子說齊宣王」條下注語。

⓮　同前註，頁 3，「孟子曰，人知冀其田，莫知冀其心」條下注語。

⓯　溯自《國策》、《左傳》、《公羊》、《史紀》、《漢書》、《後漢書》、《漢紀》、《通
　　志》、《隋志》、《北齊書》、《繹史》、《尚史》、《意林》、《荀子》、《韓詩外
　　傳》、《春秋繁露》、《鹽鐵論》、《說苑》、《顏氏家訓》、《北堂書鈔》、王志堅《表
　　異錄》、程大中《四書逸箋》、翟灝《四書考異》、林希元《四書存疑》。所徵引古籍多見
　　《經義考》未載者，如方之琪《孟子集語》、詹道傳《孟子集注纂箋》、張為儀（存中）
　　《孟子集注通證》。
　　類書如自《文苑英華》、《太平御覽》、《玉海》、《冊府元龜》、《歲華紀麗》引出。

二、《孟子異本考》

周氏輯《孟子》逸文，因見各書徵引字句，往往不同，乃曰：「說者謂：『所見本異。』……孟子以來，五百餘載，傳之者，亦已眾多也，魏晉而降，更難僂指，……計其爲本，奚啻千百。」周氏爲免與本義齟齬，乃糾誤辨正❶；其於世遠文滅，搜逸存異，成孟子《孟子異本考》。

㈠《孟子異本考》以汲古閣注疏本爲主，參輔宋本石經，凡有相異文字，悉錄於篇。

㈡條錄漢、晉以來，迄於唐、宋諸家，所見《孟子》異文。

㈢依《孟子》各篇順序，條列異本文字，俱註明出處以徵實。

㈣注疏本之與今集注本歧異者❶，亦附各章之後，爲循誦之助。

㈤《孟子異本考》所列異文，皆取「文異」，爲不徑略傳寫之本，偶及「字異」。

㈥《孟子異本考》遇有經史承訛，遽難改正，則兩存之；倘周氏分辨經本，不足爲異者，則附加案語。

㈦因爲下列因素，致經文注疏或異者，周氏則不稱「異本」。如：

1.述者不明篇數節合所致❶。陳士元《孟子雜記》所計《孟子》篇數、字數❶，皆與趙歧題辭所載之《孟子》篇數有所出入，周氏《孟子異本考》乃據孫奭《孟子正義》各篇分計，以詳趙歧《孟子》篇數與今本之文字字數與章節分合。所以有不同，是因爲篇數節合，而非異本。

2.改竄太過、援引舛謬❷所致。

3.史傳約舉❷經文所致。

---

❶　《異文考·梁惠王章句上》「植之以桑」條下注語。云：「《御覽》，……改竄之失，其本眞者，晁氏《客語》……尤誤。」又劉元傳注「緣木求魚」亦誤以齊宣爲梁惠。

❶　詳如《異本考·梁惠王章句上》「斧斤以時入」條下注語。

❶　《異本考·序》。

❶　陳士元：《孟子雜記》計《孟子》共七篇，二百六十章，三萬五千四百一十字。較趙少一篇，而多七百廿五字。

❷　同前註。

4.避諱㉒所致。

5.臆造文字或變點畫、篡偏旁所致。凡字書所徵引別體字，《孟子異本考》以爲率由變造居多；撮錄數條，惟用備省覽；若「取新尚怪」、「自我作古」以稱異本者，周氏亦不取。

6.文字接寫、鑽穴隙類，筆誤所致。如石經《孟子》㉓所見。

7.刪潤經文㉔所致。如《意林》、《白孔六帖》所引《孟子》經文，常見文字刪潤之處。

周氏富汲古深心，然所考經文，不標新務奇，枉自立異，《孟子異本考》書後猶自訓以「大抵講六書者，精研其義可矣，更張經典，以爲證佐，則不可」，其學戒愼，可見一斑。

三、《孟子古注考》

周氏討源《孟子》古注，以《隋書·經籍志》所載趙歧、鄭康成、劉熙、綦毋邃諸注爲主；此外，有漢代程曾、高誘、揚雄，唐代陸善經、張鎰、丁公著、韓愈、李翺、熙時子，然諸家皆佚，今唯趙注獨存。惟趙注爲陸善經所削，孫奭《孟子正義》雖有摘錄，亦頗漏略，迄元代張慶孫主西湖書院，重整書目記，稱有《孟子》古注，即今所傳宋槧本。周氏以諸古注甚爲可愛，雖止軼見一二句劉、綦毋注，仍值篋櫝之珍，爲免古注湮沒，輒以諸家所傳古注，校之異同，遂成《孟子古注考》。蓋如阮元《孟子校勘記·序》所言：「自明以來，學官所貯，《注疏》本而已，《疏》之悠謬不待言，而經、注之訛舛闕逸，莫能諟正。」觀《孟子古注考》，知是書非止拾古存注，其貢獻至少有二：其一，探討孟注，如趙歧注㉕、劉

㉑ 同註⑰。「上下交征利」條下案語附《史記·魏世家》、《史記·孟子列傳》，

㉒ 同註⑰，「上下交征利」條下案語附《舊唐書·裴諝傳》。

㉓ 石經《孟子·致爲臣而歸》章，不跳行，連上〈燕人畔〉章。

㉔ 同註⑰，「孟子蓋惡夫廏多肥馬」條下案語。云：「《意林》所有《孟子》皆與今文異，然實取內篇刪潤之，非別有本。《繹史》、《經義考》以此及敬老愛幼等條入佚句，茲附見其尤異者。」又「植之以桑」條下案語，再指馬驌刪潤經文。

㉕ 周氏考趙注，云：自元代延祐設科，專用朱子集注，而趙注益微。又云趙注今與（孫奭）正義並行者，明監本、毛氏汲古閣本，皆不盡原文。詳參《孟子古注考》，頁7-8。又云：趙注於唐代，已有二本行世，所舉證詳《孟子古注考》，頁27「摩頂致於踵，致，至也」條下注語。

熙注、綦毋邃注、章句指事、篇序❷、章指、篇題等重要議題，末又附考唐代之前「闕名注」，裨於經訓；其二，所輯古注，較其異同短長，寔有功於古注之補正。

㈠《孟子古注考》共考一四一則。其中所輯劉注，較《文選注》多三十餘條。

㈡《孟子古注考》根據六種版本參校。又輔以孫奭、廖瑩中等注本。

　1.孔繼涵、韓岱雲新刊注疏本❷（稱「新本」）

　2.汲古閣本（稱「今本」）

　3.宋槧趙注本（稱「宋本」）

　4.古足利寫本（稱「古本」）

　5.足利本（稱「足利本」即活字版本）

　6.金蟠、葛鼎刊刻永懷堂本（稱「金本」）❷

周氏《孟子古注考》比較、校正趙注甚夥，且保留可信古注及劉、綦毋已佚諸注，周注輯佚，實有功於孟學。

㈢分辨異同，不盲從、不徑廢注疏❷。

周氏屢以案語示其撰述不漫從注疏，如金履祥《孟子集注考證》、何異孫《十一經問答》皆稱趙歧因避唐玹之禍，藏孫嵩家之複壁三年，才完成《孟子》注，周氏考趙歧本傳並無此事，以爲恐不可據❸。而周氏之辯駁亦非漫駁，如依從劉攽《兩漢刊誤》駁辨《後漢書》所載：「趙歧生平述作《要子章句》、《三輔決錄》於時」之誤❸，周氏《說文》、《九經字樣》、《類編》諸書，考索「孟」與「要」之字源，以駁辨吳仁傑《補遺》所指❸之訛。必詳列證據，方作駁斷。周氏

---

❷　周氏引林之奇（少穎）《孟子講義》、錢曾《讀書敏求記》所論，云「趙氏述孟子七篇，各有敘次之意。」「篇序」不可徑廢。見《孟子古注考》，頁5。

❷　孔本，即乾隆壬辰（三十七年）孔繼涵微波榭本。

❷　十三經實爲金蟠、葛鼎分校，世但記葛鼎，周氏今以「金本」，稱「永懷堂本」，特標舉金蟠之意。參《孟子古注考》，頁8注語。

❷　《孟子古注考》，頁4-5「篇序」條下。

❸　同前註，頁2「漢趙歧《孟子注》」條下注語。

❸　同註❷，頁2「漢趙歧《孟子注》」條下注語。

❸　同註❷，頁2「漢趙歧《孟子注》」條下注語。

於「從」「駁」之際，洵推尋文義，據理以決是非。如指出「足利本」、「金本」、「今本」皆改古本「不言居色主名尊陽抑陰之義」❸句。周氏考訂《孟子》篇序，黜「法五七之數」迂闊之言；核計《孟子》字數，以「文字多寡，一時偶然」爲正，以存林之奇之辨❸，亦是例證。

　　㈣比對異文偏旁❸，校正訛字❸、重出❸、脫字❸、版本勘誤。

　　如校正「舍矢如破，一發貫臧。」「足利本」之誤字❸；又諸本釋「辭尊富者」❹，皆誤以「富」作「貧」；古本「發於聲，若甯戚高歌」是誤「商」爲「高」❹。又如徵引《說文》以明今、金、孔韓本「羿有窮后羿」作「窮」字爲非。又版本勘誤，如指北監本與程大中《四書逸箋》皆誤刊「鄭元」爲「鄭亢」。

　　周氏於存疑之字句，下判斷時，相當謹慎，如「君子之行本，字不致患」❹句，宋本以「患」爲「意」，周氏以爲「似誤」❹。

　　㈤直求經文本義，較諸家義之短長，非徒綴訓詁、誦佔畢。

　　如周氏以宋、今、金、孔韓、足利諸本校「望望然去之」句❹，並採足利本。如以「夫然後之中國，踐天子位焉」❹，趙注所釋較劉熙爲長。又以「天子曰彤弓，故賜之彤弓也」爲例，證孫奭所指：古「彤」作「肜」字爲正❹。

　　㈥依據聲韻，辨識通假

---

❸　同註❷，頁 17「唯聖人踐形」條下注語。

❸　同註❷，頁 4-5「篇序」條下。

❸　同註❷，頁 12「躾搏勞也」條下注語。

❸　同註❷，頁 12「爲一夫報仇」條下注語，云，「今」、「孔」報訛執。

❸　同註❷，頁 16「羿，古之工射者。彀，張也。挈，向包的者，用思要時也。」條下注語。

❸　同註❷，頁 16「草性曰芻，穀食曰豢。」條下注語云：今、金並脫此八字。

❸　同註❷，頁 12「舍矢如破，一發貫臧。」條下注語。

❹　同註❷，頁 15「辭尊居卑」條下注語。

❹　同註❷，頁 17「發於聲」條下注語。

❹　同註❷，頁 14。

❹　同註❷，頁 14「修我牆屋，治牆屋之壞者」條下注語。

❹　同註❷，頁 10「望望然去之」條下注語。

❹　同註❷，頁 26「夫然後之中國踐天子位焉」條下注語。

❹　同註❷，頁 14「弛朕」條下注語。

如釋「是何濡滯」句❹。

㈦註明經史避諱。

如注「男子之道，當以義匡君」❽句以及「三代夏、殷、周」句❾。

四、《孟子出處時地考》

周氏《孟子出處時地考》考證孟子本傳、生平里居、冢墓、父母、師承弟子、宦游，以及《孟子》篇第大旨及其閱歷，並載史傳論述諸國史事，以爲佐證。

周氏秉持孟子「盡信書不如無書」的原則，又引季彭山云「史所稱世次，或有虛加，或有闕略，無以考其詳，惟當以《孟子》書爲證」以自惕，於蓄疑經典多年，存序正之志。其《孟子出處時地考》撰述原則，大指如下：

㈠避免「移書就世」或「執世移書」。

周氏歎言自漢以來，論列《孟子》之世，往往宗主史表，雜揉他書，迨求其合，而不得，則苟且遷就者，有之；調停兩可者，有之。雖年表差謬，難可盡據，然亦不可如耳食之儒，變亂大賢出處。

㈡先取本書櫽括成文，原無可疑者，發其疑；對於史事可信者，取證他書，以爲枚舉其事之原則。

周氏引元程復心《孟子年譜》鈔本與明譚貞默《孟子編年略》核對，證合者則採錄之❺。又周氏考《孟子・梁惠王下》「上慢而殘下」句❺，於《孟子出處時地考》云：「穆公行政，見於賈誼《新書》，有云……公曰：『粟，人之上食，奈何以養鳥也。』……鄒民聞之，皆知私積之與公家爲一體也。又《新序》稱『穆公食不重味，衣不雜采，自刻以廣民，親賢以定國，親民如子……。』據其言，與孟子所謂『上慢而殘下者迥異』，豈壅於上聞，罪固在有司，而孟子一言悟主，乃側

---

❹　同註㉙，頁 11「是何濡滯」條下注語。

❽　同註㉙，頁 12「男子之道，當以義匡君。」條下注語，古本「匡」字，諸本以宋太祖名諱，避爲「正」字。

❾　同註㉙，頁 13「三代夏殷周」條下注語，古本「殷」字，諸本以宋宣祖之名諱，避爲「商」字。

❺　同註❺，頁 8 注語，云「程文與譚文同，豈譚襲用之歟？」，見周氏秉客觀精神以質疑。

❺　同註❺，頁 38。

身修行，發政施仁，以致此歟❺❷？」此周氏細品他書以合證，推尋文意、事理，以爲判斷之例。

又設問發疑，如指趙歧謂漢文時置「孟子」博士事❺❸。

㈢次取辯駁諸條，分繫其下，似有可疑者，析其疑❺❹；不可知者，以書訂之。

如宋孫復〈兗州鄒縣建孟廟記〉傳寫云：「（鄒）邑之東北，有山曰『四墓』」；周氏以紊其居止，則諸事無所據，遂考陳鎬《闕里志》及張泰《鄒志》，正「四墓」爲「四基」，始改宋人沿誤。焦循評曰：「（周氏）序地域、墓山尤爲明切」❺❺。又元張頠〈孟母墓碑記〉據〈鄒公壇廟碑〉云「孟子後孔子三十五年生」從來久矣，周氏以邵雍《皇極經世》所辨較正確❺❻。

㈣自規「辭非泛設」，避免「伐異黨同，終無折衷」。

周氏《孟子出處時地考》述《孟子》撰述之始末，云：「建篇之首〈梁惠王〉，趙氏之說韙矣」❺❼。又云：「《題辭》謂『退自齊梁而著作，其篇目各自有名』，則未盡然。……立言不朽，雖聖人不能易，豈窮達始著書哉？㇐志在行道，未遑專意耳。故其成在遊梁之後，其著作斷非始此。大率起齊宣王至滕文公爲三冊，記仕宦出處；離婁以下爲四冊，記師弟問答雜事。迨歸自梁而孟子以老，於行文既絕少，又暮年所述，故僅與魯事，分附諸牘末。」焦循評曰：「周氏（《孟子出處時地考》）所云，似較趙氏爲長。」❺❽《清儒學案》引吳沖之云：「其出處一門，謂孟子親老家貧，始仕鄒爲士，無舍其父母之國，而以草莽臣先至齊梁之理，建首梁惠王章，蓋以揭仁義之大旨，而非其遊歷之次，故必審齊梁之世次，而後有以定孟子之出處；不特可以釋朱子序說之疑，及萬斯同齗齗然與若璩不一詞

---

❺❷　周氏又於注語補充《孟子集注考證》云，蓋「（穆公）因孟子之言，而自反者歟？」。可見周氏審慎若此。見同註❺⓪，頁38。

❺❸　同註❷❾，頁3。

❺❹　同註❺⓪，頁45注語。

❺❺　焦循：《孟子正義》（北京：中華書局，1996年）卷一，頁6。

❺❻　同註❺⓪，頁4。

❺❼　同註❺⓪，頁26。

❺❽　同註❺❺，卷三十，頁1043，

者，不啻得所衷焉。」㊾。此誠知人之論。

　㈤能破能立，不泥史述。

　　周氏辨證孟子事齊宣王之始末，以《史記》誤繫「伐燕」一事於「湣王十年」，以致諸家聚訟。又指蘇轍《古史直》、黃氏《日鈔》拘泥於《史記》，為變亂孟子之遊歷者。周氏非僅辨誤，於詳考孟子遊歷始末，稱舉萬斯同辨孟子仕齊事，甚為精詳㊿，並以近四千言，詳論「君子居國之為功」，立說精到。

　㈥附糾謬之論以為結。

　　《續修四庫全書總目提要・孟子四考》云：周氏糾世貞之謬，「洵有裨於世教人心，不僅為鄒嶧之功臣矣」㉑。周氏思《孟子》雖得列於經，復橫被非刺詆疑，為表彰孟子行藏大節，博稽深考，因附糾謬前人之論以為結。

　　周廣業《孟子出處時地考》成書前，研究孟子生平事蹟者，有元吳仲迂㉒《孟子年譜》一卷、《孟子冢記》一卷、吳萊《孟子弟子列傳》三卷、程復心《孟子年譜》一卷㉓、明譚貞默《孟子編年略》一卷、清朱彝尊《孟子弟子考》二卷㉔、閻若璩《孟子生卒年月考》㉕一卷、萬斯同《孟子生卒年月辨》㉖、崔述《孟子事實錄》二卷、張宗泰《孟子七篇諸國年表》二卷、施彥士《讀孟質疑》二卷、任兆麟《孟子時事略》一卷、狄之奇《孟子編年》、潘眉《孟子遊歷考》一卷、魏源《孟

㊾　《清儒學案》卷九附錄。

㊿　見同註㊿，頁 41。

㉑　參《續修四庫全書總目提要》（北京：中華書局，1993 年）經部，四書類，頁 924。

㉒　周廣業考吳仲迂，字可翁，號可堂，番易人，後人脫「仲」字，載為吳迂，見《蓬廬文鈔》，頁 143。

㉓　周氏曾疑《孟子年譜》與《孟子編年略》雷同，書函予吳騫鑑別之，見《蓬廬文鈔》，頁 142。後《四庫全書提要》亦疑云：「《孟子年譜》一卷，舊本題元程復心撰，考朱彝尊《經義考》載譚貞默《孟子編年略》一卷，今未見其書，然彝尊所載貞默《自述》一篇，則與此書之《自述》不異一字，疑直以貞默之書詭題元人耳」。

㉔　《叢書集成新編》冊 99 稱《孟子弟子考》未分卷。

㉕　同前註，冊 18 稱《孟子考》二卷。

㉖　《群經疑辨》卷五。

子年表》❻。周氏綜述孟子生平事蹟，斟酌程氏、譚氏、萬氏及潘彥登《孟子生日考》❻、閻若璩《四書釋地》諸人所考，經網羅采善，搜討撮要，定見灼然，成《孟子出處時地考》，超越前賢，拔萃諸著。後淩廷堪序陳寶泉《孟子時事考徵》有所讚言「（周氏）實事求是，搜討靡遺」❻；任兆麟《孟子時事略》亦云：「周廣業《孟子出處時地考》，論之頗詳」❼；焦循《孟子正義》多所參摘。值近世，研析孟子生平事蹟如胡毓寰《孟子事蹟考略》，仍頗見採錄周著，稱周氏論「孟子先代姓名」之結論允當❼、「辨《史記通鑑》之誤，其說甚是」❼。

參、《孟子四考》之學術價值

周廣業於《孟子》用力最勤，有《孟子四考》、《孟子章指疏證》❼傳世，朱珪評云：「周君耕崖博學嗜古，兼綜諸家於孟氏之學。」標舉其「學力之勤，後之學者，欲於孟子之學有所津逮焉，舍是書何以哉。」❼

《孟子四考》❼成於清乾隆四十六年（1781）❼。今有《皇清經解續編》本、省吾盧藏本。全書依序分為《孟子逸文考》、《孟子異本考》、《孟子古注考》、《孟子出處時地考》四卷，搜逸訂譌，詳博精審，有功於鄒嶧之書。觀《孟子四考》篇次，周氏自謂搜討經史，涉獵子流，所稱引《孟子》，往往為內篇所無，是逸文；其與內篇錯出者，是異本；《周官》、《戴記》爵祿、封建、井田、學校之

---

❻　同註❼，頁 47。

❻　《孟子四考・孟子出處時地考》，頁 5 注語。

❻　淩廷堪：《孟子時事考徵・序》，見《孟子時事考徵》（臺北：廣文書局，1971 年）。

❼　《續修四庫全書總目提要》（北京：中華書局，1993 年）經部，四書類，頁 934。

❼　胡毓寰：《孟子事蹟考略》（臺北：正中書局，25 年），頁 14。

❼　同註❼，頁 41。

❼　《孟子章指疏證》一卷今未見，據焦循《孟子正義》，頁 44、463、490、512、519、528、529、531……等引。

❼　《清儒學案小傳》卷九附錄引《孟子四考・題辭》，今《皇清經解》本未錄。

❼　《孟子四考》，收《皇清經解新編》卷 227 至 230。據《清儒學案小傳》卷九附錄所載，有〈題辭〉及〈序〉，今《皇清經解新編》本未錄。

❼　馬重奇等編著：《孟子漫談》（臺北：頂淵文化事業公司，1997 年），頁 190。

制，同異甚多，見於《孟子》古注可考甚夥；蓋輯逸文、參異本、考古注，深有所得，切於知人論世，考證孟子出處時地，以撰《孟子四考》，書成，朱珪、吳白華擊節爲之序而行之，一時紙貴⓲。吳沖之曰：「耕崖樸學覃思，言必徵信。」⓳《續修四庫全書總目提要》云：「（《孟子四考》）不惟裒集逸文，具有甄別；《異本》、《古注》，亦皆明審；而於《出處時地》，稽考尤詳」，如辨齊「威」、「宣」王實爲一人而兩謚；又辨「伐燕非湣王時事」及孟子不事湣王，「具極有見」。

　　周氏成《孟子四考》鮮以先立假說，後求證據之「演繹法」入手。杜維運〈清乾嘉時代之歷史考證學〉⓴曾針對清儒「考據」方法云：「考證學派史家，……儲蓄之大量史料，再歸納而得其新說，此法創自顧炎武，至乾嘉而廣泛應用……，凡一說之立，必憑證據，由證據而產生其說，非由其說而尋找證據。」此亦可證周氏運用「歸納法」爲學之例。周氏又擅長應用其他相關輔助學科㉕，如結合經學、小學、史學、輿地、金石、版本、音韻、天算、目錄學、政制等各科知識來作考證。《孟子四考》所辨「齊威」、「齊宣」爲一人；辨「伐燕非湣王時事」㉑及「孟子不事湣王」㉒爲確，而以「孟子三歲喪父」爲妄；論《史記》「梁事之失」㉓，後人多稱爲是。其有重要考證，如下所述，乃犖犖大者：

　　1.辯證「音切」之始。舊說以「音切」始於孫炎，周氏觀裴駰、李賢引劉注，兼取其音，劉、孫雖同時人，而劉較前於孫，宜可謂「音切」始於劉熙。

　　2.考證山井鼎《七經孟子考文》、物觀《補遺》所據「古本」，前乎宋世㉔。

　　3.《孟子》外書於六朝時代尚存，唐初始佚㉕。而金朝仍多遵趙《注》，值元

⓲　〈周耕崖孝廉傳〉。
⓳　《清儒學案小傳》卷九附錄引《孟子四考・序》。
⓴　見《大陸雜誌》特刊第二輯，出版年不詳。
㉕　換言之，吾人可稱周廣業爲學亦有「科際整合」之觀念。
㉑　同註㊿，頁41。
㉒　同註㊿，頁47。
㉓　同註㊿，頁20，指《史記集解》、《通鑑考異》、《困學紀聞》並據《竹書》所云爲誤。
㉔　同註㉙，頁13「三代之以仁，三代夏殷周」條下案語。
㉕　《孟子四考・逸文考》，頁6，「逸孟子曰，戰者危事也」條下案語。

朝延祐年間設科，「孟子題」專用朱子《集注》，趙《注》日益微矣❽。

皆傳先哲之精蘊，益後學之啓蒙。

周氏《孟子四考》考訂訓詁源流，明本義與通假之別；諟正譌字❽、更定俗字❽、考正舊次❽、辨明原文❿，比對眾本，定其去取，記其異同，實加密於前賢之勘訂；兼備眾著，擇從善本，以訂書籍之錯訛、衍奪；所輯注文，遇有疑處未可驟定者，則比勘他籍以釋疑；其敏慧鉤稽，窮精力索，輯異本、逸文，以期微言不墮，使後學得嚐鼎臠。杜維運〈顧炎武與清代歷史考據派之形成〉❿論顧炎武治學方法「曰有四端，其一曰，證據之普遍歸納；其二曰，證據之反覆批評；其三曰，證據之確切提出；其四曰，證據之審慎組合。」斯之謂矣。潘眉《孟子遊歷考》指周廣業以「四十餘（歲）」疏解趙歧「孟子夙喪」之意爲乖❾，又駁「燕事可移」❾；近人胡毓寰《孟子事實考略》評《孟子出處時地考》從趙歧所云：孟子遊歷「先齊後梁」❾爲「成見」。除潘、胡所指孟子遊歷事，有待出土資料驗證外，其餘諸家批評皆見仁見智，無傷於周氏之立論。

周氏邃於孟學，《清儒學案》評「足與里堂《正義》相媲美」，吾觀焦循《孟子正義》徵引周氏書，多達百餘回，其中多據周氏《孟子四考》刪正宋人所述❾。另沈文倬點校焦氏《孟子正義》引文失誤、增字衍文❾，或脫落❾，或誤

---

❽　同註㉙，頁 7。

❽　同註㉝，頁 7，「孟子曰滕文公足葬」條下注語云：《冊府元龜》改「牛目」爲「半月」，
　　非是。又同註㉙，頁 11，「則寡取之」、頁 12，「捨矢如破」條下注語。又同註㊿，頁 9，
　　指陸德明《經典釋文‧春秋序》僞「鄲」爲「陬」。

❽　同註㉝，頁 6，「孟子曰頤蹙而言」條下注語。

❽　同註㉝，頁 11，「《史記‧列傳》《孟子》七篇，漢《志》依劉歆《七略》作十一篇，無內
　　外之說」條下注語。

❿　同註㉝，頁 2-3，「孟子說齊宣王」條下注語。

❿　載《清代史學與史家》（臺北：東大圖書公司，1984 年）。

❾　潘眉：《孟子遊歷考》，頁 6。收入《叢書集成續編》冊 259。

❾　同前註，頁 21。

❾　同註㊿，頁 19。

❾　同註㊺，頁 6 注語。

記[98]之處，亦屢據《孟子四考》補正焦著，宜乎言周廣業樸學根柢深厚，其孟學專著非僅轉精於前賢；其啓後學有功，誠不誣矣。

---

[96] 同註[55]，頁 279 至 280 所引：「周氏廣業《孟子出處時地考》云：『孟子居母憂三年，……括數年行止，藏無限心事，後人誤認止爲舍於逆旅……可嘆也』」。本段引文其中「藏無限心事」、「可嘆也」句即爲衍文。

[97] 同前註，頁 77 注語。

[98] 此類誤出，見《孟子正義》，頁 110、214、225、461 等處。

經　學　研　究　論　叢
第　六　輯　　　頁147～164
臺灣學生書局　　1999 年 3 月

口調五音與納音
——兼論「蒼天已死，黃天當立」

黃耀堃*

引　言

　　拙稿〈試釋神珙九弄圖的五音——及五音之家說略〉（下稱〈試釋〉）指出「五音之家」跟中國音韻學起源有密切的關係，「五音之家」有所謂「口有張歙，聲有內外」的口調之法，而這個「五音之家」最早出現於東漢。❶〈試釋〉與過去的說法不同❷，〈試釋〉刊登之後，有學者對此提出質疑。因此，本文準備添加一

---

*　黃耀堃，香港中文大學中國語言及文學系。

❶　INSHAROSO, *Journal of Chinese Philology* 第 11 號（京都：京都大學文學部中文研究室，1982 年 5 月），頁 43。所謂「口有張歙，聲有內外」，見於王充（27-91）《論衡・詰術》：「五音之家，用口調姓名及字，定姓其名，用名正其字。口有張歙，聲有內外，以定五音之宮商之實。」見《論衡集解》（北京：古籍出版社，1957 年 7 月），頁 501。

❷　過去的學者，如日本的岡井慎吾（Okai Shingo 1872-1945）舉出《周禮・疾醫》注中所謂「五聲言語宮商角徵羽也」，以及《漢書・藝文志》中標列有「五音」的書目，以至《淮南子・兵略訓》及《史記・蒼公列傳》有關部分，認爲這些都跟東漢王充（27-29）《論衡》所謂「五音之家」有關。見《玉篇の研究》第（二）的第一章11節及其附錄。東京：東洋文庫，1969年8月再版，頁230-274。唐蘭（1901-1979）〈論唐末以前的「輕重」和「清濁」〉論及有關《魏書・江式傳》和《論衡・詰術篇》中五音、韻部的問題時，認爲這些東西「在《管子》裡已略提到過。」（北京：北京大學出版部，1948年12月，頁1-2。）

些材料來補充說明一下，並討論一些〈試釋〉尚未論及的問題。

過去的學者之所以認爲「五音之家」起源甚早，最主要是把五姓、吹律（卜名）、六十甲子納音（或納甲）跟「五音之家」混而不分。❸五姓、吹律（卜名）、六十甲子納音（或納甲）三者起源很早，早在東漢以前已經出現，這確無可疑；在東漢以後和「口有張歙，聲有內外」之法口調五姓的五音之家相混，也是事實。而且，五姓、吹律（卜名）、六十甲子納音（或納甲）跟「五音之家」四者同屬陰陽五行之術，目的也有相似的地方。然而，論到它們的起源和運作方法，始終不能混爲一談，本文最主要就是要說明這一點。

一、五姓

所謂「五姓」，就是指與五行相配的姓氏。「五姓」很早就出現，如《左傳》哀公九年（前 486）有關趙鞅（生卒不詳）的記載。❹宋人王應麟（1223－1296）認爲「姓之有五音，蓋已見於此。」❺不過，王應麟這個說法不大可信。爲了清楚說明問題，不妨先看看《左傳》的原文：

> 晉趙鞅卜救鄭，遇水適火。占諸史趙、史墨、史龜。史龜曰：「是謂沈陽，可以興兵。利以伐姜，不利子商。伐齊則可，敵宋不吉。」史墨曰：「盈，水名也；子，水位也。名位敵，不可干也，炎帝爲火師，姜姓其後也。水勝火，伐姜則可。」……

在文中完全沒有出現任何涉及「五音」的語詞，王應麟只不過把五行——所謂「水姓」之類——易作五音。「五音」和「五行」相配，是古來的說法，但不能硬把《左傳》生套上去，不能隨便轉換。況且，東漢人已明指《左傳》這一類的「五

---

❸ 如現代學者張清常（1915-）〈李登聲類和「五音之家」的關係〉就把五姓、吹律（卜名），六十甲子納音（或納甲）跟「五音之家」混而不分。見《南開大學學報（人文科學）》1956年第 1 期，頁 35-39。

❹ 《春秋左傳正義》（嘉慶二十年[1815]江西南昌府學刊本）卷四十八，頁 17a-17b。

❺ 《漢藝文志考證》（北京：中華書局，1955 年 2 月，《二十五史補編》本）卷九，頁 42。

姓」（包括姓氏與「五音」相配之法）跟純粹以口調五音的「五姓」並非一物，如
王符（約 85－162）《潛夫論》就指出：

> 亦有妄傳姓於五音，設五宅之符第，其爲誣也甚矣！……今俗人不能推紀
> 本祖，而反欲以聲音言語定五行，誤莫甚焉。❻

「推紀本祖」的「五姓」就是跟《左傳》哀公九年那一類相近，而所謂「以聲音言
語定五行」就是用「口有張歙，聲有內外」之法口調五姓。王符把「推紀本祖」的
五行姓氏和「以聲音言語」所定的五行姓氏清楚分開來。東漢年間，五音之家頗爲
流行，王符這個看法表明當時的口調五音之法並非歷來的五行之說。王符在《潛夫
論》中提出他自己一套判別人姓五音之法，卻和王應麟的說法有點相像。❼因此，
反過來說明了《左傳》的五音姓氏是五行家之說，而不是口調五姓的五音之家的說
法。

　　五行家的五姓，當然不能早於五行家的出現，特別是未有五行家的生剋學說
之前，恐怕五姓也沒有存在的意義。因此五行家的五姓的上限，一定在生剋學說之
後。現代學者一般都相信五行生剋學說出現於戰國或以前。❽

　　《左傳》以後，五行家的五姓也見於西漢的載記，如《漢書‧谷永杜鄴
傳》：

> ……時有黑龍見東萊，上使尚書問永，受所欲言。永對曰：「……漢家行
> 夏正，夏正色黑。黑龍，同姓之象也。龍，陽德，由小之大，故爲王者瑞
> 應，未知同姓有見本朝，無繼嗣之慶，多危殆之際。」❾

---

❻ 《潛夫論》（北京：中華書局，1979 年 4 月，《潛夫論箋》本）卷六《卜列》，頁 296。

❼ 見《潛夫論‧卜列》：「……是故凡姓之有音也，必隨其本生之祖所王也。……」（同❻，
　《潛夫論箋》本，頁 297。）

❽ 請參閱饒宗頤（1916-）老師〈秦簡中的五行說與納音說〉一文，見《中國語文研究》第 7
　期，頁 35-39。

❾ 見《漢書補注》（光緒庚子[1900]春月長沙王氏校刊本）卷八十五，頁 9b-10a。

這個資料同樣表明這種五姓有別於口調的五姓。不過，谷永（生卒不詳）所謂「同姓之象」這句話不大好解釋。按五行家的說法，「黑」在五行屬水，黑龍出現之事當在西漢成帝永始元年（前 16）❿，而根據西漢末年頗爲流行的說法，漢家是以火德王，怎能說屬水的黑龍爲「同姓之象」，李光地（1642－1718）早就注意到這個問題，他提出：「永爲異姓游說漢以火德王，如何更以黑龍爲同姓？」而王先謙（1842－1917）則認爲：「漢以火王，水滅水，異姓爲陰類，此則王氏傾國之兆。」⓫按王先謙的解釋，「同姓」即「同爲水姓」之意，黑龍則暗示王莽（前45－23）之姓。但無論如何，漢家劉姓和新莽王姓在口調五音之說中，似乎都不能跟屬水的黑龍稱爲「同姓」。最明顯的是「王」姓，五音之家以爲屬商⓬，並且這是古今無異辭，按五行之說，商音之色爲白，而非黑。因此，如果王先謙「王氏傾國之兆」這個解釋沒有問題的話，則可證西漢末年「五姓」似尚非以口調五音來決定。不過，按五德終始之說，王莽也不是「水姓」，但無論如何，這裡尚非口調五音。⓭

　　前輩學者都認爲《漢書・王莽傳》之中所載李焉（生卒不詳）之事爲口調五音的最早記錄。⓮此事約發生在新朝地皇年間（20－23）⓯，〈試釋〉據此載記推斷五音之家起於東漢。因此，如果要說得準確一點，也許說五音之家最早出現於新朝比較合適。然而，這個載記也可以證明舊有的五姓和五音之家在當時尚未合流。

---

❿　〈谷永杜鄴傳〉：「元年九月黑龍見」，《漢書補注》引沈欽韓（1775－1831）之說：「〈成紀〉永始二年，詔曰：迺者龍見於東萊與此於二年冬。彼誤也」（同❾），頁 10a。

⓫　上見《漢書補注》卷八十五（同❾），頁 10a。

⓬　請參閱拙稿《有關「五音之家」資料初編》（一）（INSHAROSO, *Journal of Chinese Philology*第12號。京都：京都大學文學部中文研究室，1982年12月）及（二）（INSHAROSO, *Journal of Chinese Philology*第13號。京都：京都大學文學部中文研究室，1983年5月）。

⓭　請參閱顧頡剛（1893-1980）〈五德終始說下的政治和歷史〉中有關部分，見《古史辨》第 5 冊，頁 564-565。

⓮　如逯欽立（1910-1973）〈四聲考〉謂：「尋以宮商角微羽分別字類，漢世占卜者流即已用之」，即舉王況、李焉之事爲例。見《漢魏六朝文學論集》（西安：陝西人民出版社，1984 年 11 月），頁 534。

⓯　《漢書補注》（同❾）卷九十九下，頁 12a。

現在看看這段〈王莽傳〉的原文：

> （王）莽壞漢孝武、孝昭廟，分葬子孫。其中魏成大尹李焉與卜者王況
> 謀，況謂焉曰：「……君姓李，李者徵；徵，火也。當爲漢輔。」因爲焉
> 作讖書。……莽以王況讖言——荊楚當興，李氏爲輔——欲厭之，迺拜侍
> 中掌牧大夫李棽爲大將軍揚州牧，賜名「聖」。❻

王先謙指出「李者徵」的「者」字，「南監本亦作『者』，官本作『音』，
是」。❼上面已提到在西漢末年時流行的五行學說認爲漢家以火德王，因此劉秀
（前 5−57）奉爲權威的讖書也叫做《赤伏符》，《赤伏符》說：「劉秀發兵，捕
不道。四夷雲集，龍鬥野。四七之際，火爲主。」❽劉秀當了皇帝不久，在建武二
年（26）「起高廟，建社稷於洛陽，立郊於城南，始正火德，色尚赤」❾，「始正
火德」也者，就是要標明尚火德。當王的是「火」，那麼輔助的不應是「火」，
「李」姓的五音爲徵（火），正與劉姓相衝。因此，如果王況所用的是口調五音法
的話，那麼此法與當時五德終始之說有矛盾，可見五音之家與一般的五行家之間似
有出入。王況的說法沒有引起別人多大注意，但他的讖書卻引起王莽的恐慌，派人
「厭勝」。然而王莽「厭勝」之法顯然不是五音之家的方法。後來劉秀發兵似乎也
用了王況的讖書中所謂「劉氏復起，李氏爲輔」之說，不過，用的只是姓氏的部
分，與五音姓氏無干，足證五音姓的說法，在當時尚未被人接受。

　　從上面羅列的資料來看，一般的五行家和五音之家所定的五姓，最初是界限
分明，不過，後來才把它們相混起來，可惜不少現代學者也不知其中的分別。❿大
約導致兩者相混的原因之一，是涉及到氏姓制度的問題，而古今的氏姓制度有很大
的分別。

---

❻　《漢書補注》（同❾）卷九十九下，頁 12a-13a。
❼　《漢書補注》（同❾）卷九十九下，頁 12a。
❽　《後漢書‧光武紀》（乙卯[1915]秋長沙王氏校刊《後漢書集解》本），頁 15a。
❾　《後漢書‧光武紀》（同❽《後漢書集解》本），頁 18b。
❿　拙稿〈「五音之家」研究史——近代、現代編〉對此有詳細論述（未刊）。

二、吹律卜名

「吹律卜名」是指以吹動律管來卜取「名」字，本來與姓氏沒有直接的關係。不過，到了漢代「吹律卜名」也包括了「姓」，如《漢書》稱京房（前 77－前 37）「本姓李，推律自定爲京氏」。㉑吹律卜名的起源也很早，如賈誼（前 200－前 168）《新書》所引的《青史氏之記》：

> ……太子生而泣，太師吹銅，曰「聲中某律」；太宰曰「滋味上某」；太卜曰「命云某」。……然後卜王太子名，……㉒

《青史氏之記》疑爲《漢書・藝文志・諸子略》「小說家」中的《青史子》㉓，除了《新書》之外，《大戴禮記》也有援引過這一段《青史氏之記》㉔，因此，這段文字可信爲先秦逸文。王先謙認爲這段《青史氏之記》裡的「卜名」，就是吹律卜名。㉕此外，又見於《白虎通・姓名》：

> 名或兼或單何？示非一也，或聽其聲，以律定名，或依其事，旁其形，故名或兼或單也。㉖

以上兩段所提到的「卜名」，都是用「律」，或者所謂「銅」，當即爲「銅律」，用銅製的「律管」。至於上面提到京房推定自己的氏爲「京」，所謂「推律」恐怕也是用同樣的方法。律管雖然跟音階有關，但用律管的方法和用「聲有內外，口有

㉑ 《漢書補注》（同❾）卷七十五，頁 11b。

㉒ 《新書》（《四部備要》本）卷十〈胎教〉，頁 62。

㉓ 《漢書補注》（同❾）卷三十，頁 50a。

㉔ 《大戴禮記解詁》（北京：中華書局，1983 年 3 月）卷三〈保傅〉，頁 59-60。

㉕ 《漢書・藝文志》：「《五音定名》十五卷」，王先謙注：「……《易是類謀》云：吹律卜名。義亦見《大戴禮》。五音定名當謂此」（頁 72b）。

㉖ 《白虎通疏證》（光緒元年[1895]春淮南書局刊本）卷九〈姓名〉，頁 6b。

張歆」的方法不同。不妨看看《周禮‧大師》「大師，執同律以聽軍聲，而詔吉凶」的鄭玄（129－200）注：

> 大師，大起軍師。兵書曰：王者行師出軍之日，授將弓矢，士卒振旅，將張弓大呼，大師吹律合音。商則戰勝，軍士強；角則軍擾多變，失士心；宮則軍和，士卒同心；徵則將急數怒，軍士勞；羽則兵弱，少威明。❷⑦

這裡所引的「兵書」沒有涉及「卜名」，但所用的「執同（銅）律」來聽聲的方法❷⑧，應是大率相同。當然，其中涉及到「值日律管」的問題，又和京房的理論有關，現在暫且不討論，請參閱〈試釋〉第五節。從鄭玄注中所謂「吹律合音」來看，「吹律」只是求取相對音高（甚至只是在一特定條件下的絕對音高）❷⑨，而絕不涉及口腔發音部位，可見「吹律卜名」和口調五音之法並非相同，實在毋庸多言。

　　此外，這裡再要補充一下的，「卜名」或「卜姓」的制度起源也很早，先秦兩漢的典籍中存有不少例子，如《禮記》的〈曲禮〉和〈坊記〉均有「買妾不知其姓則卜之」的說法❸⓪，其目的在乎求問吉凶，而非五姓相生相剋。因此王充雖反對五音之家口調五音之說，但不反對「卜名」、「卜姓」，並以《禮記》「買妾不知其姓則卜之」一語來詰難五音之家。❸①這也可以說當時口調五音的五音姓和「卜名」、「卜姓」並不相同。

　　「吹律卜名」似乎流傳久遠，直至南北朝時也可以找到它的蹤影，如《南齊書》的〈輿服志〉所載：

---

❷⑦　《周禮注疏》（嘉慶二十年[1815]江西南昌府學開雕本）卷二十三，頁 15b。

❷⑧　按：「同」即「銅」。

❷⑨　按：律管的音高是絕對音高，但文中又云五音，當即以律管的音高爲基音，而推求出五音。

❸⓪　《禮記正義》（嘉慶二十年[1815]江西南昌府學刊本）卷二，頁 14a，及卷五十一，頁 25a-25b。

❸①　見《論衡‧詰術篇》（同❶，《論衡集解》本），頁 502。

……永明初，太子步兵校尉伏曼容議，以爲：「齊德尚青，五路五牛及五色幡旗，並宜以先青爲次。軍容戎事之所乘，犧牲繭握之所薦，並宜悉依尚色。三代服色，以姓音爲尚，漢不識音，故還尚其行運之色。今既無善律，則大齊所尚，亦宜依漢道。若有善吹律者，便應還取姓尚」。

雖然伏曼容（420－502）的議論立即遭到周顒（?－485）等人的駁議，譏伏曼容爲「三代姓音，古無前記，裁音配尚，起自曼容」。❸這並不是說當時「吹律卜名」之說已經無人知曉，而只是說明周顒的無知。伏曼容的奏議中提到「若有善吹律者，便應還取姓尚」，言下之意，就是他有吹律之法，只不過沒有善於吹律的人而已。

此外，那些興於王莽或以後的緯讖，如《易諱是謀類》、《春秋演孔圖》、《孝經援神契》，以及「樂緯」之類，說到黃帝、孔丘（前 551－前 479）等都是用「吹律」❸，而非用口調五音之法。當然，現存的緯書只是殘留下來極少的部分，但可以間接說明了西漢末年至東漢初年，在社會上流行的「卜名」、「卜姓」之術仍然是以「吹律」爲主。

三、納　音

上文提到《漢書》之中王況的載記，可以推前到新朝。不過，新莽年代太短，算入東漢也不爲過，因此〈試釋〉之說也可以接受。至於西漢以前尚未見有確實的資料，不能確知有沒有口調五音之術，以及五音之家出現了沒有。當然從民俗學的觀點來看，民間流傳的東西，可能經過幾十年，以至幾百年才見諸文獻。

不過，由於〈有關「五音之家」資料初編〉（下稱〈初編〉）收集了很多「六十甲子納音」和「納甲」（下統稱「納音」）的材料，而且其中很多屬於東漢以前的典籍，以致部分讀者產生錯覺，以爲〈試釋〉與〈初編〉的資料矛盾。加上

---

❸　《南齊書》（北京：中華書局，1972 年 1 月）卷十七，頁 336。
❸　請參閱〈初編〉的「經類」，見 INSHAROSO, *Journal of Chinese Philology* 第 12 號（同❶），頁 89-95。

〈試釋〉沒有詳細討論納音這個問題，更令讀者懷疑。撰寫〈試釋〉的時候，自己以爲是納音是較接近於術數學，自己既懂不多，實際上在和語音史關係也不大，結果寫得極爲簡略，而引一些不必要的誤會，本人爲此深感抱歉。不過，這裡也不擬詳細討論納音的問題，只根據饒宗頤老師的大論〈秦簡中的五行與納音說〉來說明一下。

〈秦簡中的五行與納音說〉一文對納音有相當詳盡說明，因此對分辨納音和口調五音的分別，極有幫助。根據〈秦簡中的五行與納音說〉一文（下簡稱〈秦簡說〉）的說法，〈試釋〉論到五音之家起源的看法仍然站得住腳，也就是說五音之家最初是與納音無關，後來才與納音合流。〈秦簡說〉指出秦簡《日書》是跟納音有關，根據《雲夢秦簡日書研究》的圖片，應該有兩部分，現在把這兩部分抄下：

> 到室：……己酉，從遠行入有三喜。〈禹須臾〉：戊己丙丁庚辛旦行有二喜，甲乙壬癸丙丁日中行有五喜，庚辛戊己壬癸餔時行有七喜，壬癸庚辛甲乙夕行有九喜。❸❹

以上是第一段，第二段是：

> 〈禹須臾〉：辛亥、辛巳、甲子、乙丑、乙未、壬申、壬寅、癸卯、庚戌、庚辰，莫市以行有九喜。癸亥。癸巳、丙子、丙午、丁丑、丁未、乙酉、乙卯、甲寅、甲申、壬戌、壬辰，日中以行有五喜。己亥、己巳、癸丑、癸未、庚申、庚寅、辛酉、辛卯、戊戌、戊辰、壬午，市日以行有七喜。丙寅、丙申、丁酉、丁卯、甲戌、甲辰、乙亥、乙巳、戊午、己丑、己未，莫食以行有三喜。戊申、戊寅、己酉、己卯、丙戌、丙辰、丁亥、丁巳、庚子、庚午、辛丑、辛未，旦以行有二喜。❸❺

---

❸❹ 香港：中文大學出版社，1982 年。圖版 12。

❸❺ 同上。圖版 23。按：這裡第一段文字和〈秦簡說〉略有不同，多了一句「己酉，從遠行入有三喜」，竊意此句當是〈禹須臾〉原文，可能是抄寫忙亂，先抄上這一句，才發覺漏注「禹

〈秦簡說〉指出這兩段「雖無寫明五音十二律之名，但所記干支日辰都符合五行分配下隔八相生的律呂現象」。㊱〈秦簡說〉為後世納音和推律找出了先秦的實例，把前人以為納音出自漢人之說推翻。不過在《日書》之中，沒有列出音階和律名，只能看作納音和推律之類占卜術的濫觴而已，更不能找出它跟口調五音有什麼關係，足證納音最早和口調五音的五音之家無關（有關秦簡《日書》的問題，已另撰文討論，於此從略）。因此，把《日書》的〈禹須臾〉看作口調五音的五音之家的最早的材料，恐怕尚待補充。

秦簡《日書》並沒有出現五音的名稱，因此與其把這些指為納音的材料，不如稱之為納甲的材料。不過，為行文方便，籠統稱之為納音。最早真正出現五音之名而有關納音的文獻，大約要算銀雀山出土題為《天地八風五行客主五音之居》（下稱《五音之居》）的漢簡。

《五音之居》是和四千多條漢簡混在一起，在山東臨沂銀雀山一號西漢墓出土。據知《五音之居》第一次公開發表，是吳九龍（生年不詳）的《銀雀山漢簡釋文》（下稱《漢簡釋文》）。㊲關於這批漢簡的書寫年代，《漢簡釋文》有下列論述：

> 根據上述考古資料的推斷，一號墓下葬年代當在公元前 140－118 年之間（即漢武帝建元元年至元狩五年——引按）；……漢簡的書寫年代自然早於墓葬年代。……漢簡的字體屬早期隸書，與湖北雲夢秦簡和長沙馬王堆西漢帛書字體比較，估計漢簡是在西漢文帝、景帝至武帝初期這段時期內書寫的。㊳

如果《漢簡釋文》的看法是正確的話，《五音之居》最遲也是元狩五年之前的東西

須臾」三字，才於下一行補上。《雲夢秦簡日書研究》也認為第一段應有「『三喜』屬火一行」（頁39），足證「己酉，從遠行入有三喜」當為〈禹須臾〉原文。

㊱ 同❽。頁 45。原文加著重號的部，此處作加底線。

㊲ 北京：文物出版社，1985 年 12 月。

㊳ 同上。頁 13。

了。可惜的是《漢簡釋文》沒有把《五音之居》整理成篇，只按整批漢簡的出土時的順序，和其他篇章混在一起發表。據云《五音之居》原是作圖表的形式，據《漢簡釋文》所謂：

> 此圖表係十二簡編聯成，從圖中心向四方繪八條朱紅色線，以代表八種風。一年十二月分成四組，於圖四角由內向外放射狀排列。㊴

由於未見到圖片，很難想像原物的圖形，只按照釋文更難於把它復元起來。現在按照《漢簡釋文》把有關五音的幾條抄下來：

> (1198)宮○宮風：庚子、辛丑、庚午、辛未、戊申、己酉……
>
> (984)商○商風：庚辰、辛巳、庚……
>
> (931)角○角風：戊戌、己亥、戊亥、己巳、庚……
>
> (1647)○角風：當生長三日，宿戒五日，兵□……
>
> (1475)徵○徵風：丙寅、丁卯、甲戌、乙亥、丙申
>
> (960)禹（羽）○禹（羽）風：壬辰、癸巳、壬戌、癸亥……㊵

因出土漢簡殘缺得很屬害，而且納音所屬只保留前半部。不過，其中內容大致和後來的納音的方去符合，只是干支的排列次序頗為奇特，可能由於原文是圖表，為了遷就圖表，於是排成這樣也說不定。

雖然《五音之居》中，五音和納音同時出現，但今殘存近百枚的《五音之居》漢簡裡，完全沒有出現「五姓」的字樣，因此從《五音之居》來分析，足證當時納音尚未和五姓，或者與口調五音發生直接關係。

《五音之居》既沒有五姓，更沒有口調五音的五音之家的資料，足證納音和

㊴ 此處的數字是按《漢簡釋文》的編號，次序則依五音。按：《漢簡釋文》第1475條，「戌」誤作「戍」。

㊵ 此處的數字是按《漢簡釋文》的編號。

五姓占驗本來無關，也證明它們只是在西漢之後才發生關係。與《五音之居》大略同時的書面材料也可作爲旁證，如褚少孫（生卒不詳）所補的《史記·日者列傳》稱：

> 孝武帝時，聚會占家問之，某日可取婦乎？五行家曰：「可！」堪輿家曰：「不可！」建除家曰：「不吉！」叢辰家曰：「大凶！」，曆家曰：「小凶！」天人家曰：「小吉！」太一家曰：「大吉！」辯訟不決，以狀聞。制曰：避諸死忌，以行爲主。❹

這段文字之中，各類利用五行之術的占卜家都出現了，只是五音之家沒有出現。誠然堪輿家、叢辰家、曆家在後來都和五音之家有關❷，五音之家可能被涵蓋於諸家之中，然而反過來，可以說那時五音之家尚未成爲獨立的一家，更可以斷言的了。

上面所引的只是《五音之居》涉及五音的部份。如果把《五音之居》中有關占卜的部分，即所謂「主勝客勝」的部分，和相傳爲西漢翼奉（生卒不詳）的《風角要候》比較一下，發覺二者之相似的地方很多，如：

> (2302)利客○庚子、立丑、寅癸……
> (2324)寅辛卯壬辰癸巳，主人八不如客……❸

舊抄本《天地瑞祥志》所引《風角要候》也有相近的地方。❹

現存的文獻有關翼奉的資料不多，只知道他傳《齊詩》，見《漢書·翼奉傳》：「翼奉，字少君，東海下邳人也。治《齊詩》，與蕭望之、匡衡同師。」❺

---

❹　見《史記》（北京：中華書局，1959 年 9 月）卷一百二十七，頁 3222。

❷　按：《漢書·藝文志》的「五行」類有《鍾律叢辰日苑》二十三卷（卷 30，同❾，頁 70b），疑此爲叢辰家與五音（十二律）結合一起，其餘堪輿家及曆家則不須在此贅言了。

❸　此處的數字是按《漢簡釋文》的編號。

❹　《天地瑞祥志》（京都大學人文科學研究所藏舊抄本）卷十二，無頁碼。

❺　《漢書補注》（同❾）卷七十五，頁 11b。

按《漢書·儒林傳》則其師爲后蒼（西漢人）⑯，因此王應麟《漢藝文志考證》以爲「『齊詩』有翼奉、匡師伏之學」⑰，《齊詩》之學的特點是多言五行災異之屬，有所謂「三基、四始、五際、六情」之說。⑱「六情」固見於《漢書·翼奉傳》和《風角要候》⑲，也見於其他有關五音風角的記載，如《南齊書·五行志》。⑳《漢書·翼奉傳》所謂：

> ……《詩》之爲學，情性而已，五性不相害，六情更興廢，觀性之歷，觀性之歷，觀情以律，……㉑

張晏（生卒不詳）注：

> 性謂五行也，歷謂日也。……情謂六情：廉貞、寬大、公正、姦邪、陰賊、貪狼也。律，謂十二律也。㉒

《南齊書》獨缺「公正」一種。

《齊詩》的「六情」是和《易》學有關，一般認爲是干寶（東晉人）把「六情」牽合《易》義，不過值得注意的是，他牽合不是普通的《易》理，而是所謂「納支應情說」㉓，「納支」與納甲相近。㉔

㉖ 《漢書補注》（同⑨）卷八十八，頁 19b。

㉗ 《漢藝文志考證》（同⑤）卷二，頁 10。

㉘ 請閱《齊詩學之三基四始五際六情說探微》，見《成功大學學報》第 20 卷（1985 年 7 月）。

㉙ 《漢書補注》（同⑨）卷七十五，頁 12a-13b，及《天地瑞祥志》（同⑭）卷十二，無頁號。

㉚ 《南齊書·五行志》（北京：中華書局，1972 年 1 月），頁 377-378。

㉛ 《漢書補注》（同⑨）卷七十五，頁 14b-15a。

㉜ 《漢書補注》（同⑨）卷七十五，頁 14b-15a。

㉝ 請參考《魏晉南北朝易學書考佚》（臺北：幼獅文化事業公司，1975 年 11 月），頁 396-388。

此外，《齊詩》的「三基說」，也是和《易》學有關，《後漢書·郎顗傳》稱：

> 臣伏惟漢興以來三百三十九歲，於《詩》三基，高祖起亥仲二年，今在戌仲十年，……於《易雄雌秘歷》，今值困乏，凡九二困者，眾小人欲共困害君子也。⑤⑤

惠棟（1697－1758）以《雄雌秘歷》爲卦氣陰陽之書⑤⑥，而卦氣之說出於孟喜（西漢人）⑤⑦，「三基」之說又配十二辰，但孟喜的卦氣之說，未配十二支，配十二支者始見於《易緯·稽覽圖》，《易學哲學史》以爲《稽覽圖》的卦氣說當出於京房的卦氣說之後。⑤⑧

前人認爲納音（納甲）之法出於京房，但現在從《五音之居》來看武帝時已有納音（納甲）。要是從秦簡〈禹須臾〉來考慮的話，納音已見於戰國之世。不過從京房的師承，也可以追溯納音的來源。京房的老師是焦延壽（西漢人），見《漢書·儒林傳》：

> 京房受《易》梁人焦延壽，延壽云嘗從孟喜問《易》，會喜死，房以爲延壽《易》即孟氏學。⑤⑨

雖然惠棟《易漢學》據晁說之（1059－1129）說，以爲孟喜已用納音⑥⑩，但鈴木由

---

⑤④ 請參閱《易學哲學史》上冊（北京：北京大學出版社，1986 年 11 月），所謂：「甲爲十干之首，故此說稱爲『納甲』；配以十二支，稱爲『納支』」，頁 126。

⑤⑤ 《後漢書集解》（同⑱，《後漢書集解》本）卷三十下，頁 9a-9b。

⑤⑥ 《後漢書集解》（同⑱，《後漢書集解》本）卷三十下引，頁 9a。

⑤⑦ 見《新唐書·曆志》（北京：中華書局，1975 年 2 月）卷二十七上引《卦廣義》：「十二月卦出於《孟氏章句》，其說易本於氣，而後以人事明之」，頁 598。

⑤⑧ 《易學哲學史》上冊（同⑤④），頁 119-120。

⑤⑨ 《漢書補注》（同⑨）卷八十八，頁 10a。

⑥⑩ 見《易漢學》（光緒丙申本年[1896]彙文軒藏板本）卷三，頁 2b。

次郎（Suzuki Yoshijiro 1901－1976）認為僅此一條，不能作定。❻況且，孟喜之說，只有八卦、干支，而無五音、十二律之類。不過，無論如何〈禹須臾〉也好，《五音之居》也好，都沒有出現八卦、十二律，只有干支、五行、五音而已，因此，在孟喜那裡，只有納甲，而沒有納音。

　　現在，再來研究一下焦延壽、京房一派的《易》學，這一派跟孟喜似乎並不一樣，《漢書・儒林傳》又說：

　　……至成帝時，劉向校書考《易》說，以為諸《易》家說皆祖田何、楊叔、丁將軍，大誼略同，唯京氏為異黨。

並道出京房，也就是焦延壽的《易》學的來源，所謂：「焦延壽獨得隱士之說，託之孟氏，不相與同。」❻「隱士之說」也者，實際上是指民間的《易》學，也就是比較接近占卜術的《易》學，而焦延壽和京房本身都是以占驗得官。京房的納音之法，除了沒有口調五音之術外，八卦、干支、五行、十二律、五音全部都出現。至於焦延壽，他所著的《易林》之中也有納音出現❻，雖然也沒有出現十二律和五音，但他「分六十四卦更直日用事」❻，和京房「以六十律分期之日」之法相近❻，請閱〈試釋〉第五節。當然，焦氏《易》學和京氏《易》學並不完全相同，黃伯思（1079－?）已指出了，不過焦延壽和京房二人同出一個系統則毫無疑問。❻

　　〈試釋〉已指出京房之說源於《淮南子・天文訓》，《淮南子》的學說時採民間雜學，焦延壽、京房一派本「隱士之說」──民間之說，因此京房自然和《淮

❻　《漢易研究》第二部《漢代象數易の研究》（東京：明德出版社，1963 年 3 月），頁 240。

❻　《漢書補注》（同❾）卷八十八，頁 10a-10b。

❻　此據鈴木由次郎之說，見《漢易研究》第二部《漢代象數易の研究》（同❻，頁 24）。又《易林》下經卷二「家人」之「大壯」（正統《道藏》本，頁 4b）卷四「漸」之「旅」（頁 18b）。

❻　《漢書補注》（同❾）卷七十五，頁 6a。

❻　《續漢書・律曆志》（同❽，《後漢書集解》本），頁 4a。

❻　見《經義考》卷六引（《四部備要》本），頁 45。

南子》有相通之處。總的來說，在民間已有納音（納甲）之法，而焦延壽、京房二人用來說《易》，不過，可肯定納音之中出現十二律，是京房的新說，見《漢書・京房傳》：「房用之，尤精好鍾律，知音聲」[67]，言下之意是京房加之以鍾律音聲。

當然孟喜的《易》學之中，也有納音的東西，如「卦氣說」，它和納音的原理是相通的，但比起京房的「納音說」包羅八卦、干支、五行、十二律、五音來，似乎相去很遠。

現在來看看納音是怎樣的東西，首把甲子定爲「金」，爲什麼定爲「金」呢？因爲〈說卦〉把乾定於西北方[68]，而西方五行屬金，因此甲子也屬金了；和甲子隔了七個的壬申，也按次回到乾的位置上，因此也屬金；再隔了七個，庚辰也回到乾的位置上，因此也屬金。而乾只有三爻，三次重覆之後，就把五行所屬推移一個，即由金推移至火，如是五回的三次重覆，又回到甲子的位置上，如果乙丑也如甲子那樣五回推衍，一樣也回到乙丑那裡，甲子之數是六十，用日子來算就是頭一個月是由甲子至癸巳，第二個月是由甲午至癸亥，其他一如甲子、乙丑那樣反覆五次，結果是把六十甲子都分屬五行了。以上就是最原始的納音（納甲）之法了。

後來東漢的魏伯陽（生卒不詳）的月體納音[69]，其實也是同樣原理，他只不過把六十甲子合作一個月。而魏伯陽之學也非正統的《易》學，可算是民間俗學的一種。由此，可以側面說明京房的「納音說」，也是這種民間《易》學一系，只是京房把它加以系統化和理論化而已。

總的來說，納音是五行和八卦（也許有十二月）配合六十甲子的產物，只是後來配上了十二律，但無論如何，它本跟口調五音是沒有關係的。不過，後來《切韻》的排列，特別是韻目取字跟八卦有密切的關係，請參閱拙論《試論歸三十字母

---

[67]　《漢書補注》（同[9]）卷七十五，頁 6a。按：上文引劉歆《三統曆》，鍾律娶妻生子之說，是跟八卦關係密切，因此，京房「尤精鍾律，知音聲」，而編定納音之法，也可能跟劉歆《三統曆》之理相通。

[68]　見《周易正義》（嘉慶二十年[1815]江西南昌府學刊本）卷九，頁 5b。

[69]　見《參同契考異》（《四部備要》本），頁 6-12。

例在韻學史的地位》⑳，《歸三十字母例》與韻目相配，而分作八組排列，似乎也有八卦的影子。

四、「蒼天已死，黃天當立」

到了東漢以後，納音也好，推律也好，都不能分得清楚了，而納音本身也混和了各式各樣的占卜術。現在找出一個歷史事件來說明一下，這就是東漢末的黃巾軍的問題，先看看《後漢書・皇甫嵩傳》：

> 初，鉅鹿張角自稱「大賢良師」，奉事黃老道，……訛言：「蒼天已死，黃天當立，歲在甲子，天下大吉」，以白土書京城寺門及州郡官府，皆作「甲子」字。⑪

這是東漢史、三國史常引的史料，一般歷史書提到黃巾軍，都少不了這一條，但似乎沒有人作過清楚和合理的解釋，只是把「蒼天」解作漢王朝，而把「黃天」解作黃巾軍。當然，這個解釋沒錯，但憑什麼道理作這樣的解釋，則未見有人清楚論及，如呂思勉（1884－1957）《呂思勉讀史札記》「太平道、五斗米道」條以為「蒼天」是「赤天」之誤⑫，有改字之嫌；而方詩銘（生年不詳）《曹操・袁紹・黃巾》一書探討了「黃」這個問題，但對「蒼天」的「蒼」則採熊德基（生年不詳）之說，以為只是影射統治者之意⑬，但對「白土」書「甲子」字之意，並無論及。

其實這是涉及五音之家的說法，再加上五行家的生剋之說，因此表面上相當複雜。「劉」和「張」的五所屬，幾乎歷來沒有異說，漢王朝「劉」姓，按五音之家分類，是屬宮姓；張角的「張」姓，則屬商姓（請參閱〈初編〉）。從表面來看

---

⑳ INSHAROSO, *Journal of Chinese Philology* 第 17 號（京都：京都大學文學部中文研究室，1991 年 12 月）。

⑪ 《後漢書集解》（同⑱，《後漢書集解》本）卷七十一，頁 1a-1b。

⑫ 上海：上海古籍出版社，1982 年 8 月，頁 778。

⑬ 上海：上海社會科學院出版社，無出版年月（後記題作 1995 年），頁 240-241。

「宮」和「商」，似乎跟「蒼天」和「黃天」沒有關係。不過加上五行生剋，就比較容易明白個中的玄妙。宮屬土，而木勝土，木爲蒼色；商屬金，而土生金，土爲黃色。因此把漢家稱作蒼天，用意爲取其勝數，把黃巾軍稱作黃天，則爲取其生數。

　　單從姓名和生剋來分析，是難以使人相信黃巾軍是和五音之家有關，但如果從整個事件來看，則完全合情合理。黃巾軍以「白土書京城寺門及州郡官府」，按五行「白」屬金，正與張角的姓相應；「期在甲子」的「甲子」，在納音屬金。此外，黃巾軍相約舉事之日是「三月五日」❼❹，也和納音金有關，按甲子年當爲漢靈帝中平元年（184），是年三月五日爲庚子❼❺，庚子納音屬金。

　　「白土」、「甲子」、「三月五日」都和張角的姓氏的納音相同，因此上面把「蒼天已死，黃天當立」解釋爲五音之家口調五音，並且加上五行生剋，似是沒有問題的了。

　　現在再回頭看看，上面曾提到漢王朝的德王問題，在東漢時，漢家屬火之說，已是毫無疑問的了。但黃巾軍一事偏偏不用漢家屬火之說，足證五音之家被《潛夫論》譏爲「不能推紀本祖」，看來並非譖誣之談了。

1997 秋再訂

---

❼❹　《後漢書集解》（同❶❽，《後漢書集解》本）卷七十一，頁 1b。

❼❺　據《二十史朔閏表》（北京：中華書局，1978 年 3 月第二次印刷）中平元年即光和七年，三
　　月初一爲丙午（頁 40），因此初五（五日）即爲庚子。

經 學 研 究 論 叢
第 六 輯　　　頁165～170
臺灣學生書局　　1999 年 3 月

郭店楚簡的孝道思想

朱榮貴*

　　根據郭店楚墓竹簡的年代大約在公元前前三百年左右的假設，本文想探討楚簡中所記載的孝道觀念如何顯示出孔子與孟子之間的過渡時間之思想。換句話說，我認爲我們可以從楚簡中看出孝的觀念從個人對父母的敬愛與撫養，以及重視祭祀祖先的私德，發展成一種政治性的公德的過程。《論語》中孔子論孝的話都是針對親子之間的關係而說的很具體的行爲準則，可是到了《孟子》孝已經擴展成爲一種統治人民的德性。因此我認爲在儒家孝道思想的發展上，楚簡填補了孔、孟之間的發展線索，使我們更清楚了解思孟學派（經由曾子、子思，傳承到孟子）如何成爲先秦儒家思想的主軸。此外，如果我們假定《孝經》成書於秦朝（公元前 221～207），則在楚簡中我們亦可以看到《孝經》思想的雛型。

　　楚簡別強調孝應該出於子女對父母感恩之心，是自然做出來的行爲，不是被強迫而履行的義務，或是矯揉做作的炫耀。楚簡中的〈語叢〉有兩則非常有特色的話：「爲孝，此非孝也。爲弟，此非弟也。」❶「父孝子愛，非有爲也。」❷根據龐樸的解釋，「爲」是指「人的有意作爲，即非自然的行爲，非眞情的行爲。這是道家所一貫反對的。而親子間最需要的是自然感情，也是眞情最流露的地方，所以

---

* 　朱榮貴，中央研究院中國文哲研究所助研究員。

❶ 　荊門市博物館編：《郭店楚墓竹簡》（北京：文物出版社，1998 年），頁 195。以下引文僅舉頁數。

❷ 　頁 209。

孝慈，應該是親子真情的交流，而不容有點造作。」❸

　　竹簡〈老子‧甲〉本開頭就有一句話說：「絕知棄辦，民利百倍。絕巧棄利，盜賊無有。絕偽棄詐，民復孝慈。」龐樸因為上述〈語叢〉的話以及其他論證，認為「絕偽棄詐」應該定為「絕為棄作」，才能顯出竹簡思想的本意。❹《論語》非常強調孝行一定要有敬愛父母的心才是真是的孝。子曰：「今之孝者，是謂能養。至於犬馬，皆能有養。不敬，何以別乎？」❺至於竹簡何以說「父孝子愛」，不是說「父愛子孝」，或是「父慈子愛」則令人難以理解。

　　《孟子》更加強調子女對父母的愛敬應該是出於自願的，甚至對於不慈愛，暴虐的父母，子女也應該無怨無悔的孝順父母。孟子回答萬章的問題，為什麼舜去田裏對旻天號泣，說：「我竭力耕田，共為子職而已矣，父母之不我愛，於我何哉？」❻這種思想可以說是將郭店竹簡「為孝，此非孝也」的主張極端化。如果孝應該是子女自然的感情流露，孟子的主張是無論父母接不接受子女自然的孝心，子女都應該無條件的孝。在《論語》中我們找不到這種單方面要求子女孝的話，而在郭店竹簡中我們隱隱約約可以看到把孝當做絕對的義務的思想。雖然「非有為也」的本意是要強調孝行不是強迫的行為，但是若將孝視為一種「天職」，則從某種角度來看，會是子女所不可能逃避的責任，因此就會產生強制性。

　　郭店竹簡有一篇叫做〈唐虞之道〉，贊頌堯舜之間的禪讓，但是更有特色是主張堯將帝位讓給舜是因為舜是個孝子。「堯舜之行，愛親尊賢。愛親故孝，尊賢故徙（禪讓）。」❼這種看法也未見於《論語》，可是《孟子》則把舜理想化成為最偉大的孝子，說「舜盡事親之道」❽，「堯舜之道孝弟而已矣。」❾而且也認為

---

❸　龐樸：〈古墓新知——讀郭店楚簡〉，《國際儒學聯合會簡報》，1998 年第 2 期（1998 年 6
　　月），頁 27。

❹　同上註。

❺　〈為政〉。

❻　〈萬章上〉，第一章。

❼　〈唐虞之道〉，頁 157。

❽　〈離婁上〉。

❾　〈告子下〉。

孝是堯禪讓的理由。移孝作忠的思想很清楚在此被表達出來。我們在《中庸》可以看到「舜其大孝也與」⑩，以及「武王，周公，其達孝矣乎」⑪贊揚舜、武王、周公都是孝子的話。郭店竹簡和《孟子》都強調同樣的思想。這也是一個內證，證明郭店竹簡是思孟學派的作品。李學勤及姜廣輝都提出要以《中庸》做為標準來評鑑，解釋郭店竹簡的思想。⑫至少在論孝這點上，我們可以看出竹簡和《孟子》在思想上的一貫性。

　　竹簡的〈唐虞之道〉說：「古者堯之與舜也，聞舜孝，知其能養天下之老也。聞舜弟，知其能嗣天下長也。」⑬竹簡另外有一簡更明白的說孝子一定是忠臣：「故其爲 今 冥子也，甚孝。及其爲堯臣也，甚忠。」⑭我們看到《孟子》進一步說明舜可以使暴虐的父母歡心是樹立一個大孝的榜樣，所以「天下化」，「天下之爲父子者定。」⑮而且有暴虐的父母，才能顯出舜的孝心。所以孟子說「大孝終身慕父母。」⑯

　　此外，郭店竹簡和《孟子》論孝相近之處尚有以孝爲聖人孝化百姓主要的方式，以及主張孝是仁的表現。竹簡說：「聖人上事天，教民有尊也。下事地，教民有親也。時事山川，教民有敬也。親事祖廟，教民孝也。」⑰「孝之方，愛天下之民。」「男女不卡，父子不親。父子不親，君臣亡義。是故先王之教民也，始於孝弟。」⑱「孝，仁之冕也。」⑲在《孟子》中意思相近的話很多，例如：「仁之

---

⑩　第十七章。

⑪　第十九章。

⑫　〈《郭店楚墓竹簡》學術研討會述要〉，《國際儒學聯合會簡報》，1998 年第 2 期（1998 年 6 月 28 日），頁 23。

⑬　頁 158。

⑭　頁 158。

⑮　〈離婁上〉。

⑯　〈萬章上〉，第一章。

⑰　〈唐虞之道〉，頁 157。

⑱　頁 188。

⑲　同上註。

實，事親是也。」⑳「人人親其親，長其長，而天下平。」㉑這兩個論點和《論語》論孝的觀點也是相通的。

對於以祭祀祖先爲孝是《論語》、郭店楚簡，和《孟子》共同的思想。《爾雅》以孝釋「享」，表示祭祖是孝的原意。《論語》中孔子說孝的意思是「生事之以禮，死葬之以禮，祭之以禮。」㉒竹簡說聖人「親事祖廟，教民孝也」㉓是把祭祖當做孝的主要表現。《孟子》引上述《論語》的話，㉔而且特別強調守三年之喪以及葬禮的重要性。在這點上，《中庸》的立場最極端，認爲祭祖比生前服事父母還更重要。《中庸》說：「事死如事生，事亡如事存，孝之至也。」郭店竹簡倒沒有在這方面發揮。

郭店竹簡論孝道有一個特色是在《論語》或是《孟子》都看不到的，即主張父德是聖，子德是仁。竹簡之〈六德篇〉談「聖智也，仁義也，忠信也」爲父子，夫婦，君臣三科基本人倫關係的六種德行。㉕「父聖，子仁。夫智，婦信。君義，臣忠。」㉖而且說：「聖生仁，智率信，義使忠。」㉗竹簡的〈成之聞之〉篇也是將人際關係歸納成最基本的三種關係，和《孟子》所說「五倫」不同。「天圣大常，以理人倫，制爲君臣之義，著爲父子之親，分爲夫婦之辨。是故小人亂天常以逆大道。君子治人倫以順天德。」㉘竹簡認爲在這種關係中，血緣的父子關係最重要，君臣及夫婦的關係都在其次。所以「爲父絕君，不爲君絕父。爲㫐弟絕妻，不爲妻絕㫐弟。爲宗族㫐朋友，不爲朋友㫐宗族。」㉙因此竹簡頗有父權至上的思想。它很明顯的主張妻子要從一而終，「是故夫有主，終身不變，謂之婦。」

---

⑳ 〈離婁上〉。
㉑ 〈離婁上〉。
㉒ 〈學而〉。
㉓ 〈唐虞之道〉，頁157。
㉔ 〈滕文公上〉。
㉕ 頁187。
㉖ 頁188。
㉗ 頁188。
㉘ 頁168。
㉙ 頁188。

㉚雖然竹簡中並沒有很明白贊成父權至高無上的話，但是以「聖」爲父德似乎已經有很強的暗示了。

　　到了《孟子》，父權至上的思想就完全凸顯示出來了。孟子說：「孝子之至，莫大乎尊親。」㉛又說：「事孰爲大？事親爲大。」舜的父母很暴虐。根據《史記》的記載，舜在倉庫的屋頂上做工，他的繼母把梯子拿走，然後放火燒倉庫。可是舜仍舊很孝順父母。「瞽叟尚復欲殺之，使舜上塗廩，瞽叟從下縱火焚廩。舜乃以兩笠自扞而下，去，得不死。」㉜孟子大肆讚揚這種單方面對父母的犧牲及順從是「大孝」，很難避免過於高抬父權的嫌疑。

結　語

　　郭店楚墓簡論儒家思想的資料不多，因此要據此塡補我們對於孔子與孟子之間學術發展的知識空白是不可能的。但是竹簡也提供了很重要的材料，開啓我們對先秦儒家的心性論有一個嶄新的了解。㉝但是在論孝方面，雖然沒有革命性的新觀點出現，可是也有幾條資料一方面印證了《中庸》和《孟子》之間的親密關係，如讚揚舜是孝子，主張移孝作忠等，另一方面也可以補充一些我們對先秦思想的發展之了解。竹簡所論的「六德」即是後來「三綱」的思想。「三綱」這一詞最早出現在董仲舒的《春秋繁露》之〈基義篇〉。一般都引《韓非子》的〈忠孝篇〉爲最早將「君臣、父子、夫婦」合論的例子。現在我們知道郭店楚簡已論之，而且很明白的說父子的關係重於君臣關係。至於以父德爲聖的意義則不甚清楚，可是我判斷有將父權絕對化的含意。

　　竹簡說「父孝子愛，非有爲也」也令人費解。或許「孝」和「慈」通用，如此和孔孟認爲孝行應該是出於眞情的流露相貫通。總而言之，從郭店竹簡中我們看出儒家重孝思想如何從《中庸》發展到《孟子》，然後到《孝經》集其大成。竹簡

㉚　〈六德〉，頁187。

㉛　〈萬章上〉，第四章。

㉜　《史記》，卷一，〈五帝本紀〉。

㉝　見龐樸，〈孔孟之間──郭店楚簡中的儒家心性說〉。

的〈唐虞之道〉提供了一項重要的線索，讓我們了解將舜提昇爲理想化的孝子，以及將孝轉化成政治的「公德」是思孟學派對儒學思想一項很重要的貢獻。

經 學 研 究 論 叢
第 六 輯　　頁171～188
臺灣學生書局　　1999年3月

郭店楚墓竹簡儒家典籍文字考釋

顏世鉉*

　　西元一九九三年湖北省荊門市郭店一號楚墓出土一批竹簡，共有八百餘枚，其中有字簡約七三〇枚，共一萬三千餘字。這批簡的內容包含儒家、道家的著述，整理小組將之分爲十六篇，前兩篇爲〈老子〉、〈太一生水〉，屬道家學派的著作；其餘十四篇則爲儒家學派的著作，其篇名爲〈緇衣〉、〈魯穆公問子思〉、〈窮達以時〉、〈五行〉、〈唐虞之道〉、〈忠信之道〉、〈成之聞之〉、〈尊德義〉、〈性自命出〉、〈六德〉及〈語叢〉四篇。郭店一號墓從墓葬形制和器物特徵判斷，具有戰國中期偏晚的特點，其下葬年代當在西元前四世紀中期至前三世紀初❶，彭浩先生認爲：「郭店一號墓的下葬年代約在公元前 300 年，距公元前 316 年的包山二號墓相去不久，並不會遲至戰國晚期。」❷竹簡的年代下限應略早於墓葬年代。

　　郭店楚墓竹簡的出土，對於中國先秦儒、道兩家的學術思想史的研究具有重大的貢獻。就儒家而言，李學勤先生就認爲，儒家典籍的重要性絕不低於道家的《老子》，簡中的一部份是《子思子》，是孔子之孫孔伋一系的作品，郭店簡《子

---

*　中央研究院歷史語言研究所研究助理。

❶　以上內容參湖北省荊門市博物館：〈荊門郭店一號楚墓〉，《文物》1997 年第 7 期；荊門市博物館：《郭店楚墓竹簡》（北京：文物出版社，1998 年），以下簡稱《郭簡》。

❷　彭浩：〈郭店一號墓的年代及相關的問題〉，臺灣輔仁大學哲學系：《本世紀出土思想文獻與中國古典哲學研究兩岸學術研討會會議論文集》，1999 年 1 月。

思子》當是孟子之前的子思氏之儒所作❸。龐樸先生則認爲，這十四篇儒家經典，正是由孔子向孟子過度時期的學術史料，儒家早期心性說的輪廓，隱約顯現其中，是最早期儒家心性學說的重要文獻，它可以補足孔孟之間所曾經缺失的思想環節❹。以下便就竹簡的儒家典籍部分摘取部份內容做文字的考釋，爲了排版方便，所引簡文儘可能用通行字寫出。

一、《詩》云：「有共德行，四方順之。」　〈緇衣〉一二

　　共字作◆。今本〈緇衣〉作：「《詩》云：『有梏德行，四國順之。』」鄭《注》：「梏，大也，直也。」《詩・大雅・抑》：「有覺德行，四國順之。」毛《傳》：「覺，直也。」鄭《箋》：「有大德行，則天下順從其政。」上海博物館所藏一批戰國楚簡亦可見此段文句，作「《詩》云：『有共德行，四國順之。』」共作◆（參附圖一），黃錫全先生認爲：此字可能與金文◆（共）同形，但戰國楚「共」字均不作此形，故此字也可能不是「共」字，該釋爲何字，有待確定❺。

　　按，共字甲骨文作◆（續五.五.三）❻，金文作◆（亞且乙父己卣）、◆（牧共簋）、◆（盦忎盤）、◆（但匀）❼，楚簡作◆（郭店〈緇衣〉簡二五）、◆（郭店〈六德〉簡二二）、◆（包山簡二二八）❽，兩篇〈緇衣〉簡「有共德行」的「共」字與金文第一、二形形近。《說文》：「◆，同也，從廿卄，……◆，古文共。」上舉諸字，其下皆從◆，此即《說文》収，《說文》：「◆，竦手也，從ψ ψ，……◆楊雄說：◆从兩手。」李師孝定認爲：収、共、拱同字，他說：「共之古文作◆，乃重二収爲之，至拱字又於共旁增手，蓋緟複無理，文字衍變，固有是例也。」「金文作◆ 父癸卣象兩手奉器形，乃『共置』之義，即今『供』字。器形之『◆』，小篆譌『廿』，許君以『從廿卄』解

❸　李學勤：〈荊門郭店楚簡中的《子思子》〉，《文物天地》1998 年第 2 期。
❹　龐樸：〈孔孟之間－郭店楚簡的思想史地位〉，《中國社會科學》1998 年第 5 期。
❺　黃錫全：〈楚簡續貂〉，《簡帛研究》第三輯（南寧：廣西教育出版社，1998 年），頁 78。
❻　中國社科院考古研究所：《甲骨文編》（北京：中華書局，1992 年），頁 104。
❼　容庚編著，張振林、馬國權摹補：《金文編》（北京：中華書局，1996 年），頁 164-165。
❽　滕壬生：《楚系簡帛文字編》（武漢：湖北教育出版社，1995 年），頁 207。

之，殊覺不辭。」❾故〈緇衣〉簡 ⿰、⿰，釋爲「共」字當是可從的。楚簡「有共德行」，共讀作洪；洪，大也。《左傳・莊公二十四年》載魯大夫御孫諫曰：「臣聞之：『儉，德之共也；侈，惡之大也。』先君有共德，而君納諸大惡，無乃不可乎？」俞樾《群經平議・春秋左傳一》卷二五云：「共當讀爲洪，《爾雅・釋詁》：『洪，大也。』德之洪也，猶曰德之大也。下文曰：『侈，惡之大也。』洪與大，文異而義同，……洪，從共聲，故即叚共爲之。」故楚簡「有共德行」即「有洪德行」，與鄭《箋》所言「有大德行」義相同❿。

　　共，《詩・大雅・抑》作「覺」，今本〈緇衣〉引《詩》作「梏」，朱駿聲認爲：梏，假借爲覺，實爲嚳，爲嚳（《說文通訓定聲》「梏」字條）。《說文》：「嚳，山多大石也。」《爾雅・釋山》：「多大石，礐。」嚳爲山多大石之義；嚳，當亦是此義⓫，引申之有「大」義。故〈緇衣〉之「梏」與〈大雅・抑〉之「覺」，可讀作「嚳」和「嚳」，簡文「共」讀作「洪」，三字均訓爲大，可互通。

二、邦家之不寧也，則大臣不治，而埶（褻）（邇）臣恈（佞）也 　〈緇衣〉簡二〇 ～二一

　　埶，原作 ⿰，今本〈緇衣〉作「邇」，《郭簡》注釋云：「埶，借作『褻』。」按，《禮記・檀弓下》：「調也，君之褻臣也。」鄭《注》：「褻，嬖

---

❾ 李師孝定引徐灝《段注箋》云：「⿰ 共古今字，共拱亦古今字。」又引王筠《說文釋例》云：「部首⿰蓋即手部拱之古文也，⿰下云『㯤手也』《一切經音義》卷二引作『拱手也』，即以重文爲說解，後人不知而改之。」參《甲骨文字集釋》（臺北：中央研究院歷史語言研究所，1991 年）卷 3，頁 0781-0782；《讀說文記》（臺北：中央研究院歷史語言研究所，1992 年），頁 65、68。

❿ 按，《詩・大雅・抑》：「有覺德行」，或將「有」字視爲「狀詞的前附語」，即視「有」字爲虛字，此種看法與鄭《箋》異，見周法高：《中國古代語法——構詞編》（臺北：中央研究院歷史語言研究所，1994 年），頁 214、218。

⓫ 《說文》：「礐，石聲也。」段《注》：「此與山部嚳義別，《爾雅》假嚳爲嚳耳。」又《說文》云：「硞，石聲。」朱駿聲云：「（硞）疑與礐同字。」（《說文通訓定聲》「硞」字條）。故可能礐、硞同字，義爲石聲；而嚳、嚳同字，義爲山多大石。

也。」「褻臣」即親近寵幸之臣,與今本〈緇衣〉之「邇臣」同義。

　　然簡文「埶」也可讀作「邇」,古籍及出土文獻均多此例。甲骨、金文均有「埶」字[12],于省吾《殷栔駢枝》:「周器作𣔉或𥼰,石鼓文作𢿫。埶今作藝作藝。經傳从埶从爾之字,音近字通。克鼎:『馭遠能𣔉』,孫詒讓曰:『埶當讀爲邇,《國語・楚語》韋《注》:邇,近也。猶《詩》言:柔遠能邇。』按孫說是也,邇即埶之別構。《書・堯典》:『歸格于藝祖』,《大傳》作『歸假于禰祖』,《書》《釋文》引馬王云:『藝,禰也。』《管子・大匡》:『魯邑之教,好邇而訓於禮。』好邇即好藝,詳《管子新證》,均其例也。卜辭埶字,一讀爲獮,謂獮殺;二讀爲禰,謂親近之廟;三讀爲邇,訓近。……總之,卜辭之𢾾、枞,金文作𥼰、𣔉,石鼓文作𢿫,均爲藝之古文。古音埶與从爾之字音近通借。」[13]〈緇衣〉簡四三:「此以𢿫(邇)者不惑,而遠者不疑。」𢿫,今本〈緇衣〉作「邇」,裘按:「此字左旁爲『彳』,右旁上爲『木』,下爲『𡉣』,實即『埶』字省『土』之變體。『埶』、『爾』古音相近可通,从『彳』與『辵』同意,故此即『邇』字異體。」[14]《左傳・昭公三十年》:「吳子唁而送之,使其邇臣從之,遂奔楚。」《禮記・表記》:「子曰:邇臣守私,宰正百官,大臣慮四方。」[15]故〈緇衣〉簡二一之「埶」字讀爲「邇」或讀爲「褻」均可通。

　　忓,《郭簡》注釋:「忓,借作『託』。《說文》:『託,寄也。』」簡文:「則大臣不治,而邇(或褻)臣忓也。」今本作「大臣不治,而邇臣比矣。」鄭《注》:「比,私相親也。」孔《疏》:「大臣不肯爲君理治職事,由邇近之臣與上相親比故也。」周桂鈿先生則認爲:「忓,《緇衣釋文注釋》認爲是『託』字。今本作『比』,以同音相訓,更可能是『庇』。意思是『埶(褻)臣』、『邇臣』,就是國君身邊的近臣在國君的庇護下。簡本大意是:由於忠敬不足,邦家不

───────────────

⑫　《甲骨文編》,頁 111-112;《金文編》,頁 177-178。

⑬　李孝定:《甲骨文字集釋》,卷 3,頁 873-876 所引。

⑭　裘錫圭先生的看法也可另參〈釋殷墟甲骨文裏的「遠」「𣔉」(邇)及有關諸字〉,《古文字論集》(北京:中華書局,1992 年),頁 1-10。

⑮　按,「私」原作「和」,此從裘錫圭:〈考古發現的秦漢文字資料對於校讀古籍的重要性〉之說,《古代文史研究新探》(南京:江蘇古籍出版社,1992 年),頁 38。

寧，那麼，大臣不能治理，近臣又可以國君爲庇護。」⑯

　　《廣雅·釋詁三》：「庇、侘，寄也。」〈釋詁四〉：「倚、寄、佂、附，依也。」《方言》卷二：「託、庇，寄也。」故簡文的「忬」字當讀爲「侘」或「佂」、「託」；今本「比」當讀爲「庇」，而非鄭玄所說「私相親」之意。「侘」猶「庇」，訓爲依廕之意。《呂氏春秋·懷寵》：「故兵入於敵之境，則民知所庇矣。」高《注》：「庇，依廕也。」

三、《詩》員（云）：「吾大夫共（恭）叡（且）轗（儉），林（靡）人不斂」

　　〈緇衣〉簡二六

　　原注釋云：「以上詩句爲逸詩。」裘按：「第一句疑當讀爲『吾大夫恭且儉』。」林字又見〈六德〉簡二八：「戊林實」，裘按：「當讀爲『牡麻経』。……據《儀禮·喪服》，服昆弟之喪，『疏衰裳齊，牡麻経……』。」學者將「林人不斂」的「林」讀爲「靡」，「靡人不斂」即「無人不斂」，並引《詩經》相同的句式證之，如《詩·大雅·雲漢》：「靡人不周，無不能止。」《詩·小雅·正月》：「既克有定，靡人弗勝。」《詩·邶風·泉水》：「有懷于衛，靡日不思。」《詩·小雅·北山》：「或湛樂飲酒，或慘慘畏咎；或出入風議，或靡事不爲。」⑰按，此說可從；然學者釋「靡人不斂」即「無人不斂」，卻未有進一步的解釋。簡文「斂」字有檢制、收束之意，《孟子·梁惠王上》：「狗彘食人食而不知檢」，趙《注》云：「言人君但養犬彘，使食人食，不知以法度檢斂也。」《漢書·食貨志·贊》所引《孟子》文「檢」作「斂」。《詩·小雅·桑扈》鄭《注》：「王者位至尊，天所予，然而不自斂以先王之法，不自難以亡國之戒，則其受福祿亦不多也。」孔《疏》：「斂者，收攝之名。」《孟子·離婁上》載孟子曰：「恭者不侮人，儉者不奪人。侮奪人之君，惟恐不順焉，惡得爲恭儉？恭儉豈

⑯　周桂鈿：〈郭店楚簡〈緇衣〉校讀札記〉，《郭店楚簡研究》（《中國哲學》第二十輯），（瀋陽：遼寧教育出版社，1999 年），頁 208。

⑰　徐在國、黃德寬：〈郭店楚簡文字續考〉，紀念徐中舒先生誕辰一百周年暨國際漢語古文字學研討會論文，1998 年。劉樂賢：〈讀郭店楚簡札記三則〉，《郭店楚簡研究》（《中國哲學》第二十輯），頁 359-361。

可以聲音笑貌爲哉？」趙岐《章指》：「人君恭儉，率下移風；人臣恭儉，明其廉忠：侮奪之惡，何由干之而錯其心。」《禮記‧樂記》：「恭儉而好禮者，宜歌〈小雅〉。」孔《疏》：「恭謂以禮自持，儉謂以約自處。」簡文之意爲：吾國大夫能恭敬而儉約，則百姓受其德化，沒有人不自我檢束，以制放佚之心。

四、呂望爲牂（藏）來澧（瀳），戰（守）監門來陁（陁）　　　〈窮達以時〉簡四～五

　　牂讀作「藏」，牂爲精紐陽部，藏爲從紐陽部，旁紐疊韻。「爲牂」即爲守藏之小吏，《左傳‧僖公二十四年》：「初，晉侯之豎頭須，守藏者也。」杜《注》：「豎，左右小吏。」《禮記‧月令》：「命百官謹蓋藏。」鄭《注》：「謂府庫囷倉有藏物。」爲守藏者除有看守財物者，亦有看守糧倉者。簡文「瀳」讀爲「瀳」，《說文》：「瀳，水至也。从水薦聲，讀若尊。」段《注》：「至，疑當作冗，冗，大也。《廣韻》曰：『水荒曰浡』，浡者，瀳之異文。」張舜徽：「水至謂之瀳，猶叢艸謂之尊，言其所被廣也。」[18]章太炎《新方言》：「江西廣信謂水沸涌爲瀳，讀若薦。」[19]瀳可訓爲水氾濫，即有水災之意，《春秋‧莊公七年》：「秋，大水。」《穀梁傳》：「高下有水災曰大水。」簡文「爲牂來瀳」即擔任看管倉庫的工作，卻遇到倉庫遭水患的侵襲。

　　「戰」所從之「單」，古文字中和「嘼」同。嘼字，甲骨文、金文和楚簡文字多從「單」構形[20]，嘼、獸古通，李師孝定說：「獸即狩之本字，田狩者以單盾也。自蔽，以犬相隨，故於文从單、从犬會意也。」[21]〈成之聞之〉簡二二引〈君奭〉：「唯鳥（冒）丕嘼稱德」[22]，「嘼」今本作「單」；〈緇衣〉簡三七「齊而獸（守）之」，其「獸」字原形即從單從犬。簡文「戰」或可隸作「戲」，讀作

---

[18]　張舜徽：《說文解字約注》（鄭州：中州書畫社，1983 年），卷 21-46。

[19]　章太炎：《新方言》（上海：上海古籍出版社，1995 年《續修四庫全書》第一九五冊影印民國浙江圖書館館刻《章氏叢書》本），卷 8，頁 241。

[20]　高明：《古文字類編》（北京：中華書局，1991 年），頁 201。滕壬生：《楚系簡帛文字編》，頁 1053-1054。

[21]　李孝定：《讀說文記》，頁 309。

[22]　「鳥」字從周師鳳五所釋。

「守」，守監門即擔任看管城門、管制進出的工作，《荀子・榮辱》：「或監門、御旅、報關、擊柝而不自以爲寡。」楊《注》：「監門，主門也。……皆知其分，故雖賤而不自以爲寡。」隉讀作阤，《語叢四》簡二二：「成（城）無蔂則阤（阤）。」注釋引《說文》云：「阤，小崩也。」此外，《國語・周語下》：「是故聚不阤崩，而物有所歸。」章《注》：「大曰崩，小曰阤。」《淮南子・繆稱》：「城峭者必崩，岸崝者必陀。」許慎《注》：「陀，落也。」簡文「戩（守）監門來隉（阤）」即擔任看守城門的工作，卻碰到城牆崩塌之事。

合而言之，指呂望不遇之時，地位卑下，曾從事於看管倉庫及守城門等鄙賤之事；然去看管倉庫則遇到水災，去守城門則遇到城牆崩塌，此正可見其當時時運之不濟。

五、唯其於善道也，亦非有譯（澤）婁（藪）以多也。及其專（博）長而厚大也，則聖人不可由與堲（單）之。此以民皆有性而聖人不可莫（慕）也。 〈成之聞之〉簡二七～二八

譯婁，周師鳳五讀作「澤藪」，他說：「澤藪即廣袤的沼澤地帶，爲鳥獸草木蟲魚滋生繁殖之所，如楚之雲夢是。簡文此句謂聖人之成就，非依賴外在有利之環境如澤藪之孕育萬卉群生，而在不斷的自我要求，自我提升，以『信於眾乃可以成德』自勵，終爲成德之君子。」[23]其說可從。《國語・周語下》：「晉聞古之長民者，不隋山，不崇藪，不防川，不竇澤。夫山，土之聚也；藪，物之歸也；川，氣之導也；澤，水之鍾也。夫天地成而聚於高，歸物於下。疏爲川谷，以導其氣；陂塘汙庳，以鍾其美。……是以民生有財用，而死有所葬。」章《注》：「（藪，物之歸也。）物所生歸也。」漢應劭《風俗通義・山澤・藪》云：「藪之爲言厚也，草木魚鱉，所以厚養人君與百姓也。」澤藪地帶，爲多數動植物生長繁殖最適宜的場所；簡文在此則是象徵人在學習成長過程中的良好適宜的外在環境。

專，讀作博，參〈語叢一〉簡二八、〈尊德義〉簡三五。《禮記・中庸》：

---

[23] 周鳳五：〈郭店楚簡識字札記〉，《張以仁先生七秩壽慶論文集》（臺北：臺灣學生書局，1999 年），頁 358。

「博厚配地，高明配天。」，博釋作「廣大」之意。「由」，《詩・大雅・假樂》：「不愆不忘，率由舊章。」奎讀爲「單」，訓爲「盡」，〈成之聞之〉簡二二引〈君奭〉曰：「唯冒（冒）丕覃稱德」，「覃」今本作「單」也，《傳》訓爲「盡」。《詩・小雅・天保》：「俾爾單厚」，鄭《箋》云：「單，盡也。」《呂氏春秋・重己》：「使烏獲疾引牛尾，尾絕力勛，而牛不可行，逆也。」高《注》：「勛，讀曰單。單，盡也。」「由與單之」猶「由與盡之」，即遵從而極盡之。莫，從裘按讀作「慕」，《說文》：「慕，習也。」簡文「及其博長而厚大也」以下謂：聖人從自我內在的善性出發，不斷地自我提升擴充，進而至於深厚廣大的境界；此種聖人的境界，並無法藉著學習而能極盡之。人內心皆有成德之性，唯有擴充此內在之善性，才能成就聖人之善道，而非以學習的方式來達成。

　　《孟子・告子上》：「告子曰：『性猶杞柳也，義猶桮棬也；以人性爲仁義，猶以杞柳爲桮棬。』」「告子曰：『性猶湍水也，決諸東方則東流，決諸西方則西流。人性之無分於善與不善也，猶水之無分於東西也。』」告子主張人們不是生來就具有善性，所謂善性是後來經過社會環境教育被塑造成的，像水那般，靠人的導引；像桮棬那樣，靠人的加工。告子認爲道德是後天學習得到的，是社會環境造成的㉔。孟子則認爲，人有仁義禮智，此「四端」乃人與生俱來之善性，「仁義禮智，非由外鑠我也，我固有之也。」人當將此「四端」擴而充之，努力去培養實踐㉕，如此，就可以達到堯、舜的境界。亦即人皆有成爲堯舜之可能，只要有心求道，從自性出發，就可成功，何必擔心有沒有老師㉖。簡文之意正與《孟子》性善之說相合，皆反對道德是「外鑠」的看法，認爲聖人的境界是不能用傳授學習的方式達到的㉗。

㉔　任繼愈主編：《中國哲學史》（北京：人民出版社，1990 年），第一冊，頁 153。

㉕　參《孟子・公孫丑上》、〈告子下〉。

㉖　參《孟子・告子下》。

㉗　朱駿聲：《說文通訓定聲補遺》：「（鑠）又爲效。《孟子》『非由外鑠我也。』按，授也。」

六、君子曰：從允懌（釋）忬（過），則先者余（豫），來者信。　　〈成之聞之〉簡

三六

　　《說文》：「允，信也。」「從允」即「從信」，指趣就誠信，亦即行事秉持誠信原則。忬，原釋文讀作過，其說是也。化爲曉紐歌部，過爲見紐歌部，見曉旁紐，疊韻。〈性自命出〉簡四九：「速，謀之方也，有忬（過）則咎。」包山楚簡多見「迡期不賽金」，迡讀作過㉘。《易‧解卦‧象傳》：「雷雨作，解。君子以赦過宥罪。」孔《疏》曰：「赦謂放免，過謂誤失，宥謂寬宥，罪謂故犯。過輕則赦，罪重則宥，皆有解緩之意。」《尚書‧舜典》：「眚災肆赦，怙終賊刑。」鄭《注》曰：「過失，雖有害則赦之。」孫星衍《尚書今古文注疏》云：「鄭本『肆』亦作『過』，故隨文解之也。」「釋過」猶「赦過」，即原諒人民無心的小過失。

　　余，讀作豫，余、豫均爲余紐魚部，馬王堆帛書《繫辭傳》：「重門擊柝，以待掞客，蓋取余也。」㉙余，通行本作豫。《汗簡》豫字作忞，鄭珍云：「與今《書》作『弗豫』訓『悅』同義。」㉚《說文》：「忞，忘也，嚂也，从心余聲。《周書》曰：『有疾不忞』，忞，喜也。」又云：「豫，象之大者，賈侍中說：不害於物。从象予聲。」段《注》：「引申之，凡大皆偁豫。……大必寬裕，故先事而備謂之豫，寬裕之意也。寬大則樂，故〈釋詁〉曰：『豫，樂也。』《易》鄭《注》曰：『豫，喜豫說樂之皃也。』」《論語‧子路》：「葉公問政。子曰：『近者說，遠者來。』」《墨子‧耕柱》亦載此事，孔子云：「善爲政者，遠者近之，而舊者新（親）之。」簡文「先者」猶「舊者」，指原先已歸其治理之百姓。「來者信」指治外之民信其仁德而前來歸附㉛簡文謂君子有言：爲政者行事當秉持

㉘　湖北荊沙鐵路考古隊：《包山楚簡》（北京：文物出版社，1991年），頁24、47。

㉙　傅舉有、陳松長編著：《馬王堆漢墓文物》（長沙：湖南出版社，1992年），頁124-125。

㉚　黃錫全：《汗簡注釋》（武漢：武漢大學出版社，1990年），頁376。

㉛　《孟子‧梁惠王上》：「鄰國之民不加少，寡人之民不加多，何也？」又〈梁惠王下〉：「《書》曰『湯一征，自葛始』，天下信之，東面而征，西夷怨；南面而征，北狄怨，……。」趙《注》：「言湯初征自葛始，誅其君，恤其民，天下信湯之德。……遠國思望聖化之甚也。」

誠信，以寬厚的仁政來治理百姓；如此，不但其所治之民受其教化，得以安居樂業，而治外之民也因向慕其教化而心悅誠服地前來歸附。

七、教以言，則民話（訐）以寡信　　〈尊德義〉簡一五

話，《郭簡》釋文釋作「訐」。按，《說文》：「訐，詭譌也。……一曰訐着，齊楚謂信曰訐。」段《注》：「按信當作大，〈釋詁〉：『訐，大也。』《方言》：『訐，大也。中齊西楚之間曰訐。』」朱駿聲《說文通訓定聲》：「《玉篇》所引《說文》『齊楚謂大言曰訐』是也，字與誇略同。」《方言》：「訐，大也。……自關而西秦晉之間，凡人語而過謂之過，或曰僉。……中齊西楚之間曰訐。」訐，亦可通迂，《國語·周語下》：「郤犨見，其語迂。」章《注》：「迂，迂迴，加誣於人也。」《漢書·五行志》載此事亦作「迂」，顏《注》云：「迂，夸誕也。」王引之《經義述聞·國語上》認為顏《注》長於章。故上舉之「訐」、「迂」字，均有誇誕之意。簡文之意謂：教導人民善於言語，則人民往往好發誇誕之言而缺乏誠信。《說苑·尊賢》載哀公問於孔子，「人何若而可取也？」孔子云：「毋取口銳者。」又云：「口銳者多誕而寡信，後恐不驗也。……夫言者所以抒其胷而發其情者也。能行之士，必能言之。是故觀其言而揆其行。夫以言揆其行，雖有姦軌之人，無以逃其情矣。」[32]揚雄《法言·五百》：「鄒衍迂而不信。」《爾雅·釋詁》：「誕、訐，大也。」簡文「訐以寡信」猶「誕而寡信」或「迂而不信」。

八、因恆則古（固），戡（察）逡（後）則亡避（僻），不黨則亡悁（怨）　〈尊德義〉一七～一八

「因恆則固」，《易·繫辭下》：「恆，德之固也。」孔《疏》：「言為德之時，恆能執守，始終不變，則德之堅固，故為德之固也。」，察，從裘按所

---

[32] 按，此事又見於《荀子·哀公》、《韓詩外傳》卷 4-4、《孔子家語·五儀解》。可參趙善詒：《說苑疏證》（上海：華東師範大學出版社，1985 年），卷 8，頁 217-219。

釋❸。逕，原作「徑」，《郭簡》隸作迃而無釋。按，《說文》：「乚，褭徯有所夾藏也。从乚，上有一覆之。……讀若徯同。」《古文四聲韻》徯字之形同《說文》。逕，讀作徯，徯或體作蹊，段《注》：「凡始行之以待後行之徑曰蹊。」徯、蹊即小路，《史記・李將軍列傳》：「諺曰：桃李不言，下自成蹊。」《釋名・釋道》：「步所用道曰蹊。蹊，徯也，言射疾則用之，故還徯於正道也。」避讀作僻，偏遠之意，《楚辭・九歌・涉江》：「雖避遠之何傷。」簡文：「察徯則亡僻」謂明識路徑，就不會因偏離正途而行至偏遠之處；亦即不會因迷路而越走越遠；引申之，君子當明察成德之門徑，才不會走入邪僻之地。《荀子・勸學》：「將原先王，本仁義，則禮正其經緯蹊徑也。」〈成相〉：「正直惡，心無度，邪枉辟回失道途。」

　　悁，《郭簡》隸作悁，讀作怨。此字又見〈緇衣〉簡一〇、二二，裘按：「此字應從今本釋作『怨』，字形待考。」按，此字又見包山楚簡一三八反；「有悁不可證」，指請來做證之人對當事人懷有怨恨，因而不能充當為證人；二六七簡有「紝絹之緽」，絹可能讀作「絹」或「鞙」；一三三簡有「子䣕公」，讀作「子宛公」，當指宛郡郡長，兼宛縣縣公。而以上諸字所從之「肙」或「肙」的構形，李運富先生認為是從「○（圓）」得聲，「○聲」與「占聲」音近，故以「占」代用；劉信芳先生認為是從「囗（圈）」得聲，「囗」與「占（點）」古本同義。❸按，「肙」楚簡作「肙」、「肙」，上半所從之「口」作「占」、「占」，此是否為聲音通假，尚待討論；然其為「肙」字的結論則是可信的❸。

　　簡文謂：君子成德之道在於能執守正道而不變，如此道德基礎才能堅固；要

---

❸ 參〈五行〉注七、〈語叢一〉注一五、〈語叢四〉注七。

❸ 按，以上從「肙」、「肙」諸字的考釋及相關問題的討論，參李運富：〈楚國簡帛文字叢考（二）〉，《古漢語研究》1997 年，第 1 期；劉信芳：〈楚簡器物釋名（上篇）〉，《中國文字》新 22 期，1997 年 12 月；陳偉：〈包山楚簡中的宛郡〉，《武漢大學學報》（哲學社會科學版）1998 年第 6 期。

❸ 李運富先生所言的「○（圓）」聲為匣紐文部，「占」聲為章紐談部，二者音並不相近；劉信芳先生所言的「囗（圈）」聲為群紐元部，「占（點）」聲為端紐談部，聲不相近，韻部的關係是通轉，或有通假可能。

能明察成德之徑，才不致誤入歧途；要公正無私，才不會招致怨恨。

九、即民愛，則子也；弗愛，則戲（讎）也　　〈尊德義〉簡二六

　　即字作⟨圖⟩，此字又見簡二四：「愿勞之即也。」釋文作旬而無釋，學者或疑此字為「即」之異體，讀為「節」❸❻。按，當釋為「即」字，古幣文有節字作⟨圖⟩❸❼，鄂君舟節作⟨圖⟩❸❽，包山楚簡二五九「柳」字作⟨圖⟩❸❾。《方言》：「即，就也。」《公羊傳‧宣公元年》：「不即民心」，何休《注》：「即，近也。」簡文「即民愛」即親民以愛之，與「即民心」之意相近。《禮記‧表記》：「子民如父母，有憯怛之愛，有忠利之教。」孔《疏》：「謂子愛於民，如父母愛子也。」戲，從裘按：讀為「讎」，仇敵也。簡文之意為：君王若能親愛人民，則人民就如其愛子；若不能親愛人民，則人民就變成君王的仇敵。《管子‧形勢解》：「莅民如父母，則民親愛之。……莅民如仇讎，則民疏之。」《孟子‧公孫丑上》：「信能行此五者，則鄰國之民仰之若父母矣。率其子弟，攻其父母，自生民以來，未有能濟者也。」朱熹《章句集注》釋此章章旨云：「此章言能行王政，則寇戎為父子；不行王政，則赤子為仇讎。」此與簡文之意合。

十、未賞而民懽（勸），含（貪）福（富）者也；未型（刑）而民懷（畏），又　　（有）心懷（畏）者也　　〈性自命出〉簡五二～五三

　　懽，原釋文及裘按均讀作「勸」，其說可從；此字又見於〈緇衣〉簡二四：「則民有懽心」，今本作「格」，裘按亦讀作「勸」，訓為勉也。按，含，當讀作「貪」，含為匣紐侵部，貪為透紐侵部，疊韻。《說文》：「貪，欲物也。」「欲，欲得也。……讀若貪。」「唅，食也。……讀與含同。」貪與欲義相近，而從以上三例可看出含、貪、欲、唅四字音近的關係。福，裘按：「疑當讀為

---

❸❻　徐在國、黃德寬：〈郭店楚簡文字續考〉。

❸❼　張頷：《古幣文編》（北京：中華書局，1986年），頁211。

❸❽　《金文編》，頁296。

❸❾　《包山楚簡》，圖版一一二。

『富』。」其說可從；〈老子〉甲簡三八：「貴福喬」，帛書甲本作「貴富而騙
（驕）」，乙本作「貴富而驕」，通行本作「富貴而驕」❹；因此，〈老子〉甲簡
的「福」當讀爲「富」。《管子・重令》云：「貪利之人，將以此收貨聚財。」又
云：「有毋功而可以得富者，則祿賞不足以勸民。」人貪圖財富，故財富就成了趨
使人民的動力。

　　《左傳・襄公二十六年》：「古之治民者，勸賞而畏刑，恤民不倦。」《墨
子・尚賢中》：「是以民皆勸其賞，畏其罰，相率而爲賢。」《韓非子・飾邪》：
「故先王明賞以勸之，嚴刑以威之。」可見「勸賞畏刑」是爲政者治民的主要手
段。簡文之意爲：在上位者尚未行賞，人民就能努力從事，此乃貪圖著事成之後能
得到獎賞；在上位者尚未加以刑罰，人民就心有所畏懼而不敢爲非作歹，這是害怕
爲非作歹就會受到懲罰。《禮記・中庸》則說：「是故君子不賞而民勸，不怒而民
威於鈇鉞。」《荀子・彊國》：「如是，百姓貴之如帝，高之如天，親之如父母，
畏之神明，故賞不用而民勸，罰不用而威行。夫是之謂道德之威。」此二者則強調
君子以德化民，而不以賞罰爲主要的手段，這是爲政最高的境界。

十一、新（親）此多也；會（敘）此多〔也〕；頯（微）此多也　　〈六德〉簡二五～
　　　二六

　　新，讀作親，《廣雅・釋詁三》：「親，近也。」會作 ，原釋文釋作
「會」，裘按認爲此字從日從金，與殘簡一一 同爲一字。按，《古璽彙編》
1651 有 字❹，吳振武先生釋作「余」❹，何琳儀先生說這是在原有文字基礎上
增加「ハ」複筆的裝飾符號❹，簡文會字上半正與之同形。會讀作敘，《國語・晉

---

❹　高明：《帛書老子校注》（北京：中華書局，1996 年），頁 261。按，福讀作富之例，又可
　　參〈成之聞之〉簡一七～一八：「福（富）而貧（分）賤，則民欲其福（富）之大也。」
　　〈老子〉甲簡三一：「我無事而民自福（富）。」

❹　羅福頤：《古璽彙編》（北京：文物出版社，1994 年），頁 171。

❹　吳振武：〈《古璽彙編》釋文訂補及分類修訂〉，《古文字學論集》初編（香港：香港中文
　　大學中國文化研究所，1983 年），頁 500。

❹　何琳儀：《戰國文字通論》（北京：中華書局，1989 年），頁 231。

語三》：「紀言以敍之，述意以導之，明曜以昭之。」韋《注》：「敍，述也。」
頪，讀作微，《荀子・議兵》：「諸侯有能微妙之以節。」楊《注》：「微妙，精
盡也。」簡文「微」亦訓爲「精盡」之意。「此」字爲承接連詞，與「則」字用法
同❹。「多」可訓爲「廣」、「大」之意❺。簡文之意爲：能親近六經典籍，則六
德之道得以廣大；能紀述六經之言，六德之道亦得以廣大；能精盡六經之義，則六
德之道更能得以廣大。簡文敍述人們對六經的由淺而深的親近與探究，雖層次不
同，但都能有助於六德之道的發揚。

十二、為父絕君，不為君絕父。為昆弟絕妻，不為妻絕昆弟。為宗族麗（離）朋
　　　友，不為朋友麗（離）宗族　〈六德〉二九～三〇

　　　麗原作 ㄒㄒ，裘按認爲：此字當與瑟同一字，疑當讀爲殺，有減省之意。按，
此字當釋爲「麗」字，《汗簡》作 ㄇㄇ、ㄇㄇ，《古文四聲韻》所載之形與《汗簡》
相近；前一字即《說文》麗字古文，後一字與簡文同形。麗讀作離，離爲來紐歌
部，麗爲來紐支部，雙聲通轉，音近可通❻。《釋名・釋疾病》：「眸子明而不正
曰通視，……又謂之麗視。麗，離也，言一目視天，一目視地，目明分離，所視不
同也。」從「麗」之字亦有表「分離」之意，《墨子・兼愛中》：「防孟諸之澤，
灑爲九澮，以楗東土之水」，孫詒讓《閒詁》云：「灑、釃字通。《漢書・溝洫
志》云：『禹迺釃二渠以引其河。』《注》：『孟康云：釃，分也。分其流，泄其
怒也。』……《漢書・司馬相如傳》顏《注》云：『灑，分也……。』」楊樹達在
〈爾雅大瑟謂之灑說〉中指出：釃、灑、麗字均有「分決」之意❼。《禮記・學
記》：「一年視離經辨志。」鄭《注》：「離經，斷句絕也。」《戰國策・秦策
四》「秦取楚漢中」章云：「秦愈不敢出，則是我離秦而攻楚也。」高誘《注》：
「離，絕也。」故簡文「麗」，讀爲離，訓爲「斷絕」之意，正與「爲父絕君」、

---

❹　俞敏監修，謝紀鋒編纂：《虛詞詁林》（黑龍江人民出版社，1992 年），頁 196-197。

❺　參朱駿聲：《說文通訓定聲》「多」字條。

❻　按，古籍中離、麗通假之例常見，參高亨、董治安：《古字通假會典》（濟南：齊魯書社，
　　1989 年），頁 673。

❼　楊樹達：《積微居小學金石論叢》（增訂本）（北京：中華書局，1983 年），頁 214。

「爲昆弟絕妻」之「絕」字同義。

此外，附帶討論楚文字「瑟」字的構形。〈性自命出〉簡二四：「聽 🔲 🔲 之聲」，注釋引劉國勝先生〈曾侯乙墓 E 六一號漆書文字研究—附「瑟」考〉❹之說法，將第二、三兩字釋讀爲「琴瑟」。按，注釋的釋讀意見是正確的。信陽長臺關楚簡二.○三：「三漆 🔲」❹，包山楚簡二六○：「一 🔲」❺，望山二號墓楚簡四九～五○有「二 🔲」、「一 🔲」、「一 🔲」❺，曾侯乙漆箱文字「🔲 🔲 常和」❺。劉信芳先生將信陽、包山簡之字釋爲「瑟」❺；劉國勝先生據此爲基礎，釋出望山簡「瑟」字以及曾侯乙漆箱「琴瑟」二字，並進而認爲：瑟字從三「辛」，視爲從辛從羊，瑟可能從羊得聲，羊、必古音相近❺；劉信芳先生另撰文認爲：「🔲」（瑟）字有可能是《說文》虦字異體，字讀如「虙羲氏」之「虙」，從「必」聲，之所以名「瑟」，或與「虙羲氏」有關❺。復按，上舉瑟字所從之 穴、夕、乁 當是象瑟柱形，亓 疑象瑟柱上有絃之形。曾侯乙墓出土的瑟柱多作「人」字形，側視爲三角形❺（參附圖二）。李純一先生將之分爲三類型：對稱「人」字型、不對稱「人」字型、變形「人」字型❺。楚簡及漆箱文字「瑟」字所從諸形正與曾侯乙墓之瑟柱形近。又《說文》古文瑟作 🔲，琴作 🔲，瑟字正

---

❹ 參香港中文大學：《第三屆國際中國古文字學研討會論文集》（1997 年 10 月），頁 691-710。

❹ 河南省文物研究所：《信陽楚墓》（北京：文物出版社，1986 年），頁 128，圖版一一九。

❺ 《包山楚簡》，圖版一一二。

❺ 湖北文物考古研究所、北京大學中文系：《望山楚簡》（北京：中華書局，1995 年），頁 62、112。

❺ 湖北省博物館：《曾侯乙墓》（北京：文物出版社，1989 年），上冊，頁 357；下冊，圖版一二四。

❺ 劉信芳：〈楚簡文字考釋五則〉，《于省吾教授百年誕辰紀念文集》（長春：吉林大學出版社，1996 年 9 月），頁 186。

❺ 同前引劉國勝先生之文。

❺ 劉信芳：〈楚系文字「瑟」以及相關的幾個問題〉，《鴻禧文物》第 2 期（《湖北先秦文化論集》），1997 年 12 月。

❺ 《曾侯乙墓》，上冊，頁 162-164；下冊，圖版四六。

❺ 李純一：《中國上古出土樂器綜論》（北京：文物出版社，1996 年），頁 432-433。

象「人」形瑟柱張絃之形。故瑟字作 𣝔、𣏔 和 𣎆 是象形字，作 𣏌、𣎈 則是形符加上聲符「必」的形聲字。而琴字則是瑟字的象形基礎上加聲符「金」而成，如 𨥛；形符也可省爲一個，如 𠩟。《說文》瑟字段《注》云：「玩古文琴瑟二字，似先造瑟字，而琴从之。」

　　瑟字所從之 𠃉、𠃊 ，其形雖與楚文字「其」字作 𠀠、𠀎 ❺❽及「麗」字作「丌丌」所從之 丌 相同；但三者所表之意則各異。故〈六德〉簡之 丌丌（麗）與〈性自命出〉簡之 𣎆（瑟）當釋爲不同的兩字。

十三、可以緯（違）其惡 　　〈六德〉簡四三～四四

　　緯原作 𦂅，原釋文隸作「緯」而無釋。按，此字當是緯之省；包山楚簡簡五有「圍」字作 𠅂，中間所從即「韋」之省❺❾。簡文「緯」讀作「違」，《說文》：「違，離也。」《爾雅·釋詁》：「違，遠也。」《荀子·臣道》：「則崇其美，揚其善，違其惡，隱其敗。」王先謙《集解》引王念孫之說云：「違，讀爲諱。諱其惡與隱其敗同意。〈曲禮〉注曰：『諱，辟也。』（辟與避同）〈緇衣〉注曰：『違，辟也。』諱、違皆從韋聲，而皆訓爲避，故字亦相通。（《墨子·非命篇》『福不可請而禍不可諱』，諱與違同。）」「違」，有遠離之意，「違其惡」即遠離惡行之意。

十四、山亡（無）隓（蘳）則坨（阤），城無蓑則坨（阤）　　〈語叢四〉二二

　　隓，《郭簡》無釋。按，隓當讀作蘳或狔，《說文》：「狔，艸木實狔狔也。」段《注》：「狔與蘳音義皆同，狔之言垂也。」又《說文》：「蘳，艸木華垂兒。」丁福保說：古籍引《說文》蘳字有作「草木華盛貌也」或「艸木盛兒也」❻⓿，蘳、狔或有草木茂盛之意，山無茂盛草木，猶《孟子·告子上》所謂牛山

❺❽ 參滕壬生：《楚系簡帛文字編》，頁 368-374。

❺❾ 劉釗：〈包山楚簡文考釋〉，中國古文字研究會第九屆學術討論會論文，1992 年。李天虹：〈《包山楚簡》釋文補正〉，《江漢考古》1993 年第 3 期。

❻⓿ 楊家駱主編：《說文解字詁林正補合編》（臺北：鼎文書局，1994 年），第二冊，頁 740。

濯濯。坨，釋文釋爲陁，注釋引《說文》：「陁，小崩也。」又引《公羊傳‧定公元年》：「不蓑城也。」之說，謂以草覆城。按，《三國志‧魏書‧劉馥傳》：「（馥）又高爲城壘，多積木石，編作草苫數千萬枚，⋯⋯爲戰守備。建安十三年卒。孫權率十萬眾攻圍合肥城百餘日，時天連雨，城欲崩，於是以苫蓑覆之，⋯⋯」可見古確有蓑城之法。從以下簡文云：「士無友不可」，應當「君有謀臣」、「士有謀友」的文意來看，正與山需有草木、城需有蓑之意相同。

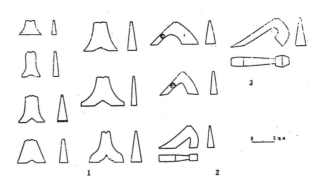

附圖二

曾侯乙墓出土瑟柱形

錄自《曾侯乙墓》上冊第 163 頁

附圖一

上海博物館藏楚簡

經 學 研 究 論 叢
第 六 輯　　　頁189～266
臺灣學生書局　1999 年 3 月

錢大昕潛研堂遺文輯存

陳鴻森*

　　錢大昕（一七二八～一八〇四）字曉徵，一字辛楣，號竹汀，江蘇嘉定人。
乾隆十九年進士，淡於榮利，官至詹事府少詹事，丁父憂歸，遂不復出。歷主鍾
山、婁東、紫陽等書院，啓迪後進，成就者甚眾。錢氏潛研經史，閱覽博聞，所著
如《廿二史考異》、《通鑑注辨正》、《十駕齋養新錄》、《潛研堂文集》、《潛
研堂金石跋尾》諸書，多能窮極要眇，究析而發皇之。阮元《十駕齋養新錄‧序》
亟稱竹汀之學，許爲一代大儒，並論其學爲人所難能者有九，求之百歲，蓋未有能
出其右者。江藩《漢學師承記》亦云：「先生學究天人，博綜群籍，自開國以來，
蔚然一代儒宗也。」通人之論，可爲定評。

　　余不自揆，向嘗纂《竹汀學記》一編，稿草粗就，自慚所見未深，卒未敢寫
定。而披覽所及，見有竹汀遺文，輒手錄之，積久漸富，諸文雖非盡精詣之所在，
然可援據以資考證者不少。昔錢慶曾於《竹汀年譜》每年條下注記其文撰年之可考
者，中有集外遺文若干題；惜年湮世遠，舊籍日希，當日檢索易易者，今率多難以
蹤跡；因念異時有蒐討竹汀佚文者，其難或將遠過今日。養痾長日，爰就向所錄存
者略加排比，遂寫成篇。然載籍極博，眼目難周，其搜采未備者，甚望世之博雅君
子補其闕焉。　　一九九〇年五月十八日

　　今略記其例如次：

一、此〈遺文輯存〉，與拙著〈錢大昕年譜別記〉本相須而行，故諸文撰作年月有

---

*　陳鴻森，中央研究院歷史語言研究所副研究員。

可考者，記之文末，《年譜》不復具也。

一、諸家志目，間錄有竹汀觀款，或跋識二三語者，今但於《譜》中記其年月，此
不更錄之，以其無關宏旨也。

一、乾隆五十二年，竹汀應錢竹初招，爲纂《鄞縣志》三十卷，書末〈辨證〉一
卷，其文亦見《文集》卷十九。嘉慶六年，長興令邢佺山延修《縣志》，弟可廬偕
往助之，八年冬藏事，成書二十八卷，其末爲〈辨證〉一卷，凡三十二事。此志雖
竹汀昆仲共成之，然按可廬長于兩漢、三國史事，〈長興縣志辨證〉則多涉唐宋以
後史地、石刻，其文蓋竹汀所爲。今依〈鄞縣志辨證〉例，並錄存焉，取前人「寧
過而存之」之意也，覽者鑒諸。

目　　次

卷上

卷中
《長興縣志》辨證

卷下

卷上

網師園記

古人爲園以樹果，爲圃以種菜。《詩三百篇》言園者，曰有桃、有棘、有樹檀，非以侈游觀之美也。漢魏而下，西園冠蓋之游，一時誇爲盛事，而士大夫亦各有家園，羅致花石，以豪舉相尚；至宋，而洛陽名園之記，傳播藝林矣。然亭臺樹石之勝，必待名流讌賞、詩文唱酬以傳，否則辟疆驅客，徒資後人喁噱而已。吳中爲都會，城郭以內，宅第駢闐，肩摩趾錯，獨東南隅負郭臨流，樹木叢蔚，頗有半村半郭之趣。帶城橋之南，宋時爲史氏萬卷堂故址，與南園、滄浪亭相望。有巷曰網師者，本名王思，曩三十年前，宋光祿慤庭購其地治別業，爲歸老之計，因以網師自號，并顏其園，蓋託於魚隱之義，亦取巷名音相似也。光祿既沒，其園日就頹圮，喬木古石大半損失，惟池水一泓，尚清澈無恙。瞿君遠村偶過其地，懼其鞠爲茂草也，爲之太息。問旁舍者，知主人方求售，遂買而有之。因其規模，別爲結構，疊石種木，布置得宜；增建亭宇，易舊爲新。既落成，招予輩四五人談讌，爲竟日之集。石徑屈曲，似往而復，滄波渺然，一望無際。有堂曰梅花鐵石山房、曰小山叢樹軒，有閣曰濯纓水閣，有燕居之室，曰蹈和館，有亭於水者，曰月到風來；有亭於厓者，曰雲岡，有斜軒曰竹外一枝，有齋曰集虛，皆遠村自營手畫而名之者也。地祇數畝，而有紆迴不盡之致；居雖近廛，而有雲水相忘之樂，柳子厚所謂「奧

如」、「曠如」者，殆兼得之矣。園已非昔，而猶存網師之名，不忘舊也。予嘗讀《松陵集》賦任氏園池云：「池容澹而古，樹意蒼然僻。不知清景在，盡付任君宅。」輒欣然神往，今乃於斯園遇之。予雖無皮、陸之詩才，而遠村之勝情雅尚，視任晦實有過之。爰記其事，以繼二游之後，古今人何遽不相及也。（錄自道光《蘇州府志》卷四七，頁二四；又光緒《蘇州府志》卷四十六，頁十七；又曹允源等纂《吳縣志》卷三十九中，頁十四）

　　森按：光緒《志》卷四十六：「網師園，在封門內闊堦頭巷，宋廉訪宗元所居，彭啓豐有〈說〉。後歸太倉瞿氏，錢大昕、褚廷璋皆有〈記〉。同治中，歸李廉訪鴻裔，易名曰蘇東鄰。」（頁十七）

重修珠明寺記

吳郡珠明寺，昉於東晉永和初，郡人（朱明）捨宅爲招提，因姓名名焉。後人取唐文皇聖教寺「仙露明珠」之語，易以今名。元初燬於兵燹，明季爲巡撫都御史公廨。國朝順治十年，奉天周公開府三吳（森按：巡撫周國佐也），暇日偶遊後圃，忽見頭陀數百輩，聯臂嬉遊，即之輒不見。掘土，得五百羅漢像石刻，因移署他所，復寺舊額，爲苾蒭焚修之所，迄今蓋百三十年矣。殿屋久未葺治，上雨旁風，日就積落。乾隆二十有七年，諦修禪師與上足弟子采主法席，慨然以興復爲己任，戒律精嚴，檀施雲集。首建關聖殿，殿旁濬放生池，造普同塔。癸丑秋，復修大悲閣，鑄大銅鐘及銅鑊各一。明年冬，復修大雄寶殿，重建四大天王殿，塐阿羅漢五百尊者。前周中丞所得碑，文字漫漶，別礱石鑴而新之。數載之間，百廢具舉，諦修總其成，而經畫措置，壹出於其徒。既蕆事，屬余文記之。夫浮屠氏之學，空諸一切，視生滅如平等，莊嚴塗飾，似可置之勿論。然而布金之寺，給孤之園，香火千年，一燈不斷，亦賴善知識嗣而新之，固知無漏之果，仍不能無藉於有爲之法矣。世之好因循憚興作者，有可爲之力，有當爲之分，而漫不訾省，輒曰：干卿何事，我獨賢勞。坐使前人艱難締造之功，不旋踵而墮。以視諦修與其徒之崇奉法門，不辭勞悴而克有成者，其相去爲何如耶。予既嘉諦修師弟之賢，且爲世之任事者勸也。（錄自道光《蘇州府志》卷四十，頁十一；又光緒《蘇州府志》卷三十九，頁十五）

　　森按：道光《蘇州府志》卷四十云：「朱明寺，在府城隍廟西。」又光緒

《府志》卷一四一〈金石二〉著錄：「〈珠明寺記〉，錢大昕撰並書，乾隆二十九年。」（頁十九）

重修敕賜雲翔寺大雄殿記

南翔鎮有雲翔寺，創自梁天監中。大雄寶殿前尊勝陀羅尼雙石幢，則唐乾符中建也。我嘉設縣，始於南宋，一邑古跡，莫先於此。舊名白鶴南翔寺，以梁僧德齊、唐僧行齊，俱感白鶴之異，而鎮亦以寺名焉。迨國朝聖祖皇帝敕賜墨寶，遂改今名。創寺以來，繕修不一，最著者唐則莫少卿氏；前明正統間，則周文襄公忱。神宗時，僧自重募〔修〕，任良佑氏獨力舉之，王司寇弇州爲記，迄今二百年於茲矣。上雨旁風，日就圮壞，殿中柱石朽蠹，將有覆壓之虞。寺僧宗唯，偕其徒皋雲肫然募修，得李君桐園首捐重資，諸善姓踴躍樂施，於嘉慶二年夏經始，閱一載落成。核計凡二千四百餘金，蓋工料所費，較任氏時又不同云。宗唯謁予於紫陽書院，求文以記。余觀釋氏貝葉之文多至五千四十八卷，而廣譬曲喻，約之止於一善。今諸善姓此舉，功德圓成，倘彼所云善緣，非耶，而不盡此也。今夫維桑與梓，必恭敬止，士大夫宦成遂初，懸車故里，往往徜徉流連於其間，所謂某樹我先人所種，某水某邱，吾童子時所釣游也，矧此數百年古跡爲一邑最者耶！抑堪輿家有言，寺居鎮之中，鎮以寺始，一寺興廢，係一鎮盛衰。諸善姓萃處於此，推睦婣任卹之誼，敦扶持友助之風，有不願康樂和親安平爲一書者耶？二梵之福，君子弗道，其爲一身一家計者私而陋，爲一鎮一邑計者公而溥，吾知諸善信樂施之意在此，不在彼矣。若宗唯習於佛者，修三摩地乃本分事，能以誠心感動檀越，舉二百年將圮之業，煥復舊觀，雖未必比肩二齊，亦庶幾與自重相媲美耳。是役也，以大雄殿爲主，而殿前石幢向爲颶風所倒，亦更建之。聖祖墨寶，則桐園敬謹重加裝潢，俾供奉以永鎮山門。俱宜記也，因牽連而書之。（錄自嘉慶《南翔鎮志》卷十，頁三）

天一閣碑目記

《天一閣書目》所載者，祇雕本、寫本耳。予之登是閣者最數，其書架之塵封，衫袖所拂拭者多矣。獨有一架，范氏子弟未嘗發視，詢之，乃碑也。是閣之書，明時

無人過而問者；康熙初，黃先生太沖始破例登之，於是昆山徐尚書健庵聞而來鈔。其後登斯閣者，萬徵君季野，又其後則馮處士南耕。而海寧陳詹事廣陵纂《賦彙》，亦嘗求之閣中，然皆不及碑。至予乃清而出之，其拓本皆散亂，未及裝爲碑軸，至于如棼絲之難理。予訂之爲〈目〉一通，附於其《書目》之後。金石之學，別爲一家，古人之嗜之者，謂其殘編斷簡，亦有足以補史氏之闕，故宋之歐、劉、曾、趙、洪、王，著書袞然。而《成都碑目》，一府之金石耳，尚登於〈宋志〉。近則顧先生亭林、朱先生竹垞，其尤最也。年運而往，山巔水滋之碑，半與高岸深谷消沈剝落；幸而完者，或爲市利之徒甓其石而市之於人，則好事者之收弃，良不可以不亟也。范侍郎之喜金石，蓋亦豐氏之餘風。但豐氏萬卷樓石刻，有爲世間所絕無者，如唐秘書賀知章草《孝經》、《千文》是也，而今不可復見，惜矣！侍郎所得雖少遜，然手自題籤，精細詳審，并記其所得之歲月，其風韻如此。且豐氏一習古篆隸之文，而即欣然技癢，僞作邯鄲淳筆文字以欺世；侍郎則有清鑒而無妄作，是其勝豐氏者也。閣之初建也，鑿一池於其下，環植竹木，然尚未署名也。及搜碑版，忽得吳道士龍虎山天一池石刻，元揭文安公所書，而有記於其陰。大喜，以爲適與是閣鑿池之意相合，因即移以名閣，惜乎鼠傷蟲蝕幾十之五。吾聞亭林先生之出游也，窮村絕谷，皆求碑碣而觀之；竹垞亦然。今不煩搜索，坐擁古歡，而乃聽其日湮日腐於封閉之中，良可惜也。予方放麋湖山，無以消日力，挾筆研而來閣中，檢閱款識（森按：「識」上原衍「式」字，今刪），偶有所記，亦足慰孤另焉。而友人錢唐丁敬身，精於金石之學者也，聞而喜，亟令予卒業，乃先爲〈記〉以貽之。（錄自《天一閣碑目》卷首）

南翔續八老會記

向讀唐叔達先生集，有〈南翔八老會詩〉，歎爲枌榆盛事。乾隆癸卯秋，朱文學若洲，邀里中耆舊八人，置酒猗園，復舉斯會。八人者：金良模蒙邨，年八十有七；沈元麟雪岩，年八十有六；金良營毅齋、陸景龍斐田，年皆八十有四；江自超菊圃、王紳榛麓，年皆八十有一；程偉不奇，年八十；齊汝揆純夫，年七十有七，皆蒼顏白髮，杖履優游，或即席賦詩，或臨流寓目，一時童冠與偕，追隨末座，咸歎羨爲太平盛事，而諸老風度，亦與前乎此之趙、徐諸人後先輝映焉。同人歌詠，漸

成卷帙，將繪圖以傳於後，會若洲謝世，未竟其事，而與會諸老亦幾同晨星之落落矣。今春，毅齋之子用儀追念前徽，爰倩畫工續成斯卷，庶幾老成典型，久而不忘。惜予衰病，久廢筆墨，不能作詩以繼唐先生之後也。（錄自張承先《南翔鎮志》卷十二，頁二一）

蘭陔小築記

葉子薇夢，家槎溪東里，舍西築小圃，構精舍，爲娛親所，吾友張萬廬顏曰「蘭陔」，而請記於余。余惟槎上多名園，而長衡先生檀園爲最，其從子緇仲先生亦構猗園。論者謂檀園、猗園皆爲事親而設，按之詩文集，良然。葉子不樂仕進，穿池築室，種竹栽花，樂親之志；而晨羞夕膳，取給而無不足，長衡可作，當把臂入林矣。況猗園今屬葉子從父，重新加闢，追步先哲，葉子是舉，宛然小李風流，何不與檀園、猗園等視乎。（錄自光緒《嘉定縣志》卷三十，頁三十）

　　森按：蘭陔小築，南翔葉如山闢，《縣志》載錄此記，文有刪略。據《縣志》卷二十九〈金石〉云：「〈蘭陔小築記〉，乾隆四十六年錢大昕撰，今在張學古堂壁間。」（頁三二）不知其刻石今尙存否？

普生泉題詠序引

〔江寧〕藩署瞻園有古井，石欄隸書十一字，曰「普生泉淳熙丙午邵永堅建」。按宋孝宗在位二十七年，改元者三：隆興二、乾道九、淳熙十六。丙午爲十三年，到於今春秋將六百矣，滄桑陵谷，幾經變遷，而此井獨存，改邑不改井，豈不信哉！顧舊井地偏，幾嗟無禽；今夏缺雨，方汲之以灌花供爨，解不食之嘲，獲受福之吉，所謂養而不窮者也。因搨其書，裝潢成冊，將以徵詩歌焉，弁數言記之。噫，勞民勸相，井之功也；短綆汲深，政之拙也。居斯署，對斯井，尙其鑒諸。未幾，方伯以事去官，胥吏以爲井祟，仍請封閉。其實非也。按劉純之《存徵續錄》云：「徐中山王季女妙錦，端靜有識，長姊仁孝皇后，次姊代王妃，妹安王妃。洪武末，諸藩不靖，代王被逮。妙錦感悟，誓不適人，親王求婚，皆拒絕之。仁孝崩，文皇聞其賢，欲聘爲后，命內使女官往諭旨，妙錦稱病不出。女官直抵榻前，不得已，乃徐起曰：『吾無婦容，不足備六宮之選。』內使歸，妙錦即削髮爲尼，文皇

聞之，竟虛中宮，不復冊立。洪熙改元，乃返初服。宣德初，仁廟張太后自入東宮時，聞其高潔，心加敬慕，乃徵入朝。既敘戚里恩，自稱徐達第三女，肅拜端凝，不失跬步，太后以下，皆尊敬之，隨遣內使護歸。正統中卒，祔葬鍾山先塋之次。」據此，安得有投井之事乎？俗語不實，流爲丹書，因詳書其事，以示考古者。（錄自嚴觀《江寧金石記》卷五）

　　森按：江寧藩署普生泉，相傳徐達之女妙錦不受文皇聘，投此井死，故封閉之。竹汀以爲此流俗訛傳耳，故文中特辨其非實也。又竹汀〈普生泉歌〉，見《潛研堂詩續集》卷三。

募修圓元道院疏引

吾邑西南二十四里曰安亭江，在吳淞之左，其故道不可考見。按郡縣志所載，則曰安亭鄉，又曰安亭鎮。蓋自宋嘉定間，平江守趙彥橚奏割崑山之安亭、春申、臨江、平樂、酴唐凡五鄉，設嘉定縣，而安亭則處五鄉之西境，故其地與崑山接壤。江之西有圓元道院，建於元至正時，予嘗薄游其地，層樓□宇，聳峙江岸，鐘虡之聲，永夜弗絕，洵爲道家清修淨地。數十年來，一再過之，則已日就傾圮，上清諸天尊之像，露處頹垣廢宇中，其獲罪於天也甚矣。予惟聖賢立教，以敬天爲先，孟子云：「存其心，養其性，所以事天也。」善事天者，獨行不愧影，獨寢不愧衾，極之一出王一游衍，常若昊天之在其上，在其左右，是以日遷善改過而不自知也。自象教既興，而道家亦設立宮觀，莊嚴殿宇，以奉天帝之神，朝夕頂禮，科儀祇肅，士眾來會者瞻仰有赫，足以興起其好善之心，而莫敢縱肆，以增罪戾，與聖賢敬天修身之旨並行而不相悖焉。夫萬物本乎天，高高在上，日鑒在茲，而昧者或不之察，一旦側身壇廟之間，鮮不畏懼而修省者，此即天人感應之驗。然則道院之任其頹廢，詎非棄天褻天之罪者哉。茲安亭之人，欲輯治而新之，其司事者來乞疏於余。余家望仙橋市，亦古安亭鄉也，以一鄉之中，而有善舉，使五百年之香火廢而復興，是余之所樂聞也，爰敘余言以質之大眾云。乾隆己卯孟陽之吉旦。（錄自陳樹德、孫岱纂《安亭志》卷八，頁五）

《補元史藝文志》自序

《元史》不立〈藝文志〉，國朝晉江黃氏、上元倪氏因承修《明史》，并搜訪宋、元載籍，欲禪前代之闕，終格於限斷，不得附正史以行。大昕向在館閣，留心舊典，以洪武所葺《元史》冗雜漏落，潦草尤甚，擬仿范蔚宗、歐陽永叔之例，別爲編次，更定目錄，或刪或補，次第屬草，未及就緒。歸田以後，此事遂廢，唯《世系表》、《藝文志》二稿尚留篋中。吳門黃君蕘圃家多藏書，每有善本，輒共賞析。見此《志》而善之，并爲糾其踏駁，證其同異，且將刻以問世。若劉子駿父子親校秘文，故能成《別錄》、《七略》之作。今之著斯錄者，果盡出目睹乎？前人之失當者，我得而改之；後之笑我者，方日出而未有已也。從吾所好，老而不倦。彈射之集，亦無懾焉。嘉慶庚申十二月大昕記。（錄自本書卷首）

《三統術衍》自序

古曆家言傳于漢者六家，黃帝、顓頊、夏、殷、周、魯是也。劉向作〈五紀論〉，論次六家是非。漢末，宋仲子以世所傳夏、周二術，與《藝文志》所記不同，更定眞夏、眞周曆。杜預據此數家，以考驗《春秋》。至唐一行《大衍議》，稱《春秋》經傳朔晦與周曆合者，多周、齊、晉事；與殷曆、魯曆合者，多宋、魯事。宋崇文院檢討劉義叟撰《長曆》，推漢初朔閏，兼存顓頊、殷二術，則諸書唐、宋時猶存，而今並無之矣。漢太初曆，班志亦不著其術；《史記》所述甲子篇，迺張壽王所治之殷曆，非太初本法也。古術之可考者，當以三統爲首。三統之術本之太初，又追前世一元五星會牽牛之初，以爲太極上元，參之《易象》，以窮其源，微之《春秋》，以求其驗。班孟堅以爲推法密要，服子慎、韋宏嗣亦取其說，以解《春秋》內外傳。顧古今注《漢書》諸家，于曆術未有詮釋者。《隋書·經籍志》有亡名氏《推漢書律曆志術》一卷，《舊唐書·經籍志》有陰景倫《漢書律曆志音義》一卷，今俱亡傳。予少讀此志，病其難通。比歲粗習算術，乃爲疏通其大義，並著算例，釐爲三卷，名之曰《三統術衍》，蓋祇就本法論之，其法之密與疏，固不暇論及也。《志》文間有訛舛，相與商酌校正，則長洲褚君寅亮之助實多云。乾隆乙亥夏至日，嘉定錢大昕書。（錄自本書卷首）

《十駕齋養新錄》自序

「芭蕉心盡展新枝，新卷新心暗已隨。願學新心養新德，長隨新葉起新知。」張子厚詠芭蕉句也。先大父嘗取「養新」二字榜於讀書之堂，大昕兒時侍左右，嘗爲誦之，且示以溫故知新之旨。今年逾七十，學不加進，追惟燕翼之言，泚然汗下，加以目眊耳聾，記一忘十，問字之客不來，借書之瓻久廢，偶有所聞，隨筆記之。自慚螢爝之光，猶賢博簺之好，題曰「養新錄」，不敢忘祖訓也。嘉慶四年十月書於十駕齋。 （錄自本書卷首）

《潛研堂詩集》自序

僕自成童時喜吟詠，而父師方課以舉業，不得肆力於詩。年二十以後，頗有志經史之學，不欲專爲詩人。然是時客吳門，與禮堂、蘭泉、朱殷諸君子日唱和，所得詩亦漸多，既而遂以有韻之文通籍。及成進士，承乏詞垣十有餘年。恭遇天子右文，制作明備，每大典禮，輒有經進之作。其間扈從屬車者再，賡和之作，往往盈帙。又嘗奉命典試山東、楚南、浙西，軺車所至，紀天時，述土俗，山水之明秀，民物之繁庶，皆得寓之於詩。獨恨才力綿弱，意有所及，筆不能至，又未嘗不泚然汗下也。昔揚子雲默而善著書，兼工作賦，蓋才之大者能兼眾人之長。僕拙劣無似，在京都退食之暇，惟以經史自娛，討論異同，貫串古今，丹黃不去手。既專心於著書，故不常作詩；偶有所作，亦復不工，譬之吐絲之蠶，不能吟風，才力有限，從吾所好可矣。歲丁亥，將乞假南回，檢篋中詩稿，得九百有七篇，其中稱意之作，什不得一。念其嘗耗日力於此，乃鈔而存之，以當敝帚遺簪之數，非欲出以示人也。竹汀錢大昕書。

予既以有韻之文，受知聖明，然性不喜噉名。檢點篋中所作，亦無甚稱意者，故從未敢刻以問世。而江南書肆選刊近人詩，往往濫收拙作，眞贋相半。偶有一客過予，誦所見佳句，聽之愕然，謝以非某作，句亦殊不佳，客憮然而退。予於詩雖非專門，而寸心得失之故，要自知之，固不欲掠它人之美，亦豈可以惡詩冒爲己有。茲取前後所作，鈔爲一集，不敢自以爲是，亦欲存廬山之眞面云爾。庚寅歲五月丁丑朔大昕書。 （錄自本書卷首）

《喪禮詳考》序

顏恤由之喪，哀公使孺悲之孔子，學士喪禮，〈士喪禮〉於是乎書。子思曰：「喪三日而殯，凡附於身者必誠必信，勿之有悔焉耳矣；三月而葬，凡附於棺者必誠必信，勿之有悔焉耳矣。」故自始死至殯，襲斂衣衾之具咸備。自既夕至葬，用器明器之屬咸周。而擗踊苦泣，凡所以拜君之賜，拜宗族鄉黨朋友之贈，盡其哀而中其節，皆發於至性之不容已與天理之不容泯，此〈士喪禮〉所以為聖人之經也。余昔嘗與張君潛亭往復考訂疑義，必求其當。今觀君所撰《士喪禮表論圖考》十六卷，編輯得古人之未有，而議論亦儘有益於世。惜其書殘失，〈儀節表〉卷上已不完具；〈圖考〉竟不復存。〈喪禮論〉十二篇，僅存八首。因慨世之習禮者，舍喪禮不讀，而徒從事於帖括；一旦至於大故，崇信浮屠之說，而於聖人之經，茫無所識，風俗衰而人心薄，職此之由。張君是編，雖不獲睹其全，然吉光片羽亦足為當世之珍也夫。愚弟錢大昕竹汀拜撰。（錄自張氏《噉蔗全集》〈喪禮詳考〉卷首）

　　森按：此序未記撰作年月，據《噉蔗全集》書後徐坤跋：「嘉慶三年戊午，君之嗣子應濤持君之詩古文十六卷，請余決擇。……外有殘缺《周官隨筆》六卷、《喪禮詳考》十六卷，擬將次第修編，零行付棗」云云，蓋作於嘉慶三年前後。

《左傳評》序

古者左史記事，右史記言，言為《尚書》，事為《春秋》。史之職，據事直書，懲惡勸善而已，曷嘗規規焉若後世論文者之說哉。昭明太子不以《春秋》內外傳、《史記》入《文選》；真西山《文章正宗》，始采《左氏傳》為古文之首。近世寧都魏氏、桐城方氏，各以作文之法評《左氏》，謂字句繁簡皆有義例，其說甚辨，二君世所稱工為古文者也。益都李靜叔，好學嗜古，手評《左氏傳》，議論頗有出魏、方兩君之上者。點次未竟，不幸夭折，其兄素伯哭之，踰時而慟，因錄其本，刻而藏之家塾。起隱公元年，盡僖公廿有四年。嘉定錢大昕序。（錄自李文淵《左傳評》卷首）

　　森按：此文不記撰年，惟據李文藻〈跋〉，言「甲午冬，錢公以少詹事督

廣東學政，相見于羊城，即索觀此書，且爲之序」云云，則此序當作於乾隆三十九年冬。文淵生平，見竹汀《文集》卷四十〈李靜叔傳〉。

重刊宋明道本《國語》序

《國語》之存於今者，以宋明道二年槧本爲最古。錢遵王《讀書敏求記》舉〈周語〉「昔我先王世后稷」及「皆免胄而下拜」二事，證今本之誤，是固然矣。予於敏求所記之外，復得四事，〈周語〉：「賡獻曲」，注：「曲，樂曲也。」今本「曲」皆作「典」；「高位實疾顛」，今本「顛」作「償」；〈鄭語〉：「依疇歷華」，今本「華」作「莘」；〈吳語〉「王孫雒」，今本「雒」作「雄」，此皆灼然信其當從古者。今世盛行宋公序《補音》，而於此數事並同今本，則公序所刊正，未免失之牾疏。至如「荊媯」之訛爲「剃媯」，《補音》初無「剃」字，是公序本未誤，然不得此本，校書家未敢決「剃」之必爲「荊」。予嘗論古本可寶，古本而善乃眞寶，於此見之矣。吳門黃孝廉蕘圃得是書而寶之，又欲公其寶於斯世，乃令善工重雕以行，別爲《札記》，志其異同。凡字畫行款，壹從其舊；即審知豕亥爛脫，但於《札記》正之，而不易本文，蓋用鄭康成注〈樂記〉、〈中庸〉之例。宋世館閣校刊經史，卷末多載增損若干字、改正若干字；其所增改未必皆當，而古字古音遂失其傳，予嘗病之。讀蕘圃斯刻，歎其先得我心，可以矯近世輕改古書之弊，其爲功又不獨在一書而已也。嘉慶五年三月十二日，竹汀居士錢大昕書。（錄自黃氏讀未見書齋重刊本卷首）

重刊姚本《戰國策》序

《戰國策》自劉子政校定，至宋嘉祐間已多散佚，今所傳者，皆出曾南豐重校本。高氏注隋時止存二十一篇，今僅存十篇；以高注《呂氏》、《淮南》相校，頗有繁省之殊，似十篇注尚非足本也。自鮑彪注盛行，芟棄高氏注，又擅易篇次，好古者病之。惟剡川姚氏本刻於紹興十六年，校勘精審，最爲藝林所珍。近雖重刊揚州，而於文句可疑者往往轉取鮑本闌入，殊非不知蓋闕之義。黃君蕘圃乃取家藏宋槧本重鋟諸堅木，行款點畫壹仍其舊。其中烏焉魚豕審知訛舛者，別爲《札記》，綴于卷末，而不肯移易隻字，吳正傳所云存古闕疑者，今於蕘圃見之，洵書城中快事

也。伯聲跋疑埊、悳爲武后造字，予謂劉校、高注在兩漢時斷無此等近鄙別字；而六朝人喜造新體，如先人爲老、巧言爲辨之類，一忠當因草書「臣」字相似附會成之。陸德明《論語釋文》「悳」兩見，皆云古「臣」字，則非昉于阿武矣。韓朋即公仲侈，侈與朋聲不協，當是「偶」之誤。隸書「多」似「朋」，故偶訛爲侈，偶、朋本一字，朋與憑聲相近，故亦稱韓憑矣。尋繹之次，偶舉二事質諸莶圃，願有以教我也。癸亥仲冬，竹汀錢大昕序。（錄自黃氏讀未見書齋重刊本卷首）

《元史本證》序

讀經易，讀史難；讀史而談褒貶易，讀史而證同異難；證同異於漢魏之史易，證同異於後代之史難。昔溫公《資治通鑑》成，惟王勝之假讀一過，他人閱兩三紙輒欠伸思臥，況宋元之史文字繁多，雖頒在學官，大率束之高閣。文多則檢閱難周，又鮮同志相與商榷者，則鑽研無自；即有誤述，世復不好，甚或笑其徒費日力，史學之不講久矣。僕少時有志於此，晨夕攜一編，隨手紀錄，於《元史》得《考異》十五卷，自媿搜索未備，今老病健忘，舊學都廢。項汪君龍莊以所著《元史本證》若干卷寄示，竊喜天壤間尚有同好。而龍莊好學深思，沿波討源，用力之勤，勝於予數倍也。「本證」之名，昉於陳季立《詩古音》，然吳廷珍《新唐書糾繆》已開其例矣。歐、宋負一代盛名，自謂事增文簡，既精且博，廷珍特取紀志表傳之文彼此互勘，而蜶漏已不能掩。若明初史臣，既無歐、宋之才，而迫於時日，潦草塞責，兼以國語繙譯，尤非南士所解。或一人而分兩傳，或兩人而合一篇，前後倒置，黑白混淆，謬妄相沿，更僕難數，而四百年來未有著書以規其過者，詎非藝林之闕事歟。廷珍求入史局弗得，年少負氣，有意吹求，其所指摘，往往不中要害。龍莊則平心靜氣，無適無莫，所立「證誤」、「證遺」、「證名」三類，皆自攄新得，實事求是，不欲馳騁筆墨，蹈前人輕薄褊躁之弊，此所以有大醇而無小疵也。考史之家每好搜錄傳記小說，矜衒奧博，然群言殽亂，可信者十不二三；就令采擇允當，而文士護前，或轉謂正史之有據。茲專以本史參證，不更旁引，則以子之矛刺子之盾，雖好爲議論者亦無所置其喙。懸諸國門，以待後學，不特讀《元史》者奉爲指南，即二十三史，皆可推類以求之，視區區評論書法，任意褒貶，自詭於《春秋》之義者，所得果孰多哉。嘉慶七年歲次壬戌四月辛丑朔，嘉定錢大昕書。（錄自汪

輝祖《元史本證》卷首）

《廿二史劄記》序

甌北先生，早登館閣，出入承明，碩學淹貫，通達古今，當時咸以公輔期之。既而出守粵徼，分臬黔南，從軍瘴癘之鄉，布化苗猺之域，盤根錯節，游刃有餘。中年以後，循陔歸養，引疾辭榮，優游山水間，以著書自樂。所撰《甌北詩集》、《陔餘叢考》，久已傳播士林，紙貴都市矣。今春訪予吳門，復出近刻《廿二史劄記》三十有六卷見示。讀之，竊歎其記誦之博，義例之精，論議之和平，識見之宏遠，洵儒者有體有用之學，可坐而言，可起而行者也。乃讀其自序，有「質鈍不能研經，唯諸史事顯而義淺，爰取爲日課」之語，其撝謙自下如此。雖然，經與史豈有二學哉。昔宣尼贊修六經，而《尚書》、《春秋》實爲史家之權輿。漢世劉向父子，校理秘文爲六略，而《世本》、《楚漢春秋》、《太史公書》、《漢著紀》列於春秋家；《高祖傳》、《孝文傳》列於儒家，初無經史之別。厥後蘭臺、東觀，作者益繁。李充、荀勗等創立四部，而經史始分，然不聞陋史而榮經也。自王安石以猖狂詭誕之學，要君竊位，自造《三經新義》，驅海內而誦習之，甚至詆《春秋》爲斷爛朝報。章、蔡用事，祖述荊舒，屏棄《通鑑》爲元祐學術，而十七史皆束之高閣矣。嗣是道學諸儒，講求心性，懼門弟子之汎濫無所歸也，則有訶讀史爲玩物喪志者，又有謂讀史令人心粗者。此特有爲言之，而空疏淺薄者託以藉口，由是說經者日多，治史者日少。彼之言曰：「經精而史粗也，經正而史雜也」。予謂經以明倫，虛靈玄妙之論，似精實非精也。經以致用，迂闊刻深之談，似正實非正也。太史公尊孔子爲世家，謂「載籍極博，必考信於六藝」；班氏〈古今人表〉，尊孔孟而降老莊，皆卓然有功於聖學，故其文與六經並傳而不媿。若元、明言經者，非勤襲稗販，則師心妄作；即幸而廁名甲部，亦徒供後人覆瓿而已，奚足尚哉。先生上下數千年，安危治忽之幾，燭照數計，而持論斟酌時勢，不蹈襲前人，亦不有心立異。於諸史審訂曲直，不揜其失，而亦樂道其長，視鄭漁仲、胡明仲專以詆罵炫世者，心地且遠過之。又謂稗乘胜說，間與正史岐互者，本史官棄而不采，今或據以駁正史，恐爲有識所譏。此論古特識，顏師古以後未有能見及此者矣。予生平嗜好與先生同，又少於先生二歲，而衰病久輟鉛槧，索然意盡。讀先生

書，或冀洨然汗出而霍然病已也乎。嘉慶五年歲次庚申六月十日，嘉定錢大昕序。

（錄自趙翼《廿二史劄記》卷首）

《歷代帝王宅京記》序

《歷代帝王宅京記》二十卷，顧亭林先生所編次也。自古封建之世，天子不私其土，所自治者，邦畿千里而已，是為天子之國；其曰天下者，合諸侯之國言之也。天子自治其畿內，而群侯朝覲奉職，莫敢違天子之政令，故曰國治而后天下平，又曰天下之本在國。當是時，天子所宅曰邑、曰都、曰京師，但取四方職貢道里之均，不必據形勢以為固也。秦漢以來，改封建為郡縣，寸地尺天，咸統於天子，遂無國與天下之分。而卜都之議，尤重以周，蓋土地廣而政事繁，規模異於先古，則居中馭外，必有高屋建瓴水之勢，而控扼之方、輸輓之便，皆當籌及焉。昔鄭夾漈作《通志》，於歷代郡縣略而不書，而獨立都邑一門，宅都之所係，豈淺尠哉。此編所列，較之夾漈尤備，洵讀史家不可少之書。先生精於輿地之學，所著有《肇域志》、《郡國利病書》，並此而三，然世間皆未有刊本。吳君道久購得此稿，亟欲梓以行世，其表章先賢、嘉惠來學之意，洵足多矣。嘉慶丁巳中秋日，竹汀居士錢大昕書。（錄自鄧邦述氏《寒瘦山房鬻存善本書目》卷七）

> 森按：鄧氏云：「此編得於吳門，有曉徵宮詹親書一序，殆為吳道久撰者。後此書刻於嘉慶戊辰，但有徐立齋相國、阮伯元太傅二序，乃其六世孫所鋟版，與此本編次略殊，則又別一鈔本，非此書也。」

《廿二史言行略》序

宋儒胡原仲教諸生，於功課餘暇，以片紙書古人懿行，粘置壁間，俾往來誦習之。朱文公少從原仲學，其後譔次《名臣言行錄》，蓋本胡氏之意而推廣之，然所錄止宋朝先達，未能上溯前代也。吳門有隱君子曰過穆君，椷戶讀史數十年，嘗訪予紫陽書院，談史事本末貫串，予心重焉。今春董生國華來言過君死矣，篋中文字散落殆盡，而所撰《廿二史言行略》四十二卷歸然獨存。予索而讀之，始自漢初，訖於元末，凡名卿鉅儒立身制行可為後來師法者，略備於是書，洵乎擇精而語詳者矣。考亭之《錄》因人而述其事，此則類其事而以人之時代為次，其義例雖殊，要其樂

道人善、與古爲徒之意，先後若一轍焉。過君之故交謝君安山等將梓其書以傳，其表微篤舊之誼有足嘉者，予故樂得而序之。嘉慶己未夏，竹汀居士錢大昕書，時年七十有二。（錄自過元旼本書卷首，嘉慶己未年刊本）

《虎阜志》序

虎阜之在吳中，部婁爾，而名重海內，幾與九山十嶽等，豈非以單椒獨秀，外無依傍，遠之有望，近之不厭，合於君子之德；而又地居都會，文人學士觴詠於茲，揚譽者眾，得名較易耶。自我聖祖仁皇帝六幸東南，駐蹕山寺；皇上繼繩祖武，亦六度臨幸，天章宸翰，照曜巖壁間，則此山遭際之奇，又遠出三十六洞天、七十二福地之上。操觚之士頌太平者，更宜大書特書屢書不一書矣。山志創於王仲光，繼以文基聖；國朝則顧伊人、祿百先後增輯，播在藝林，予皆得見而讀之。其所采題詠雜文，非不斐然可觀，而於山中故實，或缺略未備，每思補綴，以備三吳掌故，而衰病健忘，有志未逮。項讀陸豫齋、任心齋兩君所編新志，考據博洽，遠邁前脩。姑即石刻言之，千人座旁石壁，宋人題名殆遍，舊志唯載程振父、戴覺民二石耳；後周尊勝陀羅尼幢、宋蔡林觀世音像贊、釋子英釋迦文佛阿彌陀佛諸大字，則絕不一及之。普門品經，舊志袛載曾公亮、胡宗愈二人名，今諦審之，可識者幾八十餘人。此皆近在目前，不應脫漏乃爾；新志則已詳載其文矣。一展玩間，不覺實獲我心，爰援筆爲之序。乾隆辛亥嘉平月十有二日，嘉定錢大昕書於紫陽書院之春風亭。（錄自陸肇域、任兆麟同纂《虎阜志》卷首）

《續外岡志》序

古者入里必式，「維桑與梓，必恭敬止」，詩人所以廣孝也。「十室之邑，必有忠信」，先聖所以勸學也。《周禮》五比爲閭，止二十五家耳，而閭胥書其敬敏任恤；五族爲黨，止五百家耳，而黨正書其德行道藝，此所以野處而不匿其秀也。至於川原物產，亦惟居其鄉者目驗而知之，故志無大小之分，要於可信而已，信於今，未有不傳於後者。予嘗讀常棠《澉川志》，竊歎澉川海鹽之一鎮耳，而未嘗不與樂史之《寰宇記》、王存之《九域志》、歐陽忞之《輿地廣記》並傳。然則著書之君子，當務爲其可信可傳，固無事馳騁域外，轉致窮大而失其居矣。吾弟敬亭，

力學砥行，矯矯不徇乎俗，獨喜訪求鄉黨舊聞，與前輩嘉言懿行，手自編錄，既詳且備。又以殷華叟《外岡志》撰於明季，閱今百三十年，未有繼者，乃依其門類，次第增補。於是一鄉之文獻，粲然大備，與澉川書幾於異曲同工也已。予家望仙橋，距外岡僅五六里，總角之歲，讀書春及堂東偏，與敬亭晨夕聚首。回憶其時衣冠樸素，風俗淳厚，猶見老成典型。今老矣，生齒日繁，蓋藏日少，俗尚亦日趨於華侈，讀敬亭勸戒之言，實獲吾心。更望吾鄉人士家置一編，以當木鐸之徇，庶幾德行道藝、敬敏任恤之不絕書乎。乾隆壬子春二月十有一日，竹汀居士錢大昕書於練祁舟中。（錄自錢肇然本書卷首，又王氏《湖海文傳》卷二十六）

《王氏世譜》序

吾邑地濱海，土瘠而俗淳，士大夫多以立品介特相高，雖以文學起家，官浸通顯，不肯依傍門戶，優游平進，罕有登公輔者，而亦因以免南嶽北隴之嘲笑，蓋其俗尚然也。邑雖嶷爾，而青衿之彥能守鄉先生緒論，研摩古學，不求聞達，故登科第者視他邑為鮮，獨王氏祖孫父子兄弟六葉蟬聯，泥金相望，自康熙癸巳至乾隆甲戌，四十年間，王氏以第一甲及第者二人，蓋吾邑衣冠之冑未有盛於王氏者，豈非先世種德實深且厚，而又多賢子孫，克自振拔，綿其緒而宏其宗乎。寒家與王氏夙有葭莩之好，予少贅於清河橋，與西沚、鶴谿相依倚如雁行，易圃、竹所亦與予先後敦僑札之契，故得悉其族望所自。蓋自宋魏國文正公旦之從子吉夫公始來吳，占籍崑山，傳四世至左朝請大夫彥光公，以醇儒篤學顯於高、孝兩朝，所謂文毅公也。文毅之後，八傳而謙伯、俊伯兩公，仕明初，為名御史。嗣後枝葉繁衍，在崑為山前支，其析居嘉定者，則有介山墩楊涇支，有高涇馬陸諸支。又數傳至硯存公，乃合而譜之。國朝卓人公又自崑徙吾邑之清河橋，由是文毅公之子孫大半聚於吾邑，距作譜之始，已百餘載矣。曩者西沚、鶴谿有志續纂，未及成而相繼下世。頃易圃、竹所解組歸田，力任其事，分門別類，昭穆秩然。剞劂既成，屬余為之序。讀其文，無溢美，無傅會，於表揚先德之中，寓古人勿欺之學，其家法如此，其立品可知，余以是卜王氏之世澤方未有艾也。（錄自王初桐《方泰志》卷三）

　　森按：《王氏世譜》，王初桐著，有嘉慶六年刊本，未見。

《黃忠節公年譜》序

古人稱三不朽，始于立德，終于立言，吾鄉黃忠節公則兼而有之。公自束髮受書，即以聖賢爲必可學，一言一行，晨夕點檢，務求不愧衾影，以與聖賢相印證。當時主持文社號稱宗匠者，競招致之，公夷然不屑也。鼎革後，貽書友人，欲避跡以前進士終老。未幾，有守城之役，乃引「謀人軍師，敗則死之」之義，從容畢命，蓋斟酌于平日，非感激於一時，此道義之勇所由，異於豪俠之勇也。公之德與言，海內師之，非一鄉得而私之；而生平行事，則惟鄉人見聞最眞。顧百五十年來未有譜其事狀者，豈非吾黨之責乎。今春，安亭陳君以誦以所撰次公《年譜》出示，考核精審，繁簡得中。公家方泰里，與安亭最近，而以誦孜孜搜訪，博收而約取之，故信而有徵如此。又倡義欲復公墓田之侵於他姓者，事雖未果，然公之精爽未沫，當必默相其成，是可操左券以待耳。因牽連書之，冀當事者留意焉。（錄自王昶《湖海文傳》卷二十七，又陳樹德、孫岱纂《安亭志》卷六）

《釋弧》序

數之用，莫大於步天；步天之道，莫要於測渾圓之體。考之於古，漢四分術始有黃赤道度進退之率，隋皇極術又創爲分至前後每限增損之法；至宋崇天術以後，則用入限相減、相乘，以求黃赤差。然此皆約略其數，僅得大概，而於天體弧曲之勢，究不能指其名狀。沈存中稱綴術爲不可以形察，但以算數綴之而已，蓋古法麤疏，類如此也。元郭守敬造授時術，以立天元一，求周天每弧矢度，有弧背、弧徑之數，有平視、側視之圖，較古術家爲精密；然以帶縱三乘方取矢，運算繁難，其立法之根，仍用徑一圍三古率，議者猶有歉焉。近世歐邏巴精算之士，傳有測球體之法，定天周爲三百六十度，以三角八線更互相推舉，凡黃赤之交變、北極之高下、日月五星之交會留遞，無不可求其度分秒之數，於是周天經緯如指諸掌。測圓之妙，雖百世之後，當無有加於此者。宣城梅徵君，爲國朝算學第一，其所爲《弧三角舉要》、《環中黍尺》、《塹堵測量》等書，實能於渾圓之理，有以精熟而貫串之。吾友戴翰林東原，以西人三角即古人句股，乃易其弦切、割線爲矩分、引數諸名，作《句股割圜記》三篇，以求合於古所云者，其用心蓋綦密矣。江都焦子里堂

好讀書，邃於經學，所著《群經宮室圖》，已久行世。今又出其餘力，竭二旬之功，撰《釋弧》三卷。以余昔嘗從事於斯，而屬敍焉。讀之，其於正弧、斜弧、次形、矢較之用，理無不包，法無不備，舉其綱而陳其目，以視梅、戴二君之書，無異冰於水、青於藍也。余惟弧絕之學，易於失傳，天元如積之術，實宋元算儒家升堂入室之詣，至明代顧箬溪、唐荊川輩，已不解爲何物。此由習之者鮮，無好學深思其人爲之持其後也。弧三角法得自遠西，爲二千年來所未有，又得梅、戴兩家振興於前，里堂闡明於後，則測天之學不難人人通曉，而此道之傳可引而弗替矣，故樂爲敍之如此。乾隆乙卯嘉平，竹汀錢大昕書。（錄自焦循《釋弧》卷首）

《小蓬萊閣金石文字》序

海內研精金石文字與予先後定交者，蓋二十餘家，而嗜之篤而鑒之精，則首推錢唐黃君秋盦。秋盦博極群書，元元本本，於吉金樂石尤寢食依之。雖簿書絡繹，車馬殆煩，偶有小暇，啓囊橐而親摩挲焉。每遇古搨祕本，解衣付質庫易之，自謂千駟萬乘無以尚也。頃歲出其家藏宋搨石經殘字，及成陽、靈臺、魏元丕、朱龜、譙敏、王稚子、范式諸刻，雙鉤而鑴諸木，署其名曰「小蓬萊閣金石文字」，屬予序之。昔洪文惠嘗取熹平石經字重刻於越州蓬萊閣，予嘗游山陰，信宿郡齋，訪閣址於荒煙蔓草之間，欲求洪刻隻字，邈不可得，況熹平元刻乎。秋盦所刻，雖不及文惠什之一，而令好古之儒得睹中郎遺跡于千七百年之後，眞藝林快事也。此外皆世間未有之本，如殷卣、周鼎，愈久而愈珍。秋盦又嘗於嘉祥紫雲山探武氏石室，得畫象倍於洪氏，且有出於洪錄之外者。蓋文惠生南宋之世，版圖分裂，足跡不到齊魯，宜其搜羅未備。秋盦遭際承平，宦游斯土，加以嗜好之專，搜訪之勤，是以著錄多於前賢。假令文惠復生，當有退避三舍者。曰小蓬萊，謙詞也，孰能爲之大哉。嘉慶五年五月五日，嘉定錢大昕書。（錄自黃易《小蓬萊閣金石文字》卷首）

《國朝畫識》序

昔米元章之論畫曰：「紙千年而神去，絹八百年而神去。」後之賞鑒家莫能易其說也；而華亭董文敏公非之，以爲神猶火也，火無新故，神何去來？世近則託形以傳，世遠則託聲以傳。曹弗興、衛協輩，妙跡已絕，獨名稱至今，雖謂絹素之壽壽

於金石可也，神安得去乎？余蓋誦其言而韙之。夫古人以不朽之精神託於絹素，而絹素之有盡，不如聲名之無窮；然聲名之傳，又必藉紀載以永之，此謝赫、鄧椿、夏文彥諸人之大有造於古賢也。古畫多寫人物故事，惟取形似。至唐賢點染山水，乃有南、北二宗；元四家出，氣韻生動，妙絕古今。明代得四家三昧者，文敏而外，不多見也。國朝婁東、虞山、毘陵諸大家，筆力雄厚，直入元四家之室，師友相承，風流未墜，百五十年來，精於六法者幾於家握靈蛇矣。馮君墨香，生長文敏之鄉，而聞其緒論；潑墨之暇，敍述當代畫家，由所見而溯所傳聞，名曰《國朝畫識》，凡若干卷，問序於余。余非知畫者，久之不能下筆，而墨香之請益勤，因誦文敏之言質之，未識與墨香撰述之旨有當焉否也。嘉慶二年丁巳夏四月，竹汀居士錢大昕書於吳門紫陽書院之春風亭。（錄自馮金伯本書卷首）

《質直談耳》序

吾弟鈍夫篤志者古，精於六書形聲之學，著書數萬言，復以暇日撰次生平所見聞可喜可愕足資徵勸者彙爲一編，名之曰《質直談耳》，乞予一言敍之。問其名書之由，則曰：向嘗夢案頭置一書，題此四字，因以名之，亦未審其何謂也。夫境之至幻者莫如夢，莊生有言曰：當其夢也，不知其夢也，夢之中又占其夢焉，覺而後知其夢也。且有大覺而知此其大夢也，明乎夢之非實有也。然昔之占夢，往往有指非夢爲夢，而即能決夢之吉凶，則夢何必非實也，實何必非夢。執著我見，妄生分別，自至人觀之，眞不直一笑者也。今吾之爲是書也，非出於親見，即得於傳聞，無一妄語也。雖然，吾能信吾見之不妄、吾耐保所聞之無一妄乎哉。此如夢然，夢中以爲質直，即作質直觀可矣。予嘉其達於理也，敍其語書于篇端。時旃蒙大荒駱如月，竹汀居士錢大昕。（錄自錢肇鼇《質直談耳》卷首）

《石鼓硯齋詩鈔》序

太子太保、户部尚書新安曹公薲原，以碩學鴻儒致身青雲，入直丹禁，歷六官，爲天喉舌；宸眷優渥，旦夕宣麻。而公以慈親八襄，引例乞養，歸田十有餘年，怡怡愉愉，孺慕肫摯，忠孝全備，似續繁昌，歷選前哲，邈乎寡儔。公向有《帶星草堂》及廬山、黃山紀遊詩，久膾炙士林。騎箕以後，公子月鋤大夫、儷笙宮相復衰

輯前後未刻詩，爲《石鼓硯齋詩鈔》三十二卷，將付剞劂，以予廁先友之末，乞一言序之。夫經濟之與詞章，自古判爲兩事，歐陽公所謂劉、柳無稱於事業，姚、宋不見於文章，有一於此，已足勒鼎鐘而垂竹帛。公生而神儁，在傅不勤，百廿國之寶書，入手而能暗誦；十四家之博士，識面而折觶行。作賦之工，紙貴乎洛下；揮翰之美，帳懸乎鄴都。擊鉢纔終，雕龍已就，一洗纖微憔悴之音，是爲廣大教化之主。及乎句臚金殿，寓直玉堂，草制得典誥之體，擒文媲雅頌之篇。繙貝葉之經函，步趨褚、薛；賡柏梁之天藻，凌跨東、枚。海內仰爲儒宗，禁中呼爲才子。曲江金鑑之錄，書著萬言；贊皇丹宸之箴，集編一品。而復乞身於寵渥之年，養志於期頤之日。扶板輿而有賦，調蘭膳而成吟。童知涑水之姓名，帝許齊賢之老福。蠻衣夷舶，爭乞擲地之篇；雲海天都，傳誦籠紗之句。極人爵而全人紀，有立功而兼立言，方之沈、范、燕、許，洵有過之，無不及也。竊嘗論詞章之美，莫尚乎文質相宣，陶冶性靈以爲質，寒瘦俚俗非質也；貫穿經史以爲文，姚冶斑駁非文也。公之詩春容淵雅，根柢深厚。應制之作，端莊而清新；游覽之篇，淡遠而頓挫，颯颯乎如〈七始〉之有餘音，醰醰乎如八珍之有餘味，殆所謂和其聲以鳴國家之盛者乎！有勳華之上理，斯有八伯之歌；有鎬洛之太平，斯有姬公之雅。我國家重熙累洽，文治光華，超軼前古，而黃山、白嶽之秀，旁薄鬱積，鍾偉人以爲棟梁柱石之材，即出其緒餘，猶足升建安之堂，而奪長慶之席。於戲盛哉！公之經濟事狀，當列於國史，故不具書。嘉慶四年歲次己未秋八月，嘉定錢大昕。（錄自曹文埴本書卷首）

《拜經樓詩集》序

海寧吳君槎客，博文贍學，著述等身，早歲即以詩名湖海間；既而聚書數萬卷，寢饋其間，顏所居之樓曰拜經，蓋取東莞臧氏之例。樓所儲書，百氏具焉，獨言經者，統於尊也。頃歲錄生平古今體詩，手自編定，爲卷一十有二，名之曰《拜經樓集》。寓書求序於予，且告曰：「僕編稿時，客有舉滄浪語以相難者，謂詩有別才，不關於學，春華秋實，理不得兼；賈、孔無韻語，溫、李非經師。今子從事於詩而兼好經術，吾懼其兩失之也。僕未有以應。」乞予一言以解兩家之結。予听然笑曰：詩固與經異趣耶？未有經，先有詩，《詩三百篇》皆賢士大夫詠歌性情之

作，自古有賢士大夫而不說學者乎？即其間有羈人思婦之詞，而聖人取而列之以爲經，則皆不詭於經者也。經有六，而詩居其一，舍經即無以爲學，詩與學果有二道乎哉！先正朱檢討之言曰：「詩篇雖小技，其源本經史。別才非關學，嚴叟不曉事。」斯可謂先得我心者矣。古人詩即爲經，自唐以後乃以小技名之，非技之小也，詩人自小之耳。風雲月露之狀，日出而不窮；賢士大夫之才，日用而不竭。今之性情，猶古之性情也，何有大小之區分乎？槎客之詩，根柢厚而性情正，詞必己出而不入於俚俗，言必擇雅而不流於姚冶，固將軼至於學人之詩而不詭於經者也。彼哉滄浪子，以一孔之智，輒議論古人長短，援引禪語，熒惑聽者，祗見其未嘗學問而已。既以復於槎客，復次其語爲之序云。嘉慶壬戌十月望日，竹汀錢大昕書。

（錄自吳騫《拜經樓詩集》卷首）

《攜雪山房詩稿》序

曩者與西沚光祿評論我邑詩人，西沚盛稱槎溪四子，謂程霞江、霞壇、諸稼軒、李桂岩也。霞江負倜儻俊偉之才，所居有園亭水石之勝，研精八法，深入唐、宋諸家奧窔；而又工於詩，暇日招邀同志，刻燭分韻，酒酣耳熱，擊節高歌，雖玉山唱和之樂，不是過也。予與霞江所居相距不及一舍，常欲訪其園居，作十日之飲。而年來假館吳門，歲時歸里，鹿鹿少暇，顧視攜雪山房，邈如三神山之不可即。今秋霞江介曹公子汾陽以詩一帙寄示，且言「近以右臂偏枯，久廢筆墨，而文字之緣結習未除，今檢點生平所賦古今體，汰其什之五六，將付諸剞劂，請先生一言序之。」予惟我鄉前輩，文酒相應和，而各有集傳世者，莫如唐、婁、程、李四先生。霞江生於檀園之鄉，書法吟格，一以檀園爲師。栽花疊石，奧如曠如，眺攬之勝，視檀園殆有過之。而又有諸、李諸君，望衡對宇，晨夕過從，久要無間。因思松圓僑寓東南，不能常在槎溪；即叔達、子柔，居各一方，其觴詠亦未必如今日之密，誰謂古今人不相及耶。予衰病，久不作近游，讀霞江詩，不覺見獵心喜，且信西沚之言不予欺也。（錄自嘉慶《南翔鎮志》卷九，頁八）

《春融堂詞》序

詞者，詩之餘也，而古今才士多不能兼此二者，有宋三百年間，如美成、邦卿、君

特、公謹、中仙、叔夏諸君子，卓然爲詞中大家，而其詩率不傳；惟姜堯章《白石道人集》、陳君衡《西麓漫稿》詩差清曠可喜。至眉山、劍南，偶作長短句，亦未爲擅場，甚矣人之才力有限，而兼而工之者之難得也。吾友王君述庵，以詩名聞吳會間，酒酣刻燭，拈韻賦詩，纏纏成數千百言，間復倚聲樂府，偷聲減字，慢詞促拍，一一叶于律呂，其選言也新，其立意也醇，緣情體物之作，清新婉約，出入風雅，有一唱三歎之音。予素不能詞，而東南詞家多能識之，吾鄉趙飲谷徵君、王鳳喈孝廉、長洲顧祿百上舍、吳企晉外翰、上海趙升之、張策時兩文學，尤其傑出不群者，顧於述庵之詞，交口推服無間言，信其詞之工而必傳于後無疑也。述庵家在九峰三泖間，有山可游，有水可釣，竹樹蕭森，林木翳如；又與溪朋酒友日相往來，結樓吟嘯其中，春秋佳日，相與按蘋洲漁笛之譜，和圭塘欸乃之集，其得山水之助如此，宜其詩詞之無不工也。讀述庵之詞者，無徒以詞人目之可矣。嘉定錢大昕序。（錄自王昶《春融堂集》卷首）

《新唐書糾謬》校補題記

曩在都門，得吳氏書，手自校錄，又假宋本補其闕文；吳說有未當者，輒有駁難，識於旁。今鮑君所刊，即予舊校本也。癸丑夏刊成，寄以示予。既爲校正數字，又續得辨正若干事，并寫以貽之。雖未必悉當，亦見予於此書用功老而不衰耳。八月辛酉朔，大昕記。（錄自《知不足齋叢書》本）

《淞南志》題記

大昕弱冠，授徒於淞南塢城顧氏，往還必由紀王廟，忽忽五十餘年矣。嘉慶辛酉正月，秦君照若出其曾大父雲津先生所輯《淞南志》稿見示，詘指舊游，宛在目前，而衰眊健忘，非復疇昔，讀竟，爲之三歎。竹汀居士錢大昕題，時年七十有四。（錄自嘉慶十年刊本卷首）

《陶山詩錄》題記

詩道之難久矣，言神韻者，或流爲優孟之衣冠；言性靈者，或雜以參軍之謔弄，彼此相笑，吾未知其孰賢也。陶山詩筆力橫絕宇一，心花結撰，不肯拾人餘唾，而實

無一字無來歷；抒寫懷抱，能達難顯之情，而不入於俚鄙佻巧之習。夫惟大雅卓爾不群，吾輩但當退避三舍而已。戊午七夕，大昕識。（錄自唐仲冕《陶山詩錄》卷首）

《望嶽樓詩》題詞

研精經學，著書滿家，而詩格豪放，兼有昌黎、眉山之長，近體清婉似王文簡公，可見胸中無所不有。（錄自袁行雲氏《清人詩集敘錄》卷三十九朱㶚《望嶽樓詩》條）

跋《律呂古誼》

溉亭主人，博極群書，於律算尤有宿悟神解。前歲在金陵，寄書於余，請爲是編製序，媿非專門，弗敢應也。未幾，遽歸道山，悕矣。辛亥中秋前三日，竹汀主人讀畢題。（錄自錢塘《律呂古誼》卷後）

跋《隸韻》

金石集錄，肪於歐陽文忠公，厥後好古之士著錄日繁。搜采之博，無過趙德甫；考證之精，無過洪文惠。文惠《隸釋》、《隸續》之書，世多有之，惟《隸韻》不傳。乙巳夏，於四明盧氏抱經樓得見此刻，雖殘缺不完，款識都失，要爲文惠之書無疑也。文惠嘗摹鴻都石經殘字，刻於會稽之蓬萊閣，論者謂淳古不異眞漢刻。予往來越中，求其隻字不可得，而茲本出於六百年之後，神物護持，洵非偶然哉。竹汀居士錢大昕記。（錄自王文進氏《文祿堂訪書記》卷一）

跋《隸釋刊誤》

予嘗讀《漢隸字原》，入聲一屋部「𡥀」字下云：「費鳳別碑：『盧白駒以一』，義作逯。」心甚疑之。竊謂「𡥀」當是「遻」字，蓋用〈白駒〉詩「勉爾遻思」之文。費碑「元懿守謙盧，白駒以𡥀阻」兩句皆五言，婁氏以「盧白」連文，似失其句讀，且誤「遻」爲「逯」矣。今黃君論婁氏短于音訓，可謂先得我心也。丁巳嘉平月八日，竹汀居士錢大昕讀於紫陽書院之春風亭。（錄自黃堯圃刊本卷首）

跋《宋太宗實錄》

《宋太宗實錄》本八十卷，今僅存十二卷。每卷後有書寫人及初對、覆對姓名。字畫精妙，紙墨亦古，遇宋諱皆缺筆，即慎、惇、廓、筠諸字亦然，決為南宋館閣鈔本，以避諱證之，當在理宗朝也。前朝實錄，唯唐順宗一代附《昌黎集》以傳，宋、元絕無存者。蓋正史修於易姓之後，汗青甫畢，實錄遂成廢紙，鮮有過而問焉者矣。頃菉圃孝廉出此見示，雖寸縑斷璧，猶是五百年前舊物，銘心絕品，正不在多許耳。丙辰臘月十二日，竹汀居士錢大昕書於吳門寓館。（墨跡現藏臺北國家圖書館）

> 森按：竹汀《文集》卷二十八亦有一跋，文字與此頗有異同，今錄存之，以並觀焉。

跋《治跡統類》

《宋史・藝文志》：彭百川《治跡統類》四十卷、《中興治跡統類》三十卷，與陳、趙二氏所言卷數小異。今《中興》書久不傳，無從決其然否。即此編亦未終卷，第文義多不相屬，秀水朱氏於此書病其難讀，蓋世所傳本大略相似耳。壬子長夏，假吳門袁又愷所，讀畢漫記，竹汀居士錢大昕。（墨跡現藏臺北國家圖書館）

跋《大金國志》

此書前載宇文懋昭〈表〉，題云「端平元年正月十五日上」，新城王尚書貽上謂是宋人偽造。予讀其詞，稱蒙古曰大朝、曰大軍、曰天使，而于宋事無所隱諱，蓋元初人所撰，其表文則後之好事者為之而託名于懋昭者也。錢遵王舉其直書康王出質，詳列北邊宗族，以為無禮於其君，而譏端平君臣漫置不省。今考《志》所載指斥之詞，尚有甚于此者，即其以大金為名，而於宋不稱大宋，可決其非宋人所作矣。且端平元年正月十五日，乃金亡之後五日，計此五日之間，孟珙告捷之奏，尚未能至臨安，此書何由編次進御，豈非作偽心勞，不能自掩其蟫漏之一證乎？其京府州軍一卷最精核，予嘗據以證《金・地理志》之誤云。竹汀居士錢大昕記。（錄自羅振常氏《善本書所見錄》卷二）

森按：《文集》卷二十八有此跋，無「且端平元年正月十五日」以下八十餘字，今附存之，以備覽者考索焉。

跋《安南志略》

庚戌六月北行，舟中無事，與兒子東壁分鈔此書，凡四十日而畢。元本訛舛特甚，手自校讎，頗費日力。邢子才云「日思誤書，更是一適。」竊有味乎其言。竹汀居士錢大昕。（據國家圖書館藏本手跋迻錄）

森按：王大隆氏輯《堯圃藏書題識續錄》，著錄袁壽階藏此書舊鈔本，有竹汀跋記二行，云「庚戌七月，竹汀居士錢大昕假讀訖，時在任城舟次。」知竹汀即據袁本傳錄者。袁本後歸黃堯圃，黃氏跋云：「是書向未見有刻本。……余姻家袁壽階藏此，少詹借以讀過，卷中硃墨兩筆校改，皆其手蹟。……蓋是年庚戌爲高宗純皇帝八旬萬壽，少詹雖致仕，例得入都祝嘏。萬壽節在八月，故七月已就道（森按：據竹汀跋文，當是六月啓程）。其必攜帶《安南志略》者，是時外藩入覲，安南國王阮光平新立，亦與盛典，一時在京臣僚以備顧問，故少詹先讀此，於以見留心掌故」云（卷一，頁十七），此其事也，錄之備參。

跋《天下郡國利病書》

亭林先生，博學通儒，所譔述行世者皆有關於世道風俗，非僅以該洽見長。惟《天下郡國利病書》未有刊本，外間傳寫，有意分析，失其元第，然猶珍爲枕中之秘。頃堯圃孝廉購得傳是樓舊藏本三十四冊，識是先生手跡，蠅頭小楷，密比行間，想見昔賢用心專勤，不肯假手鈔胥，故能卓然成一家言也。堯圃其善藏之。壬子十月廿四日，竹汀居士錢大昕題。（錄自王大隆輯《堯圃藏書題識再續錄》卷一）

跋《東家雜記》

世文於宣和六年嘗撰《祖庭雜記》，及從思陵南渡，別撰此書，改「祖庭」爲「東家」者，殆痛祖庭之淪陷而不忍質言之歟。考四十九代孫玠襲封衍聖公時，世文已稱本家尊長，而卷中述世系訖於五十三代洙，計其時代當在南宋之季，蓋後來續有

增入矣。卷首〈杏壇圖説〉，與錢遵王所記正同。竊意此〈圖説〉及〈北山移文〉、〈撃蛇笏銘〉、〈元祐黨籍〉三篇，亦後人增入，非世文意。菉圃主人精於考古，其以吾言爲然乎否。辛酉十一月，竹汀居士錢大昕記。（録自《菉圃藏書題識》卷二，又《鐵琴銅鐵樓藏書題跋集録》卷二）

跋《孔氏祖庭廣記》

此先聖五十一代孫襲封衍聖公元措夢得所編，前載元豐八年四十六代孫宗翰《家譜》舊引、宣和六年四十七代孫傳《祖庭雜記》舊序。《家譜》與《雜記》本各自爲書，夢得始合爲一，復增益門類，冠以圖象，并載舊碑全文，因祖庭之名而改稱《廣記》，蓋儒源之文獻至是始備。書成於金正大四年丁亥，張左丞相行信爲之序，鏤版南京。此則蒙古壬寅年元措歸闕里後重雕之本也，壬寅爲元太宗六皇后稱制之年，金之亡已十載矣。蒙古未有年號，但以干支紀歲，在宋則爲淳祐二年也。此書世無傳本，茲於何夢華齋見之，紙墨古雅，字畫精審，予所見金元槧本未有若是之完美者。向嘗據漢、宋、元石刻，證聖妃當爲并官氏。今檢此書，并官氏屢見，無有作「开」字者。自明人刻《家語》，妄改爲「开」，沿訛到今，莫能更正，讀此益信元初舊刻之可寶。嘉慶六年歲在辛酉五月五日庚辰，嘉定錢大昕謹題。（録自《菉圃藏書題識》卷二，又《鐵琴銅劍樓藏書題跋集録》卷二，又《木犀軒藏書題記及書録》頁一一四）

跋《淮海先生年譜》

小峴觀察以新刊《淮海先生年譜》見示，蓋因康熙初侍御大音所輯而考正其舛誤，較舊本已極精審。大昕以《文集》及李氏《長編》、〈顏魯公廟記〉石刻反復尋繹，尚有當更正者。如文集〈書王氏齋壁〉一篇云：「皇祐元年，大父赴南康，道出九江，余實生焉。」又云：「後余迎老母，來爲汝南學官」、「皇祐逮今四十一年」，自皇祐元年己丑至元祐四年己巳，恰四十一年，先生方在蔡州，自識年歲，必無差訛，而《譜》繫此文於元豐八年，因歲數不合，輒改爲「幾四十年」，此其當考正者一也。考元祐元年先生赴蔡州任，其時劉貢父實知州事，是歲即被召去，其二年、三年未知何人作守；至四年向宗回任郡守，先生代爲作謝表及記，其文皆

載集中，此可爲元祐四年在蔡州不在京師之證，而《譜》以代向公作啓繫於元年，此其當考正者二也。《宋史·哲宗紀》元祐二年四月復制科，蘇公薦先生賢良方正在其時；明年應詔入京師，爲言者所齮齕，引疾而歸，不得與試，集中〈與許州范相公書〉載其事甚備，詩集亦有「白髮道人還省記，前年引去病賢良」之語，然則被召至京師爲忌者所中，復引疾歸汝南，實三年事，而《譜》繫於二年，此其當考正者三也。先生雖舉賢良，實未應試授官，直至四年六月范忠宣公罷相，出知許州，先生在蔡爲屬吏，特薦充館職，再召。次年入京師，有祕書省校對黃本書籍之命，其時亦未除正字也，而《譜》載除太學博士兼正字於三年，與詩文集全不相應，此其當考正者四也。《長編》載元祐六年七月除正字，八月罷正字，依舊校對黃本書籍，故七年書〈顏公新廟記〉，結銜猶稱明州定海主簿祕書省校對黃本書籍，蓋其時雖登館職，尚未脫選人之階（主簿爲選人七階之一，乃空銜，不到任也），直到八年再除正字，始得改左宣德郎，而《譜》於三年三月已有授左宣教郎敕，顯係後人贗作，此其當考正者五也。《宋史》元祐七年十一月癸巳合祭天地於圜丘，集中〈進南郊慶成詩〉即其事也，而《譜》繫之四年。考四年行大饗明堂禮，非南郊，且繫九月，非十一月，此其當考正者六也。《宋史·文苑傳》所載歷官無年月，又不言舉賢良、引疾罷歸及范忠宣薦館職事，然本集敍述分明，歲月與《長編》俱合。今書一通，以遺觀察，芻蕘之言，不識有一得之可采否乎。（錄自道光間王氏重刊本《淮海集》）

跋《輿地紀勝》

王氏《輿地紀勝》二百卷，予求之四十年未得，近始於錢唐何夢華齋見影宋鈔本，假歸讀兩月而終篇。每府州軍監分子目十二，曰府州沿革（若有監司軍將駐節者，別敍沿革於下），曰縣沿革，曰風俗形勝，曰景物上，曰景物下，曰古跡，曰官吏，曰人物，曰仙釋，曰碑記，曰詩，曰四六。今世所傳《輿地碑記目》者，蓋其一門，不知何人鈔出，想是明時金石家爲之也。此書所載，皆南宋疆域，非汴京一統之舊。然史志於南渡事多闕略，此所載寶慶以前沿革，詳贍分明，禆益於史事者不少。前有嘉定辛巳孟夏自序、寶慶丁亥季秋李塈序及曾□鳳剳子。象之，字儀父，金華人，嘗知江寧縣事，不審終於何官。其自序云：「少侍先君宦游四方，江淮荊

閩，靡國不到。」又云：「仲兄行父，西至錦城；叔兄中父，北趨武興，南渡渝瀘。」而陳直齋亦稱其兄觀之爲夔路漕，則中父疑即觀之字。又記一書稱「王益之，字行甫，金華人」，蓋即儀父仲兄，而其父之名則無從考矣。此書體裁勝於祝氏《方輿勝覽》，而流傳絕少，雖闕三十二卷，究爲人間希有之本，予以垂老得寓目，豈非大快事耶。嘉慶壬戌中冬，竹汀居士錢大昕書。（錄自張金吾《愛日精廬藏書志》卷十五，又《鐵琴銅劍樓藏書題跋集錄》卷二）

跋《雲間志》

此書成於紹熙四年，而知縣、進士題名，續至淳祐、寶祐而止。卷末數葉載樓大防、魏華父諸公記，亦後人續入也。宋時華亭縣兼有今松江全郡之地。此《志》體例，亦繁簡得中。而近代藏書家罕有著錄者，予始從王鶴谿借鈔得之，并寫一本以遺王蘭泉云。丙申春，竹汀居士錢大昕記。（據嘉慶甲戌沈氏古倪園刊本卷後跋錄）

　　森按：竹汀《文集》卷二十九別有〈跋雲間志〉一首，與此不同，今錄存之，以並觀焉。意者，《文集》之文，蓋竹汀藏本原跋，此則竹汀寫寄王述庵本所爲跋識也。

跋《新定續志》

此志刱于董弅，本題《嚴州圖經》，經陳公亮重修，亦仍其舊。而直齋《書錄》、馬氏《文獻通考》皆作《新定志》，即志所載書籍，亦但有《新定志》，初無《圖經》之目，蓋宋人州志，多以郡名標題，不妨一書兼有二名。此所續者，即董、陳兩家之志耳。志成于錢可則蒞郡之日，當在景定間。而卷首載咸淳元年升建德府省劄，其知州題名可則，後續列郭自中等八人，此後來次第增入，宋時志乘大率如此。庚申中伏，大昕書於紫陽寓館。

此書當刻於咸淳七八年間，蒐圖定爲宋槧，自無可疑。咸淳終於十年，又二載而疆域全入於元矣。轉瞬之間，便隔兩朝，何怪乎板式之相類耶。大昕又記。（據國家圖書館藏本竹汀手跋錄）

跋《吳地記》

陸廣微事跡無可考，據其書云自周敬王六年，至今唐乾符三年，則是僖宗朝人。而《唐書·藝文志》不載是書，至《宋志》始著於錄。若夫吳江一縣，置於吳越有國之日，卷內有續添吳江縣云云，殆後人羼入耳。壬子春二月庚子朔，錢大昕記。

（據國家圖書館所藏舊鈔本袁壽階過錄竹汀跋文）

跋《赤城志》

此志成於嘉定十六年，而第三十三卷載史嵩之鴆杜範事，乃在其後二十有餘年，文詞亦絕不類，蓋明人以意竄入，決非壽老元文，吾安得見宋槧本而一刊正之乎。辛酉六月，竹汀居士錢大昕假讀並記。　（錄自《皕宋樓藏書志》卷三十）

跋《崇文總目》

按陳伯玉所見即是此本，蓋南渡時館閣所儲，記其闕佚，以備采訪者。標題「紹興改定」，疑當爲「攷定」，謂考其闕否，非有所更改也。秀水朱氏謂因鄭漁仲之言去其序釋，不知紹興之初，漁仲名望未著，又未爲館職，此有目無説之本，取便檢閱，本非完書，謂因夾漈一言而去之，失其實矣。館臣從《永樂大典》中補輯分編，凡三萬六百六十九卷，較此原錄更臻核備矣。　（錄自丁氏《善本書室藏書志》卷十四）

跋《輿地碑記目》

王象之《輿地碑記目》四卷，乾隆戊子借鈔於南濠朱文游氏。鈔畢粗讀一過，中多訛字，由轉寫失眞所致，惜無宋槧本校正，僅以意更定百十處而已。錢大昕書。

（錄自傅增湘氏《藏園群書經眼錄》卷六）

跋《宋寶祐四年會天曆》

《宋寶祐會天曆》，予訪之五十年不可得，今春聞吳門吳君錦峰有此書，亟往假讀，而錦峰又令賢子錄其副見貽，眞衰年快事也。朱錫鬯跋引農家諺，以元日立春

爲百年罕遇事。予考元世祖至元三十一年甲午歲正月一日立春，見於周密《癸辛雜識》、陶九成《輟耕錄》兩書，距宋理宗寶祐四年丙辰僅三十有八年耳。夫元日立春，猶之天正朔旦冬至也，以古法十九年一章之率推之，本非希覯之事，田家不諳推步，故有此諺，未可信爲實然也。分卦直日，以坎離震兌各六爻直二十四氣，及五日一候，皆出唐大衍術，而宋因之。元授時以後，始不立求卦氣、七十二候諸術，今疇人子弟遂不知六日七分爲何語矣。其書玄鳥爲𪃑鳥，姤爲遇、恆爲常，皆避宋諱，若八月三日下注有「大夫登」三字，當是「禾乃登」之訛。嘉慶八年，歲在昭陽大淵獻皋月甲午朔，竹汀居士錢大昕書於紫陽書院之春風亭。（據國家圖書館藏本過錄先生跋文。）

　　森按：蔣光煦《東湖叢記》卷四亦錄有此跋，文字微異；《皕宋樓藏書志》卷四十八亦錄之，字多訛舛。

跋明萬曆八年及十年大統曆

司天頒朔，每歲毋慮億萬本，改歲以後，視同廢紙，漫不省視。更閱數十寒暑，欲求一本，邈不可得矣。此庚辰、壬午大統術，鏡濤主人於故帖紙背揭下，雖間有殘缺，亦是二百年前物。國朝監於前代，行款悉用其式，而推算益密，如合朔弦望不注時刻，節氣有刻無分，足徵舊術不如時憲書之精細。今法用定氣，十二中即爲日躔過宮之日，舊術用恆氣，故中氣後別有過宮之日也。舊術置閏，或在正月、十一月、十二月，而今法無之，亦由用定氣之故，非法有疏密，精於推步者當心知其意耳。竹汀居士錢大昕題，維時大清乾隆六十年四月九日。（錄自瞿木夫《古泉山館題跋》頁二六）

跋《不得已》

向聞吾友戴東原說歐邏巴人以重價購此書，即焚燬之，欲滅其跡也。今始於吳門黃氏學耕堂見之。楊君於步算非專家，又無有力助之者，故終爲彼所詘。然其詆耶蘇教，禁人傳習，不可謂無功於名教者矣。己未十月十九日，竹汀居士錢大昕題，時年七十二。（錄自《蕘圃藏書題識》卷四）

　　按：葉廷琯《吹網錄》卷五「《池北偶談》舊本有《不得已》條」，言：

「《不得已》一書，爲康熙初歙人楊光先力攻西洋人湯若望而作，書凡二卷，舊有刻本，今已罕傳。藏書家間有鈔本，余嘗見一帙，尚係舊鈔，後有錢宮詹爲黃蕘圃題跋」云云，即此。葉氏述其事甚詳，今不具錄。楊光先生平事跡，略見孫淵如〈楊光先傳〉。（孫氏《五松園文稿》卷一）

跋《三歷撮要》

此書不題撰人姓名，亦無刊刻年月，所引《萬通百忌》、《萬年具注》、《集聖》、《廣聖》諸書，皆選擇家言，司天監據以鋪注頒朔者也。劉德成、方操仲、汪德昭、倪和甫，蓋當時術數之士，今無能舉其姓名者矣。書中引沈存中《筆談》，當是南宋所刊。嘉慶己未十月十有四日，竹汀居士假讀，時年七十有二。（錄自楊氏《楹書隅錄》卷三，又見陸氏《皕宋樓藏書志》卷五十一、《鐵琴銅劍樓藏書題跋集錄》卷三）

跋《太玄集注》《太玄解》《太玄曆》

溫公《集注太玄》六卷，見於《宋·藝文志》，而世罕傳本。至許崧老之《玄解》，則〈宋志〉無之，唯直齋所錄，與此本正同。崧老本續溫公而作，而卷第相承，蓋用韓康伯注《易》之例。《太玄曆》不著撰人，許氏云出溫公手錄，則溫公以前已有之。其以六十卦配節氣，不及坎、離、震、兌者，京氏六日七分法，四正爲方伯，不在直日之例也。此本字畫古樸，又多避宋諱缺筆，相傳爲南宋人所鈔。明中葉唐子畏及吾家孔周先後藏弆，一時名士多有題識，好事者誇爲枕中之秘。去冬雲濤舍人始購得之，招余審定，歎其絕佳。越明春，借讀畢因題。時癸丑二月廿七日，錢大昕。（錄自《鐵琴銅劍樓藏書題跋集錄》卷三）

跋《顏氏家訓》

此淳熙臺州公庫本，卷中於「搆」字注「太上御名」而闕其文，以其時光堯尚在德壽宮也。前序末有長記「廉臺田家印」五字，考元制各道置廉訪司，爲行臺所屬，廉臺之名實昉於此。此本蓋宋槧而元印者，其間必有修改之葉，故於宋諱間有不避耳。辛酉十有一月，竹汀居士錢大昕借讀畢記之。（錄自潘祖蔭《滂喜齋藏書記》卷

二，又《蕘圃藏書題識》卷五）

跋元刊李、杜詩

瞿婿鏡濤好讀書，所聚復多善本，乾隆乙卯五月十八日予過其書齋，出《集千家注杜工部詩》及《分類補注李青蓮詩》見示。予審視之，皆元時刊本，李詩雖不及杜集楮墨之精，然李、杜齊名，而書皆舊槧，版式相似，延平劍合，洵非偶然，因喜而識之，竹汀居士錢大昕。（錄自傅增湘氏《藏園群書經眼錄》卷十二）

跋《巴西鄧先生文集》

予從吳門朱文游借得《巴西集》，乃明人鈔本，汲古閣所藏。予募人鈔其副，略校一過，舊鈔潦草多訛字，如「餘」作「余」、「釋」作「什」之類。余所雇寫手，字拙而不讀書，儲之篋中，姑備一家，未可謂善本也。巴西所著曰《內制集》、曰《素履齋稿》，今皆不可得見。此本殆後人蒐羅綴緝成之，故無卷次，然藏書家著錄者亦罕矣。乾隆丙申冬十月十三日辛亥，錢大昕及之甫書於屛守齋。（錄自瞿中溶《古泉山館題跋》頁四六，又《蕘圃藏書題識》卷九）

跋新莽泉母

新莽錢母一，其形橢圓，中容貨泉八枚，其四有文，其四無文，交錯列之。背之右隅有文曰「母」，蓋當時呼錢模爲母也。秀水朱氏所見大泉五十之母，強名之曰范，由未得見此異聞耳。己酉歲十月十七日，江鄭堂訪予春風亭，攜此見示，喜而識之。（錄自張燕昌《金石契》）

跋玄靖先生李君碑

魯公書〈玄靖先生碑〉，與〈殷君夫人〉及〈家廟碑〉同一筆意，皆晚年書之最善者。世人愛〈千福寺碑〉，不惜多金購之，此季咸所見善者機爾。碑石已糜碎，此拓較完本僅少二百許字，江左收藏家如此者吾見亦罕矣。竹汀居士錢大昕書。
前歲見汪稼門方伯所藏南宋拓本，文字完好，惜中間損失數十字。此本雖已斷，而汪本所損失之字卻無恙，取以校補，可成完璧，亦佳話也。此冊向藏白門龔氏，今

歸吳郡袁氏。丁巳閏下，大昕再題。（錄自《北京圖書館藏善拓題跋輯錄》頁三四九）

　　森按：本集卷三十二亦有此跋，二者文字頗有異同。蓋集本跋識，爲汪容甫藏南宋拓本，僅損三十許字。此跋則袁壽階藏本，缺字較甚。今錄存之，以並觀焉。

　　又按：此跋言「前歲見汪稼門方伯所藏南宋拓本」云云，蓋汪容甫藏本後歸汪稼門歟。

跋黃履〈金陵雜詠〉詩刻

右詩一十九首，顧文莊云「在江寧府治」，不知何時移于縣學，今在大成殿內。元人刻先師像於碑之陰，陰轉向外，而正面倚壁深闇，雖日午非秉燭不能見。好古之士，罕見之者。己亥春，嚴子進始訪得之，手摹其文，就予寓齋共讀，快然如鐵網之遇珊瑚也。（錄自嚴觀《江寧金石記》卷八）

卷中
《長興縣志》辨證

　　昔賢著述，豈無千慮之一失？規過糾謬，非爭勝也，求其是而已矣。傳曰：「君子之言，信而有徵。」宣尼大聖，猶望文獻之足徵，古言「徵」，今言「證」，其義一也。志乘與國史相表裏，方俗相承，未必皆得其實，證之正史，證之李吉甫、樂史、王存、歐陽忞、祝穆、王象之諸家之書，擇善而從，勿使疑誤來者，則辨之不可已矣。若前人業有定論，確不可易，彙爲〈攷證〉，別載〈雜識門〉，弗敢掠美也。

舊志沿革之誤

論郡縣沿革，當以正史爲據。長城建縣，昉於晉初，屬吳興郡，沈約《宋書·州郡志》：「長城令，晉武帝太康三年分烏程立。」當太康建縣之始，長城與故鄣並爲吳興屬縣，而故鄣爲秦漢舊縣，志但云「分烏程立」，不及故鄣，明乎故鄣與長城無涉也。休文武康舊族，以本郡人修國史，而所言鑿鑿如此，所謂南山可移，此案必不可動者矣。古地理書之傳于今者，唯唐之《元和郡縣志》、宋初之《太平寰宇

記》爲最善，而兩書敘本縣沿革，並云：「漢爲烏程縣地。」其敘安吉沿革，則云：「漢故鄣縣地。」兩縣疆界，未嘗混也。自晉太康，迄於梁、陳，長城與故鄣、安吉、原鄉四縣並屬吳興郡，疆域無改。惟宋永初三年，分宣城之廣德，吳興之故鄣、長城及陽羨、義鄉五縣，立綏安縣，屬宣城郡，即今之廣德州，則縣之西境，當稍蹙耳。隋文帝平陳，省并郡縣，于時廢吳興郡，并長城入烏程縣，屬吳郡；并廣德、故鄣、安吉、原鄉四縣入綏安縣，屬宣城郡。及仁壽二年，復立長城縣，嗣後遂無故鄣之名。然以隋并省分屬之跡攷之，可見自晉至隋，長城自長城，故鄣自故鄣，初未嘗合而爲一。溯而上之，則後漢時未有長城，當爲吳郡烏程縣地；秦漢未有吳郡，當爲會稽郡境，與鄣郡丹陽固風馬牛不相及也。唯唐高祖武德七年甲申，嘗并安吉入長城；至高宗麟德元年甲子，復立安吉縣。自甲申至甲子，相距僅四十年耳，魏王泰撰《括地志》，在太宗貞觀之世，其時安吉并於長城，故其言云：「故鄣城，在長城縣西南八十里。」不言安吉而言長城者，據貞觀疆域定之也。至麟德後置安吉縣，則故鄣城已改歸安吉，不復在長城境矣。張守節撰《史記正義》，在明皇朝；杜佑撰《通典》，在德宗朝，乃沿襲《括地志》之文不能改正，當由北人未習江左輿圖，致有斯失，此非《括地志》之誤，張、杜二君自誤耳。李吉甫《元和郡縣志》，攷定兩縣境，長城歸烏程，安吉歸故鄣，則已覺張、杜之誤矣。自後樂史、祝穆諸人著書，及宋、明修《吳興志》者，莫不本李吉甫說，而顧尚書志沿革，援引《史記正義》，舍烏程而承故鄣，外會稽吳郡而承鄣郡丹陽，一時失于討論，沿襲至今，與郡志兩相矛盾，茲不辭饒舌，苦爲分明。世有王深寧、顧亭林其人者，當不以吾言爲河漢也。

裴子野

《輿地紀勝》安吉州有裴子野宅，云：「子野本河東人，寓居湖州之故鄣，宅在縣西南三十六里永昌鄉。」所云縣西南者，謂故鄣之西南，則與長興無涉也。顧《志》于〈古蹟〉不收裴子野宅，亦不收子野于〈流寓〉，蓋得之矣。譚《志》〈寓賢門〉有子野，殊未深攷，今刪。

錢延慶

宋明帝泰始二年，長城人吳慶恩殺同郡錢仲期。子延慶屬役在都，聞父死，馳還，于庚浦埭逢慶恩，手刃殺之，自繫烏程獄。吳興太守郗顒表不加罪，從之。見《南史·孝義傳》。案錢氏望出長城，而仇家又是長城人，則延慶之籍長城似無可疑。舊志〈孝子〉濫收故鄣之王文殊、馮翊之吉翂，而不及延慶，何也？若以史有「繫烏程獄」一語，疑其居烏程，則恐不然。延慶自建康南還，必先過郡，中途殺仇，自投郡獄，於情理自當如此。

新枋縣子

《南史·陳本紀》：「高祖封新枋縣子。」按新枋縣不見于〈地理志〉，《陳書》作新安，當得其實。

盧陵王伯仁

舊志〈諸王傳〉：「盧陵王伯仁，禎明元年，自安東將軍、吳興太守徵爲特進。」按《陳書》、《南史》本傳，俱無爲吳興太守事，郡志〈牧守表〉亦無陳伯仁姓名，不知舊志何據？

宰相世系表與陳書本紀不同

《陳書·高祖紀》：「晉太尉準生匡，匡生達，永嘉南遷，爲丞相掾，歷太子洗馬，出爲長城令。」《唐書·宰相世系表》則云：「準生伯眕，建興中渡江，居曲阿新豐湖，生匡。」是匡非準子，乃準孫，其不合一也。據〈紀〉似達始南遷；據〈表〉則眕已渡江，居曲阿之新豐湖，其不合二也。長城令之名，〈紀〉作達，而〈表〉作世達，其不合三也。世達之名，或以避唐諱，有上一字；其由曲阿徙長城，似當以〈表〉爲正。又如高祖兄道談，〈表〉作談先；弟休光，〈表〉作休先；文帝名蒨，〈表〉作曇倩；宣帝名頊，〈表〉作曇瑱。「瑱」與「頊」形相涉，當是轉寫之訛，餘則未能懸斷矣。（〈紀〉于第一卷作道談、休光；第二卷作道譚、休先。）

戴洋

《晉書·戴洋傳》：「元帝將登阼，使洋擇日。洋以爲宜用三月二十四日景午。」按〈元帝紀〉，建武元年三月辛卯即晉王位；太興元年三月景辰，即皇帝位。俱非丙午日，洋傳殆誤。又稱「吳伐關羽，天雷在前，周瑜拜賀。」攷吳呂蒙襲取荊州，其時周瑜死已久矣，洋所言殊非其實，史家雜采小說，不能刊正，往往如此。

錢瑞當作錢端

〈陵墓門〉有晉龍驤將軍青冀二州刺史錢瑞墓。瑞事跡無攷。今按《晉書·懷帝紀》：「永嘉五年四月戊子，石勒追東海王越喪，及于東郡，將軍錢端戰死。」〈東海王越傳〉載端事，與〈紀〉略同。鄭樵〈氏族略〉云：「東晉有青州刺史錢端。」「端」與「瑞」字形相涉，而將軍、刺史，與端官位正合。錢氏望出長城，則縣北四里之墓必端所葬矣。端隕身王事，名見正史，而縣志不之及焉，所當亟爲表章者也。

謝夷吾

謝太傅之裔孫夷吾爲長城令，但有徙墓一事，它無表見。舊志入之〈名宦〉，謂梁、陳間爲令，有惠政。此臆說也，據《陳書》，始興王叔陵發謝安墓，葬其生母彭氏，在太建十一年，夷吾作令，當在太建中明矣。舊志〈職官〉、〈名宦〉二門俱繫梁，不繫陳，此當改正者也。夷吾既爲太傅之後，於史例當云陳郡陽夏人，今云：「字堯卿，山陰人。」則是後漢之謝夷吾，相去四百年，豈可牽合爲一人乎？又引《名賢錄》「夷吾舉孝廉，爲壽張令，遷荊州刺史」云云，凡百廿餘言，其文皆出《後漢書·方術傳》。永平非梁、陳之元，章帝非梁、陳之主，且有「漢末當亂」之語，可證其非梁、陳人，而謬相援引，不加攷證，又不知其爲范史，而妄稱《名賢錄》，眞令人噴飯矣。

庾沙彌

庾沙彌以孝行稱，其在長城，史不言政績，志家重其人而列之〈名宦〉，未爲不

可。若〈傳〉所云：「墓在新林，因有旅松百餘株，自生墳側。」乃謂其親墓所在耳，與長城無涉也。《志》乃移置于長城令之下，似沙彌葬于此，豈非自欺欺人之甚者乎。

鉗耳知命

舊〈名宦〉有鉗耳一人，列于唐時，其傳云：「鉗耳字知命，爲長城令。」蓋以其人鉗姓而名耳也。攷《廣韻》羌複姓有鉗耳氏；《金石錄》有鉗耳君〈清德頌〉。然則知命殆鉗耳令之名，而非其字歟。又攷《府志》有鉗知命，聖歷中安吉令。蓋「鉗」下脫「耳」字，而知命之是名非字，已有明證。然實安吉令，而非長城令，不知顧氏何以收之？

徐嶠非嶠之

唐有徐嶠，字巨山，長城人，齊眄之次子；又有嶠之，越州人，則浩之父也。兩人同時，望皆出東海，而實非一人。舊志於巨山傳稱「工書，以書法授其子浩，四十二幅屏，八體皆備，草隸尤工，如怒猊抉石，渴驥奔泉。」是誤以嶠之與嶠爲一人矣。此語見《唐書・徐浩傳》，豈季海亦可入此縣人物乎？此眞可一笑也，顧《志》本無此語。

錢珝

舊志以爲徽幼子。按《唐書》徽傳云：「子可復、方義。可復死鄭注時。方義終太子賓客，子珝，字瑞文。」是珝爲方義之子，徽之孫也。《唐詩紀事》以珝爲徽子，未詳何據。珝字瑞文，而《志》作端文，亦當以史爲正。蓋「珝」從玉旁，與「瑞」義相近也。

陳夷行

顧《志》〈人物〉有陳夷行。攷《唐書》夷行傳云：「其先江左諸陳也。」不云「陳之宗室」，又不云「吳興長城」。〈宰相世系表〉於陳元帝、宣帝後嗣，敍述甚詳。至于夷行一支，則云：「又有潁川陳忠（夷行大父也），不知所承。」是夷行

非陳宗室審矣。顧《志》特以「江左諸陳」一語，輒收入〈人物〉，直改爲長城人，果何據乎？董斯張著《吳興備志》，已辨其失，郡志亦無此人，當去之。

喻鳧

舊志〈職官表〉有俞鳧，字坦之，毘陵人，開成進士，大中元年爲長城令。按《桃溪客語》稱喻鳧開成五年進士，姚合送鳧詩有「闕下科名出，鄉中賦籍除」之句，是鳧爲唐中葉詩人無疑也。而牟巘《陵陽先生集》云：「唐詩人喻鳧，天寶末，從駕狩蜀，嘗爲陵州守，卒官，遂家焉。蜀之有喻從此始。」豈唐有兩喻鳧，又皆爲詩人耶？此必牟氏誤耳。謝翶〈睦州詩派序〉云：「新定自元和至咸通，以詩名者凡十人。」內列喻校書鳧及喻坦之二人，則坦之與鳧各是一人，而《志》以坦之爲鳧字，未知何據？《宜興志》列喻鳧于〈人物〉，宜興爲常州屬縣，故此志云毘陵人。若據皋羽說，當爲睦州人矣。

劉誼

〈人物〉劉誼傳云：「王安石行新法，誼上疏言『變祖宗法者，陛下也；承意以立法者，王安石也。討論潤之者，呂惠卿、曾布、章惇之徒也。』其語激切深至。內批云：『誼張皇上書，公肆誕謾，上惑朝廷，外搖眾聽，可特勒停。』」今攷南豐謝中丞啓昆所撰《粵西金石略》，載「〈曾公巖記〉，元豐二年九月二十六日管勾本路常平前江山縣丞劉誼文，在臨桂縣冷水巖。」所云曾公者，即布也。中丞有跋云：「布以贊行新法起官，以論新法去官，氣味不侔矣；而蹤跡親密，〈記〉多諛詞，何也？」蓋不能無疑于論新法去官之說矣。今按誼與曾布同遊，題名石刻見存者：一題元豐二年四月二十日，一題元豐二年五月一日，皆在臨桂之龍隱巖；一題元豐二年六月初三日，在臨桂之疊綵山，一與前題同日，在臨桂之伏波巖；一題元豐二年中秋，在臨桂之水月洞。又臨桂之中隱山，有劉宜父、曾公晃等題名，題元豐二年八月十八日，公晃則布之子也。誼又有〈留題融州老君巖詩〉，及布和作。元豐六年七月，知融州錢師孟爲刻石。是宜父與曾布同官相得，未有異同之嫌也。此外題名尚多，在元豐二年以前，則云管勾本路常平前江山縣丞；至三年十二月初五日，則題權發遣提舉常平光祿寺丞；其月十八日，題權發遣提舉常平通直郎，則

以改官制換寄祿官也。誼于元豐二年由江山丞管勾廣西常平，遷通直郎，提舉廣西常平，與曾布游從甚密，見於石刻者不一而足。且提舉常平，即安石新法所設之官，誼果以論新法勒停，不應更受此職。曾布即所劾之人，亦當引嫌迴避，乃作〈曾公巖記〉稱其德美乎？《宋史》於論新法諸人一一具載，而獨不見誼名，則誼之勒停或別以它故，《志》所載恐是子虛烏有之談矣。誼任常平，在元豐初；而《志》作熙寧，亦誤。

又攷《東坡外制集》有〈劉誼知韶州敕〉：「具官劉誼，汝昔爲使者，親見民病，盡言而不諱，厄窮而不悔，夫豈知有今日之報乎？孔子曰：『巧言令色，鮮矣仁。』夫能爲朕教（森按：原集作「牧」）養遠民、惠鮮鰥寡者，必剛毅不回之士也，往順（森按：原集作「服」）厥官，益信汝言。」東坡爲中書舍人草制在元祐初，其云「汝昔爲使者，親見民病，盡言不諱」，當即謂提舉常平時，然其時新法施行已久，安石亦久罷相位，或因直言民病，追溯其原出安石乎？舊志失書元祐初起知韶州事，故特表而出之。

《東坡續集》中有〈與劉宜翁書〉一篇，詞意淺近，不類坡公作。舊志採入誼傳，未知何據？

劉一止寧止

劉一止、劉寧止，本歸安人，見《宋史》及《府志》，臧衍《長興志》誤以爲縣人；顧尚書削而不載，宜矣。一止兄弟皆宣和三年進士，而黃《志》誤以爲特奏名，顧氏亦已辨之；又謂：「宋時進士，自五甲之外，又有特奏一名，並無二名之説。」則攷之未審矣。宋時所謂特奏名者，謂會試下第後，加恩舉子，擇其曾試三科終場者，列名具奏，亦與釋褐，謂之特奏名，不在五甲之列，人數眾多，非止一名也。劉氏昆弟本正奏名進士，初非特奏名，黃《志》固誤，顧謂特奏止一名，誤仞「特」爲「獨」義，而不知朝廷特恩，豈一人獨私之乎？儒者不精史學，不可輕于持論。

任凱

余靖有〈送任秘丞知長興縣〉詩云：「懿文通識氣飄飄，二十年來困下僚。吾道本

將忠許國，世途休嘆老登朝。囊裝冷落堆青簡，衙署幽深枕畫橋。預想吳人蒙德化，海鷗桑雉共逍遙。」秘丞疑即任凱也。

史巖之

史巖之開禧間由長興縣尉陞本縣知縣，增齋館于學署，與林大中、趙汝諧並祀鄉賢祠，此見于〈職官表〉者也。〈學校門〉則云：「嘉定十四年，攝尉史巖之重建櫺星門。」〈官署門〉則云：「紹定二年，縣令史巖之增建敕書樓、清心堂、平易堂、宣化堂。」自開禧至紹定，相去二十餘載，巖之於嘉定十四年方攝縣尉，開禧更在嘉定之前，必無先爲知縣之理，則〈職官表〉之誤顯然矣。巖之後官安撫寺丞，見周子巖〈三賢尹修學碑〉，不知其爲何州安撫，何寺丞也。

應與攝

〈職官表〉宋知縣有應與攝一人。按嘉定辛巳廟學瑞芝〈記〉，稱「邑令應君與攝尉史君巖之」，似「與攝」爲應令之名；而《志》于〈學校門〉作攝尉史巖之，則「攝」字連下讀，不識應令之名爲「與攝」歟？抑單名「與」歟？是亦可疑也。

趙汝譏與汝諧即一人

趙汝譏，紹定五年知縣，見周子巖〈三賢尹修學碑〉，又見〈官署門〉。譏，或誤作「諧」，〈職官表〉遂分爲兩人，而以建學事屬之汝諧，與〈學校門〉自相矛盾。

胡明非陳明

宋德祐初，元兵破四安鎮，正將胡明等死之，此見于《宋史・瀛國公紀》者也。張《志》誤作陳明，而譚《志》因之，轉以《西吳里語》爲誤，不知《西吳里語》本《宋史》也，當據史訂正。

伯帖木兒昭信

〈職官表〉有伯帖木兒昭信。此人名伯帖木兒，昭信校尉則其階官也。元時州縣官

文武兼除同一職，而階品不必相同，每繫官于名之下，碑刻此類甚多，後人不知前代掌故，遂并其官而名之矣。嘗見至正中〈江東憲司題名碑〉，蒙古人頗有繫階官于名下者，蓋其時人多同名，稱階官以示別，而《元史》列傳初無此例，今刪「昭信」二字。

耿炳文

耿炳文之死，《明史·成祖紀》云：「永樂二年十月，籍長興侯耿炳文。炳文自殺。」本傳亦云：「刑部尚書鄭賜、都御史陳瑛，劾炳文衣服器皿有龍鳳飾，玉帶用紅鞓，僭妄不道。炳文懼，自殺。」又〈紀〉、〈傳〉皆言建文命爲大將軍，北討，至眞定戰敗，乃令李景隆代之。而顧《志》云：「洪武末，鎮守遼東，以兵入援眞定，陣亡。」則是炳文爲燕兵所殺，非死于永樂初，且以勤王入援，非命爲大將也。予嘗見朱錫鬯與馬寒中手札，其一云：「《劉三吾集》乞覓便借一讀，記有爲耿炳文墓碑，乃卒于洪武二十七年。此明徵也。今正史、野錄俱載建文命帥師討燕，此大可疑事，蓋《實錄》爲西楊改削，文獻無徵，不可不爲辨明，恐貽誤國史，所關非小耳。」《三吾集》訪之未得，姑記朱說以廣異聞。

楊復儀禮圖

楊復《儀禮圖》十七卷，通志堂有刻本，蓋宋理宗時人，字茂才，號信齋，福州人。舊志〈著述門〉亦載楊復《儀禮圖》三十四卷，然世無傳本。湖郡志蒐羅郡人著述甚富，亦不載此書。朱竹垞《經義攷》亦但收福州楊氏圖，不言長興楊氏亦有此書，豈當時修志者以同姓名而誤收之歟？《儀禮》十七篇，每篇各分爲二，則三十四矣，此卷數之所以偶異歟。楊又有《儀禮注疏》二十四卷，見舊志，而《郡志》亦無之，當訪諸知者。

舊志改竄史文

舊志人物傳於正史本文任意改竄，多失本旨，如《晉書·戴洋傳》：「司馬颷爲泰山太守，颷賣宅將行，洋止之曰：君不得至，當還，不可無宅。」本謂颷不得到郡，仍當還家，故止其賣宅耳。今改云「颷買宅，洋止之曰：君不得到宅」，與洋

意正相反矣。《唐書・錢徽傳》：「穀城令王郢善接僑士游客，以財貨饋，坐是得罪。」本謂郢結交僑士，與之貨財耳；今改云「郢受僑士游客貨財得罪」，亦與本事相反。

原鄉故縣

《大清一統志》：「原鄉故城在孝豐縣北，漢置，以縣在山中高原而名，隋廢。明成化中，郡守王珣以安吉南境崎嶇險遠，有漢廢縣，遺址尚存，因議割太平、金石、廣苕、浮玉、天目、孝豐、靈奕、魚池、移風凡九鄉，置縣曰孝豐，以鄉爲名，即今縣也。」是原鄉即今之孝豐縣，而舊志〈古蹟門〉仍載故原鄉縣，是亦失于限斷也。

陳伯紹

鄭元慶《湖錄》有陳伯紹一人，未審出于何書。攷其仕宦在泰始、元徽間，則是劉宋時人也。其籍隸長城，亦無明文。若以爲陳氏宗室，則陳世祖子有十三人，並以伯聯名，初無名伯紹者；且自宋泰始至陳天嘉，相去殆百年，更風馬牛不相及矣。舊志既未收，今亦不敢增入，聊獻所疑，以質知者。

廞亭

廞亭有二，《廣韻》平聲蒸部有「廞」字：「丑升切，亭名，在吳興，孫權射虎處。」又上聲拯部有「廞」字：「丑拯切，亭名，在吳晉陵北。」此二亭相去蓋二三百里。《通鑑》：「晉咸和三年，立大業、曲阿、廞亭三壘。」胡三省注引丁度云：「廞亭在吳興。」而陳景雲非之，謂是時諸軍築白石壘在臺城，而又立大業三壘以分賊勢，何事遠築壘于吳興乎？唐武德三年李子通攻沈法興，取京口，法興遣兵拒戰于廞亭。胡注以廞亭在毗陵西北。彼注是也，《元和郡縣志》：「廞亭在丹陽縣東四十里。」丹陽之東，即毗陵之西北，與京口相去不遠。

縣名相同

縣名多相同，《隋書・地理志》上郡三川縣，舊名長城，西魏改焉。又平涼郡百泉

縣，後魏置長城郡及黃石縣，西魏改黃石爲長城；開皇初郡廢，大業初，縣改爲百泉。《唐書·地理志》：「武德四年，濮州分置長城縣；五年廢。」是吳興長城之外，又有三長城也。《金史·地理志》大定府有長興縣，在今直隸承德府境，是又一長興也。

三隱草堂

洛塢有三隱草堂，相傳以爲唐處士鄭遨與羅隱、李道殷築室處也。攷《五代史·一行傳》：「鄭遨，滑州白馬人，唐昭宗時，舉進士不中，見天下已亂，乃入少室山爲道士。徙居華山，與道士李道殷、羅隱之友善，世目以爲三高。節度使劉遂凝數以寶貨遺之，遨一不受。」所云節度使，謂華州節度也。後唐及晉累召不起，賜號逍遙先生。天福四年卒。是遨生長中原，初非南士，何緣築室于此？且道殷、隱之與遨俱爲道士，隱之賣藥自給，即令築室同境，亦必在華州，不在浙西也。羅昭諫晚游吳越幕府，吳興在吳越管內，或游踪偶一過此。而鄭遨所友善者，則道士羅隱之，與昭諫初非一人，豈可混而爲一？舊志〈寓賢〉有羅隱、鄭遨，今已刪去。唯〈古蹟〉姑列草堂之目，蓋不欲拂鄉人之意耳，好古君子，當審定之。

吳興著姓

吳興著姓，舊稱沈、錢、邱、鈕，徐獻忠作《掌故集》，疑鈕非大族。案鄭元慶《湖錄》云：「鈕姓，不詳得姓之由。漢有關內侯馥，而充、沖皆以牧守襲爵。又有名緯者，東漢荆、兗、青三州刺史；衡，九眞太守；祥，富春侯；淑，吳尚書令、臨水侯；瑒，晉察孝廉，襲臨水之封戶；允，東遷侯。淑及宋御史中丞滔墓皆在郡境。」淑侯封臨水，歿葬烏程，信爲吳興人。瑒、允嗣侯，滔墓同境，必其後也。馥、沖絕嗣。《吳興記》及王儉《姓系錄》，必淑之先，亦無疑矣。吳景帝有鈕后，陳章后本姓鈕，父景明，追封廣德侯；族兄洽，中散大夫，以二后五侯之族，其爲著姓宜矣。

卷下

與王德甫書一

《尚書》百篇之序，爲梅氏晚出古文所淆亂，其次第自應以鄭氏目錄爲定。但尚有不可解者：《史記‧殷本紀》載〈湯征〉文五十六字；《漢書‧律歷志》載〈畢命〉豐刑一十六字。史遷從安國問故，多采古文說；劉歆校理秘書，亦親見古文者，而〈湯征〉、〈畢命〉二篇，則馬、鄭古文二十四篇中無之。松崖惠氏謂鄭目錄內「冏命」當作「畢命」，似應不謬；而〈湯征〉一篇，究無可考。又〈律歷志〉：「古文《月采篇》曰：三日曰朏」，師古謂：「〈月采〉，說月之光采，其書則亡。」此古文者，係何書也？〈伊訓〉：「惟太甲元年十有二月乙丑朔，伊尹祀于先王，誕資有牧方明。」所云十二月者，建子之月，乃商之十二月，非夏之十二月也。按〈漢志〉，商十二月乙丑朔旦冬至，冬至乃建子之中氣，不得移在建丑之月。歷家以朔旦冬至之歲爲章首，〈漢志〉載周文王四十二年十二月丁丑朔旦冬至，此商之十二月也，建子之月也；又周公攝政五年丁巳朔旦冬至，此周之正月也，亦建子之月也。非建子之月，則無爲紀之〈歷志〉矣。若太初追改時月，第改秦漢，並未改商周。按〈漢志〉，高祖八年十一月乙巳朔旦冬至，此漢初之二月，後人所改以從太初歷者，商周則全未之改也。然則伊尹之祀先王，正以商之十二月冬至祀成湯，以配上帝，與改元不改月之說全無當矣。惠氏《易漢學》，鶴侶大兄現在手鈔，此時尚未付還，來春當郵致吳門，決不遺失也。（錄自王昶《湖海文傳》卷四十，下同）

與王德甫書二

別後又及二載，苑結之思，非寸楮所殫述。頃紀綱北來，具悉眠食無恙，爲慰。入春來，屢辱手書，知執事比來研覃六藝，斐然有作：於《易》、《書》則欲採摭儒先之訓，撰《集傳》一書；於《春秋》則欲成十志，十志之體例，倣歷代史志爲之，抑另有新意否？近顧震滄司業《大事表》，於地理、官制、氏族諸門，考證精博，卓乎可傳。至天文、朔閏、五禮，則似無所得。朔閏固倣杜氏《長歷》，推校

經傳日月，不求合天；然漢唐以來，歷術數十家，其推步氣朔之術具存，一爲考其異同，不更善歟？五禮祗抄撮經文，而三傳之文有關典禮者，概未及錄，亦爲疏略。執事十志之作，定當力矯其失，不知何時告成，得賜一讀耶？《周易》李氏《集解》，蒐羅荀、虞之説最多，古法尚未盡亡；松崖徵君《周易述》摧陷廓清，獨明絕學，談漢學者無出其右矣。《尚書》逸古文雖亡，然馬、鄭諸家之傳注，至唐猶存，今則惟存梅氏一家。大約經學要在以經證經，以先秦、兩漢之書證經，其訓詁則參之《説文》、《方言》、《釋名》，而宋元以後無稽之言，置之不道。反覆推校，求其會通，故曰必通全經而後可通一經。若徒蒐采舊説，薈爲一編，尚非第一義也。拙著《三統歷術》於前月脱稿，執事前有手教，諭以此書體例事宜，已敬書之座右。至斗分三百八十五，見於姜岌，其實周天五十六萬二千一百二十，以統法除之，即得三百六十五度三百八十五分。班孟堅修〈志〉，於四分六千餘年輒益一日，以三統歲餘強於四分一故也。古今治歷家所定歲實強弱不同，古歷四分而有餘，今則四分而不足，足爲歲實消長之徵，亦非子駿之誤也。至推春秋日食之説，班史於〈五行志〉詳書之；今以其術推校，不無舛誤，弟於〈春秋日食考〉已詳辨之。弟所撰《三統歷術》，祗欲推明劉氏一家之業。得暇欲取四分、乾象、景初三家，次第推校，俱欲存古人之面目而已。至歷法古疏今密，不特太初、三統不能無差，即邢臺授時之法，今亦不無小差。此非究心點線面體之算，及崇正西洋歷書及本朝《欽定歷象考成》，未易窺其籓籬，亦非專書不能明，弟尚有志而未逮也。夏間文從倘得北來，望於敝寓卸裝。弟現與禮堂同寓，對床話舊，素心三人，亦足樂也。

　　森按：《竹汀年譜》乾隆十九年條下云：「是歲移寓橫街，讀《漢書》，撰次《三統歷術》四卷。」此疑後來誤憶耳，據《潛研堂詩集》卷四〈移寓珠曹街與禮堂夜話〉，自注：「予以壬申六月至都。……乙亥二月，寓憫忠寺街；六月，寓橫街。」則竹汀移寓橫街在乾隆二十年乙亥六月。黃文相氏《王鳴盛年譜》，乾隆二十年條下：「六月，移寓橫街。……《西莊始存稿》八，有〈自靜業湖移寓南城橫街〉詩，故知先生與竹汀先生移居一處也。案《竹汀年譜》云『甲戌移寓橫街』，與詩異。然詩作於當時，《年譜》撰於晚歲，或不免誤記。」其説是也，《三統歷術·自序》

末係「乾隆乙亥夏至日」，蓋其書實成於二十年乙亥。此函言「拙著《三統歷術》於前月脫稿」，又言「弟現與禮堂（王鳴盛）同寓」，則當作乾隆二十年秋間。

與王石臞論《廣雅》書

大昕頓首謹啓，石臞先生閣下：前歲曾蒙賜寄大製《廣雅疏證》一部，體大思精，於文字聲音之原本，燭照數計，其啓佑後學，功不在許祭酒、張博士下。隨附寸函謝教，於去春由都門轉遞，未審得達左右否。嗣以夏秋雨漲泛溢，致干吏議，聖恩寬大，即加曲宥，仍許任事河干，益信清白吏自邀天佑也。前讀尊製，間有一二未及詳者，謹就鄙見錄於別紙，伏希示其然否。茲因汪芝亭西曹北上之便，附請近安，不任依切之至。弟錢大昕再頓首。壬戌四月三日。

《廣雅・釋言》：「賝，貰也。」案《廣韻》侵部：「賝，賮也。」貰當是「賮」之訛。

「疊，懷也。」懷或是「慴」之訛。

「酲，長也。」酲、長義雖不相近，而聲則相近，知、澄兩母音多通也。

「蓋，黨也。」黨讀如「儻」，蓋、儻皆疑詞，可互訓。

「脰，饌也。」「脰，錯也。」此兩「脰」字當爲俎豆之「豆」，或漢隸俎豆字有从肉旁者。

「免，隤也。」古免、免同文。免與妥聲相近，《易・繫辭》：「夫坤隤然」，孟喜「隤」作「退」，陸績、董遇、姚信俱作「妥」，是「免」與「隤」、「退」亦相近。

「子，已，似也」。已當即十二支巳午之「巳」，以音相近取義。《詩》「似續妣祖」，鄭箋讀爲巳午之巳。鄭氏《詩譜》謂子思論《詩》「於穆不已」，孟仲子曰「於穆不似」。

「位、莅，涖也。」古文「位」與「立」同，立、莅、涖聲皆相近。

「牒，宂也。」宂當即「疏」之異文。

「酌，漱也。」酌當作「酳」。

〈釋訓〉「管管，浴也。」案《詩》「靡聖管管。」傳云：「管管，無所依繫。」

箋云：「管管然以心自恣。」蓋自恣之人不肯遵守法度，所爲皆無所依傍，毛、鄭兩義本相承也。「浴」當是「恣」字之訛。（錄自羅振玉輯《昭代經師手簡》）

與黃秋盦書

五月朔，尊伻過蘇，奉寄短札，并題〈看碑圖〉，及拙刻《諸史考異》，諒久登記室矣。任城金石之林，得嗜古如公者搜羅遺佚，遂使神物護持，一朝泄露，豈非千古佳話。頃覃溪先生衡文東來，而偃師武君亦牽□□山，聲氣相求，殆天假之緣耶。桂未谷尚在廣文任否？鐵橋想無恙。〈武氏石室〉諸畫象曾蒙見惠，而〈祥瑞圖〉尚闕無題榜者三紙，尊《記》所云畫像十四石八分題字類〈曹全碑〉者，止有一二石，未得全本，頗爲憾事，郵便中未識能見惠一全本否。匆匆詞不能盡，順候近安。　弟大昕頓首，辛亥十一月十四日。

拙著《金石文跋尾》，又續刻六卷，俟校改訖，即覓便寄呈。瞿司馬處尊札前月已收到，并聞。（錄自高野侯氏輯《古今尺牘墨蹟大觀》第十二冊）

　　森按：〈題黃小松看碑圖〉，見竹汀《詩續集》卷六。

與臧鏞堂書

前接手教，知去冬抵沛南，尚書邀爲郎君授讀，禮遇有加，深爲慰藉。館課之暇，研精經術，定多心得也。昨偶讀顧氏《音學五書》，言古音「地」如「沱」，引《楚辭》〈天問〉、〈橘頌〉爲證，固然；謂《詩》、《易》亦如「沱」音，恐未必爾。〈繫辭〉「廣大配天地，變通配四時」、「知崇禮卑，崇效天，卑法地」，似皆韻語也，安見其必音沱乎？試質足下，以爲何如。段懋堂傷足，至今未出；抱經先生聞精力尚健。餘不多及。弟大昕頓首。（錄自臧庸《拜經文集》卷三）

與焦里堂書

接讀手教，如親謦欬。前於黃宗易處，已領得大製《宮室圖》，茲復見惠，已分一部致李生尚之，並將尊札付其閱看。伊亦深佩服，以不得握手爲恨。所論月五星諸論，推闡入微，以實測之數，假立法象，以求其合，尤爲洞澈根原。弟衰病不能進於此道，當賴英絕領袖之耳。舍弟在幕，想時親高論。茲託蔣生于野附致寸函，並

候起居，不戩。弟大昕頓首。（錄自焦氏《釋輪》卷首）

與朱梓廬書

大昕頓首，梓廬明府足下：半世神交，未及相從，上下其議論。蘀石、西莊兩君，時道佳句一二，恨未窺全豹。今兩君皆歸道山，談藝益鮮同志矣。頃吳子脩以大集見示，大雅宏達，本本元元，醞釀先生而後，眞堪嗣響。至於研精聲律，獨得唐賢不傳三昧，尤爲窮極幼眇。諷誦之餘，欽佩奚似。弟衰病，久疎筆墨，何敢希元晏之萬一。然賤名得附尊集以傳，固所願也。尊處恐未有副本，先托子脩奉繳，拙序當於來春續寄矣。雪後驟寒，伏惟興居調適，爲道自愛。三三之期，幸勿介意，明歲尚擬相訪於南湖魚樂國耳。草草，不具。弟錢大昕再拜。戊午冬至後十日。（錄自朱休度《壺山自吟稿》卷首）

與嚴九能書一

久未得聆塵論，正深飢渴之思，忽奉手函，如親謦欬，循環雒誦，欣喜無已。大兄胸羅七略，博而能精。所有劄記，弟匆匆未即竟讀，大抵皆有關經史之言，而以「娛親」標目，尤足徵弓冶箕裘之自，善門餘慶，可敬尤可羨也。弟今歲仍在吳門，妻束則述菴司寇現在假館；來札乃傳聞之誤耳。長夏無事，當以尊著消永日，冀衰鈍健忘，得受紺珠之益。承委弁言，容徐握筆，但恐不足爲三都增重爾。蒙惠硯墨法帖，並古香可愛，而《翰苑集》尤爲希有之本，首蓿齋中，遂爾暴富，感媿豈有既耶。率筆致謝，兼候近好，不戩。尊大人前希候安。九能大兄先生，弟大昕頓首，六月五日。（錄自嚴元照《悔菴學文》卷首，下同）

與嚴九能書二

季夏承示《雅言》三卷，考證精核，不媿作者。茲復誦第四卷，益欽譔述之勤。拙序已經脫稿，緣付來紙格一時檢尋未得，另寫一本呈上，俟尋得後，再錄一本奉寄，何如。大製諷誦再四，其中有芻蕘之見，粘簽以備采擇。於糾正宋儒處，尚希詞意含蓄爲妙。弟於經典詁訓，篤信漢儒，不喜後來新説，然亦未嘗輕議宋儒者。是非久而自明，專尚攻訐，非長厚之道，徒足取駭於俗目，併望同志共守此約耳。

《夷堅志》弟向未見善本，今聞尊架有之，快甚。道遠不敢告借，乞大兄將每集自序各鈔一通寄示。弟曾爲三洪公年譜，故欲得之以勘文敏蹤跡耳。專此奉復，不盡覼縷。尊大人前希請安。九能大兄先生，弟錢大昕頓首，七月二十七日。

> 森按：竹汀〈娛親雅言序〉作於嘉慶元年七月望日，前一札言「承委弁言，容徐握筆」，此札言「拙序已經脫稿」云云，知此二札皆元年所撰也。

與嚴九能書三

得手札，知去月所寄已到。弟前所製序稿本擬載入拙集中，底稿見存，毋庸寫寄。外附到《廿二史考異》全部及《通鑑注辨正》。其中或有舛訛，希校正見示。順候九能大兄。尊大人前希致候。弟大昕頓首，七月十一日。

> 森按：此札不記撰年，據九能《悔菴學文》卷一戊午年〈奉少詹事錢竹汀先生書〉言「秋間蒙遠寄尊製《廿二史考異》全部見賜」云云（頁七），則此札當作於嘉慶三年七月。

與馮鷺庭書

鷺庭先生閣下：《續通鑑》刊刻告竣，俾秋帆數十年苦心不至泯沒，此先生之高誼，秋帆亦當感切於重泉者也。前晤時，屢承見委作序，而弟逡巡未敢應者，實以古來紀傳編年之書，只有本人自序，如《史》、《漢》、休文、延壽之例，未有他人爲之序者。溫公《通鑑》，則神宗御製序；李氏《長編》，孝宗欲賜序未果；徐東海書，亦未聞有序。蓋史以寓褒貶，其用意所在，唯著書人可以自言之。今秋帆既未有序，身沒之後，先生得其遺稿續成之，大序但志刊刻始末，不言其撰述之旨，最爲得體。若別爲製序，創古人所未有，則弟名位既卑，何足以重秋帆之書；況衰病龍鍾，豈敢任此。專此奉復，大昕頓首。（錄自畢沅《續資治通鑑》卷首）

與凌次仲書

次仲先生講席：聞大名十有四、五年矣，老嬾又少便郵，然企慕之私，時在敬亭山色間也。頃於岌之兄處，接奉手函，獎飾殷勤，俾衰顏頓爲生色。賜讀各體文十

首，精深雅健，無體不工，儒林、文苑兼於一身，當吾世而遇必傳之詣，何快如之。〈七戒〉一篇，自出新意，眞千載之奇作，而六者之中，不及仙佛，比於聲色、游獵，俱在屛棄之列，昌黎以後，無此絕識者，殆千年矣。《禮經》十七篇，以樸學人不能讀，故鄭君之學獨尊；然自敖繼公以來，異說漸滋，尊製一出，學者得指南車矣。屬題〈校禮圖〉，率成五言一篇，錄于第二卷。蕪淺之詞，聊佐大方莞然一笑耳。弟向留意乙部，嘗謂沈休文不特優於《晉書》，幷在李延壽之上，於魏伯起亦不敢輕議。茲讀大製〈魏書音義序〉，可謂觀書眼如月，具眼人定不拾人牙後慧，爲之快絕。蒙示覃谿先生詩札，展玩一過，恍如覿面，遵即繳上；並有寸牋，亦望轉呈覃谿先生爲感。承贈宣紙，感媿交幷。弟去夏有重游泮宮之作，今檢送左右，如得先生寵以新篇，更出望外也。順候近禧，不盡馳切。弟錢大昕再頓首，癸亥五月朔。（錄自凌廷堪《校禮堂文集》卷首）

　　森按：竹汀題凌氏〈校禮圖〉，見《詩續集》卷十。其重游泮宮之作，凌氏和詩云：「鸞旟彷彿認當年，魯殿靈光尙巍然。芹遇長庚重照後，花思周甲再開前。西京博士應攜手，東武司空待比肩。此去南宮剛一紀，瓊林春燕酒如川。」（《校禮堂詩集》卷十三，頁二）又此札言「蒙示覃谿先生詩札」云云，《凌氏年譜》載「舊歲先生以〈後學古詩〉寄都，覃谿先生因述古詩五章答之，以代面談。並作札令轉王述庵、錢辛楣、姚姬傳、劉端臨諸先生，以相賞析云。」（卷三，頁八）是其事也。

與孫淵如書

大昕謹白淵如觀察大人閣下：入春以來，再披手翰，委曲周摯，具見儒術飾治、惠民勸俗之盛意。伏生後裔世襲博士，允爲熙朝曠典，古學振興，將在此日。宰相須用讀書人，非虛語矣。聞閣下有意刊《唐律疏義》，此眞無量功德，較之一時平反冤獄，其惠蓋萬萬倍也。近刻拙著《十駕齋養新錄》，欲得元晏序，以增聲價。大昕桑榆景迫，恐相見無期，身後墓志，亦待椽筆。卅載相知，幸不吝揮灑。息壤之約，惟留意焉。獻之已起身，想歲內可相晤。順候近祺，不盡馳切。弟大昕頓首。

（錄自吳修《昭代名人尺牘》卷二十二）

　　森按：據錢慶曾《竹汀年譜·續編》嘉慶八年條下云：「十二月，始刊

《養新錄》手定本。」此札云「近刻拙著《十駕齋養新錄》，欲得元晏序」，知爲嘉慶八年冬所撰。

與張古餘書

古餘先生大兄閣下：半載以來，久未奉書左右。沈生狎鷗回吳，得悉興居如意，公務之餘，不廢撰述，文學、政事，一以貫之，心跡雙清，當於古人求之，正恐古人中不多得耳。金陵多古刻，〈天發神讖碑〉摩挲最便，銅井鎮之〈福興寺碑〉，亦唐刻之佳者。此外，南唐、宋、元諸刻，未易枚舉，閣下聽政之暇，諒留意搜剔。上元嚴上舍觀，字子進，係東友侍讀之子，曾撰《金陵石刻記》，最爲該洽，若借得其書，按圖而索之，可無遺漏矣。弟病後目力益昏，日在雲霧中，而精神亦怳忽，讀書不數葉，索然欲睡，委心任運，符到即行而已。尚之病亦未愈，書生窮薄，甚以爲慮。茲因狎鷗西來，附簡敬候近禧，不任馳切。　治弟錢大昕頓首，五月十三日。（錄自嚴觀《江寧金石記》卷首）

　　森按：據張古餘識語云，此竹汀嘉慶九年五月所寄。則距其卒僅五閱月耳，竹汀暮境藉此略可想見。

與吳思亭書一

接手教，具審興居如意。弟衰邁日增，了無歡緒，良友又不能常晤，每讀〈頍弁〉末章，輒增於邑。許齋爲梓拙著洪、陸《年譜》，并舊刻《答問》、《題跋》及《三統術衍》三種，並呈教。匆匆，語不多及。思亭二兄老友，大昕頓首。（錄自吳修《昭代名人尺牘》卷廿二，下同）

與吳思亭書二

得來札，如親晤談。壺山先生詩，歲內匆匆，不能構思作序，當俟來春矣。茲有一札，并原稿二冊先送還，希吾兄轉致之。寶甫信已收到，有小幅字亦致之。淵如札乞便中轉寄爲禱。順候起居，不既。思亭二兄畏友，弟大昕頓首。

與范莪亭書

文駕到局，未及暢談，適有它出，比返則已回府矣。炎蒸殊甚，久未出城，希恕其疏嬾之咎。葦舟索序文，業具一艸送呈，如可用，祈轉致之。其卷首列名，遵教增入。弟亦久未到竹香樓矣，乞轉申謝爲感。目錄內又酌改數處，前登閱時，見裝界之本甚多，其中恐尚有未入目錄者。擬再檢閱一過，庶無絓漏也。并乞致意，餘不多及。莪亭先生，大昕頓首，十九日。　（錄自吳省庵《清代名人手札》甲集卷二）

與友人書

日前奉候，適大兄以足疾靜養，未獲快談。茲聞興居順適，甚慰。弟近苦脾泄，寒熱時作，甚覺委頓。今日謝父臺見招，且有大兄同席，本應力疾趨赴；惟是目眊耳聾，已非一日，數年以來，未預宴席，即在吳門，亦從不入公讌，此吾兄所素知者。如欲改日另集，則益非所敢安。蓋弟本以病不能赴，非緣憚于應酬而蹈不恭之咎也。希大兄於晚間席上轉達此意，感德無似。順候日安，不戩。苓坡大兄老先生，弟大昕頓首。　（同上）

潛研堂家書（廿七通）

一

初一日早，仲升與東塾到院，知體中尚未大健，目下又有租碓等事，諸宜保養爲主。初四日與陳宅聯姻，行拜門禮。蘇州風氣極爲省便，媒人即於是日設席請過矣。東塾捐過班事，將三個月供應等項湊得一數，餘托瞿親家塾寄。今日東塾往閶門面致，尚未回院也。鏡濤體中好否？我兩日稍覺傷風，今已漸好，無庸挂念。仲升回崑山去，今寄茶葉兩瓶，餘不多及。如有便，望寄些圓眼來爲妙。十一月九日，潛研堂字。

二

東塾等出門已半月，東壁亦將十日矣。寓所諒俱平安，錄遺想不有誤，但心上不時挂念耳。我於十二日自蘇回里，家中俱安好。楊明府已派入簾，新任尚未到也。同人已歸，絜方亦到此間，與張農聞等同行矣。場屋已近，未必更能抱佛腳；然須愛

惜身體，慎重起居，勿至臨場有恙。寓中尤須安分省費，東塾更宜慎之。中式雖未可望，然自己先有要中之心，或可圖僥倖；若只當兒戲一般，則不如不下場矣。或圖利滋事，則甚愚可笑也。主司聞是陳副憲嗣龍、帥編修承瀛，未審確否。適因顧小英世兄來索信，匆匆作此，不多及，廿一日。鏡濤、仲升另紙。潛研堂字。許親家在蘇已晤過。

三

接家信，知家中上下安好，風潮後房屋無損。阿闓上學，稍有坐性，從此易於管束矣。二娘娘身子漸愈。東塾在家已久，望即買舟到蘇，將來汝母親欲回時，可相伴同回矣。此間上下亦安好。吳香嚴代求小扁二紙，今寫好寄回，即付之，勿留案頭致損失也。家中所生雞蛋可帶些出來，又要買半大鴨在家喂養。再《鳳墅帖》二冊，據鏡濤云包好在書架頭上（新書房樓下），與碑刻同在一處，亦望帶出，欲重裝也。東壁能在家住住否？餘不多及。十九日申刻字，付東壁東塾。

四

我於廿四日晚到蘇，次日開館，一路俱平安。東塾途中受寒，身熱怕冷。請徐丙南診脈，今日稍覺輕可，尚未能吃飯也。瞿親家曾來過。述庵在吳門盤桓幾日，今已往浙，不及相晤。浙江阮撫臺已有實授之旨矣。仲升想已回歇馬橋。鏡濤并問好。餘不多及，廿七日申刻字。

五

前聞大媳婦身故，家中又添一番忙碌。想所見所聞，徒增煩懣，不如蚤到院中，稍覺眼前清靜之爲妙矣。又聞二姐於初六日回歇馬橋，在家數日，仍要回家。吾意於初六以後似即可來蘇，二姐亦可從歇馬橋徑到蘇也。今遣李寶回聽候使喚，如已定有起身日期，即寄信到蘇，以便放船來接也。此時天氣漸暖，大家各保重爲禱。三月廿五日竹汀字。

六

昨接鏡濤信，知家中上下安好爲慰。近日每晚吃甘蔗汁一杯，舌疳已除，體中亦如常。連日春寒，此後想漸和煦。米價未知若干？酌量現在夠用而止，且不必盡糶也。十八日課期之後，擬往浙一行。出月初頭回蘇，當遣人接眷來院矣。仲升現在嘉否？匆匆不多及。十五日吳門字。

七

項百年至，知家中上下俱安好爲慰。我近日唯兩耳更聾，此外尚可支持。現擬於初八日放船來接東塾，即坐船回家。會面不遠，我可不必先歸，省得多一番往返也。天氣漸煖，現在尚未換季（初五日換季已挂牌矣），學院亦無到崑確信。瞿親家又得一子，餘不多及。四月四日午刻字。

八

前日東塾到院，言及捐教一說，當即有信寄歸，未識已有定見否？蓋此事所以可辦者，以我現已老病，風燭之期，難以久恃。現當開例，竭蹶爲此，亦是進身之路。所慮者，掣籤名次在後，得缺無期耳。若欲不辦，又恐拔貢生未可必得；出貢得官，尚待三十年以外，亦覺遙遙無期也。若應掣籤在後，則必須加捐分發，方可委署，而所費愈多。大約捐貢至捐教，須元絲銀乙千兩之內，若連分發在內，則要得乙千二百以外。昨見瞿親家，據稱托彭葦閒代辦，可以無誤。此事我胸中實在無定見，今遣李寶歸來，想家中已商量定當。如欲辦時，便可作速辦理，否則回復張姓，令其別爲打算可也。天氣總不甚冷，恐臘月及新春必有冷信，須加意保養爲妥。家中上下，想俱平安。鏡濤、仲升不及另札。縣試案約於幾時可出？今寄歸銅罐兩個，餘不多及。廿二日巳刻。

昨問汪萃洲，據稱捐照未到，本生可自呈由學轉詳頂補。

九

七月三日字與東壁：日來家中上下，想俱平安。阿同、阿閏在學讀書，有長進否？陳稽亭（鶴）即日攜眷入都。汝母聞其有次女十一歲，意欲與阿同定親，未知汝夫婦意中如何？今特遣王陞到家，將八字付看，可即喚算命抓（讀若「咱」之上聲）臂者推算占合。如果占遇，即速遣人回復，因稽亭定於本月十五日動身，如要定吉投帖，須在此數日之內故耳。是否須即得囘音爲妙。汝母本擬前月回來，因有此事，故未即起身。近日雨澤未甚霑足，前日又有風，未審棉花、秧苗俱好否？王陞係雇來燒飯（廚房）雜作兼管地園者，伊係初到，須另眼待之，勿令舊人妒忌欺侮之可也。

十

前月吳白華司空還都，於胥門舟次匆匆作數字，諒已收到。嗣連得八月中兩信，知

秋闈終場，稍慰。其七月之信，尚未接到也。中式本非易事，即文字果優，尚恐福命未副；況汝於舉業，素未有沈潛之功，報罷原無屈抑，但望讀書立品，日有進境，造物必不相負；切不可失意而生怨恨，便自暴棄也。京師居大不易，汝又不在仕途，每事只宜朴實儉約，量入爲出。若要應酬好看，勢必不能繼，一有空頭，便爲剝膚之累。借貸取償，其累愈深，日後悔之無及。我所以放心不下者，總爲汝不肯節儉耳。官號入場，北省更難於南，我春間要汝南回，正是爲此；若民卷自然以北闈爲便宜矣。此次榜後，未審汝作何去住之計，望早寄一音信，以免懸念。今秋家鄉歲事歉薄，鄉民至有聚閧之事，目下雖稍戢，尚可憂慮。薄田租收，想有畫餅之患。王二及寶大俱物故矣。七月內曾有小楷筆及瓶袋等物（附京標上囑）於二雲先生處轉寄，未審到否？我與汝母俱尚安好。大娘娘現在太倉，夏秋間數數往來。杏江一門亦俱好，東塾夫婦亦如常。東塾現隨在院中，雖不甚用功，頗亦安分可喜。阿同、阿閏亦皆長成；大妹妹舉家亦好。有便即買新縉紳乙部寄歸。節儉之道，總要謹之於始，即如衣服固可適觀，但甫上身而即典質，仍非己有，何如在先不做之爲妙乎？時物不喫無礙，喫了亦有何趣味，以此類推，自可終身受用。如在京師落魄，較之家鄉更沒趣、更可慮也。甲寅十月十五日紫陽書院字。

　　森按：此札後有跋識云：「右錢少詹外舅家信□紙，皆予在先生潛研堂時隨手檢藏之物。後□紙，則星伯內兄在都門日，先生以書促其歸里。中多教誡之語，尤足爲凡子弟處世植品之寶筏，我子孫其善藏之。丁丑十月廿又七日，空空叟書於富貴長樂之舫。」蓋瞿中溶（鏡濤）手跋。

十一

頃接二月八日第三號信，知在都安好，不交無名之人，不爲非分之事。若果如所言，則不遠之復，一生自有進步；但恐見異思遷，有口無心耳。前於二月初從浙塘寄信，諄諄囑付，令隨述庵先生南返。如汝已起身，則相見不遠，固大妙矣。否則欲爲北闈捐監之計，我已專札託二雲辦理，俟其回音到日，即商量覓寄耳。讀書立品，人生全靠此四字，不論居家出外，刻刻要提撕警覺。若在外稍有不妥，聲名流播，終身無可爲之日矣。謙謹忠厚，自然所往有利。我一生不與人爭競，未嘗不受用。汝之病根，在好勝而喜不如己者，去損者之三樂，卻損者之三友，此第一要藥，舍是無別方矣。昨潘修撰處已有一信，恐水程不能即到，故復寄此，餘不多

及。四月十二日辰刻書付東壁閱看，吳門寓館作。家中上下俱平安。

十二

前得三月廿二日信，知汝定於留都。隨趁宋生廷弼北上之便，寄鹽庫紋乙百兩以爲援監之費。并寄羽緞裌料衫袴等物，未知已收到否？其信從二雲先生處轉寄，如收得，即於提塘寄回音，以免懸念。家中一切詳前札中，不必再述。在外當以功名爲重，而聲名尤須愛惜。貪利僥倖之事，萬萬不可染指，方不致貽老人慮耳。汝學殖淺薄，不可開口指摘人文字，匪徒種德，亦可免禍。欲功名到手，須勤讀書，而妄取妄求，尤宜切戒。都中場規最嚴緊，小心謹慎爲要，勿視爲兒戲也。茲因吳縣尊公子北上之便，復寄此札，匆匆不多及，四月二十日字寄大兒東壁。秀才竹軒先生館中近況何似。

森按：以上十二函，原載《學海月刊》第一卷第四冊，今據之迻錄。

十三

我自起身以後，上下俱平安，九月初三日出榜，定於十二日起身進京。今於十一日下午接到部文，知蒙恩差廣東學政，即赴新任，不必來京請訓，隨即在此略辦行裝，俟有兵部勘合，即起身赴廣矣。此時已交冬令，且山東路上亦難行，今歲斷乎不能接家眷矣。拜匣上鑰匙昨已遺失，即可另配開出，箱內存銀，隨時取用，用去即記一總帳，庶不致遺忘。我到廣後，有人齎摺進京，汝等再商量起身，不可造次。起身已有定局，然後將房子轉典，元價及修理，須得四百兩，典期三年爲滿，方可成交。萬一典局不定，起身時與曹大人慕堂借二三百金，其房即算典與曹處亦妙。此時路上盤纏短少，幕賓或到江西，或到廣東，再行延請，若在京中請去，我不能有盤纏多幫也。今遣胡陞進京遞摺，帶回汴綾五個（玄青二　紅　紫　藕褐）、綿綢一個，搭包四個，手帕八條，逐一點收可也。十一日字。

十四

十二日送白大人回京，是晚制臺何大人仍回汴城。我在此只買羊皮袍一件，及狐狸統子一件，所有布政司支給路費銀二百兩，已經繳還。其主考所領勘合，亦交與何大人，託其咨部代繳，另由河南驛道塡給勘合。從歸德一路入安徽鳳陽府境，即是上廣東正站矣。今於本月十五日從祥符起馬，恐京中不放心，故寄信告知。張大人曾敞薦來家人一名，名喚胡德，係桐城人，現已收用。今冬家眷斷乎不可南行，俟

明春我有信來，再定起身赴任之局。浦爺囑其照應家中門戶，伊第二兒子在此尚好。順天鄉試全錄尚未得見，姑爺已得中否？家中盤纏尚可支持，且安心過此冬。大官二官肯讀書否？餘不多及，九月十五日字。在汴梁城封寄，即刻起身矣。

十五

自胡陞回京後，又有兩次安報，想俱已收到矣。我於十月初三日過江，到九江府，今於十七日過梅嶺，已達廣東境，離省城尚有一千餘里，大約此月內可接印任事。路上人馬俱平安，惟天氣太暖，不但皮袍用不著，即皮馬褂下半日亦不能穿也。家中須用銀子，箱內開出應用，仍要立一本帳簿，開明支用若干，方不致有記憶不清之患。家眷起身之期，當在明年，然於何月起身，尚未可定，須問李鐵拐斜街曹大人，及米市胡同曹老爺，斟酌妥當，然後可雇船起行也。自京師雇船到家，從家中到杭州須六日，換船至常玉山，約須六七日，常玉山起早一日，再換船到江西，不過七八日；又從江西雇船到南安，係上水，有灘，須要十七八日，起早過梅嶺一日，再換船至廣州省城，不消十日矣。我到任後，即有承差齎摺至京，俟我所差之承差到日，將上次所進摺硃批封好，交其帶回，不可誤也。奶奶大官二官小姐俱問好，今因金大人承差齎摺之便，寄此安信。十月十七日字，在南雄府燈下。

十六

我在河南起身，路上又寄過三次安報，想已收到。胡陞想於九月二十五前後到京，未識謝恩摺已投遞否？茲於十月二十七日已到廣州省城，接印任事，衙門甚為寬大，房子亦多，又有太湖石，樹木茂盛，將來家眷到此，頗不寂寞也。學院每年出巡，在省中居住之日甚少，必須有家眷在此照應，方為便益，不然，則一應家伙什物，豈能盡行搬移，於事甚不便。但今歲既不能來，明春開凍，路上好走，亦須打聽明白，方可起身也。從京師雇船到蘇州至嘉定，約須四五十日，將家伙粗重及書籍可不帶來者，留在家中。另雇船至杭州，約計五六日，換船至常玉山，約七八日，在常玉山起早一日，又換船至江西，不過七八日，在江西換船至南安府，上水，須十七八日，過梅嶺一日，換船到廣東省城，順水不過七八日，路上不算辛苦。盤費要得數百金，亦不必顧惜，因任所無人照看，恐花費更大也。我到任才二三天，事情忙極，精神亦不大佳，今差承差徐光到京進摺，其上次所奉硃批，即交承差徐光帶回，決不可誤。家中一應大小事，俱寫在信上，要寫得明白，奶奶及大

官二官俱好否？南邊有家信，亦可封在信內帶來也。廣東天氣甚暖，此時或穿綿夾衣，或穿小毛褂，亦無一定，大約雨後略冷，平時總甚暖，但身上宜於略熱，常出些汗方好，一受寒，便不爽快矣。學院衙門無事，長隨不必多用，相公看文字者，須要五六位，現在金大人薦來一位，係其外甥。此外前已寫信到家，要請幾人，未知何時得到這裏也。今晚辦題本及摺子，此時已及三鼓，故不能多寫。十月二十九日字。

再承差回時，要買奏摺幾付，白奏摺十個，黃奏摺五個，俱要封套，黃綾夾板四付，一並交彼帶來。

十七

十一月初一日遣承差徐光入京，已有家信，想已接到矣。今又有要緊事，須託米市胡同曹老爺仁虎代辦，字到即於家中取銀八兩封好（用綿紙緊包）黏一紅簽，寫「微敬」二字，同書信一並寄去，斷不可遲誤。內書房一應書籍碑帖，不可遺失，如曹老爺仁虎要來檢取書籍，可開書房，請其進去，邵爺晉涵要進到書房，亦可請進。將來南歸時，收拾書籍，或應帶到廣東，或應存在嘉定，俱請邵爺酌定。凡我所抄寫自己著述，即隨筆零碎之件，俱要一一檢好，放在一箱，帶到廣東，其碑帖亦盡行帶到廣東方好。餘具前信。初三日字。

外信兩封，一寄曹老爺仁虎，並另加銀信，一寄邵老爺晉涵。

十八

昨接來札，言及重固添價一事，此產本不取利，只可聽其冬間翻贖。至借貸一說，此時用度甚費，亦無以應之，乞寄信婉覆之可也。端陽節蘇城龍舟頗盛，望吾弟同二奶奶並侄媳侄女到蘇一觀，已遣李瑞買舟奉候，幸勿它辭為荷，餘容晤悉。可盧二弟，大昕頓首，二十七日。

十九

初七日更餘到胥門馬頭，即上大船，初八日往各處辭行，初九日晚間移舟閶門外小泊，明早便北行矣。書院束修未曾支取，所買生絹夏布等物，並有零星物件，俱寄航船帶回。兩日甚熱，體中尚好。餘俟有便，當隨時寄信回來也。王臬使亦已落職候審，並聞書制臺亦罷官矣。新任臬使陳公奉茲，江西人，尚未到任，現委松太道張公署事，亦往江甯公幹矣。天暑，綠豆湯金銀花湯俱可常服，冷水不宜吃，戒之

戒之！六月初九日酉刻，字付東塾閱看。讀書爲上，閒遊無益。

二十

昨接家信，即遣人到于斯，訂於本月二十七日接大妹妹歸家，今早得鏡濤信，已經允諾，屆期即在蘇買舟遣徐陛送歸矣。天氣驟冷，務須多穿衣服爲妙。汝母親近日飲食能多進否，據于斯説，本欲於冬至後到嘉，今恐天冷，故遵於二十七日來，冬至前要回去也。家中上下想安好，阿同阿閏俱好否？餘俟後信。二十二日申刻，字付東壁東塾二姐同閱。

二一

今日買舟接大小姐並鏡濤到嘉，我本擬同來，因初三日課期伊邇，省得多此一番來往，是以不歸矣。家中想上下俱平安。于斯云冬至前要接回家，愚意似乎太速，即或渠家中有要事，或鏡濤暫歸去數日，似無不可。此間新米久已吃完，有便望寄新米並陳米數袋，丸藥亦將次吃完，從前所製料豆仍望寄來，以便接續。今寄歸湘蓮二斤，核桃肉大棗各一包，糖食一籃。二十七日辰刻，字付東壁東塾二姐同閱。

二二

昨荼蔆浜程先生送來選擇起造照牆吉日，今遣徐陛帶歸，如事忙無暇及此，或另擇日亦可，但明年方向不通耳。天氣尚不甚冷，頗似三春，租米想尚未收也。汝母親飲食比前稍加否？日間不宜過於勞碌，夜來亦須早睡爲佳。東塾夫婦往羅店已歸否？寄歸羊肉五斤，雞蛋糕五斤，餘不多及。初四日字付東壁東塾二姐閱。初三日藩臺到院課題「以友輔仁，秋澄萬景清，得澄字」，浙江墨卷一部並寄。道藏目錄乙小本，尋出交徐陛帶來。

二三

前二次信俱經收到，轉送尊宅。上下俱極安好。今將二侄寄來安信，託小松先生轉致。前一次信因無便人，稽遲兩月，今亦併致。覃溪先生前希代請安。因來人即要起身，不及另具啓也。晦之賢弟，大昕白。七夕前一日。

二四

別來二十餘日，想闔宅納福爲慰。節內尊大人已解館否？前所訂尊堂同往武林之説，今擬於十九日在蘇啓行，唯船隻尚在未定，大約即在此間雇舟矣。望轉稟尊堂，務於十七日先期到院，家中相候甚殷也。海鹽張芑堂欲將豐宮瓦刊入《金石

契》中，乞摹一紙付下，以便轉寄，匆匆不多及。既勤大任，竹汀拾紙。三月十日。

二五

涉齋之約，兄雖曾辭過，昨又來面訂，諒不可卻。吾弟若能同來，相敍半日，亦甚妙也。餘不多及。可盧賢弟，大昕頓首。原帖仍留尊處，並及。

二六

可盧賢弟，來信具悉，家信亦即日寄去矣。邑志採訪陸續已到，正可刪定成書，了此一事矣。兄咳嗽雖止，而精神漸漸恍忽，恐不能久駐人世也。《太倉志》曾閱過，所載人物頗詳備，此鼇滄來、王述庵之力，而同人亦有助焉，可喜也。匆匆不多及。竹汀居士便紙。

二七

別後已逾月，得手書知精神康健爲慰。適有便人回嘉，已將來信帶去矣。兄日來感冒漸除，翻胃亦少止，而元氣未復，夜常不寐，殊可慮也。既勤告假之計，未審已定否？兩家上下俱安好，餘不多及。可盧二弟，大昕頓首。

　　按：以上十五函，錄自陳垣先生《援庵史學論著選》，陳氏別有〈考釋〉，詳考其事，茲不具錄。

六達色傳

六達色姓巴里氏，蒙古鑲紅旗人，由鳥槍護軍累擢至公中佐領。嘗從征雲南緬匪、山東壽張賊王倫，先後接仗三十二次，得功牌二。乾隆六十年，貴州大寨苗爲逆，湖南諸峒苗多爲之應，連陷營邑，六達色以雲南候補游擊檄調隨營。夏五月攻苗，於四馬寨克之，奮勇深入，直抵青竹林山梁，猝中槍陣亡。賞卹如例，恩廕雲騎尉世職。（錄自錢儀吉《碑傳集》卷一百二十一）

滕家瓚傳

滕家瓚，湖南沅州府麻陽縣人，由生員捐納布政司理問。爲人慷慨有勇略。乾隆六十年，乾、鳳、永三廳苗匪爲亂，東西連結肆焚掠，道路爲梗。家瓚偕其兄監生家瑞、弟武生家瑤散家財，募鄉勇，分扼要害，爲官兵應援。自辰谿至鎮篁，饋運得

相繼不絕，家瓚力也。總督福康安入奏，欽賜六品頂戴；家瓚益感激，誓滅賊以報。家瓚所居曰高村，其後大山北連瀘溪，南接鳳凰廳，西通辰溪，岡嶺綿互，巴斗山尤雄峻阻深，苗時窟穴其中。家瓚獻議總督，請自據隘設卡，斷苗出入，總督檄許之。家瓚乃編集山民，聯絡義勇土潭、大畎、武嚴等處，繞巴斗山設卡數十，至嚴隴底江皆有木柵石城，苗至輒截殺。自正月至四月，先後接仗十八次，獲首虜無算，苗甚憚之。五月，大兵攻破西梁蘇麻各苗寨；苗急，分擾麻陽、瀘溪為牽制計，又恨家瓚甚，乃以千餘人圍瓚卡，使距戰不得出，而別遣重兵繞道，出不意攻高村，時五月十五日也。高村距卡數十里，家瑞率老弱以守。初家瓚起兵，家瑞為處分軍事，分撥防守，給糧饟子藥皆倚以辦；嘗從剿苗於羊洞溪、沙子坳、蘿蒲溪、長車嚴隴諸處，斬獲八十餘人。家瓚將言于有司，家瑞止之，曰：「吾弟已邀上賞，一家皆戴皇恩，兄不當僇力耶。」會有旨，問滕姓出力之人，總督以家瑞、家瑤名上，俱賞銀若干兩。至是，家瑞見事之急，遣親丁護其父母出避，而身與其子國屏巷戰甚力。會家瓚亟馳還救，苗職而退。滕家泰者，家瓚堂兄也，武生，同居高村。苗入家泰宅，縛家泰子婦滿氏，臨之以兵，詰家瓚所在，滿氏不答，鋒刃雨下，遂被害。苗大呼曰：「但得滕家瓚，免若焚劫矣。」家泰思以我滕氏故，累一村老幼，何忍也，遂挺身出曰：「我滕家瓚也。」苗擁以去，家泰罵不絕口，遂遭寸磔，一門被害者九人。事聞，奉旨賞家泰之子國祥廩生五品頂戴。於是（森按：疑當作「時」）家瓚方病瘧，苗乘勢奪諸卡，總督飭家瓚勉圖攻復，家瓚感上恩，戰益力。八月，盡復諸卡以守。九月六日，苗數百人突至巴斗山下新寨，家瓚禦之，手殺二人。苗益集，槍刀交下，遂殞。家瑞方村居，聞難趨救，奪家瓚尸以歸。總督即令家瑞領其餘眾守新寨，旋入奏，奉旨：滕家瓚猝被賊害，實為可憐，曾賞給六品職銜，著即咨部照現任六品官員之例給予卹典，以示軫惜。（錄自《碑傳集》卷一百二十一）

沈汝枚傳

沈之燮，字汝枚，吳縣人。曾祖朝初，見〈文苑傳〉；父莘，湖南零陵縣知縣，列祀鄉賢名宦。之燮起家為河南獲嘉縣知縣，調祥符，遷許州知州；四十年，擢山西寧武府知府，調平陽府，陞分巡冀寧道；四十八年引疾歸，卒年七十八。居官廉幹

識大體，尤習於刑名，其在祥符，以聽獄爲何恭惠公焴所知。焴任臬使日，他郡有疑讞，多委之燮會鞫，平反甚眾，其尤著者：光州俞牛兒、新野李岠孤二事。牛兒故無賴，一夕村民阮志被竊，控官言牛兒等夜行竊，縛事主，輪姦其婦。州獲犯，既招伏矣，之燮詰以昏夜行竊，何由從容成姦？志詞窮，始言牛兒實竊非姦，乃鄰人慫恿，欲重其罪以除害，牛兒等得不死。李岠孤者，李閭氏之姪，閭氏無子，養岠孤爲嗣，爲娶陳惟善女。岠孤夭閭，陳氏不安其室，屢逃歸。一日，惟善送女至婿家，還至中途，女復趨歸，惟善憤怒，縊殺其女，并自縊。縣役鄭純士者，索賄於李，弗得，乃言閭氏與岠孤通，令其兄閭國祥殺之，縣令入其言，掠治岠孤，當抵極刑。獄已成，之燮覆驗，得其情，請釋二人，而戍純士，縣令亦得罪。乃有左袒新野令者，謂之燮枉斷，故出人罪，蜚語播京，部臣即以入告。詔提人犯，令軍機大臣與刑部會審，并調之燮赴質。及會讞，之燮極言岠孤冤狀，申辨再三，諸郎官驗岠孤實夭閭，且受刑傷痕經年不減，皆曰殆天意也，遂以入奏，如原斷。在山西，再署按察使，秋讞多從輕。比居家，建祖祠，捐田八十畝。治家敦族，周卹故舊，多可稱者。（錄自道光《蘇州府志》卷八十七）

錢葵園傳

錢策，字萬言，號葵園，長洲人，中諧曾孫。乾隆甲戌進士，授兵部主事，遷員外郎，出爲九江知府。郡濱湖帶江，洲渚盜賊出沒無常，策設法搜捕，得其魁，奸宄斂跡。屬縣被水災，策請帑賑卹，民得以蘇。調南昌知府，斷獄多所平反。潔己率屬，苞苴不及其門。修築沿江圩岸石礎，以護民田。葺一軒於郡齋西偏，名曰鶴石，取白樂天詩「三年典郡歸，所得非金帛。天竺石兩片，華亭鶴一隻」意，遂自號鶴石居士。旋擢分巡吉南贛寧水利兵備道，地界閩粵，山谷深險，易於藏匪。策嚴立保甲，稽察周密，數郡晏然。修贛州濂溪書院，延師課士，多獲雋去。兼管關稅，安靜無擾，商民稱便。署江西按察使，適值秋審，斟酌平允。是年九卿會勘，江西獨無一改駁者。既以在九江時保舉屬員不當，部議降調，有旨送部引見，便道旋里，遂引疾不出。策性孝謹，事母待弟與從子，人無間言。生平寡交遊，罷官歸，杜門不與外事，焚香讀書而已，卒年六十。（錄自道光《蘇州府志》卷八十七）

張上舍靜渠傳

張君策新，字經義，一字靜渠，金山縣人。例入太學，年三十三而卒，遠近聞之，皆咨嗟悼歎，有泣下者，僉曰：斯人也，竟至於斯耶。余亦曰：斯人也，曷爲至於斯。君之翁曰梅村先生，慷慨好客，以義行重鄉黨。君能承先志，以孝道施於族類，不忝前人，嘗謂其友曰：「務施而不腐餘財者，聖人也，我愧不能。雖然，君子之富，假貸人，不德也，不責也；其食飲人，不使也，不役也。親戚愛之，眾人喜之，不肖者事之，皆欲其樂壽而不傷於患，此則區區之心也。」以是匱乏者商必濟，急難者求必解，無依者就不辭，君之慷慨之名著遠近。我嘗謂賢否存乎人，義利存乎心，修短存乎數，里閈中錙銖暴戾天資刻薄之人，其於手足骨肉間，往往有急難而相視如塗人，或稱貸，則面發赤，多方以相拒，然獨享大年，富厚累世不絕。彼其人特尸居餘氣，終身不悟其非，一旦各以數至，平生所蓄厚貲不能長據，適增其罪累，雖有孝子慈孫，不能表揚祖父，其卒也與草木同腐。嗚呼，其亦可哀也已。然後知義利於此分，賢否於此定，而修短即於此見也。嗟乎，使君而重財輕義如世俗之所爲，而數終於此，命至於斯，亦無足重輕矣，安能咨嗟悼歎，遠近如出一口耶。則如君者，可以醒世之富而不知義者。贊曰：

年限於數，義生於豐，如君處富，斯可以無窮。　（錄自清朱棟纂《朱涇志》卷十，頁二七）

南河道總督吳公嗣爵合葬墓誌銘

公諱嗣爵，字尊一，號樹屛，又號澹軒，姓吳氏。世爲新安右族，高祖兆慶始遷錢塘，因占籍焉。曾祖時茂；祖之錡，康熙庚辰進士，山西壺關縣知縣，行取禮部主政。父岱齡，國子學生。三世皆以公貴，贈至光祿大夫。公八歲而孤，母錢太夫人誨以勤學，遂淹貫百氏，通達時務。雍正七年舉鄉試，明年成進士，授禮部精膳司額外主事，相國張文和公掌吏部，特奏改文選司。公素彊識，於中外官簿姓名，一覽輒記；尤熟於成案，吏不得上下其手。由主事遷考功司員外郎，轉本司郎中，調文選司。在銓曹十餘年，愼重名器，廉直不阿。高宗純皇帝夙知其名，特授江蘇常州知府，本部奏請留任，推陞四川保寧知府，仍奏請留任。尋奉命提督湖北學政，

任滿調福建，所甄拔多知名士。十三年，授江蘇淮安府知府，尋擢淮揚河道。公以河務素未習練，乃取《河防一覽》、《行水金鑑》、《禹貢錐指》等書，晨夕研究，參酌古今，自是河淮形勢瞭然胸中，非復紙上空談矣。明年秋，洪澤湖盛漲，議者請開天然壩洩之，使相高文定公檄公親至壩上察視，公慨然曰：「啓壩誠足減暴漲，其如下河州縣百萬生靈何。」堅持不放，隄平無恙。高公大加器重，并以入告。十六年，調兩淮鹽運使，清介有守，不以脂膏自潤。十九年，以黃運交溢，特旨仍調淮揚河道。甫抵工次，而太夫人棄養，訃至，號泣感慟，刻期星奔。有旨：「河工與地方官不同，事出不得已，著給假兩箇月治喪，事畢即赴任。」公感泣承詔，次年諸大工告竣，即呈請終制，督府不肯轉奏，復請給數月假以竟葬事，乃得報可。二十二年大駕再幸江浙，時河督白公鍾山未到任，南河事皆仰決於公。尋遷江蘇按察使，再遷布政使。明年坐奏事失當落職，以南河同知用。二十六年，復授淮揚河道，其秋洪澤湖漫溢，公度車邏、南關諸壩勢不能禦，預令居民徙他所，及水過之後，集夫修築，得免墊溺之患。三十年，調淮徐河道。三十三年，黃河秋漲，直逼徐家莊縷隄，居民洶洶將逃去，而兩督府咸道遠未至，公親往慰諭之，曰：「國家仁德如天，河若有靈，當不爲患，汝等勿怖也。」遂端坐隄上，以安眾心，僚吏泣請退避，公不爲動，既而大溜歸中泓，僉以爲神助。公相度地勢，議將放淤，或言宜俟督府，否且獲咎。公曰：「安危在頃刻，豈可坐失事機，有事吾自任之。」及兩制府至，則放淤已成，水勢消減，遂據實入告，特旨優敘；未幾即有河東總河之命。公以山左運河爲南北轉漕要津，汶水爲其源而匯諸泉入焉，乃循行百五十五泉，察其已竭者棄之，未暢者疏之；添建南旺湖口石閘，啓閉有節，由是漕艘得安行。每遇伏秋，黃河水長，信宿水次，處分搶護，人各盡力。三十六年夏，汶水溢戴村壩，東平汶上城幾沒，公亟令啓閘壩，南北分減，不數日而水落，糧運無阻。其秋，丹、沁、伊、洛諸水俱漲，匯注入河，大溜南趨，崖岸盡塌。公往來巡視，設法搶護，不遑啓處者二十晝夜，卒以無事。優詔褒獎，尋調江南河道總督，加兵部尚書。公在南河最久，深悉利病，至是復周咨博訪，與節相高文端公酌議，將河隄增高培厚，浚雲梯舊口，以暢其流；又念清口欽定東西壩爲全河鎖鑰，高堰爲淮揚保障，加意預籌，以期有備無患。明年淮水大漲，公預展東西壩，泄洪澤之水，水有所容，遂得無患。清口向置水龍五架，挑溜北趨，第一架年久淤

閉，公請移建於第五架，上大以爲然。三十八年，河溢老壩口，公亟令民徙居高阜，日給錢粟，勿使失所，而集夫加緊搶築，兩旬合龍，水復故道。在任再遇京察，俱得旨議敘，賜賚便蕃，不能殫述，御製五言詩以賜，一時榮之。四十一年，車駕幸山左，公趨迎，行在召見。敷奏河務良久，跪不能起，詔左右扶掖之。時公年七旬矣，上憫其久勞於外，改授吏部右侍郎。明年以孝聖憲皇后升祔禮成，覃恩加贈三代，皆至一品。其冬以喘嗽疾作，陳情乞休，得旨以原官致仕回里。公性耿介，自奉儉約，雖貴不易其素，不妄交一人，不怠玩一事。或謂公曰：「聞君一介不取，其能一介不與乎？」公笑曰：「有所取必有所與，我無所取，故能無所與也。」乾隆四十四年六月二十七日考終平湖里第，享年七十有三。元配徐夫人，翰林院編修、建昌府知府天麒之女，恭儉有淑德，年二十有四，以乾隆二年四月十四日卒。繼娶唐夫人，翰林院編修、湖州府知府紹祖之女，舉案相莊者四十餘年，事姑教子，皆叶禮法。晚歲就養季子官署，年登大耋，備極奉觴舞綵之榮。嘉慶二年七月二十七日卒，享年八十有三。子三人：瑛，江蘇高郵州知州；珖，候選通判，先卒；璥，乾隆戊戌進士，今官河東河道總督。女三人：長適國學生屈作舟；次適杭州府學生沈守正；次適順天張家灣通判韋協夢。孫十一人：喻德、嘉德，兩淮金沙場鹽大使；咸德，乾隆丁未進士，貴州玉屏縣知縣，候選主事；耆德，兩淮試用運判；顯德，錢塘縣學廩生，候選訓導；景德，候選庫大使；元愷，恩廕生，候選員外郎；仲達、祖翼、世昌、公亮，幼。孫女十人。曾孫男四人，女五人。銘曰：在漢治河，多引經義；許商、平當，未究施濟。今昔異形，南北殊勢；自非通儒，曷曉利弊。亹亹吳公，朝之股肱；拾芥科第，分職銓衡。甄敘有紀，選政以平；出典大郡，期月有成。淮海維揚，二瀆所會；東南保障，於斯爲最。公由監司，涉涉連帥；隱如長城，兆人允賴。公在東河，疏導泉源；漕運萬艘，計日不愆。公在南河，水誌節宣；下游郡縣，屢獲豐年。帝嘉勞臣，召貳天部；昔爲望郎，今接臺輔。懸車致政，引分陳情；進退綽綽，保有榮名。哲人其萎，楹書猶勁；有子宣力，榮戟克紹。佳城卜吉，合祔從周；勒銘幽堂，嘉績長留。（錄自《碑傳集》卷七十六）

浙江分巡寧紹臺海防兵備道印憲曾墓誌銘

寶山印公以臺垣清望，出爲浙東監司，監理權稅，督視海塘，民舉條教，不嚴而治。年逾七十，引疾歸里，未逾年而疾作，終於吳門私第。予既哭諸寢門，越明年，公子鴻經、鴻緯卜葬於崑山縣夸區一圖鳥字圩瓦浦之原。先期踵予門，述公遺命，請爲文納諸壙。憶與公交親幾四十年，晚歲雖出處殊途，以予好近遊，屢得相過從，嘗有卜鄰之約，素願未酬，思之隕涕。公有遺言，何忍以蕪陋辭。案印氏世居嘉定東鄉之胡巷橋，雍正初，析置寶山縣，故公爲寶山人。公諱憲曾，字昭服，別字淞汀。曾祖世臣，贈奉直大夫；祖輯瑞，父克仁，皆以公貴，贈中憲大夫。本生父光任，以諸生舉孝廉方正，授知縣，累擢廣西太平府知府。公生有異質，童時承父命爲世父後，遇家忌，必先齋戒，涕淚悲泣。年十七，補博士弟子；三十二，入太學，應順天鄉試，中式。明年成進士，以知縣試用廣東，初署新興縣，除里民承□，護送囚犯之臬。尋題翁源縣，屢決疑獄，摘伏如神。嘗下鄉宿芙蓉舖，寺僧以虎患告，公聞之惻然。歸爲文牒城隍及山神，詞意嚴切。半月後，復過其地，僧喜，來迎曰：自公移牒後，此間七巨虎皆度嶺入龍南境，村無虎患矣。陞吏部稽勳司員外郎，丁本生父憂去職；服闋，仍補原官。遷刑部福建司郎中，再丁本生母憂；服除，補湖廣司郎中。是時劉文正公總理刑部，錢文敏公爲侍郎，見公執法平允，交口稱譽，以薦授浙江道御史。充山東鄉試副考官，所得多知名士。轉掌浙江道事，擢工部給事中，兼署兵科；又轉吏科掌印給事中。在臺垣十有二年，風裁峻整，莫敢干以私者。以京察一等記名，特授浙江分巡寧紹臺道。會詔開海寧沿海石塘，工費鉅萬，大吏重公清勤，奏司其事。公以一身往來浙東西，鉅工告成，既爲奕世之利，而本任事亦無廢，正己率屬，安民惠商，皆中肯綮，甲辰歲，聖駕南巡，召見西湖行在，有文綺荷包之賜。大計卓異，入覲，得旨回任候陞，而公以年屆縣車，浩然有故鄉之思，上游方倚重公，力勸止之，而公意懇切，乃爲轉奏，得賜回籍。解印之日，謂其子曰：「吾歷內外，幸無過愆。晚歲得游鄉里，爲太平幸民，夙願足矣。」公天性孝友，宅心和厚，儉於自奉，樂於施予，居官立身，終始無玷。而知止知足，有疏太傅、楊少尹遺風，匪特郡邑衣冠之望，亦一代偉人也。公文士而習於吏事，能得法外意。在翁源時，有告某毆死其鄰者，公檢驗無

傷，即詰某曰：汝與死者有讎乎？曰有之，曰是食斷腸草死耳，非汝毆也。訟者堅執不服，公指視之曰：徧體無傷，而臂有指痕，是必服毒，以□某逆知之，率引使出，尋自斃耳。在刑部時，金川軍營有盜衣裝者，已擬重辟，公閱其供狀，乃同伍衣服，非軍裝，不當以軍器論，遂得末減。浙之象山有南田者，孤縣海島，久經封禁，頃歲有覦其利，走京師，言開墾陞科，可增國賦，事下本省履勘。鄉愚爭釀金相助，私立契券，裂土分占，公周履其地，則磽确不可治，且恐招聚無賴，爲瀕海害，亟申大府寢其事。公之深慮識大體，多此類。春秋七十有一，以乾隆五十四年十一月十六日卒於里第。娶王恭人，乙卯舉人新陽縣訓導世樞之女，先十六年卒。長子鴻經，辛丑進士，翰林院庶吉士；次鴻緒，縣學生；次鴻綸，國學生。鴻緒、鴻綸皆先歿。次鴻緯，國學生，考充三通館謄錄。孫綿祚、錫祚、恩祚、□祚、嘉祚。孫女五人。系以銘曰：

文學政事各一科，有如秋實春揚華。維公實大聲巍峨，根柢深厚用不頗。早探二酉富五車，柏臺梧檢聲名誇。持節四明政去苛，遠商市舶民桑麻。石塘捍海功不磨，不信試聽輿人歌。南田一島小若螺，或言墾闢宜參禾。公親涉海履陂陀，石田那可施耕畬。海瀕無賴贅聚多，兼恐姦宄爲巢窩。亟白大吏懲嵽邪，幾先洞照鏡漾波。引年解組歸澗河，鐘鼎詎必山林過。鹿城之東泉石佳，宰木翳如神所家。我銘紀實無差訛，感念存歿長咨嗟。（錄自陳樹德、孫岱纂《安亭志》卷十五，頁五）

安徽安慶府懷寧縣儒學教諭管訓導事果齋陸公墓誌銘

吾友果齋陸君，以乾隆丙申歲九月二十三日卒於懷寧官廨，距生雍正乙巳歲四月二十八日，春秋五十有二。其冬，孤子惟軾扶櫬歸里，越五年庚子四月十二日，葬於蘇州府吳縣十一都四圖墨字圩天平山之陰。先期惟軾緣絰踵門，乞予文誌其窆石。予與果齋交卅年，果齋長於予三歲，績學篤行，吾黨推爲畏友。憶甲戌歲應禮部試，果齋與西莊、蘭泉、鶴侶、星槎、春谷及予七人，同僦寓觀象臺下，坐臥同一室。出闈後，各誦所試文，獨果齋、西莊纏纏數百言，如瓶瀉水，眾皆斂手以爲不能及。既而果齋及予卷，皆爲詩二房寧都盧公所薦。予謬入選，初謁盧公，即呼謂之曰：子識陸生否。答以同學且同寓舍，公大喜曰：固知名下無虛也。嗣後公車北

上，必過從論文，文益高，而遇益艱。丙戌春，有旨簡選下第舉人先用，以疏壅滯。果齋名列二等，乃得選授安慶之懷寧學，以教諭銜管訓導事。在官，與諸生講論經義源流，先正程式，皖人以為得賢師。嘗被檄審勘水災戶口，按戶檢察，無濫無漏。又督修水衝壞埂圩，咸復其舊。又嘗被檄清釐安慶六縣錢糧冊，又檄委各鄉捕蝗，皆殫極心力，於事有濟。嗚呼，師儒之官，非有親民蒞務之責，而一有與聞，即引為己任，不苟且因循如此，使得一展其蘊，當有卓卓大過人者，惜乎其僅以冷署終也。陸氏世居嘉定之高橋鎮，今析屬寶山縣，故為寶山人。果齋尊人厚庵公，昆弟四人，門無異財，有浦江鄭氏之風。厚庵歿，奉世父、叔父惟謹，同爨數十口，無詬誶聲。又割所分田若干畝贍族人，篤於報德，而未嘗修睚眥之怨，樂道人之善，而不肯暴其短。既歿，而戚黨來弔者，皆行哭失聲，可謂長者矣。果齋諱芳槐，字聽三，中歲取大易「果行育德」之語以名其齋。曾祖萬鎰，祖經綸，皆贈奉直大夫；父汝寬，以果齋貴，贈如其官，即厚庵公也。果齋以乾隆甲子秋舉江南鄉試乙榜，壬申春舉順天鄉試，試義為士大夫所傳誦。所著《存澤樓詩文》、《皖江吟草》，皆藏於家。夫人顧氏，候選翰林院待詔綸之女。子二人，惟載，縣學生；惟鼐，國學生，嗣叔父後。女一人，適縣學生唐基。曾孫男四人：揚曾、倣曾、述曾、繼曾。孫女二人，皆幼。銘曰：

若古校官，經義治事。先文後行，教有次第。俗吏齦齦，簿書為勞。師儒之選，迺為閒曹。我識陸君，申浦之裔。器識堂堂，不惟文藝。九棘匪貴，八驪奚榮。苜蓿在槃，以傲鼎烹。公紀志士，德明經師。皖江學子，尸而祝之。卅載淡交，千秋厚夕。後有徵者，視此刻石。（錄自佚名氏《江東志》卷十，頁二八、二九，《中國地方志集成》影印上海圖書館藏鈔本）

修職郎浦君玉田墓誌銘

君諱祺，字揚烈，一字玉田。先世自無錫遷常熟，家於任陽里。平生無他嗜好，楗戶讀書，晨夕弗輟，度藏幾及十萬卷。吳興估客擕書求售，君一見即能辨其優劣，且言是書有數刻，某本善，某本不善，某本訛某字，某本脫某字，坐客好事者歸檢視，悉如其言。手定《留耕齋書目》一卷，皆精當，無俗本。生於雍正十一年十月四日，卒於乾隆六十年十月廿九日，春秋六十有三。銘曰：

鼂里昭德，宋坊春明。葉標篆竹，祁榜澹生。圖籍之富，榮於簪纓。厥子播穫，何羨金籯。矻矻浦君，坐擁百城。咀嚼肯綮，芟除榛莉。聞名十載，一瓻未盛。重泉無憾，視我斯銘。（錄自王欣夫氏《藏書紀事詩補正》頁四四九引《無錫浦氏家譜》）

　　此文承楊晉龍兄檢示，書此致謝。其文疑有節略，原本俟訪。

國學生陳國祥墓誌銘

余家望仙橋市，距雙墩陳氏之居不數里而近。見夫值歲凶荒，出粟以食饑者，問之，曰陳翁豫吉；橋梁傾圮，捐金以治者，問之，曰陳翁豫吉；收棄子而乳之，館疾醫而行藥，問之，曰陳翁豫吉。余時將就館選於京師，不克與翁盡接席之歡，然未嘗不心儀其人。逮余假歸里門，適翁攜其孫伯琥顧余，且命從余遊。於時翁年近七十矣，鬚眉蒼然，其色辭甚恭，而翁之孫伯琥舉止靜好，無少年喜事之習，正昌黎先生所云稱其家兒者也。余因得以訪翁之生平，微但不客施與徒為豪舉者比也，翁固孝義篤行之君子也，而後歎向之知翁不盡。余與翁雖相見恨晚，然娛老而送日，庶幾其在是矣。不謂其遽歸道山，余不勝有老成凋謝之感。閱十有四年，為嘉慶五年正月八日，將葬翁於麗號四圖桑浦祖塋之次。先期陳生伯琥與其塾賓鄒江千狀來乞銘，余不敢辭。按狀，翁國學生，諱國祥，字豫吉，雪莊其號也。先世東漢之季陳公實，是為有道君子，紀群又克世為公卿。永嘉之亂從以南徙，遂家建康焉。勝國時，有諱鉉者，由建康移邑西之雙墩，是為翁八世祖。曾祖諱爾登，祖諱瑞卿，父諱恂，國學生，皆折節為儉，以孝弟力穡起家，至翁而益大。翁為人倜儻尚義，生平無過舉，至於義所當為，雖累千金不倦以改，往往為里黨所稱道，而翁視若欿然。尤篤於至性，從幼見父宗聖公勤於穡事，曰：人子不能勤力作以養親，而使父勞瘁至此，是尚得為人乎。於是代父理家，逮宗聖公歾時，翁年已四十餘矣，哀毀盡禮，依然孺慕不衰。從弟夏玉，早年失怙，翁撫愛之如同生，分析財產，多所推讓，務欲盡歡于弟，多寡肥瘠所不計也。吾邑為三吳瘠薄之區，遇有災荒，官於茲者不能洞悉民隱，必首舉翁。翁必條陳方略以對，不肯媕阿隨人，每為當事所倚重。晚年摒擋家事付諸兒，築室一區，蒔花種竹，日課其孫，以誦讀為務。而翁之孫伯琥稟承遺教，讀書敦行，足為陳氏亢宗，於以知翁雖潛德弗耀，然不在翁身，在翁子孫，光遠而自他有耀

無疑也。翁歿於乾隆五十一年，年七十有一。配朱氏。男子二人：昌，國學生，例贈儒林郎；皓，國學生。孫男一，伯琥，議敘布政司使理問。曾孫四：榕、桂、椿、松。銘曰：

桑浦之原，佳氣鬱蔥。翁爲厥考，築彼幽宮。既安既固，沒而祔從。從先人於茲土兮，其樂也融融。用保爾後昆，被之無窮。（錄自《安亭志》卷十五，頁六）

文學鄉飲介賓曾君墓表

予少居里，時猶及識我從曾祖姑夫祁川曾翁長德人也，後予壯而翁已歿。丁亥之冬，乞假歸覲，翁孫嘉碩、嘉穀等以其世父練瀕老人所記佚事來請，曰：先祖墓中之石，先生之祖欽明翁既賜之以銘矣，惟時嘉穀之爲狀也，不詳故行，事尚有缺，惟得先生採世父之所集而文之，以表於墓，豈惟先祖之受賜實多，其子孫亦與有榮矣。予惟翁之爲人，我祖既已銘之，予何敢復僭有所言？而練瀕老人予少所從受學者也，嘉碩等以其遺命來請，至數十不已，其可以辭？謹補書之曰：翁自少爲名諸生，試輒冠其曹，諸長老皆謂富貴可拾取，翁不屑也。爲諸生，歲既滿，即不應學使者試。喜作詩，日徜徉田野墟曲間，吟嘯自適，其淡於榮利如此。顧獨留意當世利病，事有可以益鄉里而非己力所能致者，必白長吏爲之。康熙四十六年夏，江南大旱七十餘日，赤野彌望，濱河田十不種二三，民心皇皇，翁見邑令馮公曰：民病矣，非公上之大吏，以奉聞於天子，弗再活矣。且曰：所在州縣皆然，非獨嘉定一邑也。馮公如翁言，上之大吏。使郡佐姜侯來視，翁隨姜侯走烈日中數日，姜侯顧翁曰：曾某言不虛。即還報；而他縣言者亦日眾，大吏以聞。聖祖仁皇帝立詔，蠲租賦，發粟賑之，於是東南數十州縣遂不知有歲旱之患。明年大水，翁復言之。又明年，民甫挽饑饉，氣未蘇，翁復言之。事俱聞天子，爲免四十七八兩年漕糧，比四十六年，生息得贍，皆翁等之力也。翁爲善於鄉里，多至不勝書，此其尤大者，故書之獨詳云。翁既膺鄉飲之聘，爲邑令者皆欽重之，楚中楊公尤敬翁，以公事行西鄙，必造翁廬存問；間謂曰：翁家居何事？翁曰：以正心誠意教子孫而已。楊公爲之歎息不已，歸即榜其衢曰：我士民宜如曾某爲人，與曾某異者慎勿爲也。嗟乎，翁老於諸生，不克有所建明，然即其所已試及見稱於賢有司者，可以得翁之爲人矣。一介之士，欲利澤被於當時，聲名傳於後世，豈不難哉。翁爲予從高祖守郊

公子壻，始數歲時，守郊公一見器之，許以愛女爲配，而資其誦讀。未幾，而翁爲名諸生，其不得大顯於時者，以翁不樂仕進也。予書翁事，而深歎守郊公之知人，因附著之。翁名法祖，字燕詒，其行事卓卓者，多見我祖所爲志銘中，此論其未盡載者。烏乎，翁自是其可傳也已。乾隆己丑八月某甲子，日講起居注官翰林院侍講學士錢大昕撰。（錄自張啓泰《望仙橋鄉志稿》）

任思謙墓誌銘

震澤有績學篤行君子曰任君思謙，字純仁，一字復生。其先出自先賢任子不齊，傳六十世，至宋平江通判盡言，始居吳淞青龍江；又五傳，至明南康縣丞仲眞，始遷吳江。皇朝雍正中，析吳江置震澤縣，今爲震澤人也。南康七傳，至孝貞先生大任，大任生太學生夢乾，夢乾生府學生德成，即君之考也，三世皆名儒，著書成一家言。君甫四歲，家僮抱至後圃，失足墮井，縣梯出之，衣履不濡，問其故，曰：「井有大魚，以脊承之耳。」鄉黨咸驚異，以爲非常兒。稍長，讀《易》，尤精邵氏之學，嘗得《皇極經世書》，闕〈元經會首〉一卷，依法推演，及假全本校之，略不少差。讀觀物外篇有省，焚香默坐三閱月，恍然曰：「吾得之矣。」嘉定張漢瞻先生，爲陸清獻公高弟，君往從學，授以《松陽遺書》，曰：此程朱正傳也。自是所養益邃。弱冠後，治舉子業，尚以先正爲師，曰：「經義以明聖賢之理，理不明而求工于詞句，非文也。」在庠序數十年，歲科試義，輒爲士林傳誦，顧屢躓省闈。辛酉鄉試，已擬元，以第三場卷不到，仍落。久之，以貢入成均，亦不赴。宜興儲六雅編修於時義少所可，獨推君文，以爲有守溪、昆湖風格。海內談文者或稱二任，謂宗人府丞啓運與君也。君篤於氣誼，視人之急若己之急，好施而不責報，亦未嘗告人。於所居里，刱立義塾，名曰同川書院，造就人才甚眾。又設義塚于南秘圩，總督尹文端公表其里曰樹德。嘗謂弟子曰：「論學須明理，論治須識體。」故其議論，皆可見諸施行。又旁通樂律、算術、卜筮、堪輿各家言，雖專門，或不逮焉。春秋八十有四，以乾隆四十八年十二月二十五日捐館。娶費孺人、王孺人。子瓏、廷璋、兆麟、鰲。兆麟從予遊，有學行，能世其家，出爲族父後。女一人，壻曰金文潤。孫六人，曾孫二人。葬于武邱鄉西津祖塋之次。先期兆麟請余文，銘其藏曰：

金貝須史，軒冕旦夕。不如樸學，垂名無斁。我識任公，德容粹然。寓學于文，若水有原。儒服儒行，名副其實。畫餅之譏，斯言一雪。安樂之窩，寂歷之山。精神宛在，往來此間。（錄自陸肇域、任兆麟《虎阜志》卷三，頁十八、十九）

貢生朱璸玉墓誌銘

嘐邑有厚德君子曰朱君丹崖，世爲新安甲族，五代祖應張始遷邑之南翔，曾大父宏毅、大父俊彥、父永嘉，俱以孝謹聞。君少而倜儻，通曉古今。長則達時務，敦氣誼，以例貢入成均，恬淡不求仕進，每慕古人牽車孝養之義，行賈淮北及山左，相時趨舍，所獲率贏數倍，嘗曰：「人毋輕言命，豐約亦才識爲之，子貢不受命而貨殖，其才識足以不受命也。如所億，有不中，安得不爲命困哉。」事父及後母趙太孺人，俱得歡心，生致養，歿盡哀，推故宅與伯兄季弟，別買宅以迎趙太孺人，奉侍廿餘年，趙歿時，君年已七十有五，猶擗踊如禮，人以爲難。平居好施予，無倦容，蓄藥以待求者，施樬掩骴，率先倡始。南翔故有育嬰堂，歲久苦不給，君首解囊佐之，規條井井，嬰孩得全。乙亥歲大祲，四鄉煮粥食餓者，邑令請君監南翔粥廠，剔冒濫，抑奸胥，全活無算。乙丑歲春夏，米價騰涌，君倒廩出米，減價糶之，其有功桑梓類如此。癸巳歲縣舉鄉飲酒禮，有司以禮敦請，辭不獲已，乃就介賓之列。艱得子，年五十後，連舉四丈夫子，延名師課之，今掄英、掄奎皆能文，而掄英早歲已成進士，論者謂君積善之報方未艾也。君諱璸玉，字旦彩，號丹崖，春秋七十有五，於乾隆四十年十月十五日卒，娶張氏、徐氏，皆先卒。子掄英，乾隆辛丑進士；次掄奎，縣學生；次授華；次擴萬，國學生。女二，長許字諸仁藹，夫亡守貞；次適捐職布政使司經歷李大復。孫六人。某年月日合葬青浦縣四十六保四區十一圖北河字圩章堰之南庫。掄英乞予爲志，因其嘗從予遊，故知之爲詳。銘曰：

善無近名，爲之克勤。有利於物，甯儉於身。廣廈萬間，志或難伸。涓涓之泉，時出而均。鄉飲尚齒，四豆式陳。儀容俊偉，傾動薦紳。仁者有後，前哲所云。樂哉斯邱，以庇子孫。（錄自《青浦縣志》卷十二）

祭徐君虹坡文

嗚呼！《書》稱商耉，《詩》詠老成。典型未往，文獻可徵。樹式後軍，作表人倫。桓榮稽古，伏湛明經。祝鯁祝噎，惟老惟更。松年龜思，五杖鳩形。辱叨世戚，義篤情親。歲時存問，永夕永晨。庶幾難老，鶴算緡緡。胡天不弔，遘喪書（森按：「書」疑「耆」字之訛）英。緊惟虹坡，鬌年相契。少予七齡，交推三世。大父傳經，先生問字。門伴爲娛，彈碁相戲。竹馬纔抛，囊螢是勵。腹有五車，身通六藝。日月不居，長繩難繫。予歷風塵，君潛里第。薊北秋高，江南雨霽。落月停雲，相思遙企。及予歸田，已屆中年。故園再聚，舊雨重聯。虹坡遙訪，握手怡然。鬌眉非故，談笑如前。商榷著述，學益精專。不尋俗好，獨契前賢。熟通乙部，汎濫陳編。攻書成蠹，下筆如椽。推闡章亥，凌躒固邊。碎金屑玉，細大不捐。兩晉六朝，疆輿舛互。沿漢沿淮，星羅棋布。僑置紛如，史家多誤。先生作《表》，披雲抉霧。或號北荊，或書南豫。拓跋所城，蕭梁所戍。聚米畫沙，源源可泝。上下千年，望洋驚怖。酈注《水經》，杜推武庫。虹坡此書，實堪追步。學成名立，小隱西塘。鄧公家法，曹氏書倉。載楊子酒，泛米家航。枯棋一局，古刻數行。爐煙半爐，書帶生香。北窗高臥，人似羲皇。時懸陳榻，共識鄭鄉。淡于世味，篤於倫常。夷猶富貴，了悟行藏。儒林隱逸，兼擅流芳。其德既全，其福自植。歲有餘糧，提攜子姪。推挽鹿車，如琴如瑟。養志佳兒，承歡繞膝。食必兼珍，寢必侍側。瑜珥瑤環，含飴滿室。麟角超群，鳳毛殊特。長入辟雍，騰驤奮翼。紫誥黃封，指日可必。俾壽而藏，既安且吉。周甲之歲，群從稱觴。予爲鰕辭，重湔交情。美公厚德，祝公遐齡。若榮啟期，若杜子春。雙丸跳躑，彈指七旬。二月初吉，賀客盈門。嘉肴在御，芳醑盈尊。群推碩果，咸仰靈椿。流連月夕，醉舞花晨。期頤大耋，操券可徵。纔餞三春，便來二豎。化矣漆園，嗟哉桑戶。骨肉慘悲，兒孫酸楚。天上修文，人間失怙。公有遺書，自堪千古。嗟予重交，聞喪心慍。感逝西州，傷神南浦。楮短情長，聲哀音苦。設祭於堂，升觳於俎。神其來格，享此酒脯。嗚呼尚饗。（錄自童世高《錢門塘鄉志》卷三）

後　記

　　此文纂成後，曾交《大陸雜誌》發表，適該刊主編易人，以此非研究論文，退還之，此一九九〇年十一月事也。自慚於竹汀之學無所發明，僅能捃摭舊文，其為高明者所黜固宜也。是文置之篋底數年，去年長夏，改舊作《竹汀年譜》，重檢此稿，復從志乘補得若干首。今秋，與林慶彰兄談次偶然及之，渠言可交《經學研究論叢》發表，此文乃得刊布。林兄盛意，感曷可言。

　　此文付印校稿時，楊晉龍君見告，渠新購得江蘇古籍出版社所印《嘉定錢大昕全集》，冊十有主編陳文和氏所輯《潛研堂文集補編》，與余所輯互有同異。余假其書，略檢一過，《補編》所收〈端硯銘〉、〈演易〉、〈小知錄序〉、〈谿南唱和集序〉、〈跋黃文獻公集〉、〈跋宋拓顏魯公書多寶塔感應碑〉、〈跋張爾岐書〉等七首，為余所未見者。其〈跋重校容齋隨筆〉一篇，則見《養新錄》卷十四「容齋隨筆」條，《嘉定縣志》引其語耳，此非竹汀跋文；又〈跋重校鶴山大全文集一〉，其文亦見於《蕘圃藏書題識》卷八，今按核之，此實黃蕘圃跋識，惟末「庚申四月十九日錢大昕假讀，閏月廿日讀畢，時年七十有三」三句，為竹汀識語耳。此並陳君誤收也。另〈黃石公祠記〉，見《潛研堂金石文跋尾》卷七；〈跋韓仁銘〉，此據梁同書引竹汀之語，其原文實見於《金石文跋尾》卷一；〈跋張嗣碑〉、〈跋孝敬皇帝睿德記〉，二文並見《跋尾》卷四；〈跋盧鄮幼女姚婆墓志〉，見《跋尾》卷九；〈跋後梁昭義軍節度葛從周碑〉，見《跋尾》卷十；又〈跋高陽王康穆王志〉，見《潛研堂文集》卷三十二，此諸篇俱非佚文，並當刪去。至余所輯，為《補編》失收者，凡七十餘首，覽者參核二本，當自得之，其目今不備記。其輯〈猗園八老會記〉、〈士禮居重刊國語序〉、〈復焦里堂論七政書〉三篇，僅截錄零文數句，亦不如余之所輯為全文也。

　　昔者陳乃乾氏蒐輯顧千里群書題跋，為《思適齋書跋》二卷；同時蔣穀孫亦有《思適齋集外書跋輯存》；而王欣夫氏復輯《思適齋書跋》、《思適齋集補遺》。蓋各據所得而存之，不相妨也。嘗歎諸家輯顧、黃遺文，至于再三。而竹汀之精博淵深，迥非顧、黃所可比及，其遺文題識散見群書，乃二百年來無有收拾之

者，詎非藝林之闕事與。今得陳君《補編》，同此用心，不啻空谷跫音。覽者合二文而觀之，庶乎竹汀遺文稍得其全云。　　　一九九八年十二月三十日，鴻森識於汐止山居。

本文承臺灣大學中文系助理教授彭美玲君，及中央研究院文哲所助理黃智信君各為校核一過，並書此致謝。

經 學 研 究 論 叢
第 六 輯　　頁267～294
臺灣學生書局　1999 年 3 月

日本儒學史(六之一)
——江戶時代之儒學(一)

張文朝*

一、時代概述

㈠時代區分

　　江戶時代是指德川家康在江戶開幕府之一六〇三年起至末代將軍德川慶喜將大政奉還天皇之一八六八年止，共二百六十五年間而言。

㈡時代背景

　　豐臣秀吉死後，豐臣氏五大老不和，而德川家康的勢力漸長，利用此機會住入大坂城，令諸大老歸國，獨掌政權。家康計激東國會津上杉景勝謀叛而起兵東征，此時豐臣氏五大老中的石田三成起兵進入大坂擁護秀賴，家康令次子秀康征上杉氏，三子秀忠向木曾路，自己往回西征，而關之原（今岐阜縣西南之不破郡內）一役決定了天下之所歸，家康從此取得天下之政權，時爲一六〇〇年。

　　一六〇三年家康被任令爲征夷大將軍，於江戶開幕府，正式進入江戶時代。家康開始採集權制度，將軍之下有大老（統轄幕政），老中（一般行政），若年寄（統轄諸士）。再有寺社奉行（統治全國之寺社、僧祝、寺社領之人民及關八州以外，人民之訴訟之聽取），江戶町奉行（管江町內之人民，且司警察裁判），勘定

＊　張文朝，東吳大學日文系、臺北市立師範學院兼任講師。

奉行（統領諸國之代官，財務出納，及聽取關八州之人民的訴訟）。老中、若年
寄、三奉行其間無分，諸般事務每人輪值一月，以防權力集於一人之身。地方有京
都所司代（守衛朝廷，監視公家及西國大名），及各地之地方代官（役人），奉行
（任部分政務者）。另有由老中、寺社奉行、勘定奉行、町奉行、大目付（置於老
中之下監督諸務，監察諸大名之行動，揭發諸吏之怠慢）、作事奉行（統轄公家之
建物之營造、修繕）等以合議的方式所成立評定所（司法）。軍警方面，平時有番
方，戰時有大名、旗本、御家人（將軍之家臣）等。

　　家康在關之原戰役後論功行賞對外樣大名❶特別優厚，而且將諸大名領地的配
置做了大幅度的調動，以親蕃❷、譜代❸鞏固關東、畿內，而將外樣散布各地，但
以偏西為多。家康開幕府於江戶後，令諸大名、旗本，每兩年交替住入江戶由將軍
統領，是為參覲（勤）交代。這種制度初無強制，至一六〇七年起嚴格執行，因而
幕府集權得以實現。另一方面幕府也對大名進行削藩，而致使大量的武士失去主家
而成為「浪人」。這些浪人造成社會安全之隱憂，幕府採高壓手段加以制止，而浪
人擁豐臣秀賴引發「大坂之陣」，秀賴自刃，豐臣氏滅亡。而後公布十三條「武家
諸法度」，規定了大名的教養、武力的限制、禮儀、國政等問題，且歷代將軍皆有
所改訂公布。同時又公布了由家康、秀忠、二條昭實簽署的十七條〈禁中並公家諸
法度〉，規定天皇的修學，臣子之座位，改元用支那之年號、服制、官位之授與，
至此朝廷完全受控於武家之手，而〈諸宗諸本山諸法度〉之制定則規定了有關僧侶
位階授與的法令。

　　家康沒後，逐漸走上鎖國之路，除了中國之外的外國來船只限停泊於長崎和
平戶，一六二四年更因宗教（天主教）之故而禁止西班牙船之進入。一六三三年除
了有由老中所特許的船之外，一律禁止海外渡航，且限制海外渡航者之歸國期限，
一六三五年更下令只開長崎一入港口，禁止日人海外渡航及歸國，是為鎖國令。

　　西洋宗教常伴隨商業登陸異國，日本初與西洋接觸亦受困於此，而常有禁教

---

❶　外樣大名：非本有之家臣，而是在關之原戰後臣服的諸侯。
❷　親藩：德川家之近親受封者。
❸　譜代：關之原戰前德川氏本有之家臣。

之令，家康以來更加嚴禁，終因浪人利用天主教徒急欲復教之心而引發大規模的暴動，是爲「島原之亂」，不久爲老中松平信綱所平。此亂而後，幕府的禁教更加徹底，禁止輸入一切與天主教有關之書籍及所有的漢籍以外的西洋原書。葡萄牙因犯禁而被禁止入港，又以平戶的荷蘭倉庫刻有基督的紀元爲由令其毀之，翌年（1641）使遷往長崎之出島，長崎成爲唯一的出口港，而完成鎖國政策。

鎖國完成之後政治取向由武斷政治一變而成文治政治，由第四代將軍綱至第七代家繼而達於極點，這期間幕府一改過去之態度，尊朝廷，教化人民，親大名、浪人，整儀禮，正名分，重學藝，而儒家思想亦大爲流行。

一七一六年家繼死去，由紀州吉宗繼將軍之位，政風又變，回復到將軍獨裁，財政緊縮的政治方針。吉宗以爲文治使幕府呈現文弱，故以勤儉尚武來儲備幕府之武力與財力。由將軍自身做起，掀起一股勤儉之風，成績不錯，只是苦了大名以下的百姓及町人。尚武方面除了獎勵武藝之外，也回復了武家故實（規定、古例、習慣等）。又行政風紀，獎勵儒學，開墾，生產等，改善司法制度，定刑法，且在評定所置「目安箱」，以便利庶民直接投訴（一個月三次），後來又在京都町、大坂町、長崎奉行所都設有目安箱，這一連串的變動是爲享保改革。

享保改革雖頗有成效，但是在一七三二年的一場蝗害卻演出享保大飢饉，西日本餓死者達十六萬八千人，幕府傾所有之存糧救濟飢民。

吉宗之後爲家重，好酒色遊樂，不重文武，在位十年而死，由其長子家治繼之。家治時老中田沼意次專權，紀綱爲之紊亂，賄賂風氣大盛，武士忘文武之修養而淪爲無賴者頗多，社會風氣大壞，加上一七七一、一七七二年的旱災，一七七三年江戶的大火，自關東、奧羽、東海道至九州的暴風雨，一七七四年的疫病，僅江戶一地四個月之間死了十九萬人，自一七七七年起至一七八三年各地火山大爆發，死傷以萬計之，一七八六年關東大洪水等等天災，及一七八三年至一七八八年的天明大飢饉，致使全國百姓，町人暴動不已。家治死後，田沼意次亦隨之失勢。

家齊時以松平定信爲老中，爲改田沼時的弊政回復享保改革時的政治而進行了一次改革，是爲寬政改革。其中「棄捐令」是爲救濟施本，御家人免於藏宿（貸借業者）債務之苦而設，規定六年以前的債務令藏宿「棄損」，五年內的以五朱（一朱爲一成之十分之一）之低利分二十五年償返，頗似鎌倉時代的「德政令」。

爲防飢饉而獎勵圍米（貯備之米），造成風氣，但寬政六年（1794）一場暴風雨又帶來了飢饉。社會風俗的矯正，除獎勵文武外，禁止奢侈浪費，禁止男女混浴，取締有關時事、紊亂風俗之刊物，又以朱子學爲正學而禁異學，改林家昌平黌爲官學，稱昌平坂學問所，以振興學制。但終以朱子的名分論反對天皇欲封其父一品親王爲太上天皇而造成幕府及朝廷間的衝突而下台。

松平定信下台後，將軍家齊親政，繼行定信之政策，至水野忠成爲老中而專權，紀綱再廢，又成奢靡之風，加上一八〇二年各地洪水，一八〇三年麻疹流行，一八〇六年江戶大火，一八一六年畿內、東海道洪水，一八二一年近畿、東海、山陰大風雨，一八二二年西日本流行霍亂，一八二九年江戶大火，一八三〇年京都大地震等天災，帶來了一八二二年至一八三七年的天保大飢饉，百姓、町人又成暴民。

天保五年(1834)水野忠邦爲老中，一八三七年家齊讓將軍之職給家慶。一八四一年家齊死後，水野忠邦開始進行改革，以勤儉爲旨，匡正風俗，獎勵文武，解散各種批發商，命令降低物質，又以領地分散各地不利於軍、經，故命令收回江戶、大坂十里四方內的領地，但無人聽從，水野因而下台，但政策不變，後因外交多事及重建江戶城，再度起用水野爲老中之首，但終因用人不當，引責被免，改革事業停頓。

家定時外交多事，諸國紛紛要求通商，日遂與外國訂了許多條約。內部社會變遷迅速，國民思想因學問普及而眾論叢生，由儒學而生華夷論（正內外之分，明日爲萬國之冠絕）、放伐論（高唱君民關係之特殊性，確立君臣之大義，立尊皇之心），由國史學而生王霸論（即尊王賤霸），由國學而生國體論。因外力的壓迫而有攘夷論、開國論、國防論、海外發展論等。而這種尊皇、攘夷論與開國論就成了此時政治的新思潮。

一八五八年家茂嗣將軍之職，以井伊直弼爲大老，井伊不顧朝廷反對進行開國準備，而後又與諸國訂下通商條約，外患因而得以緩和，但卻激起內的反對聲浪。同年（安政 5 年），幕府處分反對者，是爲安政大獄，不平之徒群起。一八六〇年三月水戶激進派分子於櫻田門外刺殺大老井伊是爲櫻田之變。而後幕府威信大落，而尊皇攘夷論大行。老中安藤信正主張朝廷和幕府一致對外而提出公武合體

論，朝廷爲緩和朝幕關係而將皇女下嫁給家茂將軍。但水戶藩、長州藩浪士反對公武合體，而於一八六二年在坂下門刺傷安藤，刺客皆死，是爲坂下門之變。長州藩的長井雅樂於坂下門之變後擁薩摩藩島津久光在京舉兵討幕，朝廷接受近衛忠房之議免去安政時受罰者之罪，以忠熙爲關白，慶喜爲將軍輔佐，慶永爲大老，進行幕政之改革，又命久光安撫在京浪士，討幕派不滿而與久光手下在寺田屋發生衝突，討幕派被斬數人，自此討幕派轉投長州藩，薩、長因而不和。另外，土佐武士半平太暗殺握有藩政實權的保守派吉田東洋，統一藩論，朝廷命土佐藩主率兵入京警衛，自此薩、長、土三藩鼎立。久光見情勢不可爲而歸鄉，因此京都爲尊皇攘夷派之天下。將軍慶喜欲成公武合體之舉而上京，但終爲尊皇攘夷派所迫而做出攘夷期限，甚且長州派志士要天皇借親征攘夷之名以行討幕之實，將軍稱病退京返府。

　　攘夷期限爲五月十日，時間一到，長州立即砲擊通過馬關海峽的外船，又有先前的生麥事件❹，因此英艦砲擊鹿兒島。八月有攘夷親征之議，但天皇無意，而宮內聽從長州之論騙天皇親征，天皇大怒，中止行幸大和，中納言等人禁足，國事參政等被廢，免去長州對堺町的御門警衛，是爲八月十八日之政變。朝廷再度爲公武合體派之勢力所占，將軍二度入京，但因外樣大名不喜幕府之有司，且慶喜反對久光之開國論，而無一定論，慶喜辭去將軍輔佐而爲禁裏守衛總督，攝海防禦指揮，各大名亦相繼歸國，將軍亦東歸，公武合體爲之解散。

　　而長州討幕派則接二連三舉兵，水戶激進派亦舉兵，皆敗。幕府下命征伐長州，長州投降歸順幕府，但高杉普作又於馬關舉兵，幕府再度伐長州，但以外交問題而暫延，薩摩藩經土佐坂本龍馬等之說而與長州同盟，一八六六年家茂將軍沒，征長停止，慶喜受擁而成將軍，改革幕政，採用外國行政組織，拔擢人才。

　　此時岩倉具視在京北主張應以朝廷爲中心合全國之力以救時局，太宰府的三條實義亦計畫王政復古，薩長同盟後亦進行討幕計畫，藝州、土佐亦加盟。而土佐坂本龍馬主張王政復古，由公議輿論來行政治，後藤象二更以豐信之名向幕府建議

---

❹ 生麥事件：文久二年（1862）島津久光之行列到達生麥時，因不滿英 4 人騎馬通過行列前頭而引發隨從殺傷英人之事件。此事件導致英軍艦於第二年砲轟鹿兒島，而幕府則賠償 10 萬英磅了事。

王政復古，藝州藩主淺野茂長亦建議之，慶喜自知無法續繼維持幕政，於一八六七年十月十四日奉還大政，十五日天皇同意，而結束二百六十五年的江戶幕府時代，亦終結了鎌倉建立幕府以來六百七十六年間的武家政治。

在外交方面，德川家康自秀吉死後，有意與朝鮮、中國、歐洲各國通商貿易。朝鮮雖有「征韓」之恨，但終與家康交通，於一六〇八年訂立己酉條約，開釜山浦爲通商口。一六一五年豐臣氏族滅亡，朝鮮遣使來賀統一，一六二四年家光將軍就職時亦來賀之。此後歷代將軍交替皆有來賀，亦常遣使貢物，但每次的迎送費用頗巨，故在家宣將軍時有儒者新井白石（1657－1725）建議改在對馬迎送韓使以節抑所費，但未被接受，至家齊將軍時果因財政問題而被採用，朝鮮在家齊以後不再來日。

琉球在足利時代同時向日中入貢。秀吉外征之際，與島津氏通，後因徵兵糧之故與島津氏斷交。一六〇九年島津氏擒其王至江戶見家康、秀忠，而後釋回，王誓稱臣，以後頻來入貢。

家康欲透過朝鮮、琉球與明通商，但無功。至一六一〇年明船來日，而後通商不已，鎖國期間只許中國、荷蘭入日通商。鎖國前與日有通商的國家有安南、交趾、占城、柬埔塞、暹羅、六坤、太泥、呂宋、爪哇、摩陸、艾萊等。

日本與西洋最早接觸的國家是葡萄牙。自一五三〇年葡人入豐後以來因宗教問題不甚受幕府歡迎，卻因有槍砲爲地方大名所需之故，依然有所交通，但終因耶穌教之傳布問題而於一六三九年被禁止來航，直至開國後才於一八六〇年與日簽訂友好條約。西班牙於一五八四年到九州平戶後亦因天主教問題於一六二四年被禁止來航，自此而後不再來日。荷蘭自一六〇〇年至豐後以來通商不斷，即使在鎖國期間亦暢通無阻。英國自一六一三年始入九州平戶設商館，但終不敵荷蘭之競爭而於一六二三年關閉商館歸去，一六七三年雖曾來請求通商被拒而歸，至一七九七年英船到蝦夷（北海道），一八〇八年英艦入長崎，引起一陣騷動而令日本更加強鎖國念頭，此後，英人常在沿海出沒，甚有劫掠者，於是一八二五年日本下達「異國船打拂令」，但仍然繼續來航。俄國自一七一三年以來常至國後島、蝦夷等地活動，引起日本對北方領土的警戒，一七九二年來蝦夷請求通商，幕府派人說明國禁之原委，與俄「信牌」到長崎申請，俄不得已而歸，一八〇四年俄使至長崎要求交易，

但日本以人事已更，意見已改爲由加以拒絕，俄人憤而離去，一八〇六年寇樺太，一八〇七年再寇蝦夷，一八一四年要求定境界。法國自一六四七年來航無功而返，直至一八五〇年才出現在長崎，引起日人派兵戒備。

一八五四年在美國貝里的叩關下門戶大開，而陸續與美、俄、英、荷、法、葡等國簽訂友好條約，其他歐州國家如瑞士、德國、普魯士亦與日交通。一八六七年起取締對外國人有粗暴行爲者，實意謂攘夷運動的終結。大政奉還後，日本走向維新。

經濟上，整體說來爲前所未有之寬裕，但天災人禍亦不少。促成經濟發達之因首歸交通之便利，這是拜「參勤交代」之賜，大名的參勤帶動各地間的貨物流通，商業行爲亦爲之活躍起來，城市港口自然有生氣，經濟發達。

幕府的財政常因上下奢侈成風而使國庫無存，於是常有大型的改革，但都離不了發布節約令，增加劣幣的發行，產業的獎勵等方案。節約令只有苦了民眾而已，並無多大效益，而增加劣幣的發行卻往往帶來經濟恐慌。惟有產業開發上較有成就，其中又以米爲最重要。米價的高低往往足以左右社會秩序，而米作的收成如何，實攸關百姓之存活，所以特別受到重視。當時論及米價問題的學者不少，如山鹿素行（的平糴法）、熊澤蕃山、三宅尙齋、西川見如、荻生徂徠、太宰春臺等皆有所論。而每當稻米凶收時，往往造成大飢饉，如江戶三大飢饉（享保、天明、天保）及其他大大小小的天災，受災者皆以萬計，米價必漲，百姓必起而暴亂。尤其在幕末外有列強環視，內有尊皇攘夷運動，京城有王政復古之說，南方有討幕之舉，加上一八六六年諸國凶作，米價高漲，各地農民起而暴動，幕府時代如何能不終結？

宗教方面，佛教在德川家康的有意保護下漸漸恢復盛狀，幕府借佛教之力要各寺院造出「宗旨（門）人別帳」登錄所有人民的身分、名字、年齡使之與寺院結合在一起，因此僧侶有所保障，但也因而漸漸偷安，宗旨聊無新意，亦無新說自外輸入。因此在儒教興隆的同時，佛教欲振乏力，唯有默默接受儒教攻擊而毫無反抗之力，這種情形持續到明治維新。

神道至室町時代都還融合佛教而存在，但到了江戶時代佛教不振，神道亦自然趨向神儒調和的狀況，而有儒教氣味的神道。在儒學興盛的刺激下產生了日本國

學，而在儒學神道的形成後有復古神道（國學神道）。江戶時代的神道派別有吉田神道、伊勢神道、吉川神道、儒家神道、垂加神道、復古神道。

　　吉田神道自室町以來頗為盛行。伊勢神道以伊勢豐受大神宮（外宮）為基礎而形成的神道，亦稱為外宮神道，其經典為神道五部書❺，主要說明內外兩宮之起源由來，而其中穿插教義主張，由天地開闢的眾神說起，詳記天照大御神和豐受大神分鎮伊勢內外兩宮及其神德、兩神之關係、社殿之構造、寶器等事及倭姬命完成大御神所託之業績，對室町時代的吉田神道及江戶時代的儒家神道有重大的影響。吉川神道是江戶時代初吉川惟足受京都吉田神道，加上朱子學的思想及自己的獨見而成的神道。認為神是不可測的神理，由這一理而生出萬種之理，因為強調「理」字而自稱「理學神道」，可說是典型的神儒合習神道，此神道無傳人。儒家神道是江戶初期林羅山、熊澤蕃山、山崎闇齋、中江藤樹、貝原益軒、山鹿素行、蒲生君平等儒者對神道的解釋而形成之派別。而林羅山之說自稱為「理當心地神道」，闇齋則自謂「垂加神道」。儒家神道自復古神道出現後已無影響力。垂加神道是闇齋所創，他集出口延佳、中大臣精長的伊勢神道、吉川惟足的吉田神道、石出帶刀的忌部神道及自己的獨見而成，以大日靈貴之道為道，以猿田彥神之教為教，以陰陽五行之理為經，以居敬窮理之說為緯，頗有朱子學的色彩。復古神道是江戶時代國學者為反駁儒家神道之說而逐漸形成的派別，以國學者為班底，謂古代日本的道才是本來純粹的神之道，強調應該回歸到儒佛傳入以前的古代中尋找真正的神道意義。此派學說經荷田春滿、賀茂真淵，至本居宣長集大成才告確立，宣長批評儒家以五倫、五常、陰陽五行來解釋《日本書紀》神代卷的神道論為「漢心」，而強調由日本古典，特別是《古事記》中整理出古語、古事、古意的真實函義，從而尋找出神的真意。此派後繼者有平田篤胤、伴信友、橘守部等國學者。

　　耶穌教自傳入日本後一直都是處在受禁的窘況，到了德川家康時更加嚴禁，甚至稱之為邪宗而下令全國禁止傳教，到家光時亦禁之，而且至一六三五年殺死耶

❺　神道五部書：此五部書為《天照坐伊勢二所皇太神宮御鎮座次第記》、《伊勢二所皇太神御鎮座傳記》、《豐受皇太神御鎮座本紀》、《造伊勢二所太神宮寶基本記》、《倭姬命世紀》。

穌教徒前後約二十八萬人，最後耶穌教徒聚集在長崎縣內的島原，幕將板倉重昌攻之不成而戰死，最後由老中松平信綱指揮九州諸侯陷其城，是爲島原之亂。亂後幕府將荷蘭商館移到長崎出島（爲一塡海而成之四千坪扇形砂洲，是鎖國中唯一的對外貿易地），完成鎖國。鎖國後幕府用盡一切辦法要消滅耶穌教，其中影響最大的就是上述「宗旨人別帳」的指示，其結果是耶穌教在日本走向地下化，表面上歸依佛教而暗地裡仍然信仰的耶穌基督、瑪利亞，行耶穌教儀禮。直至一八七三年才解除對耶穌教的禁令，得以自由信仰。

　　文學方面，在農業生產，都市交通發達的同時，商業活動頻繁，下層階級的新興町人抬頭，經濟實力增強，加上幕府推動文治，促使教育普及，印刷術的進步，民眾得以享受文學，進而有所創作，町人文學於焉誕生。最足以代表江戶時代初期文學的是以京都、大阪爲中心的上方文學，而後隨著江戶町人的興起，文化中心亦隨之轉移到江戶。由於生活在太平盛世下及鎖國的封閉社會中，使其文學在承襲先前的文化後，經過此一長久的封閉過程而產生發酵作用。可以說江戶時代的文化是一種發酵文化。

　　俳諧在京都有以松永貞雄爲中心的貞門俳諧；在大阪有以西山宗因爲中心的談林俳諧；有集此大成的松尾芭蕉建立蕉風俳諧；江戶期有川柳、狂歌、和遍及全國由與謝蕪村所推動的蕉風復興。小說在京都有仮名草子；大阪有井原西鶴所領導的浮世草子；江戶期有洒落本、黃表紙、讀本、人情本、滑稽本。戲劇方面，近松門左衛門作歌舞伎狂言，創新淨瑠璃，至江戶期淨瑠璃衰落，取而代之的是歌舞伎的全盛。

二、江戶時代之儒學

　　應仁之亂後，儒學流傳到地方，學習者大增，而逐漸形成學派。關東以足利學校爲首，京都有博士經學派、五山儒僧學派，四國有南學派，九州有薩南學派。進入江戶時代後更形成朱子學派、陽明學派、古學派、折衷學派、考證學派及不屬以上各派的獨立學派。儒學在江戶時代得以形成如此巨流，實與初期幕府的推動有關，特別是對朱子學的保護。

㈠幕府的推動

　　家康雖馬上得天下而不忘學問之功，以爲欲治天下，欲教人倫之道，非學問不可得。所以不問身分之高低，只要有學問就採用，而以能通《四書》者爲優先，不能全通《四書》而僅能讀《孟子》一書者亦可，以此舉才推動文教。

　　家康本身亦好學，尤喜《論語》、《中庸》、《史記》、《漢書》、《六韜》、《三略》、《貞觀政要》等漢籍。入江戶城後常召下野足利學校庠主閑室聽其講經史，入京後又召藤原惺窩講《貞觀政要》，在外記局讀《論語・學而篇》在伏見城聽三要元佶講《毛詩》，再召惺窩講《十七史詳說》、《漢書》，數度召林羅山講《論語》、《建武式目》，曾論及「道」、「中」、「權」及「湯武放伐」等問題。

　　除了自身的修學之外，家康更於一六○一年在駿河及江戶城富士見之亭設文庫，以藏金沢文庫本及其他圖書，漢籍中有北宋、南宋、元等刊本數種，其中明朝以後中國已失傳的書籍亦不在少數，更在伏見設學校。賜高野山無量光院玄廣碩學科五十名，多聞院良尊學問科百石，增減五山諸塔頭的知行，給學者學問科，賜五山碩學科等獎勵措施。又命三要在伏見刊行《貞觀政要》，印行武經七書，令林羅山撰《東鑑綱要》，更於一六一四年命五山之僧徒自《群書治要》、《貞觀政要》、《續日本紀》、《延喜式》中抄錄法度的資料，而以林羅山及金地院崇傳爲此事之總裁，又補抄卷子本《續日本紀》之欠卷，又謄抄《日本後紀》、《續日本後紀》、《文德實錄》、《類聚國史》、《律令》、《弘仁格式》、《貞觀格式》、《延喜式》、《三代實錄》、《延喜儀式》、《三代格》、《百鍊抄》、《江次第》、《新儀式》、《北山抄》、《西宮抄》等古書，至一六一五年完成。一六一五年又命片山宗哲等點檢僧雲叔所獻之和漢書籍一百四十一部。

　　秀忠將軍時曾於一六○八年命足利學校第十世校主龍派和尙（諱禪珠，武藏人，號寒松，又號鐵子，有《寒松稿》遺世）加點新刊《吾妻鏡》。家光將軍時林羅山爲侍講，進講《論語》、《貞觀政要》，又前後命令林羅山撰《大學和字抄》和《孫子三略諺解》、《御參內記》、《御入洛記》、《本朝神代帝王系圖》、《德川家綱元服記》，於一六三○年賜林羅山上野忍岡之地約五千三百坪，令其建書院、塾舍。一六三三年家光詣先聖殿，由林羅山進講《堯典》。一六四七年令林

羅山之三子鵞峰（春齋）講《四書》。家綱將軍時召林羅山講《大學》，一六五七年林羅山沒，由林鵞峰繼承家業而爲幕府之儒官，幕府賜書數部，令編《唐百人一詩》，一六六〇年林鵞峰改築先聖殿，幕府補助五萬兩把原來向西的廟殿改成向南，完成了正殿、杏壇門，入德門等增設多處，廟規亦趨完備。幕府亦賜銀料給足利學校以爲修建之用。家綱更獻給禁中《四書五經大全》、《二十一史》、《通鑑綱目》、《二程全書》、《朱子語類》、《太平御覽》等書。

到了綱吉將軍時更是江戶初期儒學最爲活躍的時代，綱吉在任二十八年間大力推動儒學，重用儒者，使此一時期的政治成爲文治政治，而推動此一政治的人物都只具有儒學涵養的學問家。綱吉本身自幼好學，聰明過人，任將軍後尊崇儒佛，自己實踐忠孝之大義。

綱吉爲學之勤奮是江戶時代各將軍中少見的。他於一六八〇年成爲將軍，即召林鳳岡爲儒官，討論經書，每月舉行兩三次，林鳳岡爲綱吉講《大學》，每月兩三次，以爲恒例，又講《詩經》、《書經》。又命柳澤保明講《大學》三綱領，以後亦爲恒例。綱吉除了聽儒臣們講述經學之外，也常常自講經學，次數之多亦非其他將軍所能比。自一六九〇年起自講《大學》，令諸老臣聽之，又賜聽者《御版四書》，且每月一次，以爲恒例。爲公辨法親王講《易經》，爲濟深法親王講《大學》，爲邦永親王講《論語》，爲良應法親王講《中庸》，爲公辨、堯延、良應三法親王講《論語》。爲年長之勅使柳原、大納言資廉卿等講《大學》三綱領，爲左大臣兼熙講《中庸》，爲紀伊光貞、甲府綱豐、尾張綱誠、紀伊綱教、水戶綱條、前田綱紀等人講《大學》，且令前田綱紀講《中庸》，爲松平光長講《論語》，爲光貞、綱豐、綱紀講《論語・八佾篇》，綱豐進講〈里仁篇〉，爲綱紀、保科正容講《易》，綱紀、正容進講《論語》，爲光貞、綱豐、正容講《孟子》、《易》，爲光貞、水戶光圀、綱豐以下之諸侯講《論語》，爲光貞、綱條、綱豐講《易》，並賜三卿《五經大全》，爲綱豐、綱誠、綱教、綱條、綱紀、井伊直該、松平賴常講《中庸》，爲家門及綱紀等講《中庸》、《論語》。爲一萬石以上之城主一百五十人講《中庸》首章，更爲國主、城主、萬石以上諸大名及嫡子高家奏者以下諸役人、番頭、物頭等四一四人講《易》，爲譜代高家之輩五十二人講《論語・學而篇》，又爲諸大名、有司講《中庸》，列席者達三四二人，爲家門庶流及綱紀、直

該講《論語》，令光圀講《大學》。一六九三年四月二十一日起爲諸大名、有司、近習、社人寺僧講《周易》，爾後每月六次，以爲常例，凡二百四十次之多。爲西本願寺門跡光常、新門跡光澄講《大學》三綱領，爲東本願寺門跡光性講經書，爲增上寺了也之坊講《中庸》、《論語‧學而篇》，爲年長之勅使、院使、仙洞使及仁和寺門跡講《易》。綱吉如此地爲親王、公卿、親藩、大名、城主、僧侶講《四書》、《易》等書之外，每到親藩之邸必定親自講書，如臨柳澤保明之邸前後二十六次，共講過《大學》、《孟子》、《中庸》、《論語》等書，且令人進講《四書》、《孔子家語》、《晉書》、《小學》、《詩經》、《禮記》，更令荻生徂徠等十二人討論「仁」的意義，召徂徠論太極及《孟子》之「枉尺直尋」、「好貨好色」之章。臨土屋政直之邸講書，令政直進講《中庸》、松平信庸講《論語》。臨本庄宗資之邸自講《孟子》，令宗資講《大學》、資俊講《論語》。臨水戶綱條之邸講《論語‧述而篇》。臨甲府綱豐之邸、尾張綱誠之邸、前田綱紀之邸皆自講經書。遊小石川之離第時，令林鳳岡講經書。遊知足院時自講《論語》，令林鳳岡亦講之。赴三之丸時亦令林鳳岡進講。到金地院時自講《論語‧爲政篇》。綱吉每年必謁孔廟，行釋奠，自講經書。而幕府亦於一六九三年起於春秋行釋奠，春時將軍親臨，秋時萬石以上諸大名拜謁。

　　綱吉於一六八六年命林鳳岡撰《和漢機祥之故事》三卷，幕府亦於一六八八年新刊《四書直解》，又刊《四書集注》小本、中本各二十六冊，世稱《御版四書》，以及《周易本義》小本、中本各八冊，世稱《御版周易》，只是這兩種刊本之刊行年代都沒有明記。

　　儒學在綱吉如此的推動下，上自親王下至僧侶無不喜好儒學，至此《四書》、《五經》已是普遍流行於全國，而講學也已蔚成風氣，儒學研究之盛，可謂史無前例。

　　家宣任將軍是爲江戶中期之始。家宣起用儒者新井白石爲幕府儒官，改革前代弊政。此事曾引起林家的反彈，只因爲過去歷代將軍的侍讀都是林家人，如今換成新井白石，所以林信篤與新井白石之間衝突不斷。而家宣雖亦好學卻與綱吉之致力經學研究不同，廣涉經史，醉心古今治亂盛衰之研究。家宣在位四年而薨，由五歲幼子家繼繼位，過三年而薨，由吉宗繼位是爲八代將軍。

　　吉宗不專經史而重實用之學，特別是天文、曆法、藥物等，就漢學而言，不偏任何一派，朱子學派、徂徠學派、木門學派並用。

　　吉宗於享保二年（1717）命林鳳岡之門人於湯島大成殿仰高門之東舍，日日講經書，許四民來聽。又於享保三年（1718）再命林葛廬、人見桃原、木下菊潭、荻生北溪爲湯島聖堂學舍之講師，令武家、町家有空者都來聽講。四年（1719）更令木下菊潭、室鳩巢、土肥霞洲、荻生北溪等在龍口高倉邸專爲市門講解經學。吉宗在書誌上也頗有貢獻，如令高瀨喜朴撰《明律釋義》，令林葛廬校訂《令集解》，命荻生徂徠譯述《六諭衍義》，命室鳩巢撰述《五常和解》、《五倫和解》，再命徂徠校訂明朝朱載堉之《樂書》、《唐律疏議》，後命其弟北溪校正《唐律疏議》，至清人沈燮庵來日又請其校正此書，命書物奉行❻校正《類聚國史》、《周大曆》、《日本後紀纂》。更數次下令書物奉行改正文庫之書目，又移享保六年（1721）下令凡新刊之書籍必須得到奉行所之許可後才能出版，七年（1722）而有書籍出版之制，規定不得刊行破壞風俗之書，所出版之書後必須登錄作者，出版者之眞實姓名。而吉宗對後世日本影響最大的措施可說是在享保五年（1720）下令解除耶穌教之書以外的洋書舶載之禁，實開啓日後洋學（蘭學）興盛之先機，更爲明治維新成功之遠因。而此時期由清商舶載而來的書有《通志堂經解》、《康熙字典》、《元享療馬集》、《馬經大全》、《曆算全書》、《圖書集成》、《冊府元龜》、《文獻通考》、《圖書編》、《說文長箋》、《百川學海》及府縣志之類的書，晚年更令青木昆陽採訪古書、古文書。

　　家重將軍時桃園天皇始由明經博士清原宣條授《古文孝經》，且定諸學之次第，自《古文孝經》而及《四書》（《四書》之順定爲《學》、《論》、《孟》、《庸》），以宣條爲正講師，以正三位時行爲代講。家治將軍時社會視學者爲無用者之風氣盛行。而家齊爲將軍時因年少而由松平定信輔政，松平定信乃吉宗之孫，夙好學問而惡世之所謂學者之學問，未執政以前曾著《修身錄》謂：「所謂學文（問）者惟爲善事而不爲惡事耳。打捨此而好說天道天性之廣遠，又稱經濟而倣唐爲細末之文章者大誤也。讀書但知人情時勢，然其文字若無如脫離紙面而發生作

---

❻　書物奉行：屬若年寄之旗下，管理幕府之紅葉山文庫，掌圖書之保管、出納、編集等。

用，則無所助益。凡政事之趣在於遠離理字，聖人亦言權也」，「又學文（問）之流義皆善，愚蠢之穿鑿不可爲之也。汲朱子之流者陷於偏屈而理過，徂徠之學文過而惰弱，又任何之流義雖皆有不同，宜矣，然僅致一面之學問則不宜也。勵其有志者而打捨惡此者另立他用可矣。」❼然而待其退職後，則著《夜鶴筆叢》謂：「學校學風若惡則爲政治之害，若善則國家亦能治」❽。

　　家治將軍時不重視學者，所以江戶一地之儒學大衰，定信因營造御所而上京，見近畿地方學問興盛，決定擢用此地學者振興江戶之學問，而召讚岐柴野栗山爲幕府儒官，使其恢復每日在聖堂講課，令旗本之士等前往聽講。消息傳出，京畿學者競來江戶，各立門戶，一時百家爭鳴，甚至互相攻揭異已。於是柴野栗山向定信建議整頓學政，定信亦憂其有礙世教，乃於寬政二年（1790）寫信給大學頭林信敬，要林信敬講究以朱子學爲主之正學，禁止朱子學以外之異學。謂：「朱子學之儀，慶長以來，歷代將軍所信用者也，現其方家（即林家）代代維持學風之事，故無怠忽，相勵正學，門人共可拔擢。然近頃世上興起種種新規之說，異學流行，以致破壞風俗之類有之，此聖堂衰微之故，甚以不相濟事。相聞其方門弟之內似亦時有如右學術不純正者，如何之事？此次被命嚴勵執行聖堂之取締，且柴野彥助、岡田清助亦被命共同協助此事，故當能宣達此旨，希彌禁門人之異學，更不限自門他門共致正學之講究，提拔人才。」❾這就是寬政異學之禁令，禁令一出反對聲浪不斷，其中以人稱「五鬼」的龜田鵬齋、山本北山、冢田大峰、豐島豐洲、市川鶴鳴等五人較爲激烈。冢田曾上書定信謂儒學雖有教派，但都是聖人之教，說孝悌忠信，講治國平天下之道，實在沒有理由只限定研究程朱一派。又播磨的赤松滄洲也上書柴野栗山要他反省異學禁令的不當。甚至連林信敬都上書定信表白林家學風以博學爲旨不願排斥他派的意願，而且指摘栗山等爲偏狹的山崎派。但定信決心實行，三年（1791）又任用伊豫的尾藤二洲爲儒官，從事講義。四年（1792）九月三

---

❼　大森金五郎：《大日本全史》（下）（東京：富山房，大正 11 年），頁 386。

❽　同❼。

❾　內藤耻叟編：《德川十五代史》（十）（東京：博文館，明治 26 年），頁 79。

日聖堂學問所有學問之試，設經義、史學、詩格、作文科，應試者二八〇人 **⑩**。

　　考試官由林信敬、柴野栗山、尾藤二洲、岡田寒泉等任之。五年（1793）四月林信敬生病而無子可嗣，乃由定信命美濃岩村藩主松平能登守乘蘊之次子熊藏（名衡，號述齋）爲其嗣子，林述齋通曉漢和典籍，定信令其總攬學政。七月定信請辭，由家齊將軍親政。十月下令在聖堂舉行所謂「學問吟味」的學術考試。十二月林述齋爲大學頭。六年（1794）二月改定試格，以《論語》、《小學》同試，合格者可參加本試，本試之科目爲經義、歷史、作文，以林述齋、柴野栗山、尾藤二洲、岡田寒泉爲考試官，應試者二三七人，九年（1797）應試者二四九人。十二月林述齋建議聖堂立法，改聖堂爲學問所，且自此而後聖堂之祭典修管皆用官費。十一年（1799）幕府命林述齋審議聖堂之規制，依朱舜水爲德川光圀所制之模型改建昌平坂學問所。如此地擴大學校校舍及聖堂之工事，立校規、獎勵學問之措施深深地影響到各藩校，而用來做爲考試用的朱子學也因而傳播到全國各地。

　　家慶將軍時任用老中水野忠邦獎勵文武。時仁孝天皇於天保十三年（1842）下旨幕府興學校令公家子弟就學。

　　家定將軍時，時有賜時服給儒者以爲獎勵，常命儒者講釋經學。家茂將軍時亦常聽儒者講釋經學，更令布衣以上者前來聽講，又下達獎勵文學之旨。文久二年（1862）依小笠原閣老之建言改變昌平黌以往只限程朱學之學風。慶喜將軍時召太郎素讀《通鑑綱目》，命旗本御家人八歲以上之男子皆應前往學問所學習。

㈡學校之發達

　　日本自有大學以來，提供做爲教育之場所實在不多，但是到了江戶時代由於幕府大力提倡學問之研究的結果，幕府有昌平坂學問所，京都公家有學習院，各藩有藩校，各地有寺子屋，又有私人開辦之私校、私塾。

　　1.昌平坂學問所：又名昌平黌或昌平坂聖堂。

　　按昌平統名湯嶋又名神田台，位於江戶城北相生橋外，而北直湯嶋坊第一第

---

⑩　此爲《古事類苑》文學部（三）頁 149《昌平志二事實》所錄，然於同書之頁 167《日本教育史資料‧十九‧試驗》中則有寬政四年九月於聖堂學問所有學問之試，限朱子學，初日小學，第二日四書，第三日五經，第四日歷史，第五日論策。

二街之間，即東限昌平坂，南面神田梁，西接御茶井，北則湯嶋街，劃此區爲廟學之地，賜名爲昌平者蓋以擬魯國誕聖之鄉也。

寬永七年（1630）十二月幕府賜林羅山忍岡之地，約五千三百餘坪，令建塾舍文庫。九年（1632）又得德川義直之協助在此營建孔廟，置孔子及四子之像。萬治三年（1660）林鵞峰改建先聖殿，幕府補助改建費黃金五萬兩，明年完成，而廟殿之規制已漸完備。寬文三年（1663）設弘文館做爲學寮教授學問。六年（1666）四月林鵞峰作忍岡家塾規則，設經學、史學、文學、詩學、倭學五科。七年再修忍岡聖廟。十年（1670）林鵞峰依幕府之命在此開國史館做爲學寮，於林氏之家塾置官費之學生。十二年（1672）春於先聖堂之東建學寮以爲東寮，而以國史館爲西寮。延寶二年（1674）以官費修理忍岡之先聖堂，林鵞峰作忍岡家塾書目跋。元祿元年（1688）揭七十二賢及先儒之像於先聖殿之兩廡。三年（1690）綱吉將軍命松平輝貞將忍岡之孔廟移建到神田湯島，營造聖廟之地，命名爲昌平坂，自此成爲官學。四年（1691）改其地之相生橋爲昌平橋，而後移忍岡先聖殿之聖像至湯島之大成殿。林鳳岡任大學頭，始於仰高門東舍講釋儒學經典。十一年（1698）四月於昌平坂大成殿旁建小堂安置神農之木像。享保二年（1717）學問所特許士庶農商聽講，但是林家自林鳳岡以後缺乏人才，加上元祿十六年（1703）、安永元年（1772）、天明六年（1786）三次大火的肆虐，林家一直處於不振之勢，爲其他學派所凌駕。到了天明七年（1787）松平定信爲老中實行改革，擴建學舍，改名爲昌平坂學問所，禁止正學（程朱學）以外之異學，又任用柴野栗山、岡田寒泉、尾藤二洲爲儒官，大力改革學政，大興程朱之學。寬政五年（1793）林述齋爲大學頭而學制、設施、人事皆已完備，除了旗本之外，亦准許陪臣、卿士、浪人入學。寬政以後佐藤一齋、安積艮齋活動甚盛。文久二年（1862）新設學問所奉行所，加入了鹽谷宕陰、安井息軒等儒官，改變只限程朱學之學風。（明治維新後的爲昌平學校，二年（1869）改稱大學校，四年（1871）廢去。今之聖堂於大正十二年（1923）關東大地震所毀，至昭和十年（1935）才再建而成的。）

在修業方面，聖堂修業規中有藝業之儀，雖不限一途，然不論多少科都必以四書、小學爲基本。經科以《詩》、《書》、《易》、《春秋》、《三禮》及濂洛四先生之書爲首，而理學諸家之文集、語錄等凡有助於經義之書，量其力之所及可

研究之。史科方面除正史、通鑑之外，歷代制度沿革，經濟有用之書，依其力量可博考之，日本之史傳律令格式等固不待言。文科方面議論、敘事兩途，皆須熟讀古文，取法唐宋八大家，以達自家運用。以實用之文章爲第一要事，其餘詩賦四六之類有餘力則可行之。此三科之遊息之暇則可博涉諸子百家。但嚴禁沈迷稗官小說，敗俗非聖之書，及主張新奇異說。而學問所修業次第則規定：

素讀所：日日有之。年幼者先在此所素讀四書五經。

復習所：二、七、三、八、五、十之日。復習所素讀之書物，依復習之勤惰分上下之品。

初學所：日日有之。獨自閱讀《左傳》、《國語》、《史記》、《漢書》，尋找疑字，或習讀《蒙求》、《十八史略》等，疑義、尋問，或承小學等之講釋，或做詩文之添削。

講釋：御座數四、九、七之日，稽古所一、六之日；日講所日日有之。可前往聽之。

諸會業：每月有之。至初學所者可依各自之學力入諸會，最初先入小學會，由此修《四書》、《五經》，或依《左傳》、《國語》……之順修業。而後始旁及漢土之歷史。刑政等之會業，依資質學力加入而研究之。但若長年在初學所學習者可依其學力直入諸會。

諸試業：自年幼者依其學力各有吟味（測試）之差別。

　　由昌平坂學問所的這段沿革史或可看出朱子學在江戶時代流行情況的一些端倪來，而從聖堂到學問所的修業規則看來，昌平坂學問所實爲儒學，特別是朱子學之研究中心。這裡值得一提的是在聖堂學規的行儀規中有一條規定：不可妄加評論政府（朝廷，幕府）及諸國之政事。儒學之本質可說與政治有著不可分割的密切關係，而聖堂學規中不可妄加評論政事之規定，除了可清楚看出林家受幕府眷顧下必然結果之外，這種規定似乎欲使聖堂之學風走向成爲一個純粹的研究機構而不願學生涉及當今政事之評論。因爲林鵞峰完成學規時忍岡聖堂仍然是屬於林家的私人家塾，所以這種想法是很可能出現的。但是一六九〇年移至湯島而改稱昌平坂學問所

後，聖堂雖然依然由林家保持管理的權力，但是已屬幕府之官學，而欲使聖堂成爲與政治毫無爪葛的研究中心似乎也是不太可能了。

除昌平坂學問所之外，由幕府所直轄的學校有甲府學問所，一名徵典館，館內另設醫學所。駿河國府中之明新館、長崎明倫館、佐渡修教館、日光學問所等。

2.學習院：乃仁孝天皇於天保十三年（1842）爲矯正朝臣子弟之操行及教授學藝而下旨幕府興辦學校令公家子弟就學，於是水野忠邦排除眾異，提供資金在京都興建學習所，黌舍置於建春門前。天皇揭朕曰：「履聖人之至道，崇皇國之懿風，不讀聖經，何以修身，不通國典，何以養正，明辨之，務行之」，弘化二年（1845）改學習所爲學習院。至孝明天皇即位（1846）後，賜學習院⓫《五經古註》、《四書新註》、《四書大全》、《四書集解》、《鑑本四書》、《四書蒙引》、《古文孝經》、《孝經大義》、《杜註左傳》、《趙註孟子》、《論孟古義》、《七經孟子考文》、《日本書紀》、《續日本紀》、《延喜式》、《令義解》、《儀式》、《逸令》、《本朝文粹》、《史記評林》、《資治通鑑》、《通鑑綱目》、《萬姓統譜》、《大唐六典》、《貞觀政要》、《文選六臣註》等書。關白政通亦納書《古事記》、《日本紀文》、《文德實錄》、《日本逸史》、《明本二十一史》等。幟仁親王、右大臣尚忠、內大臣忠熙、大納言忠香、實萬、實堅、光成、俊明及以下公卿亦各納經史。而幕府方面家慶將軍納《十三經註疏》、《史記》、《漢書》、《康熙字典》，所司酒井忠義亦納《十三經註疏》、《大日本史》、《資治通鑑》、《朱子文集》、《朱子語類》，陪衛明樂茂正、內藤忠明共納《三禮儀疏》、《歷史綱鑑》。弘化四年再度賜書給學習院《五經正文》、《五經古註》、《四書朱註》、《五經大全》、《四書正文》、《論孟古義》，並勅令隔日開講，而以勘解由小路前中納言資善爲儒學講師，准許未滿四十歲之人前來聽講，講時之講釋爲《大學》、《中庸》、《論語》、《孟子》、《詩經》、《書經》、《孝經》、《國史》、《國學》。

依《德川禁令考·二·公家》所列學習所令條有：

⓫　一說建於 1847 年，由孝明天皇於 1849 年賜名學習院，1868 年 1 月再興，稱之爲大學寮代，同年 8 月關閉。《世界大百科事典 5》（東京：平凡社，1988 年）。

1.講釋每月遇九有之。

2.講釋自辰刻（早上八點左右）至巳半（早上十點半左右）。讀書自午半（中午十二點半左右）至申刻（下午四點左右）。

3.聽者以四十歲以下，十五歲以上者爲限，但素讀者家督（長子）十歲以上可來。

4.講書經書、大化令、令義解、唐律等追而可及讀書者。

5.聽者專守五經本條，不須要具備文藝。

6.凡院內書籍不論堂上地下，皆可在院內閱讀。

7.院內禁止飲酒、雜談。

　　嘉永二年（1849）四月孝明天皇賜額於學習院，由右大臣忠熙書之，其筆法潤整，名於當時。由於學習院的學生驟減，至明治元年（1868）新政府雖有意復興而改稱大學寮代，但終於同年八月關閉。至明治十年（1877）由華族會館所經營的學習院再建於東京神田錦町，十七年（1884）成爲官立學校賜額京都學習院，十八年（1885）成立華族女學校，三十八年（1905）移至東京都豐島區目白。昭和二十二年（1947）由財團法人接管，而結束了百年來公家教育之任務，開放給一般庶民入學至今。

　　3.藩校：又名藩學校或藩學。是江戶時代諸藩爲其藩士及其子弟而設之教育機構。其經費多由各藩支付，學科、教則、教授法等大多大同小異，且多倣效幕府之昌平坂學問所而用朱註，然亦有以新古折衷者。狹義的藩校即指以漢學爲中心之學校，廣義則包含了醫學校、洋學校、皇學校、女學校、鄉學校、武學校等。合計將近3百所。

　　自寶曆期間（1751－1764）到天明期間（1781－1788）即家重、家治、家齊三位將軍在位的江戶時代中期末段，全國各地的藩校增多，到了一七九〇年的寬政異學禁令後，各藩盛行興辦藩校之風。至天保期間（1830－1843）藩學之設立擴及小藩，甚至有與大藩並置的。此後，藩校之教育內容已引入了國學和醫學、天文學、測量學、本草學等洋學之知識，以應付幕末之內憂外患的局勢。

　　4.寺子屋：乃以七歲至十五歲間之庶民兒童爲對象，由僧侶或旗本、浪人、

神官、醫師、儒者等，授以生活上必需之知識、技能。教科書則有《商賣往來》、《百姓往來》、《庭訓往來》等往來物，及《萬寶節用》、《實語教》、《童子教》、《女今川》、《三字經》、《千字文》、《六諭衍義大意》、《孝經》等，而教學內容則以讀書、習字和算盤爲主。

　　寺子屋在享保期間有逐漸增加的趨勢，到了文政時期振興起來，而進入江戶時代末期更激增至一萬五仟所之多。這種現象正可以說明幕府歷年來獎勵文教的結果。

　　5.私學：或爲私塾、私校

　　日本的私學從最早的弘文院到勸學院、學館院、淳和院、獎學院、綜藝種智院等到了中世以後都已衰廢。而進入江戶時代後後私學林立。這些私學（塾）以成年人爲對象，教授學問、武藝及各種藝道，且以塾主之學識、品德爲中心，在塾主的學派下標榜所屬的學派。如中江藤樹門人爲紀念藤樹而建的藤樹書院、伊藤仁齋的堀川塾、荻生徂徠的護園塾、細井平洲的嚶鳴館、菅茶山的廉塾、廣瀨淡窗的咸宜園等爲漢學塾；シーボルト的鳴瀧塾、緒方洪庵的適塾爲洋學塾。（明治以後因學制的公佈（1872 年）私塾、寺子屋式微，取而代之的是爲適應新學問而設的，如英學塾、法學塾，及爲政治運動而設的，如松下村塾、立志學舍，及國粹主義色彩濃厚的，如憂卿塾皆是。到了現代則是以中小學生爲對象的學習塾、進學塾，及教授各種才藝、技能的才藝班。）

三、江戶時代儒學之學派

　　江戶時代之儒學派別大致可分爲朱子學派、陽明學派、古學派、折衷學派、考證學派、心學派、獨立學派等。

㈠朱子學派

　　朱子學派又可分爲⑴京師朱子學派，⑵海南朱子學派，⑶大阪朱子學派，⑷水戶學朱子學派，⑸獨立朱子學派。

　　1.京師朱子學派：九州薩南學派由問得傳給來自京都的藤原惺窩，惺窩得到宋新注之書後，返京苦讀，而成爲京師朱子學派之祖。

藤原惺窩（1561－1619，永祿 4－元和 5）

略傳：

　名肅，字斂夫，號惺窩，別號北肉山人、柴立子、昨木山人、竹居、都勾墩等，播磨（今兵庫縣西南）人。爲中納言藤原家定之第十二世孫，世食播磨三木郡細河村，父爲純之時，領土爲土豪別所長治所掠，爲純與長子爲勝共禦之，無利而雙亡。惺窩乃上告羽柴秀吉期能復仇，而秀吉答其待之以時，是以終失領地。惺窩七、八歲時即削髮入釋，名蕣，從龍野景雲寺東明昊和尚學。父死後上京，入相國寺學於南豐軒，致力於佛學，當時五山僧侶皆重之。後讀宋儒性理之書，悟佛之非而懷脫佛門歸儒家之志，故決意經由筑前博多前往中國（明朝），但在海上遇颶風漂流到鬼界島，由此再回到薩摩的山川港。在此半年偶得國守島津日新齋之來自明朝之朱子著書及訪正龍寺得桂菴之家法和點，文之之《四書》新註和點，抄寫後北上入筑前提倡宋儒新註之學，不久回京閉門鑽研而棄佛以儒自成一家，而爲京學派之祖。受播磨赤松廣通禮遇，惺窩爲其抄《四書》、《五經》之經文，加倭訓于旁，又請因慶長之役⓬被捕來日之姜沆寫《五經》跋，時廣通因故自殺，石田三成在佐和山亦重聘之，惺窩欲往，不果。慶長五年(1600)因德川家康召見而回京⓭，惺窩著深衣道服（即儒服）謁見，並侍講《漢書》、《十七史詳說》。慶長十九年（1614）其弟子林羅山向幕府建議於京都建校，以惺窩爲祭酒，具宿舍，置瞻田，以教育四方之英才，家康允之，然至是年十月因大阪之役起而停頓，不久，家康死，此事遂罷。後秀忠將軍正欲重用之際，惺窩以五十九歲之齡病逝，贈正四位。

學風：

　⑴調和朱陸。謂：「如朱子者，繼往聖開來學，得道統之傳者也。後生區區置異論哉。如陸文安者，有信而最學之者，有疑而未決之者，有排而斥之者。」⓮當時的儒者多懷疑陸學，所以朱陸之辨似乎成了一道重要的課題。惺窩回答此問題

⓬　文祿元年（1592）豐臣秀吉出兵大敗朝鮮，二年與明使沈性敬溝和，慶長元年（1596）明使來日送國書，書中有「封爾爲日本國王」，秀吉見之大怒，二年再攻朝鮮，是爲慶長之役，1598 年秀吉死，日兵撤退。

⓭　家康曾於文祿二年（1593）召惺窩講《貞觀政要》。此爲第二回。

⓮　《惺窩先生文集抄鈔・答林秀才（代田玄之）》，頁 24。井上哲次郎：《日本倫理彙編》（東京：金尾文淵堂，明治 44 年）第七卷。

時指出朱陸之異謂：「紫陽（朱子）質篤實而好邃密，後學不免有支離之弊。金谿（陸象山）質高明而好簡易，後學不免有怪誕之弊，是為異者也」⓯。緊接著又極力調和二家，謂：「人見其異，不見其同，同者何哉，同是堯舜，同非桀紂，同尊孔孟，同排釋老，同天理為公，同人欲為私。」⓰更期許當時的學者謂：「然者如何？學者各以心正之，以身體之，優柔餍飫，圓機流轉，一旦豁然貫通，則同歟異歟，非見聞之智，而必自知然後已矣」⓱。惺窩更在他回答弟子林羅山「說卦曰窮理，大學曰格物，其立言不同，何？」的問題時指出：「聖賢千言萬語只要人理會得，故所示不同，所入即一也。且古人各自有入頭處，如周子之主靜，程子之持敬，朱子之窮理，象山之易簡，白砂之靜圓，陽明之良知，其言似異而入處不別。」⓲是可知惺窩實有意將程朱陸王二學加以調和。

(2)斥佛而調和神儒。惺窩早年入佛而到三十四歲才有成為儒者的信念。故曰：「我久從事於釋氏，然有疑于心。讀聖賢書，信而不疑，道果在茲，豈人倫外哉。釋氏既絕仁種又滅義理，是所以為異端也。」⓳惺窩以佛為異端，是絕仁種滅義理，所以加以排斥。又與僧承兌的對話中可知惺窩以人倫為重。「兌為僧司錄，謂先生曰：『有真有俗，今足下棄真遺俗，我不唯惜執拂拈鎚手而已，又為叢林惜之』。先生曰：『自佛者言之，有真諦有俗諦，有世間有出世。若以我觀之，則人倫皆真也，未聞呼君子為俗也，我恐僧徒乃是俗也，聖人何廢人間世哉』。」⓴以這種「人倫皆真也」的觀點來看佛，自然可知其所對佛評為「絕仁種滅義理」的心情，而對經營佛事的僧徒則認為他們是群俗人，而且在與林羅山的問對中更認為他們是群遊手好閒的人：「先生曰：『當世天下困窮，人民罷敝，蓋由遊手者眾多也，食粟之家有餘，力農之夫不足，所謂長安百物皆貴，蓋此故也，相率不為寇盜

⓯　同⓮。

⓰　同⓮。

⓱　同⓮，頁 25-26。

⓲　《林羅山文集》卷第 32，頁 349。京都史蹟會編：《林羅山全集》（大阪、東京：弘文社，昭和 5 年）。

⓳　同⓲，卷 40〈惺窩先生行狀〉，頁 464。

⓴　同⓳。

亦可恠，余以爲遊手者十而爲浮屠者五六』。」❷

　　儘管惺窩對佛教持有負面的批評，但是以其半生習佛的經驗來看，要完全脫離佛學思想又談何容易，所以在他的言論中仍然免不了有佛教的成份在，如〈五事之難〉中的因果即是「借孟子之辭，以私考之」而成的。

　　至於惺窩的神儒調和說，歷來學者皆引《千代茂登草》（一名《仮名性理》）一書以論證。其謂：「日本之神道亦以正我心、憐萬民、施慈悲爲極意；堯舜之道亦以此爲極意也。在唐謂儒道，在日謂神道，名雖不同而心則一也。」❷然而此書是否眞爲惺窩之作乃待考證，在此姑且錄之，因爲就神儒爲一說的歷史來看，惺窩很可能也是採取同樣的觀點，蓋此說自南北朝即已出現，而到了貝原益軒（1630－1714）都還可看見，且惺窩十八歲左右曾入吉田神道的宗家爲吉田兼見的養子一事亦不難想像到惺窩與神道的關係。

　學說：

　　(1)理一分殊：

　　惺窩以爲：「學問之道在別義理，而以理一分殊爲本。萬物一理，物我無間則必入於理一，流於釋氏之平等利益、墨子之兼愛而已。專以分殊見之，則必流於楊子之爲我，雖兩而未得其善。故讀聖賢之書而曉聖賢之心則可專以理一分殊爲宗，則無弊。」❷這種以「理一分殊」爲學問之本的思想，很明顯的可看出是來自程朱的思想。而一旦以此爲思想中心則由自然法則的「理」到人類本質的「性」之間的關係往往被劃上等號，而成爲所謂的「性即理」，所以惺窩也不例外。

　　(2)性亦理說：

　　他在〈五事之難〉中提到：「夫天道者理也，此理在天未賦於物曰天道，此理具於人心未應於事曰性。性亦理也。蓋仁義禮智之性與夫元亨利貞之天道，異名而其實一也。凡人順理則天道在其中，而天人如一者也。徇欲則人欲勝其德，而天是天，人是人也。是故君子用力，以知復乎天命之實理；小人肆欲，而不知近乎禽

---

❷　同❶。

❷　同❶，頁40。

❷　堀杏庵《杏陰稿》卷四。

獸。中庸曰：『致中和，天地位焉，萬物育焉』，實以我之心而通天地之心，則範圍有道，而天地自我位焉。以我之心而通萬物之心，則曲成有道，而萬物自我育焉。不惟是子思，子貢亦曰：『夫子之文章可得而聞也，夫子之言性與天道不可得而聞也』，是即理與天道所無二之徵也。」❷惺窩以為「理」在上天為天道，在人心為性，所以在「理與天道無二」，「性與天道實一」的情況下「性亦理也」也就自然順理成章地可以成立了，進而以我之心通天地之心，通萬物之心而達到「天人如一」的境界。

(3)為學：

惺窩在與林羅山的問答中問林羅山說：「『大學之要何先？』，道春對曰：『誠意乎』，曰：『誠意雖為大學之要，然在學者只格物窮理為先，是急務也』」。可見惺窩之為學次序以「格物窮理」為先。這實在與他「學問以理一分殊為本」的主張一樣著重在對「理」的追究。能徹底體會「理」的本質，就能了解「性」的本質，「性」者理具於人心之謂也。誠意者「實其心之所發，欲其必自慊而無自欺也」，故是屬心之作用，所以惺窩以為學先窮理而後可知心。而若想要知道心是否公正無私，則須要講求為學之方法，其謂：「讀聖賢之經書，以經書證我心，以我心證經書，經書與我心通融可也。故讀書之法，莫近於此矣。」❷而其為學之目的則在為己，〈惺窩答問〉中謂：「先生謂余（羅山）曰：『汝謂何以為學？若求名思利，非為己者也，若又以此欲售於世，不若不學之愈也』。」❷是可知惺窩為學主在為己之修養上下工夫，而不是在販賣學問。

筆者試將惺窩思想稍作整理如下，即：惺窩之哲學思想以「理」為中心。此「理」乃放請四海皆準之，故其謂：「理之在也，如天之無不疇，似地之無不載，此邦亦然，朝鮮亦然，安南亦然，中國亦然，東海之東，西海之西，此言合此理，同也，南北亦若然。是豈非至公至大至正至明哉，若有私之者，我不信也。」❷而

---

❷　同❶，頁21。

❷　同❶，頁346。

❷　同❶。

❷　同❶，頁348。

與此理不同者則不信而斥之，故其謂：「我儒如明鏡，物來即應；釋氏如暗鏡，卻
棄絕物，鏡中本來固有之明而欲暗之，是害理也」❷❽，而評釋氏爲「絕仁種，滅義
理」的異端。而神道同於此理，故「名雖不同而心則一也」地加以讚同。而惺窩之
「理」是什麼？在他來說，「理」在天是「天道」，在人心是「性」，故「性亦
理」，而「性與天道異名而其實一也」，所以「凡人順理，則天道在其中」而達於
「天人如一」之境。

　　惺窩將此哲學思想透過爲學來修養自己，使順理而成爲與天地萬物合而爲
一。因爲惺窩以「理」爲中心思想，所以其爲學之本，宗於「理一分殊」，其爲學
之序，先置於「格物窮理」。蓋「雖一草一本，微禽昆蟲亦各有其理，而況人
乎」❷❾，故對天地萬物之「理」的探究，乃至對己身之「性」的摸索，使「此心此
理豁然貫通」，自然就能「謂之格物」❸⓿，而其爲學之方法則是「以經書證我心，
以我心證經書」，蓋「書之所存者賢聖之所存也」❸❶。由聖賢所存之經書，來印證
我心之公正與否，若「經書與我心通融」則「可也」。再以此心通於天地萬物之
心，則「天人如一」的境界是可達成的。

　著作：

　　①惺窩先生文集 18 卷　刊本　藤原爲經編　德川光圀校
　　②惺窩文集 8 卷　刊本　林羅小編 5 卷，菅得庵續編 3 卷
　　③倭文二篇　（收於《扶桑拾葉集》卷 27）
　　④惺窩拔萃 1 冊
　　⑤本朝四家絕句 6 卷
　　⑥かせくき（鶸：燕雀之一種）
　　⑦文章達德綱領 6 卷　刊本
　　⑧明國講和使に對する質疑草稿　自筆稿本

---

❷❽　同❶❽，頁 347。
❷❾　同❶❽，頁 349。
❸⓿　同❶❽，頁 349。
❸❶　《惺窩先生文集》卷八，「欹案銘并跋，應玄同之求」。

⑨姜沆筆談　自筆稿本

⑩南航日記殘簡　自筆稿本

⑪朝鮮役捕虜との筆談　自筆稿本

⑫天下國家之要錄

⑬寸鐵錄（仮名注本）　刊本

⑭寸鐵錄（舊子爵冷泉家所藏本）　寫本

⑮逐鹿評（一名《大學要略》）2 卷　刊本

⑯日本書紀神代卷（修改本、自筆草稿）

⑰土佐日記（妙壽院本）

⑱文章達德錄 ⎤

⑲四書　　　　　　　（佚失？）

⑳萬葉集 ⎦

㉑惺窩問答（收於《羅山林先生子集》卷 32）

㉒新板五經　刊本 ⎤

㉓仮名性理（一名《千代茂登草》）　刊本

㉔經書和字訓解　　　　　　　　　　　　（疑為偽作）

㉕列子點

㉖職原鈔頭書

㉗四書大全頭書 ⎦

門人：

　　有林羅山、松永尺五、那波活所、堀杏庵、菅得庵、石川丈山、古林桂菴，林東舟、永田善齋、辻端亭，以上各有所傳，另有片山良菴、土師玄同、小笠原昨雲、戶田氏鐵、小瀨甫庵、坂卷百道以上則無門人繼之。

略年譜：

	西元	歲	
永祿 4	1561	1	生於播州三木郡細河莊。
10	1567	7	7、8 歲時為僧，師事龍野景雲寺東明昊和尚。
天正 6	1578	18	4 月 1 日，父為純、兄為勝，與別所長治交戰，不幸戰死。

仕奉母親及兄弟來京都，賴叔父壽泉而入相國寺，學於南豐軒。此時，爲吉田兼見之養子。

天正 8	1580	20	9 月，因病至有馬溫泉療養。
18	1590	30	7 月，朝鮮國使黃允吉、金誠一、許筬之來日，惺窩時赴大德寺與之筆談。 此時以柴立子爲號，〈柴立子說、贈蓂上人〉（許筬之、山前）。
19	1591	31	應關白秀次之召，與五山僧徒鬪詩於相國寺。成〈名臣小傳跋〉。
文祿元	1592	32	成〈山州橋本新橋銘　并序〉。
2	1593	33	夏、隨豐臣秀俊遊於肥前名護屋，於該地遇來日之明朝信使。於此地謁見家康。12 月赴江戶爲家康講《貞觀政要》。成〈四景我有解〉
3	1594	34	仍在江戶，3 月 17 日遭母喪，在此前後身爲儒者之信念約已確立。成〈弔石田氏〉。
慶長元	1596	36	3 月，草成〈古今醫案序〉署名惺齋斂夫肅，以明爲儒者之意。6 月 28 日由京都出發至閏 7 月 16 日到達薩摩之山川津。多，得入明之使船而出帆，遇颶風而漂至鬼界島。
2	1597	37	夏，自鬼界島返京。而後直接學習六經，確立儒者之立場。
3	1598	38	秋，於伏見之赤松廣通之邸會朝鮮之捕虜姜沆。勸廣通令姜沆等淨書四書五經，依程朱之意施訓點。又因赤松公之力構得一室，聚大成殿成釋奠之禮。
4	1599	39	值石田三成之招聘，欲往而未果。姜沆爲〈文章達德綱領〉作序，且成〈是尙窩記〉、〈惺齋記〉、〈五經跋〉。
5	1600	40	5 月，姜沆等歸國。11 月赤松廣通自盡。多，深衣道服謁見入洛中之家康，與僧承兌、靈三問答，表明不肯歸佛，且拒絕承兌邀其爲對明勘合船之專員。
9	1604	44	8 月 24 日，林道春初謁惺窩於賀古宗隆之家，結師生之契。從此書信往返頻頻。此時志於修改〈神代紀〉。成〈答

			林秀才　代田玄之〉、〈致書安南國　代人〉、〈舟中規約〉。
10	1605	45	夏秋之交，於市原營造山莊。
11	1606	46	秋，應紀州太守淺野幸長之招赴和歌山。以後常多去春回。爲淺野公抄經書附仮名之注解。作《寸鐵錄》（未成）。戶田爲春、永原松雲常來聽道。11 月成〈重建和歌浦菅神廟碑銘　并序〉。
12	1607	47	7 月，中風半身不遂。這前後起吉田如見、堀杏庵、菅得庵、武田夕佳等人入門爲生。
15	1610	50	爲淺野幸長訓點《萬葉集》。
16	1611	51	成〈欹案銘并跋〉。
18	1613	53	8 月，淺野幸長卒（38 歲），往弔。埋太守之齒骨於高野山。
19	1614	54	春，依林道春之建議於京都設校，擬以惺窩爲校長（祭酒），但因 11 月大坂冬之陣起，無法實現。
元和元	1615	55	成〈贊城泉牧昌茂壽像〉。
3	1617	57	成〈題三笑圖〉。
4	1618	58	成〈題淵明畫軸并序〉。
5	1617	59	春，作夕顏巷之詞贈林道春。9 月 12 日卒，葬於時雨亭，定家之傍。

經 學 研 究 論 叢
第 六 輯　　頁295～310
臺灣學生書局　　1999 年 3 月

朱彬之生平與著述

黃智信*

壹、前言

梁啓超先生於《清代學術概論》中曾說：

> 清學自當以經學爲中堅。其最有功於經學者，則諸經殆皆有新疏也。……
> 十三經除《禮記》、《穀梁》外，餘皆有新疏一種或數種，而《大戴禮
> 記》則有孔廣森《補注》、王聘珍《解詁》焉。此諸新疏者，類皆擷取一
> 代經說之菁華，加以別擇結撰，殆可謂集大成。❶

在約三、四年後所撰之《中國近三百年學術史》中，則改弦易轍，不但對各經新疏
的代表著作有所更換，且重新主張十三經中，有新疏者已得其十，《穀梁傳》、
《禮記》、《易經》三者缺❷。何種著作可視爲清人新疏的代表作，本來就見仁見
智，難求一同；而邵晉涵、梅植之所擬撰作之《穀梁正義》、《穀梁集解正義》都
未成書。梁氏所論此二處，基本上都不成問題。惟論《易經》一書，說：「做這部

---

*　黃智信，東吳大學中文系研究生。

❶　見朱維錚校注：《梁啓超論清學史二種・清代學術概論》（上海：復旦大學出版社，1985 年
　　9 月）第十四，頁 40-41。

❷　詳見朱維錚校注：《梁啓超論清學史二種・中國近三百年學術史》第十三，頁 316-327。

書的新疏，我想怕是不可能的。因爲疏王、韓舊注，不獨清儒所不肯，且亦沒有什麼引申發明的餘地，除非疏李鼎祚的《集解》或另輯一注。」❸事實上，李鼎祚的《集解》，確實有李道平爲之作《纂疏》。

至於論《禮記》一書，則最值得玩味，梁氏云：「這部書始終未有人發心作新疏，總算奇事。」❹所以成爲「奇事」，可能與《禮記》本身內容過於龐雜的特質有關❺。

在未能有令人滿意的《禮記》新疏之出現的情況下，清人《禮記》注解中被認爲較好的兩部書，則屬孫希旦（1736-1784）的《禮記集解》與朱彬（1753-1834）的《禮記訓纂》。

除了時代相近之外，孫希旦與朱彬兩人還有許多共同之處。著述多刊成於歿世之後，且多已逐漸湮沒不傳，此其一；惟二氏於《禮記》之作，用力最深，故《集解》、《訓纂》獨能流傳甚廣，此其二。

由於孫希旦與朱彬傳世的著作已不多，與二人生平與著述的相關資料也很少，在研究乏人的情況下，對孫、朱二氏的生平與學術加以關注，應當還算是有意義的。本文即擬先試就朱彬之生平與著述，作一簡要之論述。

貳、生平

朱彬，字武曹❻，號郁甫（朱爲弼〈贈吏部尚書郁甫朱公墓誌銘〉作「一字郁甫」，見《碑傳集補》卷三九），江蘇揚州府寶應縣人。乾隆六十年（1795）舉人。生於乾隆十八年（1753）九月十六日（陽曆十月十二日），卒於道光十四年（1834）❼一月二十八日（陽曆三月八日）❽，年八十二。

---

❸　同前注，頁 326。

❹　同前注。

❺　黃侃〈禮書說略〉則認爲：「《禮記》，孔疏翔實，後儒未易加，故新疏獨闕。」見《黃侃論學雜著》（臺北縣：漢京文化事業公司，1984 年 7 月），頁 453。

❻　鍹欽農點校本《禮記訓纂・前言》（北京：中華書局，1996 年 9 月）「曹」字誤作「曾」。

❼　同前注，「一八三四」誤作「一八四三」。

❽　其墓在寶應縣龍首村。

其先世為吳中著姓，宋時諱之修者為學官，徙徐州；明初諱八三者，始自蘇州遷居寶應湖西，繼定居城中。曾祖考諱經，歲貢生，候選儒學訓導，妣喬氏。祖考諱澤代，邑附生，妣劉氏。考諱宗贄，恩貢生，候選直隸州州判，妣成氏。彬妻劉氏❾，子四人：長士彥，嘉慶七年（1802）一甲進士，吏部尚書；次士達，嘉慶二十二年（1817）進士，廣西左江兵備道；次士廉，道光十三年（1833）進士，直隸即用知縣；次士辨，國子監生，先卒。朱彬以子士彥貴，封翰林院編修加一級，晉封翰林院侍讀學士加二級，累封內閣學士兼禮部侍郎加三級，贈吏部尚書。

朱彬幼有至行，年十一喪母，哀戚如成人。長丁父憂，歙喪盡禮，三年蔬食居外。時祖母劉氏尚存，寒暑飲食，盡心調護，一如其父在時。❿

關於朱彬交游的情形，可由相關的文集與書信等資料，略見梗概：

乾隆六十年（1795），朱彬至京，與王念孫相聚首。王念孫〈與劉端臨書〉第四通對朱彬有所贊譽：「武曹兄曩曾一晤於清江，再晤於寶應，今為三聚首矣。省試前方為舉子業，故未及縱談，而約略數語，已知其博聞強識而有卓見。他日吾見蔑之面，今吾見其心矣。」⓫據此，也可知在這之前，二人已有過兩次的會面。

嘉慶三年至四年（1798-1799），朱彬與王念孫、引之父子皆寓居楊梅竹斜街。朱彬於嘉慶十年（1805）六月八日寫給王念孫的信中，記此事說：「彬來京忽忽半載，杜門卻埽，求一談論之處不可得。回憶戊午、己未間，彬寓楊梅斜街，與先生喬梓朝夕過從，質難請益，惘然如夢！」⓬對這段時光，顯然十分地懷念。

嘉慶十年（1805），彬表兄劉臺拱卒，其後，朱彬為之整理部份遺稿。在上封信中，朱彬接著也提及此事，說：「端臨自去秋積勞成疾，寒熱間作，歲杪甫得

❾ 以上，據朱為弼〈贈吏部尚書郁甫朱公墓誌銘〉、《清代硃卷集成·朱士彥》（臺北：成文出版社，1992 年 11 月）。

❿ 見《清史稿》（北京：中華書局，1986 年 8 月）卷四八一〈儒林二·朱彬傳〉、《清史列傳》（北京：中華書局，1987 年 11 月）卷六九〈儒林傳下二·朱彬傳〉。

⓫ 見〈王石臞先生遺文〉卷四，收入羅振玉輯《高郵王氏遺書》（臺北：文海出版社，1967年），頁 584。

⓬ 見羅振玉編《昭代經師手簡》前編，收入《羅雪堂先生全集》第五編（臺北：大通書局，1973 年 8 月）第十三冊，頁 5481。

告平。頃接家言，渠入夏轉劇，已於五月廿二日棄人間，海內通人又弱一個。……彬少小相依，骨肉兄弟之愛數十年如一日，痛何可言！……俟秋涼返里，輯其遺文，就正有道，亦後死者之責也。」⑬在若干年後一封寫給王引之的信中，也說：「日來爲端臨編錄《論語注》一書，《荀子》、《漢書》各一書，禮當寫定，可以慰我良友，其生平札記於經傳上端者甚多，開歲當詣其几案，一一籤錄。」⑭

道光二年（1822）六月，王念孫爲朱彬《經傳攷正》作序⑮，云：「朱武曹彬，端臨之內兄弟也，其識與端臨相伯仲。昔在京師，與余講論經義，多相符合。今年寓書於余，以所作《經傳攷證》八卷見示，余讀而善之。……其援據之確，搜討之精，非用力之深且久者不能有是，是可謂傳注之功臣矣。」而劉盼遂輯校之《王石臞文集補編》中，錄有〈復朱郁甫書〉，其中有云：「承惠手書，并賜讀《經義考證》，斟酌古訓，左宜右有，平心審擇，惟期有當于經，迥非求古而不求是者所可同日語也，佩服之至！承命譔序一首，言之不文，殊不足以述通人之意旨，但以志嚮往之誠耳。附上獻疑諸條，一隅之見，未知是否，并希教正。」⑯由這兩段敘述，可知朱彬於道光二年，寫有一信，並寄上《經傳攷證》請王念孫教正，且爲之作序。王念孫於同年復信（即《文集補編》中所錄〈復朱郁甫書〉），信中並附有序文與獻疑諸條。如信中王念孫所記與《文集補編》所錄均無誤，則《經傳攷證》可能原名《經義考證》。

《昭代經師手簡》前編收入朱彬致王念孫的另一封信，可能寫於此事之後，信中說：「前歲奉手教，當即肅函申謝，諒已達左右。……《經傳攷證》續得若干

---

⑬　同前注，頁 5481-5482。

⑭　見羅振玉編《昭代經師手簡》二編，收入《羅雪堂先生全集》第五編（臺北：大通書局，1973 年 8 月）第十三冊，頁 5521。此信言及王引之寄達《經義述聞》一部，《經義述聞》重刊本刻成於道光十年，這封信或寫於此年。而於次年一封致王念孫書中也提及，朱彬也再次提及收到《經義述聞》三十二卷一事。

⑮　此據王念孫〈經傳攷證序〉，劉盼遂《段王學五種‧高郵王氏父子年譜》頁 26 上，作「二月」，疑誤。又，念孫此〈序〉，中央研究院歷史語言研究所藏之《高郵王氏父子手稿》中，有此文之手稿，分寫作兩頁。

⑯　見劉盼遂輯校《段王學五種‧王石臞文集補編》（臺北：新文豐出版公司，1997 年，《叢書集成三編》冊 57 影印來薰閣書店排印本），頁 22 上。

條，謹繕寫成帙，乞先生誨正。」⓱而《王石臞文集補編》所錄〈與朱郁甫書〉，
也有可能是此信之復書，其中有云：「讀大箸諸條，辯章舊聞，實事求是，凡有所
見，皆由三復經文而得，誠非墨守者所可同日語也，欽佩之至！間有鄙見不同之
處，竊附簽若干條以質所疑，未知是否，仍希教正。」⓲

　　道光六年（1826），似乎是朱彬頗不順遂的一年，《清史列傳》卷三七〈朱
士彥傳〉載：

> 六年七月，御史錢儀吉以士彥任性錯謬，列款劾奏，上命程含章詳細確
> 查。八月，覆奏：「查明原參各款，有並無其事者，有事出有因而未盡實
> 者。該學政考規整肅，取士公平，任勞任怨，係屬實心任事之人。」得
> 旨：「浙省士風輕薄，朕所夙知。該學政遇事整肅，原無不合。惟伊父朱
> 彬迎養到浙，祇應在署居住，不應隨棚閱卷。若亦幫同校閱，豈不與干
> 豫公事者無異？試院演劇，雖係場事全竣，亦不應漫無關防。至生童剿
> 襲舊文，及字畫錯訛，原應豫行出示曉諭告誡，究不宜出題割裂句讀，取
> 進後輒予掌責，致滋物議，著交部議處。」

《清史稿》卷三七四記載此事，云：「御史錢儀吉劾士彥任性，詔嘉士彥能任勞任
怨；惟斥其父彬就養閱卷，及命題割裂，薄譴之。」朱為弼〈贈吏部尚書郁甫朱公
墓誌銘〉則說：「尚書（指士彥）視學三省，公（指彬）嘗就養，日偕幕中友閱
文。每局試，尚書監於堂，公閱竣，付尚書定去取，曰：『吾不侵汝職也。』」此
事對朱彬有所打擊，《昭代經師手簡》前編所錄彬致王念孫之一信中說到：「在浙
一年，人士絕無慕古者，遽挂彈章，又遭幼子之喪，心緒無賴。今年四月，束裝詣
壽春，其俗习悍，不可久居。將於明春返里，從此息影埋頭，不復作遠游之想
矣。」⓳落寞之情，顯然可見。

⓱　同注⓲，頁 5485。
⓲　同注⓯，頁 21 下。
⓳　同注⓲，頁 5490。

　　道光十至十一年（1830-1831），朱彬與王念孫有書信往返，討論《禮記訓纂》一書，容於〈著述〉一節敘述。

　　除王氏父子與表兄劉臺拱外，朱彬與李惇、汪中交情亦篤。如《昭代經師手簡》前編所錄可能寫於道光十年之致王念孫書中，曾言及：「回憶壬辰（乾隆三十七年）、癸巳（三十八年）間，與孝臣（李惇）、容甫（汪中）諸君相徵逐，輒稱誦先生（王念孫）不去口。」[20]另一寫於道光二年（1822）的信，也提道：「又有請者，孝臣之書不可得見，任侍御《小學鉤沈》尚存鄴架中，先生不能力付剞劂，若作字與芸臺制府，亦所以表潛德也。」[21]

參、著述

一、經部

(一)《尚書異義》三卷、《敘》一卷

(二)《尚書故訓別錄》四十八頁一本

　　以上兩種，據成永、郁念純所撰《寶應縣志書目校補》[22]所載，有傳鈔本，今未見。

(三)《禮記訓纂》四十九卷

1.《禮記訓纂》之纂輯

　　此書之纂輯原由與方法，作者自序云：「余束髮受書，病陳氏《集說》之疏略。……不揣樗昧，年逾知命，始取《爾雅》、《說文》、《玉篇》、《廣雅》諸書之故訓，又刺取《北堂書鈔》、《通典》、《太平御覽》諸書之涉是《記》者，虎觀諸儒所議論，《鄭志》師弟子之問答，以及魏、晉以降諸儒之訓釋，撮其菁英，以為輯略。管窺蠡測，時有一得，亦附於編。」

　　這篇〈序〉作於道光十二年（1832）七月，朱彬時已年高八十，林則徐為此

---

[20]　同注[12]，頁 5491。

[21]　同注[12]，頁 5487-5488。

[22]　此書為抄本，此處轉引自《寶應歷代縣志類編》（南京：江蘇人民出版社，1991 年 4 月），頁 545。

書作序所說：「又見此書皆先生手稿，是時年八十矣，猶作蠅頭細楷」❷，或指此事。彬之子士達後序也說：「（彬）晚年復輯《禮記訓纂》四十九卷。」可見，此書是朱彬成書較晚的著作。

　　2.《禮記訓纂》之整理與刊刻

　　《訓纂》的整理、刊刻經過，據彬子士達與孫念祖的後序與識語，及其他資料，可試為歸納如下：

　　⑴朱彬晚年輯《禮記訓纂》四十九卷。〈序〉作於道光十二年（1832）七月，而於道光十四年（1834）過世。

　　⑵彬長子士彥手為校訂，尚未及半，於道光十八年（1838）逝世。

　　⑶道光二十一年（1841），士達為此書詮次篇第。

　　⑷道光二十二年（1842），林則徐應朱士達之請，為此書作序。

　　⑸士達因公事繁劇，無暇校閱，遲至道光二十七年（1847）解組歸里，卜居邗上，始得校字。並囑大甥陳輅（字陸通，號僕生，儀徵人）詳校，未終而卒。

　　⑹士達復延劉文淇（字孟瞻，儀徵人）、王敬之（字仲恪，一字寬甫，高郵人）重加校訂，經二年校畢❷。

　　⑺咸豐元年（1851）校刻此書，版存邗上。

　　⑻咸豐三年（1853），士達率長孫朔生至寓，校理漫漶，間有所闕，而完善尚多，奉持北歸。

　　⑼咸豐四年（1854），念祖檢原版，悉心補葺。六年（1856），事竟，作「識語」一篇記之。

　　3.版本

　　《禮記訓纂》現存有三種稿本：

　　一為上海圖書館所藏，上有許瀚校。

---

❷　林則徐此序，刻於《禮記訓纂》書前者，與收入林氏《雲左山房文鈔》卷一者，文字甚多出入。此句，《文鈔》即無「又見」二字。

❷　日人小澤文四郎《儀徵劉孟瞻年譜》（臺北：大華印書館，1968 年 5 月）錄有橋川子雍所藏「劉孟瞻寄劉叔冕書」一通，其中言及：「淇現為岑氏校刻《輿地紀勝》及朱武曹先生《禮記訓纂》，均約于春夏間可以竣事。」這封書信，小澤文四郎繫於道光三十年（1850）。

　　另兩種，皆藏北京圖書館。筆者嘗於一九九八年夏天赴北京查閱此兩種稿本，發現編號 13067 者，經比對筆跡，當爲朱彬所謄錄。上有王念孫箋識並跋與王引之箋識，念孫的跋曰：「道光十一年正月之廿四日，高郵王念孫讀於京師西江米巷之壽藤書屋。謹附簽二十八，寄請武曹先生正之。時年八十有八。」

　　考《昭代經師手簡》前編中，朱彬寫給王念孫書信的最後一通，言及：

> 志學時，見《禮記》陳氏《集說》太疎陋，不洽於心，慨焉欲有所撰述。
> 年踰耳順，始克見前儒所言並當世通人碩彥之著作，迺以注疏爲主，附以
> 後儒之說，精力專注十年於茲。所恨見聞孤陋，不能廣搜博取，然大醇而
> 不收、甚駁而妄取者亦尠矣。先生爲海內儒宗，謹以寫成一部呈教。望先
> 生讀書之暇，賜以覽觀，爲之存其是而去其非。㉕

而劉盼遂輯校《王石臞文集補編》，也正錄有一〈與朱武曹書〉，可能是王念孫對此信的回函，其中有一段說：「捧讀大箸《禮記訓纂》，根據注疏而參以後儒之說，使讀者飲水而知源，實事以求是，洵爲酌古準今之作，有功經學甚鉅，欽佩悉如！不揣固昧，間有獻疑者數處，遵命錄呈，未知是否，仍希先生裁酌。」㉖此〈書〉下，有劉盼遂案語云：「零有一箋，疑係爲朱武曹《禮記訓纂》題辭原稿。」並錄簽文「道光十一年正月○日，高郵王念孫讀于京師西江米巷之壽藤書屋。謹附簽二十八，寄求武曹先生教政。時年八十有八。」此箋與稿本上簽條所跋，文字稍有不同。何以會出現兩個，又何以兩者不同？原因則難以遽論。

　　但由這兩篇互相往返的書信來看，這個稿本仍然很可能正是朱彬寄請王念孫指教，經王念孫手批二十八簽後寄回給朱彬的。

　　此本案語與箋文所錄，除王念孫親筆所寫的簽條之外，有不少題作「王氏念孫曰」、「王氏引之曰」的簽條，筆跡一致，而與念孫筆跡顯然不同，疑爲引之所記㉗，只是，究竟是引之何時所記，則仍待詳考。

㉕　同注⑫，頁 5491-5492。

㉖　見劉盼遂輯校《段王學五種・王石臞文集補編》，頁 22 下。

㉗　中央研究院歷史語言研究所藏有一部《高郵王氏父子手稿》，其中王引之的手稿，字跡與此

另編號 15036 者，與朱彬字跡不同，可能非彬所謄錄。此本上多批校，也有不少簽條。由書上所批「仍原稿」、「一節」、「刪上數字」……等校語來看，此稿或爲整理者的工作本。

這兩種稿本，覈之刊本，略可歸納出兩種現象，其一爲王念孫與王引之的箋識，多經剪裁後加以採錄；其二是刊本較兩種稿本更加詳明，舉證更爲豐富。

稿本外，另有五種版本❷⑧：

(1)咸豐元年宜祿堂校刊、咸豐六年修補本。此本有收入《續修四庫全書》（上海：上海古籍出版社）冊 105。

(2)光緒十四年（1888）上海點石齋石印巾箱本，在吳穎炎輯《經學輯要》中。

(3)宣統元年（1909）學部圖書局翻印宜祿堂本，此本又收入《近三百年經學名著彙刊》（臺北縣：鼎文書局，1972 年 4 月）。

(4)《四部備要》據宜祿堂本校刊本。

(5) 1996 年 9 月大陸中華書局出版饒欽農先生點校本，列爲《清人十三經注疏》之一種。

(四)《經傳攷證》

對於此書的撰作，朱彬於〈述首〉中有云：

> 幼秉庭訓，長無師資，困躓于帖括、湛溺于詞章者二十餘年矣。四十無聞，翻然自悔，思欲鑽研六藝，妄希一得，以爝火之明，測淵海之量，不亦儳乎？況悼良朋之倫喪，歎臣精之消亡。問奇之侶不來，借書之瓻已

極相似，或亦可爲一旁證。

❷⑧ 《江蘇藝文志・揚州卷》（南京：江蘇人民出版社，1995 年 1 月）列此書有道光二年（1822）刊本，疑誤。另，據葉景葵《卷盦書跋》（上海：古典文學出版社，1957 年 5 月）云：「憶劬（朱孫芬）…又檢《禮記訓纂》家刊本見贈。閱後跋，知係咸豐原版，至光緒又重修者。然坊間已不多覯。憶劬告余版存寶應，損否不可知。此重修本，在南京施工，夢華先生親自校訂，故訛字甚鮮。」（此書又收入《葉景葵雜著》，上海：上海古籍出版社，1986 年 1 月）則《禮記訓纂》又有光緒年間家刊重修本。

磬，抑又難已！然而朝攷夕稽，不能則學，日增月益，有觸斯鳴。雖有媿于宏通，庶猶賢乎博奕云爾。

由這段敘述，可以看出作者編撰此書的目的，是在保留自己的一些讀書心得，以作爲回顧自己的治學歷程之紀念。

此書之版本有四：

1. 稿本，王念孫批校，現藏浙江圖書館。
2. 道光二年刊本。
3. 道光十六年（1836）刊本。
4. 《皇清經解》本。

二、史部

(一)《朱氏支譜》

此書由朱毓賢與朱彬編次。民國二十一年《寶應縣志》（臺北：成文出版社，1970 年影印本）卷二三〈藝文志·書目〉著錄，今此書未見。

(二)《邑乘志餘》

此書著錄於道光二十年（1840）《重修寶應縣志》（臺北：成文出版社，1983 年 3 月影印本）卷二二〈書目〉與民國二十一年《寶應縣志》卷二三〈藝文志·書目〉，今未見㉙，惟民國二十一年《寶應縣志》卷三二〈雜類志·摭記〉與〈異聞〉分別錄有此書七則與一則故事，可略見其梗概。茲各舉一例於下：

1. 雍正年間，特召翰林院編修蔡世遠、安慶府教授王懋竑、增貢生喬崇修引見，從撫遠大將軍年羹堯之薦也。三人者，於年無一面，特以甘肅巡撫胡期恆言之於年。喬、王皆吾鄉人，遂以入告。蔡、王皆入直上書房，喬於歸以教諭用。方進京時，年調杭州將軍，舟過寶應，眾有言於喬、王兩家子弟，當以小門生禮見。詢之從祖止泉先生，先生不可，曰：「薦賢爲國，非私也，且兩尊人在京師，尤不當見。」遂止。踰歲，年伏法，究治黨與，絕不及三君，以素無往來故也。（〈摭記〉）

㉙　《江蘇藝文志·揚州卷》列此書有食舊德齋傳鈔本藏臺灣，待查。

2.王濤生有異才，五歲時，客命屬對曰：「魯男子。」即應聲曰：「徐夫
人。」一坐大驚，客難曰：「能更對否？」曰：「莽大夫。」客逾驚。師
教之讀《神童詩》，笑曰：「吾能作，不須讀。」讀九經，日記千言，二
年而畢。年十九，不肯娶。甲子秋夕，命奴棹扁舟射陽湖中，月幾望，湖
面如雪，濤獨飲樂甚，起視月光，口誦所賦詩。奴親見濤行水上如履平
地，漸遠不知所之。其兄浤哭之慟，一日拾遺稿，有歸濤賦一篇，中有
曰：「喜溢流之茫洋，悲康衢之陂陀。返伍公於胥江，招屈子於汨羅。署
陽侯而擊鼓，導洛女以放歌。路漫漫兮浩淼，天不且兮奈何？」早爲之讖
云。（〈異聞〉）

所記多爲當地流傳的趣聞軼事，部份或許是大家耳熟能詳的故事，所以在其他學者
的著作中，也可能會記載了相同的人物與事件，甚至一再被記錄與傳誦。

　　例如上引第二則，也出現在同卷〈摭記〉中引劉寶楠《寶應詩事》所載：
「丁有美曰：寶應王濤生有異才，方年五歲，客命對曰：『魯男子。』濤應聲曰：
『徐夫人。』一座驚異，客難之曰：『復能對乎？』曰：『莽大夫。』師取《神童
詩》命讀之，不讀，笑曰：『我能作也。』請讀九經，日記數千言，不二年而
卒。」

　　二書所述，內容大同小異。

三、集部

　(一)《遊道堂文集》四卷，《詩集》一卷

　　《文集》收入朱彬文章五十五篇，張舜徽先生曾評論此書云：

　　　是集卷一有〈釋大篇〉，謂《尚書》中凡用大字，皆語詞，推之丕、誕、
　　　洪、宏、純、淫，皆有大訓，同爲辭助。暢通經訓，揭示大例，實發前人
　　　所未發。其次如卷二〈與陸祁孫書〉，論文章流別；〈與壽州志局諸
　　　子〉，論修志義例，皆確有所見，又非淺嘗浮慕者所能道也。❸⓪

❸⓪　見《清人文集別錄》（臺北：明文書局，1982 年 2 月），頁 271。

張氏深加贊許之〈釋大篇〉，附載於《經傳攷證》卷第三中，王念孫亦善其說❸。
但張氏也指出：「是集四卷，而應酬之作爲多，故書序、壽序、傳誌之屬，居其大
半焉。」朱彬《文集》中，論學的篇章確實不多，但綜觀彬之所有著述，其中多寓
有保存地方文獻史料之苦心深意，如《朱氏支譜》、《邑乘志餘》、《白田風
雅》、《玉山草堂課藝》等，則《文集》中「書序、壽序、傳誌之屬，居其大半
焉」的現象，也就不難以理解。

　　《遊道堂文集》有同治七年（1868）袁浦刊本與光緒二年（1876）寶應朱氏
刊本❸，《詩集》今未見。

　　㈡《白田風雅》二十四卷

　　此書由朱彬輯，喬載縣增訂❸，由彬之玄孫朱孫開鈔錄，耿葆齋、成漱泉復
校，時漱泉館於金陵書局，故於光緒十二年（1886）刊於金陵書局❸。

　　姚椿於道光元年（1821）爲此書作序，云：「先生…嘗因邑中前輩之舊編，
輯國朝以來諸家詩爲《白田風雅》若干卷，網羅放失，蒐纂軼事，善雖微而必錄，
人雖陋而必彰。」

　　此書共列作者三百一十六人，詩一千三百餘首，上起國初，下至道光初年❸。
其卷一至十九列一般文人、學者，卷二〇、二一爲「家集」，卷二二「閨媛」，卷
二三「釋子、羽士」，卷二四「官師、流寓、酬贈」。

　　以下，先試舉兩例：

❸　王念孫也著有《釋大》一書，劉盼遂《段王學五種·高郵王氏父子年譜》頁42上，認爲「此
　　書絕無年月可尋，然據其文義，斷其爲少作也。……《釋大》乃少作也，魚兔既得，荃蹄可
　　屏，故中年以後撰著，從不引此書爲證佐矣。」朱、王二人同作「釋大」，王氏對朱氏之作
　　亟稱之，但並未言及自己所撰之書。王氏《釋大》一書，是否果眞爲少作？又，朱、王二人
　　有過幾次會面，也有書信往返，是否曾就此議題有所討論？都可以再進一步探討。
❸　《江蘇藝文志·揚州卷》列此書尚有1916年與1926年朱氏宜祿堂刊本，待查。
❸　喬載縣，字孚先，號止巢。以朱彬《白田風雅》所收皆當朝人，故復採明人詩爲《白田風雅
　　前編》，見民國二十一年《寶應縣志》卷十六〈人物志·文苑·喬載縣傳〉。
❸　詳見朱彬曾孫綏生所撰〈白田風雅跋〉。臺北國家圖書館藏有一部「《白田風雅初編》六
　　卷」，著錄作「手定底稿本」，其分卷、編次與內容，均與刊本略有不同。
❸　見朱綏生所撰〈白田風雅跋〉。

1.王碩

字逸齋，著《一枝草堂詩略》。

《遊道堂詩話》：「逸齋，不知何時人，喬孚先於破書攤市得一本，亟錄數首。」

（下列〈贈楊文思〉、〈隋宮〉兩首，今從略。）

2.苗莊

字敬甫，著有《一佛居士詩鈔》。　《遊道堂詩話》：「敬甫甚有詩名，遺集甚多，今止存《南遊小集》一卷，　止七律一體。又選有《近詩存》，余曾見有王樓村先生序文，問其家人，　不可得矣。」

（下列〈留題韜光〉、〈烏程令署留別王抑夫表兄〉、〈秋夜渡揚子江〉、〈和陶子師贈別韻〉四首，今從略。）

編纂之體例，先列人名，下附簡要生平事蹟，其次再附朱彬所撰之《遊道堂詩話》，最後列其詩作。全書條目大多如此，但也有未附《遊道堂詩話》的。

㈢《遊道堂詩話》

此書，民國二十一年《寶應縣志》卷二三〈藝文志・書目〉著錄，今未見。惟《白田風雅》中有錄入❸⑥，可見其梗概。

㈣《玉山草堂課藝》

朱彬輯。此書今未見，《遊道堂文集》卷二、道光二十年《重修寶應縣志》卷二三〈藝文一〉與民國二十一年《寶應縣志》卷二五〈藝文志・序跋〉皆錄有朱彬〈玉山草堂課藝序〉，茲錄於下：

先君子同文會十人：外舅劉餘齋先生昆仲三人，劉丈東麓、紉芳，喬丈仙圃，王丈好古，暨其宗人滄泉其、一則，世父鴈橋先生，並抗心屬志，思與古人相頡頏，不苟於自待以自振於流俗人之外。其倜儻非常、不可一世之概，常於酒闌燭跋時見之。然諸君子雖奮然欲有所樹立，而淪落不耦，

---

❸⑥ 未知是否將全書錄入，或僅爲部份，抑或《寶應縣志》著錄的根據，即指《白田風雅》中所錄者？

率課徒自給，詩古文詞不少概見。其得舉得官者尤蹭蹬，或客死官署，或譴戍萬里外，歸匝月而卒。惟王丈好古最早世，劉丈踪卻（《文集》「踪卻」二字作墨丁）脱諸生籍，餘皆畢生肆力於時文而已。嘗與端臨歎息非生才之難，而才之幾於成者爲難，因成之之難，益思才之竟其用者之爲尤難。思共蒐輯其遺文以存其人，而舟車馳逐，未暇以爲（《文集》無「以爲」二字），端臨旋奄忽以終。歲甲申，始從各家子姓暨生徒朋游（《文集》「游」字作「遊」）間多方尋覓，多者僅十餘篇，少者才（《文集》「才」字作「財」）三數篇。顏曰「玉山草堂課藝」者，以每課劉丈東麓輒題其上；「玉山草堂」者，即劉之書室也，凡窗稿試藝，多廁其中，蓋本無社名故也。因思諸君子行身植己，雖未能並迹古賢，而閎意渺指、高視闊步，不可謂非一時之盛也。今先後下世，近者十餘年，遠者且數十年，後生小子無復能舉其姓字矣。乃彙爲一編，而端臨之文亦附其後，敢謂是區區者，遂足以傳諸君子哉？亦以諸先生心力所寄，不忍聽其沉沒，姑盡後死者之責而已。道光乙酉秋（《文集》無「秋」字）八月望序（《文集》「序」字前有「後學朱彬」四字）。

由這篇序文，可以知道朱彬編輯此書之目的，也在保存鄉先輩之遺文，使之不至於湮沒。序文作於道光五年（1825），朱彬時年已七十三歲。

四、其他

(一)評《溫病條辨》

《溫病條辨》，吳瑭著。朱彬於嘉慶十六年（1811）爲之作序[37]，今流傳此書之各種版本，書眉多錄有朱彬的評語。

(二)批校或跋

朱彬批校之明萬曆四十一年陳龍光、蘇進等刊本之《呂氏家塾讀詩記》，此書現藏寶應縣圖書館[38]。

---

[37]　此序文未收入《遊道堂文集》中。
[38]　《中國古籍善本書目・經部》（上海：上海古籍出版社，1990 年 2 月二刷），頁 133。

朱彬校並錄清朱筠、王念孫、王引之、汪中、劉臺拱等校之清乾隆二十三年盧見曾刻《雅雨堂叢書》本《大戴禮記》十三卷，此書現藏北京圖書館❸。

朱彬跋並錄清盧文弨校之明刊《廣漢魏叢書》本《釋名》四卷，此書現藏南京圖書館❹。

朱彬校並錄清段玉裁校之明刊《廣漢魏叢書》本《博雅》十卷，此書現藏南京圖書館❹。

㈢手札

羅振玉從王國維處，得知高郵王氏父子的後人藏有乾嘉間諸儒致王念孫的手簡與嘉道間諸儒致王引之的手簡，因分別借得而編輯、影印成《昭代經師手簡》初編、二編。兩編分別收有朱彬寄給王念孫、王引之的書信各六通與二通。部份內容，已見上引。

肆、結語

一位精研經傳，卻又致力於保存地方文獻史料，搜集、整理友朋遺稿工作的學者，其著述多賴後人整理而成，這也算是一種巧合。但是，當其著述再次隨時間的流逝而逐漸湮滅，是否還有後繼者，能為之挽留住些什麼？

就管見所及，與朱彬相關的資料目前所能覓得的，實在不多。本文試就有限之資料，以歸納並論述其生平與著述之梗概，錯誤與不當之處必多。期盼有更多學者一同投入朱彬，乃至其他「乏人問津」的專家、專經或論題的研究，而本文只是其中一篇微不足道的習作而已。

---

❸　同前注，頁 207。
❹　同前注，頁 389。
❹　同前注，頁 389。

經 學 研 究 論 叢
第 六 輯　　頁311～316
臺灣學生書局　1999 年 3 月

經學博碩士論文目錄

（民國 86、87 年）

游均晶*

一、《本目錄》收錄民國 86-87 年間，臺灣地區博、碩士研究生完成之「經學類」
　　論文條目。

二、《本目錄》所收論文，資料內容若涉及兩類者，則予以「互見」，以方便讀者
　　檢索。

三、論文條目之目錄項，依作者、書名、出版者、出版年月、指導教授等順序排
　　列。

經學總論

邱永春　儒術的衰微與儒家角色的轉變——先秦到兩漢的儒學的發展　國立臺灣
　　　　大學歷史學研究所碩士論文　87 年 6 月　阮芝生指導

簡松興　漢代天人思想初探　私立輔仁大學中國文學系博士論文　87 年 6 月　陳
　　　　麗桂指導

陳惠玲　魏晉反玄學思想論　國立成功大學中國文學研究所碩士論文　87 年 6 月
　　　　江建俊指導

蔡忠道　魏晉玄學儒道互補思想之研究　國立高雄師範大學國文學系博士論文

---

*　游均晶，臺灣學生書局編輯，亞東工專兼任講師。

87 年 6 月　何淑貞指導

孫旭志　文本與讀者——魏晉言意之辨與西方詮釋學的比較研究　國立政治大學
　　　　哲學系碩士論文　87 年 7 月　沈清松指導

陳恆嵩　《五經大全》纂修研究　私立東吳大學中國文學系博士論文　87 年 7 月
　　　　劉兆祐指導

曹美秀　回歸原始儒學：晚明清初儒學風氣之探討　國立臺灣大學中國文學研究
　　　　所碩士論文　87 年 6 月　夏長樸指導

黃錦樹　近代國學之起源（1891-1927）——相關個案研究　國立清華大學中國文
　　　　學系博士論文　87 年 1 月　劉人鵬指導

經學家研究

田富美　《法言》思想研究　國立政治大學中國文學系碩士論文　87 年 6 月　董
　　　　金裕指導

黃明理　范氏義莊與范仲淹　國立臺灣師範大學國文研究所博士論文　87 年 6 月
　　　　龔鵬程指導

李宗翰　呂祖謙之歷史思想　國立清華大學歷史研究所碩士論文　87 年 6 月　張
　　　　元指導

包玉玲　張載人性論研究　國立政治大學中國文學系碩士論文　87 年 6 月　董金
　　　　裕指導

林于盛　陸象山心學研究　國立中山大學中國文學系碩士論文　87 年 6 月　王金
　　　　凌指導

黃煌興　論吳澄的學術歸向與教育理論　國立中興大學歷史學系碩士論文　87 年
　　　　6 月　王明蓀指導

史甄陶　薛瑄之復性說及其影響　國立清華大學中國文學系碩士論文　87 年 1 月
　　　　林聰舜指導

賴昇宏　湛甘泉理學思想之研究　私立中國文化大學中國文學研究所碩士論文
　　　　87 年 6 月　鍾惠玲指導

林嘉怡　明代中期「以氣論性」說的崛起——羅欽順與王廷相人性論之研究　國

立政治大學中國文學系碩士論文　87 年 6 月　劉又銘指導

江俊亮　楊慎及其詞研究　私立東海大學中國文學系碩士論文　87 年 6 月　鍾惠玲指導

韓學宏　黃宗羲《明儒學案》研究　國立政治大學中國文學系博士論文　87 年 5 月　董金裕指導

張惠貞　王鳴盛十七史商榷研究　國立高雄師範大學國文學系博士論文　87 年 1 月　周虎林指導

許晉溢　章學誠傳記之研究　私立中國文化大學史學研究所碩士論文　87 年 6 月　鍾惠玲指導

洪鎰昌　康有爲《孟子微》研究　國立中興大學中國文學研究所碩士論文　87 年 7 月　胡楚生指導

陳凱文　馬浮經學思想研究　國立政治大學中國文學系碩士論文　87 年 7 月　董金裕指導

易

李善慶　易經之善思想研究　國立政治大學哲學系碩士論文　87 年 1 月　高懷民指導

林秀菱　《古易音訓》疏證　國立中興大學中國文學研究所碩士論文　87 年 6 月　徐芹庭指導

涂雲清　吳澄易學研究　國立臺灣大學中國文學研究所碩士論文　87 年 6 月　何澤恆指導

李慈恩　高亨《易》學研究　國立中央大學中國文學研究所碩士論文　87 年 6 月　岑溢成指導

書

劉昕嵐　從《今文周書》試探周初宗教精神的人文轉向　國立臺灣大學哲學研究所碩士論文　87 年 6 月　張永儁指導

詩

謝美齡　詩經韻部說文字表　私立東海大學中國文學系博士論文　87 年 1 月　龍宇純指導

林奉仙　詩經興詩研究　國立臺灣師範大學國文研究所博士論文　87 年 5 月　劉正浩指導

簡良如　從「言志/言情」論《詩經》詩學　國立臺灣大學中國文學研究所碩士論文　87 年 6 月　方瑜指導

鄭建忠　詩經中有關戰爭與戍役詩篇之研究　私立東吳大學中國文學系碩士論文　87 年 6 月　朱守亮指導

譚莉萍　《詩經》中〈揚之水〉三篇之研究　私立逢甲大學中國文學研究所碩士論文　87 年 6 月　李威熊指導

康秀姿　孔穎達《毛詩正義》解經探論　國立中興大學中國文學研究所碩士論文　87 年 7 月　江乾益指導

三禮

黃信二　《禮記：學記篇》教育哲學思想之研究　私立輔仁大學哲學系碩士論文　87 年 5 月　陳福濱指導

孔柄奭　孔子禮學研究　私立東吳大學中國文學系碩士論文　87 年 4 月　劉文起指導

孫致文　孫詒讓《周禮正義》研究　國立中央大學中國文學研究所碩士論文　87 年 6 月　岑溢成指導

程克雅　乾嘉學者「以例釋禮」解經方式比較研究──江永、淩廷堪與胡培翬為主軸之析繪　國立臺灣師範大學國文研究所博士論文　87 年 7 月　岑溢成指導

春秋‧三傳

劉瑞箏　《左傳》禮學研究　國立臺灣師範大學國文研究所博士論文　86 年 12 月　劉正浩指導

汪嘉玲　胡安國《春秋傳》研究　私立東吳大學中國文學系碩士論文　87 年 5 月　林慶彰指導

簡良如　劉逢祿《公羊》學研究　國立中央大學中國文學研究所碩士論文　87 年 6 月　岑溢成指導

四書

石櫻櫻　「執兩用中」之恕道——焦循《論語》義理思想之闡發　私立逢甲大學中國文學研究所碩士論文　87 年 6 月　簡博賢指導

江淑君　魏晉論語玄學化之研究　國立臺灣師範大學國文研究所博士論文　87 年 1 月　戴璉璋指導

陳美玲　論孟子的道德抉擇理論　私立輔仁大學哲學系碩士論文　87 年 6 月　葉海煙指導

王聰明　中庸形上思想研究　國立臺灣師範大學國文研究所博士論文　87 年 1 月　黃錦鋐指導

爾雅

詹文君　《爾雅》同訓詞研究——以〈釋詁〉、〈釋言〉、〈釋例〉爲對象　國立中正大學中國文學研究所碩士論文　87 年 6 月　竺家寧指導

陳芬琪　漢代詞書與社會文化——由《爾雅》、《方言》與《釋名》觀察　國立成功大學中國文學研究所碩士論文　87 年 6 月　竺家寧指導

經 學 研 究 論 叢
第 六 輯　　頁317～318
臺灣學生書局　1999 年 3 月

中華民國經學研究會成立經過

季旭昇*

　　本會於八十二年由師大文學院長王熙元教授開始發起籌備，邀請各界經學專家爲發起人。王院長過世後，由師大文學院長賴明德教授繼續推動。八十五年十二月十一日完成發起手續，向內政部提出成立申請，並經內政部八十五年十二月十九日台（85）內社字第 8537839 號函同意辦理。

　　八十六年三月十六日召開發起人暨第一次籌備會議，經由出席發起人票選，選出籌備委員十五人，名單如下：賴明德、李威熊、陳新雄、莊雅州、劉正浩、蔡信發、許錟輝、林慶彰、簡宗梧、余培林、黃沛榮、王初慶、傅錫壬、周學武、黃俊郎。並公推賴明德先生爲主任委員。審定本會章程草案、聯絡地址、經費籌募等有關事項。五月十日召開第二次籌備會議，完成(1)審定會員名冊案；(2)案由：確定成立大會日期、地點，並擬定成立大會手冊內容及討論案；(3)擬定年度工作計畫及年度經費收支預算表；(4)決定理監事選票格式；(5)決定成立大會工作分工。

　　八十六年五月二十五日（星期日）上午十時在師大校本部文學院大樓誠一〇一室正式召開成立大會，內政部社會司陳小姐出席指導，通過討論提案三件：(1)通過章程草案；(2)通過年度計畫案；(3)通過年度經費收支預案；(4)選舉第一屆理事，名單如下：林慶彰、陳新雄、李威熊、賴明德、許錟輝、蔡信發、簡宗梧、黃沛榮、蔡宗陽、莊雅州、張壽安、董金裕、詹海雲、周學武、傅錫壬（得票數 20 者共五人，由抽籤決定二人爲理事，餘三人爲候補理事。未在場者由籌備會主席代

---

*　　季旭昇，臺灣師範大學國文學系教授；中華民國經學研究會秘書長。

抽）；後補理事五位（依後補次序）：余培林、陳廖安、季旭昇、王初慶、黃復山。選出監事五位，其名單及得票數如下：羅宗濤、劉正浩、吳璵、方介、蔣秋華（詹海雲教授得 25 票，但選中理事，故放棄監事）；後補監事一位：林平和（十七票者兩位，由抽籤決定）。理事會選出五位常務理事：賴明德、李威熊、簡宗梧、陳新雄、董金裕，並推選賴明德院長為第一屆理事長；監事會選出劉正浩教授為常務監事。

　　大會成立後，發行經學會訊，舉辦經學專題演講，並預定在八十八年五月間舉辦第一屆經學學術研討會，主題為《易經》、《春秋左傳》。由中國經學研究會與臺灣大學中文系、中央研究院中國文哲研究所合辦，並由臺灣大學中文系教授黃沛榮教授負責籌辦。

經 學 研 究 論 叢
第 六 輯　　頁319～322
臺灣學生書局　　1999 年 3 月

「元代經學國際研討會」會議報導

蔣秋華

　　有關元代經學的研究，前人多未深入考察，而所給予的評價，大都是負面的；為了瞭解元代經學的實際成就，中央研究院中國文哲研究所研究員林慶彰先生乃擬定了一系列的元代經學研究計劃，希望藉此可以確切認識元代經學的真面貌。

　　首先，林先生指導研究生黃智信，編纂〈元代經學研究論著目錄〉，刊登於《中國文哲研究通訊》第七卷第二期（八十六年六月），對於前人的研究狀況，提供了簡明、迅捷的指引，使研究元代經學者，得以節省許多查考資料的功夫。

　　接著，林先生又籌畫「元代經學專輯」，邀約撰寫及翻譯有關元代經學的研究論文，於《中國文哲研究通訊》第八卷第二期（八十七年六月），刊登四篇論文：福田殖著、連清吉譯〈吳澄小論〉，福田殖著、金培懿譯〈關於許衡〉，許華峰著〈從陳櫟《定宇集》論其與董鼎《書傳輯錄纂注》的關係〉，林登昱著〈論元代經學著述的發展趨勢〉。透過這些論文的介紹，對元代經學可以獲得初步的理解。

　　經由上述的準備工作，文哲所於民國八十七年十二月二十二、二十三兩日，舉辦「元代經學國際研討會」。這是繼「清代經學國際研討會」、「明代經學國際研討會」之後，所內舉辦的第三次經學國際研討會，由於有了先前的預備作業，所以在議題的規劃方面，有比較周全的照應。

　　此次會議邀請與會的學者將近兩百人，一共發表二十六篇論文，議程如下：

第一場：主持人——戴璉璋

1.艾爾曼：南宋至明初科舉科目之變遷及元朝在經學歷史的角色
　　　　（講評人：黃俊傑）

2.夏傳才：元代經學的社會歷史背景和程朱之學的發展（講評人：葉國良）

3.福田殖：經學者許衡——其思想的特質（講評人：鄭樑生）

第二場：主持人——張以仁

1.神林裕子：黃震的《四書》解（講評人：張寶三）

2.黃沛榮：元代《易》學平議（講評人：戴景賢）

3.鍾彩鈞：胡方平、一桂父子對《易學啓蒙》的詮釋（講評人：林益勝）

第三場：主持人——李豐楙

1.詹海雲：吳澄的《易》學（講評人：曾春海）

2.楊自平：吳澄《易》學研究——釋象與象例（講評人：朱曉海）

3.許維萍：董眞卿《周易會通》在「復古《易》運動」中的意義
　　　　（講評人：賴貴三）

第四場：主持人——賴明德

1.蔡方鹿：吳澄《尚書》學及其特點（講評人：洪國樑）

2.蔣秋華：王充耘的《尚書》學（講評人：許錟輝）

3.許華峰：陳櫟《書傳折衷》與《書蔡氏傳纂疏》對《書集傳》的態度
　　　　（講評人：曾榮汾）

4.陳恆嵩：董鼎《書蔡氏傳輯錄纂注》對蔡沈《書集傳》的疏釋
　　　　（講評人：李振興）

第五場：主持人——陳新雄

1.張宏生：元代《詩經》學初探（講評人：文幸福）

2.趙沛霖：劉瑾《詩傳通釋》淺說（講評人：余培林）

3.楊晉龍：《詩傳大全》與《詩傳通釋》關係再探——試析元代《詩經》學之延續
　　　　（講評人：趙制陽）

第六場：主持人——林慶彰

1.小島毅：〈冬官〉不亡說之流行及其意義（講評人：陳鴻森）

2.徐遠和：元代禮樂思想探析（講評人：張壽安）

3.姜廣輝：評元代吳澄對《禮記》的改編（講評人：夏長樸）

第七場：主持人──蕭啟慶

1.朱榮貴：《孝經》與元代儒學（講評人：董金裕）

2.張高評：黃澤論《春秋》書法──《春秋師說》初探（講評人：劉正浩）

3.馮曉庭：趙汸《春秋金鎖匙》初探（講評人：宋鼎宗）

第八場：主持人──連清吉

1.林慶彰：元儒陳天祥對《四書集注》的批評（講評人：傅武光）

2.廖雲仙：許謙《讀論語叢說》小論　（講評人：王邦雄）

3.金春峰：朱熹至元儒對《大學》的解釋及所謂「朱陸合流」問題

　　　　　（講評人：楊儒賓）

4.黃復山：陶宗儀讖緯輯佚之文獻價值評議（講評人：莊雅州）

　　從發表的二十六篇論文，可以發現所探究的議題，十分廣泛，不論是專家或綜論，《五經》或《四書》，均有論及，如關於元代經學發展背景的有兩篇，專論學者的有一篇，《易經》方面有五篇，《尚書》方面有四篇，《詩經》方面有三篇，《三禮》方面有三篇，《春秋》方面有兩篇，《孝經》方面有一篇，《四書》方面有四篇，讖緯方面有一篇，幾乎涵蓋了元代經學的各個層面，對於元代經學的研治，提供了較爲全面的補益。

　　此外，林先生又指導研究生黃智信，編輯〈元代經學資料彙編〉，全面蒐羅元代經學家的生平及經學著作的論評資料。由於工程浩大，非短期內可以完成。一但此資料編輯完稿，與先前編成的〈元代經學研究論著目錄〉，結合成《元代經學文獻目錄》一書，對於元代經學的研究，將可提供更爲便利的輔助。

經 學 研 究 論 叢
第 六 輯　　頁323～326
臺灣學生書局　　1999 年 3 月

「清乾嘉學派經學研究計畫」
第一次研討會——
乾嘉學者之治經方法（一）

蔣秋華

　　前人對於乾嘉學術的研究，看法頗不一致，褒揚者有之，貶斥者亦不少，使其眞正的成就與貢獻，一直難以獲得較爲明確的論斷。時至今日，如何給予乾嘉學術一個客觀公正的評價，實爲研究清代學術不可忽視的重大議題。

　　乾嘉學術所包括的範圍，相當廣泛，涵蓋了經學、史學、文學、科學等各個層面，其中又以經學的成就最爲卓著。因此，若能先將經學方面的成果，考查清楚，進而探究其餘學科，必可事半功倍。

　　中央研究院中國文哲研究所於民國八十二年十二月三十一日，舉辦「清乾嘉學術研究之回顧座談會」，選擇「乾嘉學術興起原因之探討」、「吳皖分派說商兌」、「乾嘉義理學犖索」、「乾嘉學者治學方法之探討」、「乾嘉之學在學術史上之地位」五項主題，邀請學者共同討論。會中學者的發言，相當熱烈。此一會議記錄，後來刊登於《中國文哲研究通訊》第四卷第一期（八十三年三月）。

　　八十四年六月，在研究員林慶彰先生的帶領下，主編出版《乾嘉學術研究論著目錄》，奠立研究乾嘉學術之基礎。

　　八十七年七月起，林先生又主持爲期三年的「清乾嘉學派經學研究」主題計畫，選擇「治經方法」、「義理之學」、「治經貢獻」三項主題，結合院內外的專家學者，共同參與，希望能全面而深入的研究乾嘉經學。十二月三十一日，舉行本

計畫的第一次研討會——「乾嘉學者之治經方法（一）」，邀請與會的學者將近五十位，一共發表六篇論文，議程及各篇要義如下：

第一場討論：主持人——張壽安

1. 楊晉龍：「四庫學」研究方法芻議
2. 楊　菁：劉寶楠《論語正義》的治經態度

　　楊晉龍之文檢討前人研究《四庫全書》的成果，認爲大都有所偏差，因而提出學者研究應當注意的項目：「乾隆帝修書的動機與影響」、「編纂諸臣的表現」、「著錄書籍與《總目》的研究」，重新思考。除駁斥前人的謬誤外，同時希望世人能夠擺脫陳說的拘囿，始能獲致眞實的面相。楊菁之文乃對揚州學派的學者劉寶楠所撰作的《論語正義》，有關成書的背景及治經的態度，詳細的考察、分析。據其所考，可知《論語正義》雖然注重考據，對於典章制度和文字訓詁，有相當精闢的考訂，同時也顧及思想要義的疏通，是一部考證與義理兼顧的解經著作。

第二場討論：主持人——蔣秋華

3. 賀廣如：魏源的治經方法
4. 程克雅：乾嘉禮學學者解經方法中「文例」之建立與運用——
　　　　　以凌廷堪《禮經釋例・飮食之例》三篇爲主的探究

　　賀廣如之文先就魏源所主編的《皇朝經世文編》，查考其對漢、宋學的態度，再就其一生用力最深的兩部經學著作——《詩古微》、《書古微》——的研析，來探索其治經的方法。結果發現魏源治經，旨在闡發一己之主張，雖可成一家之言，但因客觀性不足，往往導致其論斷的失誤。程克雅之文乃出於對乾嘉《禮》學學者在實際解經的著作中，以「文例」釋《禮》的考察，發現可以歸納出釋經的「原理之例」（包括關鍵辭、句式、篇章）與「條例之例」（包括屬文例、省文例），再藉此做不同層次的研探，具體說明乾嘉學者於「文例」的建立與運用情形。討論的焦點，置於凌廷堪《禮經釋例》中的三篇〈飮食之例〉，作者對其進行細部的本篇、各篇經文互證後，認爲乾嘉學者雖然一致強調字辭、音韻、訓詁之學，但因《三禮》的內容、體製、沿革均有其特殊性，故其間仍存疑義。

第三場討論：主持人——楊晉龍

5.連清吉：日本考證學家的考證方法

6.金培懿：安井息軒的《論語》注釋方法論——何謂《論語集說》

連清吉之文考察日本近世以來考證學家伊藤仁齋、龜井昭陽、太田全齋、安井息軒、內藤湖南、町田三郎等人在考證辨偽上的主張。經由作者的介紹，幾位學者如何博採通說，以考校經傳子史的字義與辨明篇章的眞偽，以及所樹立的日本考證學派的傳統，都一一清晰地呈顯出來。金培懿之文首先介紹日本江戶時代考證學派大家安井息軒所處的學術背景，進而敘述其學術淵源及後人對他的評價。接著深入挈考安井息軒的《論語集說》，指出此書有「全方位的讀經法——閱讀經典時，多重角色的扮演」、「全面性資料的展現到全面性思想的展現」、「誇越時空的學問的集體展現」等特色，不愧其爲江戶時期儒學之殿軍。

第四場綜合座談：主持人——林慶彰、張壽安、蔣秋華

三位主持人分別報告本計畫所規畫的執行步驟與工作項目，以及邀約參加學者的回應。同時亦聽取與會學者所提出的建議，作爲改進下次研討會和整個計畫的參考。

經　學　研　究　論　叢
第　六　輯　　頁327～362
臺灣學生書局　　1999 年 3 月

出版資訊

一、本專欄收國內外最新出版，有關經學和經學人物之相關專著。惟舊籍重印或
　　再版書，則不予收入。

二、各提要略依經學總論、周易、尚書、詩經、三禮、三傳、四書、孝經、爾
　　雅、讖緯、經學人物等之順序排列。

三、提要前之目錄項，分別依書名、作譯者、出版地、出版者、頁數（冊數）、
　　出版年月等項排列。

四、各提要以簡介各書之內容為主，如有所評論，僅代表作者之意見。

五、歡迎各界人士提供與本專欄性質相符之著作，以便推介，來書請寄臺北市和
　　平東路一段 198 號臺灣學生書局經學研究論叢編輯部收。

《經學入門》

《經學入門》　莊雅州著　臺北　臺灣書店　276 頁　1997 年 9 月

　　本書以簡明扼要的文字介紹經學的基本常識。共分為十四部份，第一部份為
緒論，簡介經的定義、範圍、次序及經書派別、註解名目，如何謂傳、記、詁、
訓、注……等。其他十三部份即簡介十三經，作者將每一部經書分成導論與導讀兩
部份。導論旨在探討各經的名義、內容、作者、成書時代、編輯、價值、流傳等問
題；導讀則精選各經的原文，附以語譯。希望透過內外兼治的方式，使讀者得到進
入經學之門的鑰匙。

　　莊雅州，臺灣省臺南縣人，國立臺灣師範大學國文系所畢業，獲國家文學博
士學位，曾任教於省立新竹師範專科學校、淡江大學中文系、韓國誠信女子大學，
並任國立中正大學中文系所主任、所長，文學院院長暨語言與文學中心主任。著有
《六十年來之古文》、《曾國藩文學理論述評》、《夏小正研究》、《夏小正析

論》、《經學入門》。 　　　　　　　　　　　　　　　　　　　　（張雅慧）

《周易十講》

《周易十講》　胡道靜、戚文等著　香港　中華書局　309頁　1998年5月

　　本書內容共有十講，分別爲：⑴神秘殿堂——《周易》概說。略述十翼、《易》學源流、《易經》研究概況。⑵《易》理之韻——《易》與文藝。討論《周易》與詩歌、音樂、繪畫、建築等古代文化藝術的關係。⑶眾生鏡象——《易》與歷史。首先介紹《周易》中的歷史故事，其次從《周易》看古代社會生活，然後說明「以史說《易》」的觀點，最後探討《易傳》的歷史進化觀及其影響。⑷宏大精微——《易》與哲學。《周易》爲中國古代哲學重要源頭之一，本講即在討論《周易》與古代哲學之關係。⑸終極追尋——《易》與宗教。說明《易》與原始宗教之關係及其對道教和佛教的影響。⑹東方智慧——《易》與科技（一）。探討《易》與天文曆法、數學、化學、風水布局間的關係。⑺《易》有太極——《易》與科技（二）。說明《易》對近代科學的啓示及其在古代的應用。⑻中醫淵藪——《易》與醫學。《周易》對傳統醫學的深刻影響，建構起「醫易相通」的中醫學理論體系，本講即簡略說明中醫臟象學說與卦象的對應、中醫運氣學說與卦氣的相通、《周易》對中醫的理論指導作用。⑼占斷吉凶——《易》與占筮。介紹《易》占的方法。⑽古經新說——卦爻淺譯。作者根據前人研究的成果，對《周易》六十四卦予以新的譯解，以供初學者了解經文的基本思想。

　　本書以深入淺出的方式引導讀者認識《周易》的基本內容及其與文藝、歷史、哲學、宗教、科技、醫學、占筮等關係。透過這些不同的領域，讓我們能對《周易》有更全面性的認識。 　　　　　　　　　　　　　　　　　　（何淑蘋）

《易學漫步》

《易學漫步》　朱伯崑著　瀋陽　瀋陽出版社　201頁　1997年5月

　　本書爲《易》學智慧叢書之一。內容除開頭的緒論外，分爲五章，第一章：《易經》。介紹《易》的內容與性質、龜卜與占筮、卦爻象的起源與結構、卦名與卦序，卦爻辭的內容及其與卦象的關係、《易》的編纂及其歷史價值等問題。第二

章：《易傳》。論述《易傳》的相關問題，例如其形成年代和性質、解經體例、其中所蘊含的哲理與智慧等。第三章：《易》學。概論《易》學的分期與流派、《易》學中的基本範疇、《易》圖學等。第四章：《易》學中的思維方式。說明《易》學中的直觀、形象、邏輯、辨證、象數等五種思維方式。第五章：《易》學與中華傳統文化。論《易》學與哲學、道教、人倫、科技、醫學、審美等文化之關係。

朱伯崑，1923 年 9 月生。河北省寧河縣人。清華大學哲學系畢業。現任北京大學哲學系教授、中國《易》學與科學研究會理事長、東方國際《易》學研究院院長。主要著作有：《先秦倫理學概論》、《戴震倫理學說述評》、《管子國家管理學說》、《易學哲學史》等，另主編《國際易學研究》。　　　　　（何淑蘋）

《易經通釋》

《易經通釋》　鍾泰德講述　臺北　正中書局　941頁　1999年1月

本書爲作者講授《易經》課程之講稿整理而成。闡釋清晰、條理分明、深入淺出，爲研《易》者之最佳入門書。本書分成上、下兩冊，內容分爲三編。第一編：《易經》概論。介紹學《易》應有之基本認識、卦之法則和十翼釋義。第二編：《易經》經傳釋義（上）。將上經三十卦由乾卦至離卦，由天道開始，以象理數綜合詮釋。第三編：《易經》經傳釋義（下）。將下經三十卦自咸卦至未濟卦，由人倫開始，以象理數綜合詮釋。

鍾泰德，福建省武平縣人。國立中山大學哲學系肄業、政治系畢業。曾任國立臺北護理專校教授、國防醫學院兼任教授、教育部兼任研究員。著有《易經經傳釋義》、《中國文學導讀》、《易經研究》、《應用文》等書。　　　　（何淑蘋）

《易學乾坤》

《易學乾坤》　黃沛榮著　臺北　大安出版社　345頁　1998年8月

本書共收入作者研究有關《周易》問題的九篇文章，主要是針對《周易》卦、經、傳的產生及其內涵做深入的研究，旁及經傳文字的訓詁與解釋。

所收九篇皆曾單獨發表於各刊物、論文集之中。就其所收，可分三類。一是

「《周易》本身的探索」：在〈周易卦序探微〉中，羅列歷來各種不同於今本卦序之說，而以爲《易經》卦序以今本卦序爲較爲原始的卦序。在〈周易重卦說證辨〉裏，依經、傳文及現有文獻，指出最遲在卦名及經文產生之時，重卦的觀念已然存在。至於未有經文而只有數字符號時期的筮法，因資料尙少，未宜臆斷。在〈易經卦義系統之研究〉裡，以系統的觀點將六十四卦的卦義分類，以爲六十四卦卦義分別象喩古人生活中最受關注的各種時態或事態，並謂一卦之名多有數義，而卦名即是各卦的主題。在〈周易卦爻辭釋例〉之中，乃以本經推求卦爻辭之哲學，而謂時與位爲《易》辭作者重視的觀念。又以爲《易》辭之作乃出於一人之手，非成於眾人、眾時之彙集。二是「《周易》與他人、他著之關係的研究」：在〈孔子與周易經傳之關係〉中，以爲孔子之時，《周易》卦爻辭已經流傳，故卦爻辭必非孔子所作，但其已傳《易》則可確定。在〈易傳〉部分，則以爲〈易傳〉的內容與孔子思想有極深厚的關聯性，應是孔子傳《易》於門人弟子，後乃陸續寫定者。在〈老子書與周易經傳之關係〉中，則指出《周易》經文早於《老子》，而傳文則晚於《老子》。並以爲《老子》書中的思想頗受《周易》卦爻辭的影響，而〈易傳〉則深受《老子》之學的影響。在〈馬王堆帛書周易異文初探〉之中，以爲探索《帛書周易》與今本《周易》的比較，不僅可對《周易》經傳研究有所幫助，並且可做爲研究文字學與秦漢聲韻學者的研究資料，亦可供訓詁學上的省思。三是「資料性的蒐集」：如其在〈清人雜著中之易學資料〉一文中，對於清人著作而有關於《易學》研究中，將凡是不能歸於單一主題，或在結構上沒有系統者摘出者，標題分段。再按所釋經文之先後排序，以便於學者研究清人《易》學。最後則有〈讀易卮言〉一篇，綜述其讀《易》、講《易》數十年來，在校勘及訓詁《易經》上有所心得者。如其謂「用九」乃通述乾卦六陽之義，「用六」乃通述坤卦六陰之義者，非如昔人所謂。對於「志行」、「之」及其他經傳文字而有所得者，亦皆有所論。

　　總體而言，此書雖是蒐羅九篇論文而成，然其中不論是對於《周易》本身的探索，還是與《周易》相關問題的論述，皆給了現今研究《周易》者重要的提醒，是今日研究《易》學者所必須閱讀的書籍之一。　　　　　　　　　　（陳進益）

《周易繫辭傳研究》

《周易繫辭傳研究》　王新華著　臺北　文津出版社　529頁　1998年4月

　　本書內容共計十六章，三十五萬餘言。第一章緒論，綜述《繫辭傳》之重要性及其作者、內容等相關問題。第二章本體論，專就前人對於《繫辭傳》中有關「本體論」的論述，加以綜合探究，並作近一步的詮釋。第三章宇宙論，分別探討《繫辭傳》中的太極觀、變化觀、生生觀、尊卑觀、三才觀。第四章人生論，闡明人生行爲及道德之修養。第五章象論，申述「象」之定義、來源、種類與功用。第六章數論，言「數」之起源、種類和作用。第七章《易》有三義說，綜論「易簡」、「變易」、「不易」之會通。第八章八卦起源說，闡明八卦之起源，分論太極生兩儀、觀物取象、則河圖洛書三種不同的說法。第九章孔子釋爻義說，就孔子解經諸條加以探討，以見孔子取象立說與揭示後世治《易》之法。第十章憂患意識，論《周易》實爲憂患之書，並說明憂患意識產生之因與善處憂患的道理。第十一章文學思維，申論《繫辭傳》與文學理論體系之建立。第十二章修辭方式，闡發對偶、排比、押韻、平仄相對、頂眞、層遞、嗟歎、設問、錯綜、民歌等十種修辭技巧。第十三章與儒家思想之通貫，討論《繫辭傳》與《論語》、《中庸》二書思想密契之處。第十四章與《老子》思想之異同，析論與《老子》思想的關係。第十五章帛書《繫辭傳》異文通假文字考，作者利用湖南長沙出土的帛書本《周易》與通行本相比較，以明通假之因。第十六章結論，總結各章論點，略作定評。

　　本書爲作者繼博士論文《周易繫辭傳疏證》後，對《繫傳》作更深入的研究而累積的成果。《繫傳》爲《周易》哲學精要之所在，本書將其中所論之觀念，作系統、重點的整理，有助於讀者對《繫傳》思想有更進一步的掌握。

　　王新華，民國三十六年生，臺北市人，私立中國文化大學中文研究所博士，現爲國立僑生大學先修班副教授兼教務主任。著有《白虎通義研究》、《周易繫辭傳疏證》等書。　　　　　　　　　　　　　　　　　　　　　　　　　　（何淑蘋）

《帛書《易傳》初探》

《帛書《易傳》初探》　廖名春著　臺北　文史哲出版社　326頁　1998年11月

　　1973 年 12 月湖南省長沙市東郊馬王堆三號漢墓，出土了帛書二十八種，計有十二萬餘字。其中，最爲學術界重視的是帛書《老子》和帛書《周易》。帛書《周易》包括《六十四卦》、《二三子問》、《繫辭》、《易之義》、《要》、《繆和》、《昭力》等篇。

　　由於帛書《周易》卦序的排列和今本不同，傳文有些更爲今本所無，自 1984年 3 月公布《六十四卦》釋文以來，已形成研究的風潮，出版的專書也有多種。本書是專門研究傳文的部分。全書分五編，共收《易傳》的研究論文十九篇和六篇釋文。第一編〈帛書《易傳》簡說〉，收論文四篇。第二編〈帛書《繫辭》論辯〉，收討論帛書《繫辭》和今本《繫辭》之論文五篇。第三編〈帛書《衷》、《要》考析〉，收與《衷》、《要》有關之論文五篇。第四編〈帛書《易傳》專論〉，收論文五篇。以上四編，所收論文合計十九篇。第五編〈帛書《易傳》釋文〉，收《二三子》、《繫辭》、《衷》、《要》、《繆和》、《昭力》六篇。書末附錄〈帛書易傳研究論著目錄〉和〈帛書易傳圖版〉。

　　本書作者長年研究出土文獻，本書之十九篇論文和六篇釋文，爲作者對帛書《周易》研究的最新成果，對《周易》學之研究，必有不少助益。　　　　（編輯部）

《易學與美學》

《易學與美學》　劉綱紀、范明華著　瀋陽　瀋陽出版社　275 頁　1997 年 5 月

　　本書爲《易》學智慧叢書之一。內容分爲三章。第一章：《易》學中的美學原理。討論《易》學美學的主導思想和基本範疇。第二章：卦象的構成與形式美法則。略述卦象的結構及其構成的形式美法則。第三章：《易》學美學原理及形式美法則的應用。論《易》學對於工藝、建築、書法、繪畫、文學、音樂、舞蹈等方面藝術產生的形式結構原則的影響關係。

　　劉綱紀，1933 年生，貴州省普定縣人。北京大學哲學系畢業。現任武漢大學哲學系教授、美學研究所所長、中華美學學會副會長、湖北省美學學會會長。主要

著作有《「六法」初步研究》、《龔賢》、《中國美學史》、《藝術哲學》、《美學與哲學》、《劉勰》、《周易美學》等書。

范明華，1964 年生，湖南省汝城縣人。武漢大學哲學系碩士。現任武漢大學哲學系美學教研室主任、副教授。著有《荀子「性僞篇」的美學意蘊》、《藝術觀察的心理機制和先驗框架》、《現代藝術學總體構想》等論文。　　　　（何淑蘋）

《周易哲學和古代社會思想》

《周易哲學和古代社會思想》　張吉良著　濟南　齊魯書社　423頁　1998年9月

《周易》爲儒家十三經之一，它是中國古代典籍中最玄妙的一本書。不同的學者用各種不同的角度來看《周易》，都能從其中得到滿足。語言學家看重其中的古語、古韵，文學家看重其中的民歌民謠，歷史學家看中古史傳說；倫理學家看重其中的道德教訓。

本書作者爲機械工程師，屬應用科學之範圍。近數年鑽研《周易》，不從科學的角度來論《易》，卻從人文學的角度入手，前所撰《周易通讀》（濟南：齊魯書社，1993 年 1 月）和本書，就是作者最新的研究成果。書前有唐明邦、孫敏的序，和作者〈關于《周易》研究方法論問題的思考〉。正文分四篇，第一篇〈周易的構成〉，討論《周易》的思想來源和時代、作者。第二篇〈周易哲學思想〉，討論《周易》的思想內涵。第三篇〈周代古代社會思想〉，討論《周易》所反映的社會狀況。第四篇〈周易象數本義〉，討論《周易》之象數學。書末附錄有張吉良、孫敏的論文各一篇。

本書談《周易》思想，皆確實根據經、傳來立論，不故作神秘，也非無根游談。對了解古代社會思想應有所幫助。　　　　　　　　　　　（編輯部）

《歷代易家與易學要籍》

《歷代易家與易學要籍》　張善文著　福州　福建人民出版社　469頁　1998 年 4 月

本書爲目錄性書籍，分上下兩部。上部介紹歷代《易》學專家，自伏羲、周文王、周公、孔子始，至本世紀五十年代的尚秉和、徐昂止，共介紹《易》學專家

375 人。隋唐以前的《易》學家則力求詳盡，兩宋之後則選出影響較大者羅列之。下部介紹歷代《易》學著作，自先秦《連山》、《歸藏》、《周易》、《易傳》始，至 1987－1990 年出版的黃壽祺、張善文編的《周易研究論文集》四輯，及 1989 年由黃壽祺、張善文撰的《周易譯注》止，共有重要《易》籍 506 種之多。

在上部名為「歷代《易》家考略」中，作者著重於考證各家的姓氏里籍、生平事略，及其《易》學成就。在某些難以確切考訂的《易》學家部分，則做大致的推測。在下部名為「歷代《易》學要籍解題」中，作者則先列書名、卷數、作者、版本，然後再分析各書內容之是非得失。在這部以時間為軸的著作中，是採取了作者與書籍兩條理解路線，對於數千年來的《易》學家及《易》學著作做了一個大致的綜覽。雖說在兩宋以後的《易》家及《易》學著作並未全部收錄，而僅採其所以為影響較大者，所以在學者想要仔細的研究宋代以後的《易》學時，不免有不便之處。然而，《易》學如此浩瀚，《易》學家與《易》學著作之繁，更為諸經之冠，若無揀擇，恐亦非一時一人所能完成。所以儘管兩宋以後的《易》家與《易》學著作於此未能悉皆收入，然而對於研究《易經》的學者，此書仍有相當的助益。

（陳進益）

《宋明易學概論》

《宋明易學概論》　徐志銳著　瀋陽　遼寧古籍出版社　341 頁　1996 年 12 月

本書將宋元明三代最重要的《易》學家及其著作，做了平實的介紹與剖析，將邵雍、程頤、司馬光等二十四位宋明《易》學家按學說特色分為「象數學派」、「義理學派」與「象數義理學派」三類。而三類《易》學的形成，與儒、釋、道三家的相互影響有關。正如作者在書中所說：「在中國的思想發展史上，儒、道、釋三大主流交互影響而交互滲透，這就決定了《易》學也有多種派別。就宋代而言，由陳摶而創始的先天圖書之學，可以說是將道學滲入象數。蘇軾以佛、老解《易》而言性命，可以說是將道學、佛學滲入義理。」故將當時《易》學家依象數、義理之著重不同而分類，述其著作與學術思想，並加上中肯的評價與精到的見解，以史家求實的精神研究問題，可作為學者研究參考。

（劉帥青）

《周易折中》

《周易折中》 清・李光地纂，劉大鈞整理 成都 巴蜀書社 1222頁 1998年4月

此書本爲清聖祖在康熙五十二年時命李光地總裁而成，除李光地外，尙有四十九人分別負責做校對、分修、繕寫、監造等工作，故此書共合五十人之力而成。所搜羅之資料由漢至明，將此千餘年來學者對《周易》的看法做了一次整理。

全書首載康熙所寫的〈御纂周易折中凡例〉一篇，簡單的說明了康熙對於此書的命名、編纂體例，以及其學術的基調的看法。在〈凡例〉之後則爲〈御纂周易折中卷首〉，共分綱領三篇。首論「作易傳易源流」，次論「易道精蘊經傳義例」，最後則論「讀易之法及諸家醇疵」。之後又附有〈義例〉一篇，對於時、位、應、比、卦主等問題加以說明。在卷首之後，自卷第一至卷第八總論《周易》經傳六十四卦之卦爻辭，卷第九至卷第十八則論〈易傳〉，卷第十九、二十是〈啓蒙上、下〉，卷二十一有〈啓蒙附論〉，卷第二十二爲〈序卦、雜卦明義〉，是卷十八〈序卦傳、雜卦傳〉的再說明。而《周易折中》一書中在《周易》的解說上，是以朱子的《易本義》爲主，其次輔以程頤的《易程傳》，之後再參考漢代以來各家的《易》說而謂之爲「集說」。後則有「案語」，爲修纂者自己的見解所在，最後則爲「總論」（但並不是每卦之後都有總論）。在今人劉大鈞的整理中，則又在此書之前作了篇〈前言〉，詳述其對於《周易折中》一書的看法。並且依據了六種本子，對於《御纂周易折中》一書詳加校點，指出了康熙本與四庫本、同治本在文字上不同之處。

由於本書總共蒐羅了自漢至明千餘年來的《易》家之說，且又經由劉大鈞先生的標點校訂，使用時相當方便，實爲今日研究《易經》者必備的工具書之一。

（陳進益）

《「尚書・虞夏書」新解》

《「尚書・虞夏書」新解》 金景芳、呂紹綱著　瀋陽　遼寧古籍出版社　454 頁
1996 年 6 月

　　本書作者金景芳為吉林大學教授，研究專長為《易經》、《尚書》等，本書
為其《尚書新解》計劃的一部份，之所以稱為新解，並非不接受前人研究成果，而
是自覺地使用馬克思主義和毛澤東思想作為新觀點，歷史地、全面地看問題。例如
解〈堯典〉，便特別以帝堯制定新曆具有劃時代的意義，又如解〈皐陶謨〉，認為
其中心內容是「在知人，在安民」六字，所注重討論的，正是知人善任的問題。解
〈禹貢〉，以之為中國最古老、最完善並且可以信賴的地理書，並進而擴大研究。
解〈甘誓〉，以啓殺益奪權，變民主為君主，為開創歷史上一個新時代。一般認為
啓以暴力奪權是不義，然而作者認為這是符合歷史發展規律的，是宜非非不義。

　　本書即分為〈堯典〉、〈皐陶謨〉、〈禹貢〉、〈甘誓〉四部分，分別詳
論、新解。　　　　　　　　　　　　　　　　　　　　　　　　　（劉帥青）

《詩經藝探》

《詩經藝探》 袁愈荌著　貴陽　貴州人民出版社　1313 頁　1998 年 5 月

　　本書著重在《詩經》三百零五篇寫作手法的分析，以為藉此分析，可以有效
承繼《詩經》作為中國文學源頭——此一豐富的文學遺產，並可「為生機蓬勃，改
革開放的時代」服務（《詩經藝探・前言》，頁 6）而在每首詩作藝術手法分析之
前，對於每首詩的詩旨，大抵「僅據部分名家解說，最後憑自己理解，提出意見」
（仝上，頁 7）。此書乃有感於《詩經》寫作手法的精妙與成就，自〈離騷〉以
降，中經漢賦、樂府詩歌、唐詩宋詞、元曲，以迄當代各類詩歌、小說、各代名家
詩文等，無不受到《詩經》的霑溉，唯前人罕鮮著力於此。如有，亦流於零碎、點
滴，欠缺「系統分析」（仝上，頁 5）致使「夏金美玉蘊藏不露，十分可惜。」
（仝上），故致力於《詩經》每首詩寫作手法的分析，涵括：修辭、章法、結構
等，間引古典詩歌，以作例證、說明。如分析〈周南・關雎〉，引杜甫〈曲江對
雨〉「林花著雨胭脂落，水荇牽風翠帶長。」謂「正好為『參差荇菜，左右流

之。』繪圖」（仝上，頁 7）但不及舉當代文例以爲證，如魯迅、茅盾、郭沫若及
其他名著等。據作者所說是「因其文句繁多，難於記憶，翻閱也極困難，所以全沒
有用到。」（仝上，〈前言〉，頁7）。

本書「歷時十年，四易其稿」（仝上，〈後記〉，頁 1312），乃得以完成，
全書長達百萬字，爲作者於退休（西元 1972）後，又多病的二十多年期間所完成
的著作中，份量頗重、又極其重要的一部。（按：作者於此期間的著作尚有《詩經
全譯》、詩集：《牛畝園詩選》）撰作此書的緣由，除如前述有感於前人未著力於
《詩經》寫作手法的系統分析外，作者先前所撰之《詩經全譯》，「中心思想也只
是綱領性地提出，缺少說明；表現手法，更是隻字未曾涉及。歷代名家，又都用而
不論，不免是件憾事。」（仝上，〈前言〉，頁 7）因此，《詩經藝探》的撰作，
自有補苴《詩經全譯》不足的意義，並「以供作家參考」（仝上）。

袁愈荌女士，1908 年生於貴州普定縣，1930 年考入上海大夏大學國學系，後
因日本侵滬，轉入南京中央大學中文系就讀，拜中大教授王瀣爲師，先後擔任貴州
大學講師、花溪清華中學、貴陽六中語文教師。1972 年退休後，專事中國古典文
學研究。著作除前述《詩經全譯》、詩集：《牛畝園詩集》及本書《詩經藝探》
外，尚有《毛詩文例》等。袁女士於退休後，仍孜孜不忘致力於古典《詩經》之研
究，希藉以達到「古爲今用」、「爲祖國當前改革開放、繁榮昌盛的社會服務。」
（仝上，〈後記〉，頁 1313）其情可感，而全書有關三百篇寫作手法的分析，亦
足供《詩經》研究者、或對《詩經》寫作手法有興趣者之借鏡。　　　　（陳明義）

《詩經通詁》

《詩經通詁》　江生編著　西安　三泰出版社　917頁　1998 年 7 月

本書撰集歷代對詩經的訓詁及注釋書籍，以《詩經》篇章爲單位，在每一首
詩中，穿插後人注疏，體例完整，易於查閱。

在注疏資料方面，本書甄錄魯人毛亨《毛詩故訓傳》及西漢鄭玄《毛詩
箋》，以存漢以前古訓，並補錄《三家詩》遺說，以概見漢代《詩經》訓詁之異
同。於唐宋資料，本書專列「釋文」一項甄錄陸德明《毛詩音義》，以與古注參
校，並錄集有宋大成之朱熹《詩集傳》，以與漢唐《詩》詁前後輝映。元明兩代，

經學不振，說《詩》者多就朱熹《詩集傳》引申發揮，雖有何楷、陳第等人開考證之風，但終無與鄭、朱抗衡之作，故本書採錄從略。然當時卻不乏博物名著，非為解《詩》而作，而實足羽翼經訓，如李時珍《本草綱目》，每釋一物，多能推本得名之由，故本書亦參考引錄，有裨名物訓詁。清代經訓名著甚多，本書徵引所及，包括馬瑞辰《毛詩傳箋通釋》、王先謙《詩三家義集疏》、高郵王氏父子《經義述聞》、《經傳釋詞》等，另有單文短章、發前人所未發者，亦皆錄存，如章太炎〈毛公說字述〉之釋「其軍三單」、王國維〈肅霜滌場說〉、聞一多〈詩新臺鴻字說〉，以不沒其創見之功。另外，近人陳子展《詩經直解》、王力《詩經韻讀》等書因詳說詩旨及整理音讀方面，成就可觀，亦予收錄。

　　本書謹守「述而不作」之旨，引述古今說《詩》經義以疏通其訓詁，難解之處甄采一說或兩存其說以求貫通。撰述體例仿孔氏《毛詩正義》，首以解題，次以漢以前古訓為注，再次釋文，再次通詁，並於全詩後列有韻部。總其撰述旨趣，僅在通其訓詁，故名為《詩經通詁》。

　　　　　　　　　　　　　　　　　　　　　　　　　　　　　　（劉帥青）

《詩經語言藝術新編》

《詩經語言藝術新編》　夏傳才著　北京　語文出版社　207頁　1998年1月

　　全書概分十一個單元：(1)《詩經》的語言、(2)《詩經》的詩體、(3)重章疊唱、(4)疊字疊句、(5)自然韻律、(6)略說六義、(7)論賦的藝術、(8)說比的藝術、(9)說興的藝術、(10)言志與美刺、(11)論《詩經》中的民族史詩。除第十一「論《詩經》中的民族史詩」，乃就《詩經·大雅·生民》、〈公劉〉、〈綿〉、〈皇矣〉、〈大明〉五篇，加以說明、析解——為專論此五篇史詩外，其餘十個單元，分就各個層面，來說明、抉發《詩經》在語言、表現手法上的技巧與藝術。

　　作者嘗於1985年由北京、語文出版社，出版《詩經語言藝術》一書。作者以為《詩經語言藝術》一書為「十五年前的舊講稿」、「確實有疏誤和不足」（以上並見《詩經語言藝術新編·後記》，頁206），行世既久，以為「盡自己的力量作些彌補，是我應盡的責任。」（仝上）於是應北京、語文出版社之要求，加以增訂、擴充，與舊著比較起來，此書「大多章節都是重寫的，只有幾章在原來的基礎上作部份修改。」、「撤去了原來附錄的文章，使全書內容集中。」、「在內容與

體例上與前書已有較大的不同」（仝上）兩書相較，確實可見作者精益求精，對所作負責的認眞態度。

（陳明義）

《第三屆詩經國際學術研討會論文集》

《第三屆詩經國際學術研討會論文集》　中國詩經學會編　香港　天馬圖書公司
1065 頁　1998 年 6 月

　　本書爲第三屆《詩經》國際學術研討會論文集，共計一百一十七篇單篇論文。第三屆《詩經》國際學術研討會在廣西桂林舉行，與會學者函蓋兩岸三地及日本、韓國、美國等各地學者，臺灣方面有：陳新雄、林慶彰、文幸福、楊晉龍、蔣秋華、季旭昇、林保淳……等；大陸方面有：夏傳才、張葆全、魯洪生、張可禮、王學泰、王曉平、滕志賢、王開元……等；香港方面有：葉勇、李玉梅……等；其他還有日本的加藤實、村山吉廣、大野圭介、增野弘幸、盧益中、栗原圭介；韓國的金時晃、白承錫、安秉均……等；新加坡的周穎南及美國的余寶琳。因此本書所收錄的論文來源廣泛，呈現豐富多元的面貌。

　　論文內容包含整部書的討論、研究方法得失之檢討、語言文字、文法的考究、與其他典籍的關聯、民俗風情的推演、史事制度的探求、單篇詩章的議論……等，包羅萬象。其中關於前儒對《詩經》研究成果的檢討，有：朱運震與他的《詩志》、郝敬的《詩經》學、戴震《詩經》研究的新貢獻、胡承珙和他的《毛詩後箋》、高吹萬《詩經》蒐書軼事、傅斯年的《詩經》學、顧頡剛《詩經》研究方法論、論余冠英的《詩經》研究、夏傳才《詩經》研究述評、李漵及其《詩經疾書》、自濡軒李萬白之《魯頌論》分析、鄭玄《毛詩傳箋》得失芻議、陳奐《詩毛氏傳疏》芻議，共計十三篇。比較值得注意的研究有：國外《詩經》研究新方法論的得失、《詩經》之於亞洲漢文學、《詩經》與《聖經》之比較、論《詩經》十五國風所體現的科學思想、《詩經》與旅遊文化、立體的《詩》……等，是比較新的研究方向，開闊了《詩經》研究的新領域。

　　從本書所收錄的論文，可以窺知目前《詩經》研究的成果及方向，提供研究者多次元的思考角度，同時經由各地學者的相互交流與激盪，啓發研究視野，賦予《詩經》研究新的生命力。

（張淑惠）

《周族史詩研究》

《周族史詩研究》 張松如、郭杰著 吉林 長春出版社 243頁 1998年3月

本書分爲七部分。首爲引言，敘說周族興起的發展歷史。然後按其所反映的歷史年代爲序，分別對五篇周族史詩作具體研究。依序爲第一篇：神奇的誕生之歌——〈生民〉譯釋與說解。第二篇：爽朗的遷徙之歌——〈公劉〉譯釋與說解。第三篇：歡暢的安居之歌——〈綿〉譯釋與說解。第四篇：雄壯的擴張之歌——〈皇矣〉譯釋與說解。第五篇：威武的征伐之歌——〈大明〉譯釋與說解。其後爲結語：史詩的探索，探討中國史詩的基本特性。最後並附錄四篇，分別爲〈七月〉譯釋、〈七月〉作年考、〈文王〉譯釋、〈文王有聲〉譯釋。

本書對於五篇詩歌的介紹，分爲原文、譯文、注釋和說解四部分。原文據清代阮元校刻的《毛詩正義》。譯文部分力求通俗流暢。注釋部分採用傳統注疏的解說，並加以取捨，其間並以按語形式提出己見。說解部分爲針對此篇詩歌的專題論述。

張松如，筆名公木，1910年生，河北束鹿人。歷任東北大學教育長，中國作家協會文學講習所所長，吉林大學副校長等專職。現任吉林大學教授，中國詩經學會顧問。主要著作有：《老子說解》、《中國詩歌史論》、《詩論》、《商頌研究》等書，並主編《中國詩歌史論叢書》、《中國詩詩歌美學史》等書。

郭杰，1960年生，江蘇徐州人。東北師大文學博士。現任吉林大學文學院副教授、中國詩經學會理事。著有《屈原新論》、《元好問》、《先秦詩歌史論》（合著）、《搜神記選》（合著）等書。曾任《中國詩歌史論叢書》副主編、《中國文化大百科全書、綜合卷》副主編。另發表學術論文六十餘篇。 （何淑蘋）

《詩經與楚辭》

《詩經與楚辭》 吳宏一著 臺北 臺灣書店 235頁 1998年11月

本書分爲上、下兩編，上編爲《詩經》，第一章〈詩經的來歷〉內容包含：詩歌的產生、采詩與獻詩、孔子與詩經……等有關《詩經》的基本議題；第二章〈風雅頌詮說〉則就風、雅、頌三部分論述；第三章〈詩經的題材分類〉分爲愛情

與婚姻、農耕與狩獵、戰爭與徭役、祭祀與宴飲、政治與諷喻五部分，每部分分別列舉《詩經》篇章闡釋；第四章〈賦比興詮說〉針對《詩經》的創作方法論述；第五章〈詩經的語言藝術〉從《詩經》的語言特色與藝術技巧切入，涉及修辭方法。

下編爲《楚辭》，首爲〈楚辭詮說〉，談到了《楚辭》的產生、名義、編集、流傳等問題；其次〈屈原其人其辭〉則敘述屈原的生平，並分析其作品；〈其他的楚辭作家作品〉部分，則簡述宋玉、景差、賈誼、淮南小山、東方朔、莊忌、王褒、劉向、王逸等作家之生平，偶有作品之介紹與淺析。〈楚辭名篇選譯〉中或全錄、或節選，共計六篇：〈離騷〉、〈少司命〉（九歌）、〈天問〉、〈哀郢〉（九章）、〈橘頌〉（九章）、〈漁父〉，有語譯和極爲淺顯之說解。書末附錄附有關於《詩經》、《楚辭》之研讀書目，可提供研讀者參考。

本書之寫作目的係針對一般讀者所作，因此內容皆爲基本相關知識，極爲簡單扼要，文句淺顯通暢，適合初學者用以建立基礎，加上內容極少引用原文，若有引用，亦多加以語譯說明，是入門學習者的利器。　　　　　　　　　　　（張淑惠）

《禮學概論》

《禮學概論》　周何著　臺北　三民書局　147頁　1998年1月

本書共分爲九章。首章歸納中國禮的起源，如：起於節制欲望、適應人情、政教要求、社會需要、聖人制作等；第二章：言及目前禮的研究有禮文、禮制、禮義、禮器、禮圖、禮容等方向，作者盼望能藉由研究古禮，達到瞭解各時代文物制度、社會狀況與人情的目的，進而掌握立禮的精神，開創現代或未來禮制的新風貌。第三章乃言禮的分類，作者依《五禮通考》將禮分爲吉禮、嘉禮、賓禮、軍禮、喪禮五類，並細分其目。第五章分析禮的內涵與影響，如：禮的義與儀；禮義的內涵本質；等差觀念在家族、名分、倫理觀中發展，而有敦厚社會人情、體認歷史價值、啓示奉獻精神等影響；是非觀念在性善論、道德觀、整體觀中發展，而有建立行爲基準、崇尚謙和恭順、啓發民本思想等影響。其後四章則分述《周禮》、〈冬官〉、〈考工記〉、《儀禮》、《禮記》的基本問題。此書綱舉目明，掌握禮學大要，適合一般入門閱讀。

周何，1932年生，江蘇省泗陽縣人，國立臺灣師範大學國文系所畢業，獲國

家文學博士學位，曾於臺灣師大、政治大學、中山大學教授《禮記》和三《禮》研究共三十餘年，並曾擔任國立臺灣師範大學國文系所主任，文學院院長及考試院考試委員等職。有學術著作多種。

（張雅慧）

《說禮》

《說禮》　周何著　臺北　萬卷樓圖書公司　205頁　1998年9月

　　本書原爲作者在《國文天地》「經典的智慧」專欄所發表有關「禮」的文章，分別是：(1)禮的起源，(2)禮從何來，(3)《禮記》的成書，(4)禮之內涵（上），(5)禮之內涵（中），(6)禮之內涵（下），(7)如何讓舊有的禮教發揮現代社會教育功能，(8)制禮的原則，(9)禮法之別，(10)禮主於減，(11)禮爲大防，(12)毋不敬，(13)和爲貴，(14)歸其本，(15)克己復禮，(16)禮之行始於孝，(17)禮中有親情，(18)禮不下庶人刑不上大夫論，(19)孔氏不喪出母論，(20)恩理節權—制定喪服輕重的四大原則，(21)服術有六，(22)宗法簡述，(23)說《中庸》，共計二十三篇。

　　作者廣泛地引用經典來詮釋「禮」的意涵。在二十三篇中，有通論性質者，如論禮的由來、內涵等；有專論性質者，如孔氏不喪出母論、禮不下庶人刑不上大夫論等。本書以命題的方式，將傳統禮學的思想作深入淺出的解說，是作者繼《古禮今談》、《禮學概論》後，又一概論式介紹禮學的書籍，本書可以說是研究禮學最佳的入門書。

（何淑蘋）

《先秦容禮研究》

《先秦容禮研究》　魯士春著　臺北　天工書局　243頁　1998年7月

　　「容禮」即二戴《禮記》中所言的「威儀」、「曲禮」。漢時人稱容貌、儀節爲《容禮》，賈誼即曾以《容經》爲題，撰文簡述士子應有的言談、舉止，作者以「容禮」一詞，能概括先秦時代士庶所表現的言行舉止這一內容，便以「先秦容禮研究」爲本文的論題。

　　歷來多種對先秦禮容的論述，或對之有提綱挈領的介紹，卻在深入研究方面未能周備。本書即嘗試從《周禮》、《儀禮》及二戴《禮記》中，擷取與「先秦容禮」有關的資料，依類歸納整理，再配以先秦古籍中相應的內容作補充及應證，眞

正作到以全面而有系統的內容及形式，把先秦士子在一般情況，以至處身各種場合、典禮，面對不同人物應有的容貌禮儀，一一重敘出來。

　　本書的內容，先是說明禮的構成和層次，然後探索容禮的源流，再來說明各種禮儀的正確禮容及姿勢，包括「視、聽、言語之容」、「坐、立、行、趨之容」、「拱手、揖讓之容」、「拜容」等，分別論述，使先秦容禮在吾人眼前眞實呈現。
　　　　　　　　　　　　　　　　　　　　　　　　　　　　　　（劉帥青）

《古代祭禮中之政教觀──以禮記成書前爲論》

《古代祭禮中之政教觀──以禮記成書前為論》　　林素英著　臺北　文津出版社
391 頁　1997 年 9 月

　　本書爲作者的博士論文。作者自述其撰作動機，是基於《左傳》所說的「國之大事在祀與戎」之古代生活理念，知曉祭祀活動乃古人生活的重要內容，於是延續碩士論文所研究冠、昏、喪、祭之生命禮儀的成果，進一步對古代之祭禮文化作系統性之鑽研，希望藉此發現其中所潛藏的思想體系，並進而凝塑其政教觀念。

　　由於祭祀與古人之政治、宗教、文化有著密切的關係，所以作者以「政教觀」爲題，並以《禮記》之成書年代爲斷限，探討《禮記》成書前之古代祭禮中之政教觀，試圖經由較早之議禮資料與相關經籍所載之典章規制的呈現，對之加以闡釋，並以推論古代政治教化之觀念。作者嘗試拋開傳統禮學拘於名物制度、文字訓詁的研究方式，轉入以問題爲中心之研究方法，期能作一通貫性之探索。

　　林素英，1955 年生，臺灣省臺北縣人，國立臺灣師範大學國文研究所畢業，著有《古代生命禮儀中的生死觀》，另有相關論文多篇，並曾發表多篇佛學論文與先秦、宋明學術思想論文。
　　　　　　　　　　　　　　　　　　　　　　　　　　　　　　（何淑蘋）

《古代生命禮儀中的生死觀──
以《禮記》爲主的現代詮釋》

《古代生命禮儀中的生死觀──以《禮記》為主的現代詮釋》　　林素英著　臺北
文津出版社　294 頁　1997 年 8 月

　　本論文共分爲七章，第一章：緒論，言及論文研究的動機、目的、範圍、材

料、方法與限制；第二章：談及冠禮前的家庭教育與冠禮所象徵生命的意義；第三章觀察古代婚禮情況、婚姻目的及婚制設限，探討生命的繁延與人倫的締結；第四章：藉由呈現古代喪禮的重點內容，以探究古人如何處理死亡事件，並觀察古人面對死亡的態度進而探窺伺其內心感受與生死概念的信仰；第五章：古代祭禮具有政治、社會、倫理等功能，而作者直接從關涉具體生命的祭祖制度為討論主軸，旁及祭天、祭地的外圍禮儀，研探背後深層的生命大義。第六章：每一種禮儀皆為一種社會性的象徵符號，作者藉助生命禮儀所透顯的生命本質，分析、歸納，從而抽繹建構其生死觀，得到古人死而不絕的生命觀、總體存在的和諧觀及以生教死的價值觀。第七章：結語，作者於此再作一次回顧，並由古禮中的生死觀反思現代人的生死觀，並擬擴「古禮中的宗教」思想之研究，以探討生命的意義為未來研究趨向。

　　本書舉論詳實，並能運用社會學、心理學、哲學的角度併入研究，加上作者生命的感悟，雖為學位論文，但讀來頗為深刻，是經學研究成果中，頗能直接感受到經學與生命結合的作品。

（張雅慧）

《西漢禮學新論》

《西漢禮學新論》　華友根著　上海　上海社會科學院出版社　420頁　1998年2月

　　禮是人們活動的規範，以成天道，以理人情，故自古以來禮都相當被重視，特別是西漢時期。漢武帝獨尊儒術、表彰《六經》之後，也曾謂：「《六經》之文，皆有禮在其中。《六經》之義，亦以禮為尤重。」「《六經》同歸，其指在禮。《易》之象、《書》之政，皆禮也。」所以，當時實行以禮治國，禮成了政治、社會活動和人們日常生活的準則和指南，且表現為詔令、儀式、容貌、言行各方面，也就是無處不體現為禮。由此可知禮學在西漢時期的重要性。

　　本書對西漢禮學的論述分為兩部分：第一部份先以時間先後談重要的禮樂制度、禮學事件、禮學活動、禮學家等，分別加以適當的論述和評價。如在「西漢後期的禮樂活動與思想」一章中，便分述元成哀時的主要禮樂活動及其紛爭、借說陰陽災異以議論禮樂制度、王莽的制禮樂定制度、劉向父子的禮樂研究、揚雄的禮學思想等主題；第二部份以專題分章論述，將相近相關的制度和思想歸納起來，分為

「以貫徹禮義與《六經》爲宗旨的選舉與學校」、「婚姻、喪葬、家庭、鄉黨之禮」、「禮法結合與經義斷事決獄」等三章,將過去零星片段的資料系統整理,試圖勾勒西漢禮學全貌,亦是一種新的嘗試。

作者華友根,現任上海社會科學院法學研究所研究員,從事中國法律思想史與中國經學史的研究,近年來,致力於清代律學與兩漢禮學。 （劉帥青）

《儀禮通論》

《儀禮通論》 （清）姚際恒著、陳祖武點校 北京 中國社會科學出版社 617頁 1998年10月

姚際恒,字立方,一字善夫,號首源,安徽新安人,後遷浙江仁和,晚再遷錢塘。生於順治四年（1647）,卒年約在康熙五十四年（1715）以後。早年爲仁和諸生,後無意舉業,折節讀書,氾濫百家。中年以後盡棄舊學,專以考辨《九經》爲務。自康熙三十二年前後,至康熙四十六年間,完成《九經通論》一百六十三卷。姚氏以疑經之勇獨步當時,並因議論之橫,致乖時尚,爲學者所側目,故終清一代湮沒不聞。《儀禮通論》十七卷乃完成於康熙三十八年（1699）四月,於三百餘年後,由陳祖武點校、大陸古籍整理出版規畫小組資助,方得公諸於世。

姚際恒治《儀禮》多受敖繼公、郝敬影響。不取朱熹《儀禮經傳通解》舊法,反對以《儀禮》爲經,《禮記》爲傳之說;不贊成鄭《注》、賈《疏》以《三禮》之目,將《儀禮》、《周禮》、《禮記》齊量等觀;斷言《儀禮》非周公所作……。《儀禮》一書多涉先秦名物度數,文古意奧,素稱難讀,而姚氏認爲此乃誤解,故在所著《儀禮通論》特重分章析條,標題句讀,務其通暢明晰;同時還移時文選家手法於《儀禮》,評析其謀篇佈局,圈點其遣詞造句,因而《儀禮通論》一書,不惟在姚氏《九經通論》中自成一格,在清儒解經諸書中亦屬罕見。

總之,依點校者研究歸納,此書大旨約略有三:一是爲正鄭《注》、賈《疏》紕謬鄭《注》、賈《疏》;二爲考證古禮儀節度數;三爲疏通文句,彰明大義,使古奧奇旨暢然可讀。 （張雅慧）

《中國古代宗教與禮樂文化》

《中國古代宗教與禮樂文化》 謝謙著 成都 四川人民出版社 281頁 1996年7月

　　本書以「儒家禮樂文化傳統與古代宗教儀式」爲引論，第二章至第六章爲正文，分論「古代宗教與郊廟禮樂的起源」、「西周的宗教維新與郊廟禮樂的政治化」、「儒家人文主義與郊廟禮樂的理論化」、「陰陽五行觀念及其對郊廟禮樂的影響」及「儒學的正統化與漢代大一統宗教」，並附錄「儒學獨尊的文化背景說」及「儒教：中國歷代王朝的國家宗教」等文，附錄部分因是作者最新的看法，和正文某些結論未必一致。

　　作者自承在選擇此一題目時，只是爲了理清儒家禮樂文化的起源，及其發展演變的歷史過程，並非爲了評價是非得失，或借題發揮個人思想，乃是一種歷史研究的「考古」工作。故本書之寫作，著重於對儒家禮樂文化來龍去脈的描述。

　　正文部分，就時間順序分別論述自宗教的起源至漢代大一統宗教，信仰及郊廟禮樂的發展和演變。其中，初民時期，宗教從圖騰崇拜和巫術信仰中發展出來，逐漸行成祀祖、郊禖及社祭等儀式，到商代信仰模式及祭祀禮樂的初步確定，成爲中國最原始的禮樂文化。西周封建時期，以禮治國，但這時的禮，已不僅僅是祀祖祭神的宗教儀式，它被注入政治內容，轉化爲大一統王朝的政治性的禮儀制度。到了春秋戰國，百家爭鳴時期，諸子對禮樂有不同看法，其中，以儒家的孔子最爲重視，一方面宣揚周公以降的倫理本位主義，即將禮樂制度作爲一種宗法社會的等級規範，一方面更以禮樂爲教化人心的工具，提出禮樂教化論。將在周公時期政治化的禮樂，進一步非宗教化，賦予其倫理的意義。其後，陰陽五行觀念興盛，宗教神學化，古代宗教與郊廟禮樂於是陰陽五行化。最後，到了漢代大一統時代，學術上立儒學爲正宗，宗教信仰卻是統一於普遍的神學化思想，並完成郊廟禮樂的正統化。

　　作者謝謙，現任四川大學中文系副教授，著有《經學與中國文化》、《韓非子與現代生活》等書。
（劉帥青）

《二十世紀中國禮學研究論集》

《二十世紀中國禮學研究論集》 陳其泰、郭偉川、周少川編 北京 學苑出版社 582 頁 1998 年 6 月

本研究論集的編選、出版，是爲了有系統地反映二十世紀禮學研究的成績，予以總集，並提供未來深入探討的基礎，故本書選文，需兼顧本世紀各個時期有獨創見解的研究成果。所選論文按內容分爲「通論」、「論禮學典籍」、「論禮制」、「論禮治」等四輯編排。

其中，「通論」部分收錄金景芳〈談禮〉、黃侃〈禮學略說〉、楊向奎〈禮的起源〉等九篇；「論禮學典籍」部分，收錄劉師培〈逸禮考〉、蔡介民〈《禮記》成書之時代〉等八篇；「論禮制」部分，收錄章炳麟〈禮隆殺論〉、王國維〈殷周制度論〉等十三篇；「論禮治」部分，收錄郭偉川〈論《史記》的禮治思想——兼論「樂」與「仁」及大一統觀〉等四篇，共計約有三十位學者。

本書反映二十世紀中國禮學研究之成果，羅列各家學說，歧見並存，既反映禮學發展之過程，也體現儒家有容乃大之精神，實值得學者參照。 （劉帥青）

《左傳譯注》

《左傳譯注》 李夢生著 上海 上海古籍出版社 上、下冊 1998 年 6 月

《左傳》是《春秋三傳》之一，也是儒家十三經中的一種。自劉歆加以表彰以來，歷代重要的注解有杜預的《春秋經傳集解》、孔穎達的《左傳注疏》。民國以來則以楊伯峻的《春秋左傳注》和李宗侗的《左傳今注今譯》最爲流行。近年中國大陸受臺灣的影響爲經典作譯注者甚多，本書是新出版的一種。

本書書前有〈前言〉，略述《左傳》的成就和特點。正文按春秋十二公之順序排列。每一公之每個年度，先列經，再列傳，各作簡明之注解，接著才是經、傳的白話譯文。本書〈前言〉部分，對《左傳》的介紹稍嫌不足，各公各年之後，也未加附西元年數。注解或因篇幅之故，稍嫌簡略。 （編輯部）

《左傳考校》

《左傳考校》　王叔岷著　臺北　中央研究院中國文哲所籌備處　556頁　1998
年4月

　　作者精於校讎之學，本書即可窺見其深厚之功力。本書考校所據之底本，爲
清嘉慶二十年江西南昌府學開雕之重栞宋本《左傳注疏》，並兼采清代阮元《校勘
記》、王引之《經義述聞》、俞樾《群經平議》等舊說，另參考日本竹添光鴻之
《左傳會箋》。考校所重，於舊說或補充、或訂正，惟以創見爲主。本書對《左
傳》文句詳加校勘，自有釐清刊正之功，便於後世學者研究。

　　王叔岷，四川省簡陽縣人，民國三年生。國立北京大學文科研究所畢業，歷
任中央研究院歷史語言研究所助理研究員、副研究員、專任研究員，現爲兼任研究
員。王教授精研先秦諸子與校讎學，著有《莊子校釋》、《列子補正》、《郭象莊
子注校記》、《劉子集證》、《史記斠證》、《莊子校詮》、《慕廬雜著》、《古
籍虛字廣義》、《校讎別錄》、《鍾嶸詩品箋證稿》、《先秦道法思想講稿》、
《列仙傳校箋》等書。　　　　　　　　　　　　　　　　　　　　　　（何淑蘋）

《左海鉤沈》

《左海鉤沈》　劉正浩著　臺北　東大圖書公司　258頁　1997年11月

　　本書由十篇單篇論文選編而成，是作者鑽研《左傳》多年的辛苦成果。透過
質疑、考證的過程，作者提出不少獨特的新見解。

　　首篇〈《左傳》導讀〉，對《左傳》的作者、性質、解經模式、價值與研究
方法等作了基礎的介紹，是一篇開導性的文章，作者企圖以最快、最正確的方式帶
領讀者進入《左傳》的世界；次篇〈試揭《春秋》神秘的面紗〉以司馬遷引敘董仲
舒「孔子爲何作《左傳》」之議論入手，重新探討孔子作《春秋》的動機和目的，
並提出孔子以「史體作《春秋》」的觀念，以及《春秋》之大義、功能等；第三篇
〈孔子「正名」考〉先就前人之舊解考述，次則推論「正名」思想之源起，然後進
一步將師服、孔子論名的言詞逐句對比，糾正舊解上的錯誤；第四篇〈左氏前傳釋
義〉專門疏證魯隱公元年《春秋》之前的一小段《左傳》傳文；第五篇〈孔聖無二

憂〉以《易》之易簡、變易、不易比附《春秋》經之內容係闡揚君臣父子之常分，主旨在說明孔子因意識國家之憂患而作《春秋》；第六篇〈「齊桓公正而不譎」考〉從疑經到止惑，重新解讀《春秋》經對齊桓公言行之記載及評價；第七篇〈「民可使由之」章經義復始〉，針對「民可使由之」一章，羅列漢魏乃至近代學者之注解加以修考，探討「法律政令」之相關問題；第八篇〈《左傳》中一則「推理小說」的研究〉，作者以其兼融義理、考據、詞章的創新體例，賞析《左傳·閔公二年》「晉侯使大子申生伐東山皋落氏」這段具有近代西洋推理小說風趣之傳文；第九篇〈從《趙氏孤兒》揣太史公的悲情〉主要透過《左傳》、《國語》之史實記載，與《史記·趙世家》進行比對，企圖從蛛絲馬跡中探索司馬遷杜撰故事的本意；最後一篇〈氏族制度考源〉則針對氏族問題，遍考經傳，以當時之實況諟正查辨。書中第一、二篇是屬於通論性文章，三至八篇則針對《左傳》之專門問題討究，最末兩篇與《左傳》之關係較爲疏遠。　　　　　　　　　　　　　　　（張淑惠）

《新譯公羊傳》

《新譯公羊傳》　雪克注譯　臺北　三民書局　745頁　1998年4月

　　本書爲三民書局古籍今注新譯叢書之一。前有注譯者所撰的導讀，概論性介紹《公羊傳》的作者、成書年代、演變等基本內容，三傳之間的異同，以及《公羊》解經的特色，並解釋始元、張三世、七等、災異等說法。然後簡述歷代治《公羊》學的情況和重要著作。

　　本書採用北京中華書局影印之阮元校刻《十三經注疏》爲底本，並參考唐石經、《釋文公羊音義》、惠棟校注疏本、監本、閩本、毛本、浦堂《春秋公羊傳注疏正誤》等書加以考訂。內容除原文外，有語譯、注釋、說明三部分。說明爲每年傳義的分條概述。語譯採直譯方式，凡較不易明其義之語詞則略加簡要注釋。本書主要是針對初學者所編寫的，著重於原文的理解，故而對於《公羊傳》的義理則少有探討，讀者在透過本書對《公羊傳》有初步的認識後，可以更進一步的閱讀相關專著，方能對《公羊》學有更深的掌握。　　　　　　　　　　（何淑蘋）

《漢代公羊學災異理論研究》

《漢代公羊學災異理論研究》　黃肇基著　臺北　文津出版社　245頁　1998年5月

　　本書內容分爲七章。第一章：緒論。說明研究動機和過程。第二章：災異思維探源與災異理論之演變。第三章：《公羊傳》災異觀。解說《公羊傳》之釋災異及其災異觀。第四章：董仲舒《公羊》學之災異理論。論述董仲舒《春秋公羊》學之災異理論思維，及其對漢代災異之詮釋。第五章：何休《公羊》學之災異理論。探討東漢《公羊》學者何休的災異理論。第六章：《公羊傳》、董仲舒、何休三家災異說之比較。透過前三章的介紹，再進一步將《公羊傳》、董仲舒和何休三者的災異理論相比較，以明《公羊》學災異理論在兩漢時期的演變情形。

　　作者將《公羊》學當作一種「文化體系」加以審視，結合漢代學術、政治、社會、歷史的變革，以探討漢代「《公羊》災異理論」所顯示出的經學的思維模式，以及它在經學史上的文化意義，希望藉此能對中國文化及經學思維的深層結構能有所了解。

　　　　　　　　　　　　　　　　　　　　　　　　　　　　　　（何淑蘋）

《清代公羊學》

《清代公羊學》　陳其泰著　北京　東方出版社　350頁　1997年4月

　　本書內容共有六章。第一章：一份獨特的哲學遺產，論述《公羊傳》的基本內容，並說明西漢董仲舒與東漢何休兩位學者對《公羊》學理論的建構與闡揚。第二章：復興序幕的揭起，探究自東漢末鄭康成兼探今古文說以注經後，《公羊》學遂告衰落，直至元末趙汸及清代莊存與、孔廣森等學者的努力，使其逐漸復興。第三章：張大旗幟，主要探究繼莊、孔之後，常州學派代表人物劉逢祿貫通《公羊》學，使其達於一時之盛，並兼述與劉氏同時的凌曙和陳立兩位《公羊》學者。第四章、第五章：清代《公羊》學說的巨大飛躍（上）、（下），主要討論龔自珍和魏源的《公羊》學，龔、魏兩人生逢清末時局動盪之際，所以皆以提倡經世學風爲務，而以《公羊》學爲經世之用。第六章：維新運動的思想武器，探討廖平、康有爲的晚清今文運動內容。第七章：《公羊》學與晚清新學，綜合討論晚清《公羊》

學的發展與意義。

陳其泰，廣東豐順人，1939 年生，現爲北京師範大學史學研究所教授。著有
《史學與中國文化傳統》、《中國近代史學的歷程》、《再建豐碑——班固與漢
書》、《梁啓超評傳》，並撰有史學論文百篇。　　　　　　　　　　（何淑蘋）

《新譯穀梁傳》

《新譯穀梁傳》　顧寶田注譯　臺北　三民書局　622 頁　1998 年 4 月

本書爲三民書局古籍今注新譯叢書之一。前有注譯者所撰的導讀，概論性介
紹《穀梁傳》之內容、思想、流傳等基本問題，然後說明本書之寫作體例。

本書內容分爲題解、原文、注釋、語譯、說明五部分。以春秋魯國十二公爲
單元，各作一題解，以綜述事件及所闡述之大義。原文以《十三經注疏》本《春秋
穀梁傳注疏》爲底本。注釋部分主要參照古注和清代以後學者的研究成果，以及其
他相關資料。語譯採按原文直譯方式。說明部分則爲作者對傳文見解之申說辨正。
本書主要是針對初學者所編寫的，著重於原文的理解，讀者在透過本書對《穀梁
傳》有初步的認識後，可以更進一步的閱讀相關專著，方能對《穀梁》學有更深的
掌握。　　　　　　　　　　　　　　　　　　　　　　　　　　　　（何淑蘋）

《敘事與解釋——《左傳》經解研究》

《敘事與解釋——《左傳》經解研究》　張素卿著　臺北　書林出版公司　273 頁
1998 年 4 月

本書以「《左傳》解釋《春秋》」爲中心課題，論述《左傳》的經解性質，
及其以敘事解經的意義。

依孟子，《春秋》有「文」、有「事」、有「義」。《左傳》切應三者，解
釋所涉及的層面含括訓詁經文、敘述行事，以及詮明其義。故本書之寫作，分爲
「解釋：解經的層面與方式」、「敘事：解釋《春秋》的基礎」、「經解：屬辭比
事以釋義」、「正名：《左傳》敘事的釋義指向」等部分進行。

綜合各章所論，《左傳》以敘事解釋《春秋》的意義，可歸結爲下列五點：
第一、《左傳》敘事兼具述事與詮義的功能。第二、《左傳》以敘事解經，

正是順應《春秋》「見之於行事」的特質。第三、敘事爲解釋《春秋》之基礎，所以學者解經明義往往以《左傳》爲根柢。第四、《左傳》敘事在綴辭屬文、比次行事及探索微義三方面，模擬《春秋》而津逮後學，具有承傳「屬辭比事」之教的意義。第五、敘事的「主意」在詮解《春秋》，「正名」以貞定人倫爲其釋義的指向。

　　歷來學者重視《左傳》解經之功，多基於徵實的觀念，然本書敘事的解經方式與《春秋》的內在關聯，說明這是一種寓理解於撰述的文體，關注其解釋功能，闡明《左傳》的經解性質，以及敘事的解釋意義，進而重視《春秋》「見之於行事」而不徒託空言的思想進路，於是覺識《左傳》「深切著明」的積極成效，發皇經學注疏的學術意義。

（劉帥青）

《論語今讀》

《論語今讀》　李澤厚著　合肥　安徽文藝出版社　462頁　1998年10月

　　作者在前言詳細說明其撰作之緣起及其體例。本書內容依《論語》全書二十章分別加以探討，在體例上，分成譯、注、記三部分。作者將《論語》二十篇分爲五百章解說。「注」的部分主要取自今人程樹德的《論語集釋》，另外也參考何晏《論語集解》、皇侃《論語正義》、朱熹《四書集注》、劉寶楠《論語正義》、康有爲《論語注》等書。「記」的部分爲作者的評論札記與解說。或講本文，或談哲學，或發議論，或就事論理，或借題發揮，但主要還是以今日如何讀《論語》爲中心而開展。

　　作者注明本書爲「初稿」，顯示出本書爲其對《論語》研究的初步整理成果。在解說上，有的十分詳盡，有的則略嫌簡略。解說內容往往以哲理加以詮釋，提供讀者作更深的思考。《論語》一書，爲中國傳統文化之基本經典，讀者在了解原典的解釋後，進一步閱讀本書，可以對《論語》的思想有更深層的認識。

（何淑蘋）

《定州漢墓竹簡論語》

《定州漢墓竹簡論語》　　河北省文物研究所定州漢墓竹簡整理小組　100頁
1997年7月

　　1973 年在河北定州西漢中山懷王劉脩墓中出土了《論語》、《文子》、《太公》、《□安王朝五鳳二年正月起居記》、《日書》，蕭望之之奏議和有關孔子及其弟子言論的書（後來定名爲《儒家者言》）。這些竹簡由於種種原因，整理工作進行得很慢，1992 年才由劉來成完成《論語》的釋文和校勘記，並經李學勤先生作最後審定。而於 1997 年出版。

　　本書書前有〈定州漢墓竹簡《論語》介紹〉，敘述簡本與今本《論語》不同之處，及其價值。接著爲〈定州漢墓竹簡《論語》釋文〉，是出土竹簡〈學而〉、〈爲政〉、〈八佾〉、〈里仁〉、〈公冶長〉、〈雍也〉、〈述而〉、〈泰伯〉、〈子罕〉、〈鄉黨〉、〈先進〉、〈顏淵〉、〈子路〉、〈憲問〉、〈衛靈公〉、〈季氏〉、〈陽貨〉、〈微子〉、〈子張〉、〈堯曰〉、〈章數簡〉之釋文。

　　根據書前〈竹簡《論語》介紹〉一文，簡本與今文字有七百多處差異，分章也多有不同。是書之出版對研究《論語》學的發展和漢代經學都有其意義。

（編輯部）

《孟子研究》

《孟子研究》　董洪利著　南京　江蘇古籍出版社　358頁　1997年10月

　　本書分上、下兩編，上編以「人」爲主軸，論述了孟子的生平事跡，重新考證了孟子的生卒年，以爲孟子生於周安王十七年（西元前 385），卒於周赧王十二、三年（西元前 303 或 302）是較爲可信的說法；政治思想方面則討論了「仁政」、「尙賢」、「法先王」等；性善論中首先論述了先秦諸子對人性的論說，其次提出孟子性善的觀點，最末作者融入西方思想，以較爲廣泛的角度，提出了他個人對性善論的評論；文學思想部分討論了「知言養氣」、「知人論世」、「以意逆志」三說，並從文氣、創作技巧、語言表現方式等討論《孟子》散文的藝術特色；教育思想則談到教育的目的、作用、內容、修養、原則、方法等。

　　下編則針對《孟子》一書，首先探討了孟子的作者、篇數、眞僞等問題，其次分章探究自漢以來，乃至清代對《孟子》的注疏、論著、研究成果⋯⋯等，其中涉及理論方面的有：韓愈「道統說」對孟子學術地位的影響、理學的勃興與孟子研究的發展、「合四書」的影響、學術思想的變遷與孟子研究的發展⋯⋯；注疏方面有：趙岐、陸善經、張鎰、丁公、林愼思、游酢、張栻、張九成、蘇轍、王應麟、張存中、袁俊翁、史伯璿、蔡清、陳士元、黃宗羲、戴震⋯⋯等，包含注本、個人研究成果、資料彙編、考據、綜合研究等內容，最末特別評介焦循《孟子正義》這本書，作者以爲此書乃研究孟子的集大成著作。

　　受辨證唯物主義和歷史唯物主義思想影響，本書吸收了各種外來學說和研究方法，觀點較不同於一般臺灣學者。　　　　　　　　　　　　　　　（張淑惠）

《孟子研究》第一輯

《孟子研究》第一輯　李明洙編　漢城　韓國孟子學會　1997 年 7 月

　　韓國趙駿河教授於 1994 年 5 月 16 日，參加山東鄒城孟子學術思想國際研討會，與中國和海外儒學家相交流。因有感於發揚孟子之學的必要性，於同年 8 月在韓國成立「韓國孟子學會」。趙駿河教授任會長、柳仁熙教授任副會長。

　　本書是韓國孟子學會的機關刊物，收 1997 年 7 月第二次韓中孟子學術思想研討會論文，韓國方面包括趙駿河、柳明鍾、金益洙、柳仁熙、李東熙、李明洙、文炳道等七篇；中國方面有趙光賢、蒙培元、葛榮晉、牟鐘鑒、王鳳賢、李錦全等 22 篇。另外收第一次韓中孟子學術思想研討會韓國方面論文，有趙駿河、劉明鍾、金益洙，金弼洙、柳仁熙等五篇，中國方面有楊乃新、王軒、劉培桂、王彥、張延齡、孫斌等六篇。書末附錄金恒洙〈鄒魯聖蹟源流〉一篇。

　　這書之出版，除反映韓國學者有關《孟子》研究的水平外，也促進了韓國和中國大陸的學術交流。臺灣一地的《孟子》研究也相當熱絡，近數十年來重要成果不少。可惜，並沒有學者參加研討會，這本《孟子研究》，臺灣方面的論文也從闕。　　　　　　　　　　　　　　　　　　　　　　　　　　（編輯部）

《孟子研究論文集》

《孟子研究論文集》　丁冠之主編　濟南　山東大學出版社　214頁　1997年7月

　　中國鄒城市孟子學術研究會，於 1994 年 5 月 16 至 18 日在孟子故里山東鄒城市舉行「94 年鄒城孟子學術思想國際研討會」。共有來自韓國、日本、美國、德國、臺灣、大陸的專家三十餘人出席，發表論文三十餘篇。本書就是這次會議的論文結集而成。

　　本書共收論文十九篇：①孟子的人性內在超越價值觀（劉蔚華）；②孟子性善說探微（馬振鐸）；③也說「性善論」（張延齡）；④孟子義利觀評析（聶爲生）；⑤孟子基本思想與禮（趙駿河）；⑥孟子的義理思想（吳錫源）；⑦論孟子的「義」（王月桂）；⑧孟子的人生價值觀芻議（王彥）；⑨孟子辟楊墨的現代意義（董金裕）；⑩讀孟子札記二則（張知寒、徐淑梅）；⑪思孟學派哲學思想考察（常照會）；⑫孟子對儒家學派的主要理論貢獻及對中華民族的影響（劉鄂培）；⑬從孔子到孟子的儒家「修己」思想（王鈞林）；⑭孟子思想在國內外的深遠影響（王軒）；⑮孟子在封建社會的影響（王其俊）；⑯儒學與二十一世紀（李基東）；⑰戴震、丁茶山對《孟子》的闡釋（丁冠之）；⑱孔孟儒家倫理對日、韓、越的影響（趙宗正）；⑲試尋孟廟歸然千秋之根基（劉培桂）。書末附劉培桂〈'94 鄒城孟子學術思想國際研討會綜述〉。

　　本書論文除探討孟子思想之內涵外，也有數篇論文論及孟子對海外的影響。對孟子學的研究發展頗有助益。　　　　　　　　　　　　　　　（編輯部）

《孝經譯注》

《孝經譯注》　汪受寬著　上海　上海古籍出版社　113 頁　1998 年 7 月

　　《孝經》篇幅雖短小，僅抵《禮記》中之一篇，但仍被列爲儒家十三經之一。由於它討論的是古人作爲一切道德行爲規範的孝道，也成了歷代童蒙最主要的教材。歷代爲其作注的君王近十家，學者則有五百多家。《孝經》之注雖有那麼多，但各時代各有其不同的需求，所以新注仍會不斷的出現，本書即是當代新注之一。

　　書前有〈前言〉，討論：(1)《孝經》的書名與內容；(2)作者與成書年代；(3)今古文之謎與《孝經》傳承；(4)《孝經》和孝道在歷史上的影響與在當代精神文明建設中的作用等問題。正文採用阮元刊《十三經注疏》本唐玄宗注本《今文孝經》，分爲十八章。每章分題解、原文、注釋、譯文四項。題解、注釋部分，比他家譯本更爲詳盡，足見注者所下的功夫。

　　書末附錄有二，一是〈古文孝經〉；二是歷代《孝經》序跋要錄八篇。

（編輯部）

《中國古代思維模式與陰陽五行說探源》

《中國古代思維模式與陰陽五行說探源》　　艾蘭、汪濤、范毓周主編　南京　江蘇古籍出版社　453頁　1998年6月

　　陰陽五行說與中國早期的思維方式是習習相關的。歷來討論陰陽五行的文章和書籍雖然不少，但是其討論的角度均有所偏；而要把陰陽五行的研究推進一步，就必須結合不同的專長，從不同的角度進行探索。因此，本書的編選本著此一立場，選取二十篇論文，分爲兩個部分討論此一問題。第一部分爲「中國古代思維模式與陰陽五行理論起源」，收有八篇論文：

　　葛瑞漢〈陰陽與關聯思維的本質〉

　　艾　蘭〈中國早期哲學思想中的本喻〉

　　鮑海定〈隱喻的要素：中西古代哲學的比較分析〉

　　馬　絳〈神話、宇宙觀與中國科學的起源〉

　　范毓周〈「五行說」起源考論〉

　　劉起釪〈五行原始意義及其紛歧蛻變大要〉

　　班大爲〈天命和五行交替理論中的占星學起源〉

　　田　笠〈風水探源：早於五行術的方向擇吉〉

第二部分爲「古文獻所見陰陽五行說的形成及發展」，收有十二篇論文：

　　蕭良瓊〈從甲骨文看五行說的淵源〉

　　連劭名〈甲骨刻辭所見的商代陰陽數術思想〉

　　常正光〈陰陽五行學說與殷代方術〉

汪濤〈殷人的顏色觀念與五行說的形成及發展〉

沈建華〈從殷代祭星郊禮論五行起源〉

魏啓鵬〈《管子‧水地》新探〉

李學勤〈馬王堆帛書《五行》的再認識〉

邢　文〈馬王堆帛書《周易》與五行說〉

雷敦和〈《黃帝四經》中的陰陽學說〉

葉　山〈秦漢陰陽思想的特色〉

王愛和〈五行之相克相生與秦帝國的形成〉

羅維前〈合陰陽：西漢養生文獻對醫學思想發展的影響〉

由這二十篇論文可看出本書的兩大特點：第一、此書的作者都是來自世界各地，並且是對此一專題素有研究的學者，其論文顯示了不同文化背景下對同一問題最新研究成果。第二、此書的編選角度有獨特的著眼點，並不是就陰陽五行論陰陽五行，而是從哲學、天文學、醫學、政治學、神話和祭祀各個方面討論陰陽五行的內涵和形成過程。各篇的重點雖不一樣，但所涉及的材料和觀點卻是互相聯繫的，爲研究中國古代思維模式和陰陽五行說的一本好書。

　　爲了方便讀者，本書另附有〈外文引用書目〉、〈所引甲骨文著錄書目及其略稱〉和〈重要名詞術語索引〉等，以利讀者查索。　　　　　　　　（張博成）

《校禮堂文集》

《校禮堂文集》　（清）淩廷堪著　王文錦點校　北京　中華書局　331 頁
1998 年 2 月

　　淩廷堪（1755－1809）爲清乾嘉年間著名的經學家、史學家和文學家，主要著作有《禮經釋例》十三卷、《燕樂考原》六卷、《元遺山年譜》二卷、《校禮堂文集》三十六卷、《詩集》十四卷、《梅邊吹笛譜》二卷等。其中《校禮堂文集》收各種文章共一百九十篇，文集中有不少篇是與當時的著名學者探討學術的書信，如錢大昕、盧文弨、姚鼐、程瑤田、焦循、孫星衍、王聘珍、孔廣森、汪中等，其中尤以與阮元和江藩交誼最深。又三十六卷中，卷一至卷三所收爲〈賦〉類；卷四和卷五爲〈雜著〉類；卷六爲〈騷〉類；卷七爲〈辭〉類；卷八言〈七〉類；卷九

收〈表〉、〈啓〉、〈檄〉、〈露布〉等類；卷十收〈頌〉類；卷十一和卷十二爲
〈贊〉類；卷十三爲〈箴銘〉類；卷十四爲〈考辨〉類；卷十五爲〈解〉及〈釋〉
類；卷十六、十七、十八、十九爲〈說〉類；卷二十爲〈論〉類；卷二十一爲〈連
珠〉類；卷二十二、二十、二十四、二十五爲〈書〉類；卷二十六、二十七、二十
八、二十九爲〈序〉類；卷三十、三十一、三十二爲〈跋〉類；卷三十三爲
〈文〉、〈傳〉類；卷三十四爲〈碑〉類；卷三十五爲〈行狀〉、〈墓誌銘〉類；
卷三十六爲〈誄〉、〈祭文〉類。

　　本書爲王文錦先生據一九三五年《安徽叢書》本點校而印行之排印本。凡書
中某些諱字，王文錦先生皆換了原字。此外，書中有許多錯字，王文錦先生亦擇其
要者出校於書後。又文集中以駢體文居多，且多用典故，不僅可表現出作者的文學
素養，同時其對樂理、天文、算數、音韻訓詁、板本校勘、金石文字、禮學等之專
精，亦可由本文集中得知一二。　　　　　　　　　　　　　　　　　　（張博成）

《唐代經學及日本近代京都學派中國學研究論集》

《唐代經學及日本近代京都學派中國學研究論集》　張寶三著　臺北　里仁書局
372頁　1998年4月

　　作者張寶三先生，國立臺灣大學中國文學博士，現任教於國立臺灣大學中國
文學系。本書收錄作者近年來有關唐代經學及日本近代京都學派中國學之研究論文
三篇、附錄兩篇。首篇爲〈權德輿「明經策問·毛詩考」論考〉，是作者撰寫博士
論文《五經正義研究》時即已留意關切的問題，在經過仔細的考察唐人文集、史傳
等相關資料後，所得到的初步研究成果。另外兩篇論文〈狩野直喜與《續修四庫全
書提要》之關係〉和〈日本近代京都學派對注疏之研究〉，是作者於民國八十五年
八月至八十六年七月間，赴日本京都大學人文科學研究所訪問研究一年所獲得的成
果。《續修四庫全書總目提要》的出版，可謂學術界大事，已有不少的相關論文探
討之，而本書作者則以參與工作的狩野直喜教授爲題，藉以探討日本學者對《續修
四庫全書提要》所持之觀點，可以補前人論述之不足。至於附錄一爲〈日本近代京
都學派經學研究年表〉，有助於我們初步掌握日本學者的研究成果。附錄二爲〈訪
本田濟教授談日本近代京都學派之經學研究〉，本田濟教授爲日本著名漢學家，透

過本文，可以讓讀者簡單的瞭解日本近代京都學派的形成、研究特色和代表人物等。

　　學術研究如何國際化，是學界需要積極面對的一項重大課題，臺灣學者目前介紹日本學術情況的書籍仍是十分少見，作者能從事此方面之研究，不僅可以開拓本地學者的視野，同時對國際漢學交流亦有積極推廣之功。　　　　　　　（何淑蘋）

《崔述與中國學術史研究》

《崔述與中國學術史研究》　邵東方著　北京　人民出版社　13, 412頁　1998年4月

　　崔述（1740－1816），字武承，號東壁，直隸大名府（今河北大名）人，為清代乾嘉時期的學者。他傾畢生之力於上古史的研究，採用以經證史的原則，對於所見的古書古事進行較有系統的辨偽與考信，胡適即讚譽他為「科學的古史家」。然而，由於種種的原因，崔述的考據之學不為清儒所重，因此沒能在清代產生重要的影響。時至二十年代，隨著「古史辨」運動的興起，崔述的疑古思想為胡適、顧頡剛等人所重視，遂引發了推動新史學發展的意外效果。經過他們的鼓吹，崔述學術遂復昌明，其著作對於當時興盛一時的疑古辨偽潮流產生莫大的影響。

　　本書作者鑒於前輩學者在肯定崔述的同時，往往有有意無意地流露出一種偏見，即他們對崔述之學，多擇精語詳，津津樂道，推重其成就，而對其所不足之處，則一帶而過，不求責備的缺點。因此，作者遵照不為賢者諱的古訓，收集其研究崔述及有關學術史問題的七篇文章，如〈關於崔述學術的幾個問題〉、〈崔述的疑古考信和史學研究〉、〈崔述的古史考證與周公攝政稱王問題〉、〈崔述在清代儒學定位之重新考察〉、〈經義求真與古史考信〉、〈論胡適顧頡剛的崔述研究〉，以及〈《今本竹書紀年》諸問題考論〉等，對於崔述學術中的幾個問題略述己見，以補前開所說之未備。

　　另外，本書又附有陳力的〈今本《竹書紀年》研究〉作為參照，以促進學術上的交流。　　　　　　　　　　　　　　　　　　　　　　　　（張博成）

《高郵王氏父子學術初探》

《高郵王氏父子學術初探》　舒懷著　武昌　華中理工大學出版社　303頁
1997年11月

　　清乾嘉時代經學研究大盛。其所以異於前代，是能利用小學的知識和校勘的
工夫。梁啓超《中國近三百年學術史》曾贊賞王念孫、王引之父子所著之《經義述
聞》，「在校勘和訓詁方面，許多難讀或前人誤解的文句，讀了它，便渙然冰
釋。」除《經義述聞》外，王氏父子另有《經傳釋詞》、《讀書雜誌》、《廣雅疏
證》，合稱「王氏四種」。有關王氏父子的研究，不論是著作的點校整理和學術思
想特色的探究，都尚在起步階段。本書是近年最值得注意的專著。

　　全書分六章，首章〈王氏父子語言文字學著作述要〉，是王氏父子著作的提
要。二章〈純正而樸實的學風〉，論王氏父子學風之特色。三、四章〈以小學校
經、以小學說經〉，論述王氏父子校勘經籍的方法和成就。五章〈王念孫的古音學
說〉，探述王念孫古音學的內涵和成就。六章〈王氏古音學說的應用〉，論述王氏
應用古音學的知識，校勘古籍的方法和成果。書末附〈高郵王氏父子年譜新編〉。

　　本書是作者多年研究王氏父子的成果結晶。對研究清乾嘉學派和王氏父子學
術，都有相當的貢獻，值得推介。　　　　　　　　　　　　　　　　（編輯部）

《段注訓詁研究》

《段注訓詁研究》　馬景倉著　南京　江蘇教育出版社　320頁　1997年12月

　　段玉裁作《說文解字注》，始於乾隆四十一年（1776），完稿於嘉慶十二年
（1807），至嘉慶二十年（1815）陸續刊行，歷時四十年而全部完成。此一巨著自
刊行後受到當時小學家極高的評價。此後，研究段《注》之專著和論文紛紛出現，
而形成「說文段注學」。本書是研究段注學的最新著作。

　　全書分七章，首章〈段注對《說文》條例的揭示〉，探討《說文》分部、列
字規律、用字、釋義、引經之條例。二章〈段注訓詁研究的方法〉，探討段《注》
求證詞的本義之方，及對「今俗註」、「類比」手法的運用。三章〈段注對同義詞
的辨析〉，分同義名詞、動詞、形容詞三節討論。四章〈段注術語「渾言」、「析

言」剖析〉，探討段注使用「渾言」、「析言」的各種問題。五章〈段注詞義引申現象剖析〉，探討由詞義特徵、範圍、性質所產生的引申現象。六章〈段注的音義觀和反訓觀〉，探討段注「聲轉」、「語轉」之作用，「之言」的本質特點。七章〈段注訓詁的不足之處〉。

　　書前有南京師範大學徐复教授的序，以爲本書有：⑴內容全面，歸納成系統；⑵剖析細緻，研討深刻；⑶以現代語言學理論引入段注之研究；⑷材料豐富，例證精當等七點價值。值得研究清乾嘉之學和小學的學者參考。　　　　（編輯部）

附錄一

《經學研究論叢》稿約

一、本《論叢》每年三、九月各出版一輯。每年一、七月底截稿。

二、本《論叢》刊載海內外人士有關經學和經學家的相關論文和資訊。

三、本《論叢》僅刊登中文稿，且不接受任何已刊登過之稿件。

四、學術論文以一萬至兩萬字為原則；出版資訊，每則以六至八百字為限。特約稿
　　不在此限。

五、稿件中涉及版權部分（如：圖片及較長之引文），請事先徵得作者或出版者之
　　書面同意，本《論叢》不負版權責任。

六、來稿刊出後，學術論文部分贈送本《論叢》一冊，抽印本三十本；其他專欄，
　　贈送本《論叢》一冊。皆不另付稿酬。

七、來稿請註明姓名、現職、電話（傳眞）、通信地址，以便連繫。

八、來稿請寄：

　　[106]　臺北市和平東路一段 198 號
　　　　　　臺灣學生書局經學研究論叢編輯部

附錄二

《經學研究論叢》撰稿格式

本《論叢》爲方便編輯作業，謹訂下列撰稿格式：

一、各章節使用符號，依一、（一）、1、⑴……等順序表示。

二、請用新式標點，惟書名號改用《　》，篇名號改用〈　〉，書名和篇名連用
　　時，應以「‧」斷開，如《詩經‧小雅‧鹿鳴》。

三、引用語句所用括號，外括號用「　」表示，有內括號時，用『　』表示。

四、獨立引文，每行低三格。

五、注釋號碼請用阿拉伯數字標式，如❶，❷，……。

六、注釋之體例，請依下列格式：

　㈠引用古籍

　　1.古籍原刻本

　　　清毛奇齡撰：《周禮問》（清嘉慶元年刊毛西河先生全集本），卷 3，頁 5
　　　上。

　　2.古籍影印本

　　　明郝敬撰：《尚書辨解》（臺北：藝文印書館，1969 年，百部叢書集成影
　　　印湖北叢書本），卷 5，頁 8 下。

　㈡引用專書

　　王夢鷗撰：《禮記校證》（臺北：藝文印書館，1976 年 12 月），頁 102。

　㈢引用論文

　　1.期刊論文

　　　屈萬里撰：〈宋人疑經的風氣〉，《大陸雜誌》第 29 卷第 3 期（1964 年 8
　　　月），頁 23－25。

　　2.論文集論文

　　　屈萬里撰：〈論禹貢著成的時代〉，《書傭論學集》（臺北：臺灣開明書

店，1969 年），頁 116。

3.學位論文

張以仁撰：《國語研究》（臺北：臺灣大學中文研究所碩士論文，1958年），頁 201。

4.報紙論文

丁邦新撰：〈國內漢學研究的方向和問題〉，《中央日報》，第 22 版，1988 年 4 月 2 日。

㈣再次徵引

1.再次徵引時，可用簡單方式處理，如：

❶　程元敏撰：〈書疑考〉，《書目季刊》第 6 卷 3、4 期合刊（1971 年 6月），頁 93。

❷　同前註。

❸　同前註，頁 98。

2.如果再次徵引的註，不接續，可用下列方式表示：

❹　同註❶，頁 96。

國家圖書館出版品預行編目資料

經學研究論叢‧第六輯

林慶彰主編.— 初版.—臺北市：臺灣學生，
1999[民 88]　面；公分

ISBN 957-15-0993-0(平裝)

1. 經學 – 論文 – 講詞等

090.7　　　　　　　　　　　　　　　　88015590

經學研究論叢‧第六輯(全一冊)

主　編　者：林　　　　慶　　　　彰
責任編輯：游　　　　均　　　　晶
出　版　者：臺　灣　學　生　書　局
發　行　人：孫　　　善　　　治
發　行　所：臺　灣　學　生　書　局
　　　　　　臺北市和平東路一段一九八號
　　　　　　郵政劃撥帳號00024668號
　　　　　　電　話：(02)23634156
　　　　　　傳　真：(02)23636334
本書局登
記證字號：行政院新聞局局版北市業字第玖捌壹號
印　刷　所：宏　輝　彩　色　印　刷　公　司
　　　　　　中和市永和路三六三巷四二號
　　　　　　電　話：(02)22268853

定價：平裝新臺幣三五〇元

西　元　一　九　九　九　年　六　月　初　版